| 16 | 3  | 2  | 13 |
|----|----|----|----|
| 5  | 10 | 11 | 8  |
| 9  | 6  | 7  | 12 |
| 4  | 15 | 14 | 1  |

# Antonio Risério

# A UTOPIA BRASILEIRA E OS MOVIMENTOS NEGROS

editora■34

EDITORA 34

Editora 34 Ltda.
Rua Hungria, 592  Jardim Europa  CEP 01455-000
São Paulo - SP  Brasil  Tel/Fax (11) 3811-6777  www.editora34.com.br

Copyright © Editora 34 Ltda., 2007
*A utopia brasileira e os movimentos negros* © Antonio Risério, 2007

A FOTOCÓPIA DE QUALQUER FOLHA DESTE LIVRO É ILEGAL E CONFIGURA UMA
APROPRIAÇÃO INDEVIDA DOS DIREITOS INTELECTUAIS E PATRIMONIAIS DO AUTOR.

Edição conforme o Acordo Ortográfico da Língua Portuguesa.

Capa, projeto gráfico e editoração eletrônica:
*Bracher & Malta Produção Gráfica*

Revisão:
*Arthur Bueno*
*Flora Lahuerta*
*Fabrício Corsaletti*

1ª Edição - 2007, 2ª Edição - 2012 (1ª Reimpressão - 2022)

CIP - Brasil. Catalogação-na-Fonte
(Sindicato Nacional dos Editores de Livros, RJ, Brasil)

|  | |
|---|---|
| | Risério, Antonio |
| R492u | A utopia brasileira e os movimentos negros / |
| | Antonio Risério. — São Paulo: Editora 34, 2012 |
| | (2ª Edição). |
| | 440 p. |
| | ISBN  978-85-7326-385-5 |
| | Inclui bibliografia e índice. |
| | 1. Brasil - Relações raciais.  2. Brasil - |
| | Movimentos sociais.  I. Título. |

CDD - 305.981

# A UTOPIA BRASILEIRA
# E OS MOVIMENTOS NEGROS

Nota do autor ................................................................ 9

1. Por um olhar brasileiro ............................................ 17
2. Mestiçagem em questão ........................................... 39
3. Mulato, o visível e o invisível ................................. 69
4. Em busca de ambos os dois ..................................... 91
5. A morte dos deuses nos EUA ................................... 123
6. Presença de Exu ..................................................... 149
7. Sob o signo do exorcismo ....................................... 185
8. Sincretismo e multiculturalismo .............................. 207
9. Trilhos urbanos ...................................................... 229
10. Palavras, palavras, palavras .................................. 251
11. Imagens, tambores e melodias ............................... 277
12. A escola brasileira de futebol ............................... 299
13. Movimentos negros ontem ..................................... 325
14. Movimentos negros hoje ....................................... 353
15. A nova história oficial do Brasil ........................... 389
16. Toque final .......................................................... 411

Referências bibliográficas ............................................ 425

*para João Santana*

*Now art thou what thou art,*
*by art as well as by nature.*

Shakespeare

## NOTA DO AUTOR

O que o eventual leitor vai ler ou folhear apenas, nas páginas que seguem, é uma coleção de ensaios, ainda que intimamente entrelaçados, compondo um conjunto coeso e articulado. Uma espécie de macroensaio. Não se trata de tese universitária ou outra espécie qualquer de escrita acadêmica. Daí, a sua liberdade formal. A sua natureza eclética (ou "transdisciplinar", para usar uma gíria mais atual): história, política, linguística, sociologia, semiótica, estética e antropologia mobilizadas numa tentativa de dar conta do recado — a discussão da questão racial brasileira, sob variadas luzes e aspectos igualmente vários. Ensaios semiplenos, evidentemente. Não só porque cada um deles poderia ser desenvolvido, isoladamente, em um livro, como há coisas que ficaram de fora. E outras que abordei de passagem, a voo de pássaro. É muito amplo o leque de temas e problemas que aparecem, nesse particular, nos diversos campos do fazer e do pensar brasileiros. E se tudo existe para acabar em livro, como dizia Mallarmé, o fato é que nem tudo cabe em um só volume.

Não fiz concessão, em momento algum, ao besteirol do "politicamente correto". Por respeito ao *idiomaterno*, como o chamava Haroldo de Campos, um dos príncipes da língua portuguesa. Além disso, uma fórmula como "ele ou ela" não apenas pode atravancar a prosódia, o ritmo da fala ou frase, como, alguém já notou, traz à luz um outro problema, o da prioridade. Por que não "ela ou ele"? Afora isso, alguém se incomoda com o fato de o sintagma "a humanidade" estar no feminino? Em grego, "árvore" é neutro. Mas nem sempre é neutralidade o que a língua oferece. De outra parte, a conversa de Barthes, sobre o caráter "fascista" da língua, é charme a ser deixado de quarentena. O que a língua franqueia é muito maior do que o que ela impõe ou proíbe.

Schlichthorst, mercenário que serviu no exército imperial brasileiro, escreveu as seguintes palavras, em *O Rio de Janeiro Como É (1824-1826): Uma Vez e Nunca Mais*: "Os sons de todas as línguas da América do Sul muito se assemelham às vozes dos sapos, das rãs e das cobras, que pululam nessa região. Vê-se, assim, a grande influência exercida pela natureza até na origem e desenvolvimento dos idiomas. Os romanos compararam o dos antigos germanos ao chilrear dos pássaros, que povoam os bosques sagrados de nossa pátria. O português é o latim falado por judeus". Não vejo mal algum em judeus falando latim, mas é claro que não penso como Schlichthorst. Além disso, uso, sem discriminações, a minha língua. O vocabulário rico e mestiço do português do Brasil. Quem se sentir ofendido, pode se queixar ao bispo. Não tenho tempo a perder com modismos ou esportes político-acadêmicos. Mesmo porque o "politicamente correto" varia de lugar para lugar. Há quem diga, por exemplo, que a palavra *preto*, quando empregada para falar de pessoas pretas, é pejorativa. Deve-se usar o vocábulo *negro*. Nos EUA, é o contrário. "Negro" é pejorativo. Deve-se dizer *black*, "preto". "Há um crescente ressentimento com a palavra 'negro' [...] porque este termo é invenção de nosso opressor; é a *sua* imagem de nós que ele descreve. Muitos pretos estão se chamando, agora, africano-americanos, afro-americanos ou povo preto, porque esta é a *nossa* imagem de nós mesmos", escreviam Ture e Hamilton, em 1967, em *Black Power: The Politics of Liberation*. Antes que venham querer me ditar regras, portanto, inverto a fórmula popular: vocês, que são pretos, que se entendam.

Amigos mulatos já me censuraram o emprego das expressões *bozó* e *macumba*. Seriam depreciativas. A razão, não sei. Nem eles souberam me explicar. Recentemente, numa reunião na sede do Olodum, a socióloga Beth Capinan causou constrangimento ao se referir *a um filho seu* como *batuqueiro*. Depois de alguns segundos de silêncio, um comissário racialista neonegro do "politicamente correto" sentenciou: "Batuqueiro, não, Beth... percussionista". Só não vou acusar tal pessoa de racismo porque sei que não é disso que se trata. Mas bozó, macumba e batuqueiro são palavras negras, de raiz africana. Yeda Pessoa de Castro identificou suas origens. "Bozó" é banto. Vem da língua kikongo — *mbóozo* —, com o significado de "encantamento", "feitiço". No Brasil, o vocábulo designa, quase sempre, oferendas propiciatórias. Querem que, em vez de bozó, a gente diga "oferenda propiciatória"? Depositaram uma oferenda propiciatória bem aos pés daquela árvore, por exemplo? Do mesmo modo, *macumba* é uma palavra de origem africana, banta. Existe no kikongo e no kimbundo: *makuba*, "reza", "invocação". No Brasil, é uma denominação genérica para manifestações religiosas de extração africana. O pessoal da macumba me aconselhou um bozó? Nunca. Sacerdotes do culto afro-brasileiro sugeriram uma oferenda propiciatória... Também *batuqueiro* é uma palavra banta. Vem de *vutuki*, "batuque", com o sufixo lusitano — *eiro*. Já o sintagma *percussionista* é do latim: *percussio, percussionis*, "ação de bater". Não é estranho que negros discriminem palavras africanas no português do Brasil? Será que acham que Assis Valente usava em tom depreciativo o termo *batucada*? Será que precisamos perder tempo com isso?

Mais palavras. Jogo muitas vezes com as palavras *padê* e *apartheid*. Todos conhecem a expressão *apartheid* e sabem o que ela significa. O vocábulo *padê* é menos conhecido. Em "Nomes: O Nome", Vivaldo da Costa Lima esclarece: "A palavra *padê* — como tanta coisa no sistema simbólico dos terreiros da Bahia, é de claro étimo iorubá. O dicionário de Abraham, em *ìpàdé* (ipadê), remete para *pàdé* (padê), donde, então, o verbete, nos vários sentidos em que o termo é corrente na língua iorubá: 'ipadê (a) (I) ato de encontro. (II) ibi ipadê, lugar de encontro: rendez-vous. (b) realização de uma reunião, ex. *ó pe ìpàdé* (ô pê ipadê) ele convocou uma reunião. (c) festa, ex. *ó n se ìpàdé* (ô'n xê ipadê), ele está dando uma festa'". Enquanto *apartheid* nos fala de separação, apartamento, *padê* nos fala de encontro, reunião, festa. Em termos cultuais, *padê* é como se chama o rito onde se invoca e propicia o orixá Exu. "O padê, também chamado despacho de Exu, é a primeira obrigação de toda festa. Abre as festas públicas antes que a macumba se inicie pela noite. O padê é a invocação de Exu para que tudo saia bem na festa, sem haver nenhuma desarmonia. Exu, contente por ter sido homenageado, deixa que a festa se desenvolva com ordem e alegria", escreveu Deoscóredes Maximiliano dos Santos, em *Axé Opô Afonjá*. Bem, *padê* e *apartheid* são expressões ou conceitos ocasionais que aciono para caracterizar aspectos de vivências raciais brasileiras e norte-americanas.

Devo dizer, ainda, que este livro se destina à comunidade geral dos leitores. Não foi escrito com vistas ao consumo de um grêmio de especialistas. Meu alvo é o público leitor razoavelmente informado, que ocupa o vasto território delimitado, por um lado, pelos *sorbonícolas*, de que falava Rabelais, e, de outro, pelos *quadrupedantes*, a que se referia Gregório de Mattos. E isto explica algumas coisas. O fato de eu me demorar na apreciação de aspectos da vida norte-americana, por exemplo. Faço isto por dois motivos. De uma parte, em função da importação colonizada de conceitos estadunidenses, por parte dos arautos neonegros de nosso racialismo político-acadêmico. De outra, porque sei que muitos leitores brasileiros não estão familiarizados com tais realidades e noções norte-americanas — especialmente, em suas dimensões históricas, culturais e políticas. Na verdade, os EUA constituem um caso único, em todo o planeta, em matéria de classificação racial. São a única nação do mundo em que uma gotícula de sangue negro é suficiente para definir uma pessoa como preta. Lá, oficialmente, não existem mestiços. É a célebre *one drop rule*, a regra de uma gota só, criação de senhores escravistas brancos e inspiradora das práticas da Ku Klux Klan, que

Nota do autor

terminou sendo imposta aos (depois, adotada pelos) negros norte-americanos — e hoje é copiada por neonegros brasileiros, apesar do que foi desvelado à passagem do Katrina.

A fim de evitar qualquer mal-entendido, apresso-me a dizer que sei muito bem que não vivemos em regime de "democracia racial", que o racismo brasileiro é um fato e que não considero que o sistema escravista brasileiro teria sido melhor ou mais ameno que o norte-americano. Não consigo admitir coisíssima alguma de boa em nenhum tipo de escravidão. Toda escravidão é execrável. Eu não teria nenhuma palavra sequer remotamente complacente para os sistemas escravistas da velha Grécia, da África ou de nossos índios tupis. E muito menos para os escravismos brasileiro e estadunidense. Se o regime escravista brasileiro não tivesse sido poderosamente opressivo, cruel e mesmo sádico, escravos não teriam experimentado o banzo, nem praticado suicídio. Gilberto Freyre se sentiu algo constrangido ao tratar do suicídio escravo no âmbito da colonização lusitana, tocando-o apenas de raspão, como se pode ver em *Casa-Grande & Senzala*: "não foi toda de alegria a vida dos negros, escravos dos ioiôs e das iaiás brancas. Houve os que se suicidaram comendo terra, enforcando-se, envenenando-se com ervas e potagens de mandingueiros". Lamentavelmente, Freyre não se dispôs a ler o suicídio escravo em pauta sociológica, limitando-se a roçar um psicologismo de ocasião, quando conecta suicídio e banzo. É verdade que o banzo foi a antessala do suicídio, mas nem sempre este precisou daquele à guisa de prefácio. O banzo, neste caso, é secundário. Antes que à labareda do protesto (sim: o suicídio escravo foi uma forma extrema de protesto), remetia à mais funda melancolia. Uma espécie de nostalgia depressiva — lenta e letal. Nada de semelhante ao raio da recusa. Escravos não se mataram apenas porque andavam tristíssimos. Mataram-se porque eram escravos. Vale dizer, o suicídio foi um efeito do sistema. Um subproduto da escravidão.

Muito já se falou e escreveu sobre os horrores da escravidão nos EUA. Os do escravismo brasileiro não foram menores. Nem os do escravismo cubano. E a violência não atingia somente negros escravizados. Alcançava os libertos. Em "Peculiaridades de la Esclavitud en Cuba", Moreno Fraginals informa: "Em 1830, José Antonio Saco se queixava de que os ofícios em Cuba estivessem em mãos de negros e assinalava, como exemplos, pedreiros e cocheiros. Trinta anos mais tarde, todos os cocheiros de Havana eram espanhóis, brancos, e a corporação dos pedreiros não admitia negros. Finalmente, em 1844, adotou-se a solução gordiana: liquidar fisicamente a pequena burguesia negromulata, sob o pretexto de uma sublevação geral dos negros. Milhares de negros livres, que haviam alcançado um determinado nível social, foram executados, encarcerados ou expatriados — e seus bens, retidos". Muito já se falou e escreveu, também, de "uma tendência geral para o sadismo criada no Brasil pela escravidão e pelo abuso do negro". De senhores que mandavam "queimar vivas, em fornalhas de engenhos, escravas prenhas, as crianças estourando ao calor das chamas". E estas passagens aspeadas, para a provável surpresa de muitos, foram extraídas do já mencionado *Casa-Grande & Senzala*, de Gilberto Freyre, o suposto criador do "mito da democracia racial". Aliás, quem deu uma boa definição do escravismo brasileiro foi Maximiliano da Áustria, em seu *Bahia 1860: Esboços de Viagem*: "Os negros são escravos, isto é, animais com alma humana. Os brancos são donos de escravos, isto é, homens com alma de animal".

Se não podemos dizer, dos sistemas escravistas do Brasil e dos EUA, que um foi "melhor" do que o outro, devemos enfatizar, por outro lado, que tais sistemas, em sua totalidade e em seus detalhes, foram bem distintos entre si. Assim como foram diversos os espaços de manobra que os negros conheceram lá e cá — e que utilizaram, estrategicamente, com sentido e direção também dessemelhantes. São as diferenças destas experiências históricas que explicam a existência de candomblés no Brasil e a inexistência de orixás nos Estados Unidos. Os deuses africanos foram eliminados da vida norte-americana. Se tivesse acontecido, no Brasil, no Haiti e em Cuba, o que aconteceu nos EUA e na Argentina, não teríamos, hoje, vestígios de signos culturais explicitamente africanos, em toda a vastidão continental das Américas. É tão simples assim.

O racismo brasileiro, por sua vez, é assunto que apresenta alguma complexidade. Ao contrário do que se vê na história política, jurídica e social dos EUA, o preconceito racial, no Brasil, nunca se expressou nos termos de uma segregação explícita ou legalmente constituída. Nunca foi racismo institucionalizado. Racismo de Estado. Raramente foi preconceito aberto, franco, escancarado. Nem tivemos, jamais, algo de equivalente à Ku Klux Klan, com seus incêndios, assassinatos e linchamentos. A realidade, aqui, é outra. Em entrevistas ou simplesmente conversando sobre o assunto, costumo, às vezes, apelar para a *boutade*, dizendo que o Brasil, neste aspecto como em outros, é um país paradoxal: o país mais e menos racista do mundo — *simultaneamente*. Sei que não é exatamente isso, mas quase. Recorro à *boutade* para desarmar discursos cristalizados e abrir caminho à discussão. Para apontar para a especificidade do racismo à brasileira. Porque tanto temos a aproximação generosa e o convívio genuíno entre raças, como o preconceito, muitas vezes velado e envergonhado, mas nem por isso menos canalha e cruel. A existência deste racismo, porém, é incontestável. Ele aparece e está presente em toda parte. Poderíamos acumular exemplos e mais exemplos relativos ao assunto. Vou me limitar a apenas um, citando a divisa da cidade de Ouro Preto, velho centro aurífero e barroco do Brasil, que empregou milhares de escravos na labuta de suas minas. A inscrição vem no latinório de praxe, mas o que diz é afrontoso. Racista. Uma comparação implícita, mas óbvia, agressiva e ultrajante. *Pretiosum tamen nigrum* — "Precioso, mesmo que preto". É preciso dizer mais?

Uma outra coisa é que não me esqueci, em momento algum, ao longo da redação destes escritos, de uma observação feita por Luiz Costa Lima, em *Dispersa Demanda*. Neste texto, Costa Lima assinala que um dos "traços constantes" do sistema intelectual brasileiro é "a sensação, ingênua ou fraudulenta, conforme o caso, que têm seus participantes de não pertencerem a nenhum grupo social, de estarem como soltos no espaço dos interesses sociais". Bem, diante do tema que estou tratando, devo avisar que sou um mestiço brasileiro, baiano, de classe média. Mestiço claro. Nunca senti na pele o preconceito. Nunca passei por nenhuma humilhação racial. Em minha família, há mulatos e sararás. Saí mais claro, de modo que, no Brasil, sou classificado como "branco". Descendo de pretos, índios (por parte, principalmente, de minha linha materna e da linhagem de minha avó paterna), portugueses do norte de Portugal, italianos (daí, algo corrompido, o meu sobrenome) e, ao que tudo indica, de judeus, cristãos-novos da Bahia.

Não acho que, por não ser negro, esteja impedido de discutir a questão racial brasileira. Ela diz respeito a todos nós e não apenas a negros. Diz respeito a *relações* — e a relações que se dão entre uns e outros, jamais apenas entre os mesmos. Diz respeito ao Brasil. Além disso, negros não se cansam de analisar (e atacar) "os brancos". Mesmo o candomblé, hoje, já não é somente coisa de negro — é coisa de branco, também. E ainda que fosse, nada me impediria de frequentá-lo e estudá-lo. Me lembro de um amigo negro-mestiço, também militante, que me dizia que brancos jamais entenderiam o candomblé. Sua explicação: "só negro entende coisa de negro". É uma observação infeliz. Primeiro, porque, se fosse verdade, a recíproca também seria verdadeira: só branco entenderia coisa de branco — o que equivaleria a dizer que o negro seria incapaz de entender a matemática, a música concreto-eletrônica, a filosofia de Heidegger ou a física quântica. Segundo, porque achar que "só negro entende coisa de negro" é fetichizar a cor da pele. É cair naquilo que René Depestre, em "Saludo y Despedida a la Negritud", classifica em termos de "metafísica somática". Falo de negros como falo de gregos, alemães e chineses. Com uma diferença fundamental: há negros — mas não gregos, alemães ou chineses — na minha genealogia e na minha história de vida. No meu país, no meu povo, em minha cultura. Por fim, o fato de nunca ter sido vítima do racismo não implica que eu não seja capaz de entendê-lo. Aliás, sofrer e entender são coisas bem diversas. Do mesmo modo, não sou camponês, mulher, nem débil mental (espero). Mas nem por isso estou impedido de investigar e procurar entender seus mundos.

Faço estas observações porque tenho consciência do caráter polêmico destes ensaios. E das reações que podem provocar. Aliás, temos hoje um grande problema, nesse particular, no Brasil. A discussão e o debate estão cada vez mais malditos e suspeitos. Não há lugar para críticas, só para a adesão ou a maledicência. A quase totalidade das pessoas que falam de diálogo, nele, de fato, não acreditam. Se critico feministas, sou machista. Se não gosto de alguma manifestação popular, sou elitista. Se invisto contra o neopentecostalismo, sou enviado do demônio. Se tenho restrições aos movimentos negros, sou racista. E assim por diante. Vivemos dias de intolerância, indignações fáceis, sensibilidade neurótica a desvios e dissensões. O clima, especialmente com relação às chamadas "minorias", é de intimidação do debate. De ataque brutal à divergência. De bloqueio ao senso crítico. Fico, então, com as exceções. Com a paixão do debate e da troca — clara, direta e honesta — de ideias.

Por fim, sinto-me na feliz obrigação de dizer que escrevi este livro sob a pressão generosa de dois amigos: Eduardo Giannetti, autor de *Vícios Privados, Benefícios Públicos? — A Ética na Riqueza das Nações*, e João Santana, autor de *Aquele Sol Negro Azulado*. Eu tinha escrito um breve ensaio, "Dicotomia Racial e Riqueza Cromática", que Emanoel Araújo fez publicar no catálogo-álbum *Brasileiro, Brasileiros* do Museu Afro Brasil, de São Paulo, e o dramaturgo portenho Jorge Huertas traduziu para o espanhol, com vistas à sua publicação na Argentina. Ao lê-lo, Giannetti me telefonou, pedindo permissão para tirar cópias e distribuir entre algumas pessoas. Disse, ainda, que achava que eu deveria desenvolver o ensaio, transformando-o em livro. Meses depois, num encontro em São Paulo, Giannetti foi mais enfático. Só faltou dizer que eu estava *intimado* a escrever o livro. Comentei o assunto com João Santana. Ele concordou, imediata e inteiramente, com Giannetti. Resolvi então me trancar em casa, na Bahia, e escrever o livro. Foram meses de disciplina monástico-militar. João acompanhava cada sílaba que eu escrevia, fazendo críticas e sugestões, emprestando-me livros. Amenizando a solidão da escritura.

Alguns amigos (nem Eduardo Giannetti, nem João Santana — aviso) reclamaram do que consideram um excesso de citações no texto. Aliás, já o historiador Carlos Guilherme Mota, do Instituto de Estudos Avançados da

USP, autor de *Ideia de Revolução no Brasil (1789-1801)*, num breve ensaio que escreveu sobre o meu livro *Avant-Garde na Bahia*, publicado no "Jornal de Resenhas" da *Folha de S. Paulo*, fazia o mesmo comentário. Não tem jeito. Não consigo fazer de conta que é de minha autoria uma ideia ou formulação que é de outra pessoa. Confesso que não deixa de despertar meu menosprezo o fato de o jornalista Eduardo Bueno (hoje, *best-seller*) reproduzir, em seus livros, coisas minhas, sem citar a fonte. Do mesmo modo que não gosto de ver Darcy Ribeiro sonegando aspas, como no caso da noção de "cunhadismo", *cuñadazgo*, que nos vem de um jesuíta anônimo, a propósito da ocupação do Paraguai — e é citada, inclusive, por Sérgio Buarque de Holanda, em seu *Tentativas de Mitologia*. Deixem-me, portanto, com as minhas citações. Antes o excesso que a sonegação.

Mesmo porque não é isto o mais importante. O que importa é que amigas e amigos me ajudaram, desde o início, na composição destes escritos, discutindo detalhes, fazendo perguntas, estimulando, emprestando-me artigos, jornais, revistas, discos, filmes e livros. É com prazer que deixo a elas e eles, aqui, os meus agradecimentos. Elas: Beth Capinan, Déa Mascarenhas Queiroz, Edinha Diniz, Gisela Moreau, Isa Grinspum Ferraz, Lau Alencar, Lise Freitas, Mônica Rodrigues da Costa e Taya Soledade. Eles: Armando Almeida, Adolpho Netto, Amon Pinho, Emanoel Araújo, Gustavo Falcón, Jeferson Bacelar, Jorge Huertas, Luiz Chateaubriand Cavalcanti, Marcelo Ferraz, Marcos Pompeia, Marcelo Simões e Roberto Pinho.

Agora, é esperar que o texto encontre os seus destinatários.

*Antonio Risério*
Santo Amaro do Ipitanga, fevereiro de 2007

# 1.
## POR UM OLHAR BRASILEIRO

É claro que existe racismo nos EUA. É claro que existe racismo no Brasil. Mas são espécies distintas de racismo, em decorrência da contextura histórica de cada projeto colonizador, da formação cultural diversa dos colonizadores de cada um desses países e do modo como se desenhou a trajetória social dos povos brasileiro e norte-americano. Para dizer de modo breve e simples, o que se configurou no Brasil foi uma sociedade de natureza mais convivial e conversável, mais "relaxada", ao passo que nos EUA instaurou-se uma sociedade nítida e rigorosamente segregacionista, do plano físico ao cultural. Foi por esse caminho que pôde se firmar, no Brasil, a crença, hoje estilhaçada, de que vivíamos em um regime de "democracia racial". E ainda: que o caso brasileiro se converteu em algo assim como um contraexemplo da experiência racial norte-americana. Coisa que desde sempre encontrou seus advogados e mesmo apologistas nos EUA, mas que, ao mesmo tempo, nunca deixou de incomodar alguns ideólogos da *America*, do *American Dream* e do *American way of life*.

Acontece, porém, que, nesses últimos anos, temos algo de novo no ar. O caso brasileiro não é mais um incômodo somente para um pequeno círculo mais tradicionalista, politicamente conservador, de defensores do *establishment* e do *modus vivendi* norte-americanos. Passou a importunar também, e mesmo a exasperar, certos setores *soi-disant* contestatários, que atuam sem descanso no mundo político-universitário dos EUA. Não é por outra razão que hoje flagramos uma estranha e obsessiva *necessidade* nesses meios acadêmicos e núcleos de militância negra — meios e núcleos que, não raro, apresentam-se em circuito reversível, precipitando as figuras típicas do militante professoral e do sectário de cátedra, ambos empenhados em conformar o mundo ao destino que, à nossa revelia, não hesitaram em traçar para todos nós. Já não se trata apenas, como há décadas atrás, de um esforço para provar e comprovar a existência de racismo na sociedade brasileira. A nova compulsão vai além disso. Trata-se agora da necessidade de demonstrar, contrariando as evidências disponíveis, que o "racismo à brasileira" (dissimulado, mascarado) é *pior* do que o racismo ianque, embora nunca tenhamos tido, entre nós, coisas como banheiro para preto e banheiro para branco (ou três banheiros: um para homens brancos; um para mulheres brancas; outro para negros, independentemente do sexo), Ku Klux Klan ou a proibição de casamentos interétnicos, que até ao ano de 1967 vigorava ainda em nada menos do que dezesseis estados norte-americanos. Mas, enfim, achava-se — *antes* — que era preciso dar uma resposta ao fato de o Brasil ter construído, ao longo de sua existência histórica, amplos e ricos espaços de convivência e diálogo entre povos e culturas e de ter vivido um notável e específico processo de mestiçagem — espaços de convívio e conversa não apenas entre brancomestiços e negromestiços, mas também entre povos hoje inimigos fora do território brasileiro, como árabes e judeus. E o que se acha — *agora* — é que é preciso combater sem tréguas a Grande Mistificação Brasileira, a fim de mobilizar os negromestiços locais para a luta, assim como o fizeram seus irmãos do Norte.

Mas por que os negromestiços brasileiros não se mobilizam com a amplitude, a frequência e a intensidade dos negros norte-americanos — especialmente, quando nos lembramos de que, ao longo da história da escravidão nas Américas, a combatividade e a capacidade organizacional dos escravos, no Brasil, foi sempre superior à dos escravos nos EUA? Foi esta a pergunta que se desenhou no ar. E a resposta parece ter vindo sob encomenda, como um pacote despencando das alturas do vazio. O grande fator de desmobilização de nossas massas negromestiças foi encontrado — justamente — no modo como os brasileiros veem a si mesmos, em termos raciais. Os brasileiros se identificam pela *cor* — e não pela *raça*. Pela aparência — e não pela ascendência. Pela pele — e não pela linhagem. Não contentes em serem mestiços, costumam se reconhecer como tais. Com isso, não temos, entre nós, uma "coletividade negra" bem definida, nitidamente demarcada, com fronteiras fixas e irremovíveis. O Brasil é o país da riqueza cromática. Bem diversamente do que ocorre nos EUA, onde a existência de mestiços de branco e preto não é reconhecida socialmente. Nos EUA (e só nos EUA, entre todos os países das Américas), qualquer indivíduo que tenha um mínimo de "sangue negro" é automaticamente classificado como negro. É a "regra de descendência" — *hypodescent* (ou *one drop*) *rule*, que não abre espaço algum para mestiços. O sujeito é irremissivelmente *black* — ou *white*. E ponto final. Não se admite a realidade das gradações, a emergência de figuras intersticiais entre um polo e outro, por mais que os olhos solicitem permissão para confirmar os matizes corporais que se desvelam em seu horizonte. É o contrário do que ocorre no Brasil, onde quase só há posições intermediárias, num vasto elenco de cores. Não: o que vigora, nos EUA, é o padrão dicotômico, o esquema binário, a ordenação bipolar.

Lideranças negromestiças brasileiras resolveram então (ou foram levadas a) acreditar que, na importação do modelo dicotômico estadunidense, estaria a solução para o problema da arregimentação política de nossos mestiços de pele menos clara. Decidiram fechar os olhos para a cor — e pensar em termos de raça. Adotaram o *pattern* binário, converteram-se ao "racialismo", negaram parte de sua ancestralidade (a branca, obviamente) e surgiram assim, no campo social e político do país, como uma espécie de nova categoria étnica — os *neonegros*. E daí partiram para a luta, dispostos a promover a eliminação ideológica do mestiço, banindo-o para sempre do horizonte da vida brasileira. Mas, aqui, há um fenômeno que não podemos deixar de assinalar. Esta importação conceitual racialista, transplantando para o nosso ambiente a classificação racial binária dos EUA, vem ocorrendo numa conjuntura muito curiosa, reveladora da defasagem que parece destinada a marcar os rebentos das produções político-intelectuais colonizadas. É que, ao tempo em que nossos racialistas tentam nos impor a dicotomia norte-americana, investindo contra a multiplicidade cromática brasileira, o que se está vendo agora, nos EUA, é o movimento inverso. A crítica e a recusa do padrão bipolar. Cresce a cada dia o número de mestiços, de mulatos norte-americanos, que não querem mais se identificar nem ser identificados como *negros*. Que, aproximando-se do modelo brasileiro, desejam ser vistos e serem tratados como mestiços. De fato, nunca se falou tanto como hoje, nos EUA, em mescla de raças e identidade birracial. É mais uma ironia da história, diria, talvez, o velho Deutscher. Em meio a recintos "de esquerda" da esfera político-acadêmica é que o padrão dicotômico — a compartimentalização étnica estabelecida há tempos pelos senhores brancos — não só permanece inquestionável, como passou a ser exportável. Como foi de fato importado por professores universitários e ativistas negromestiços do Brasil. Pois, acreditam eles, só a sua simplicidade (esquematismo, seria mais exato dizer) e "coerência", exorcizando as desesperantes ambiguidades brasileiras, pode servir de base a uma ação política "racial" bem definida, clara e firme. Não importa, aqui, como o Brasil se apresenta, nem de que modo se desenham os movimentos de suas marés. O que conta é o recorte metódico e redutor ao qual eles consideram que devem ser submetidas as nossas paisagens social e culturalmente meândricas. Assim, o que se deseja é impor, à desordem florestal, uma disciplina de canteiro. Em vez de luzes e deslizes cromáticos, a foto congelada em preto e branco. Em vez da multiplicidade, o dualismo. Em vez do diadema, o diagrama.

Não deixa de ser interessante. A ideia de que as relações raciais brasileiras exibiam um caráter especial — e se desdobravam de modo mais "harmônico" do que as norte-americanas — caminhou de forma não muito explícita e bem pouco sistematizada ao longo de nossa história. Quem configurou o — e deu visibilidade ao — hoje chamado "mito da democracia racial" (cuja paternidade se costuma atribuir a Freyre) não fomos simplesmente nós, os brasileiros. Mais que nossa, a cristalização de tal fantasia sociorracial foi, sobretudo, obra de norte-americanos. Negros, em boa parte. Já no século XIX, antes mesmo da Abolição, diversos escritores e viajantes estrangeiros anotavam fascinados — ou rejeitavam com horror — uma suposta inexistência de barreiras raciais no Brasil, a intimidade e a quase fraternidade reinantes nos contatos entre pretos e brancos, o fato de a cor não aparecer como obstáculo à ascensão social, etc. É o que se pode ver em textos de John Codman (livres intercursos raciais), de Ruschenberger (ausência de segregação em ônibus, trem, teatro, cafés e restaurantes), de Louis e Elizabeth Agassiz (*"there is far more liberality toward the free negro than he has ever enjoyed in the United States"*), de Fletcher, do Conde de Suzannet ("imoralidade" que possibilitou "o cruzamento das raças e destruiu todos os preconceitos de casta"), do botânico Detmer ("o que sobressai é o relacionamento puramente humano"; "nós, alemães, deveríamos tomar como modelo esse exemplo dos brasileiros") ou do pastor Kidder, entre tantos outros. Ficou mais ou menos conhecida, por sinal, a afirmação da esposa de um cônsul norte-americano no Rio de Janeiro, que, ao comparar a situação dos negros no Brasil e nos EUA, concluiu que aqui se encontrava *"the very paradise of the negroes"*, o vero paraíso dos pretos. E estas idealizações oitocentistas não perderam força no século seguinte. Podemos citar nomes de estudiosos norte-americanos que viram favoravelmente o sistema e as práticas escravistas do Brasil — basicamente, pelas maiores possibilidades que os escravos tinham, aqui, de se tornar livres —, em comparação com aqueles vigentes nos EUA, a exemplo do Tannenbaum de *Slave & Citizen* ("se o ambiente latino-americano era favorável à liberdade, o britânico e o norte-americano eram hostis") e do Stanley M. Elkins de *Slavery: A Problem in American Institutional and Intellectual Life*. E Elkins avançava em direção ao presente, falando da *"freely mixed society of post-Imperial Brazil"* — a sociedade livremente mesclada do Brasil pós-imperial — e enfatizando o abismo existente entre nós e os norte-americanos, no capítulo das relações raciais. Em "Política, Nacionalidade e o Significado de 'Raça' no Brasil" — texto enfeixado na coletânea *Brazil: Burden of the Past, Promise of the Future*, organizada por Leslie Bethell — Peter Fry foi justamente a este ponto: "Na verdade, há boas razões para supor que a ideia de 'democracia racial' foi consolidada por ativistas, escritores e intelectuais que olhavam para o Brasil desde terras onde a regra era a segregação. Por exemplo, negros dos Estados Unidos que visitavam o Brasil voltavam cheios de elogios. Líderes como W. E. B. Du Bois escreveram positivamente sobre a experiência negra no Brasil, enquanto o nacionalista negro Henry McNeal Turner e o jornalista radical Cyril Briggs foram a ponto de defender a emigração para o Brasil como refúgio à opressão nos Estados Unidos. Em 1944, o escritor judeu Stefan Zweig achou que o Brasil era a sociedade racialmente menos fanática que visitou. Na época de Du Bois, então, considerava-se amplamente o Brasil uma 'democracia racial', onde as relações entre pessoas de cores diferentes eram fundamentalmente harmoniosas".

Mas, se o "mito da democracia racial" foi-se consolidando, assumindo expressão gestáltica, especialmente a partir de construções textuais elaboradas por pessoas que viviam em terras ou países ostensivamente segregacionistas, como os EUA, não devemos nos esquecer de que, ao contrário, a crítica cerrada do mesmo mito foi iniciativa principalmente brasileira, com os trabalhos de, entre outros, Costa Pinto, Florestan Fernandes (que, por sinal, jamais deixou de reconhecer, simultaneamente, a natureza especial e específica de nossas relações raciais) e seus discípulos da chamada escola paulista de sociologia. Entretanto, de uns tempos para cá, na esteira do caminho aberto por Costa Pinto e Florestan, acadêmicos e ativistas ianques passaram a investir furiosamente, com ar novidadeiro de colombos tardios, contra o "nosso" mito da democracia racial, a atacar por todos os meios a "ideologia racial brasileira" e a pregar que o Brasil precisa se pensar — com urgência — em pauta racialmente polarizada, à maneira dos EUA. Professores universitários e militantes negromestiços brasileiros compraram imediatamente a pule. Avançaram sobre os produtos desse *free shop* político-acadêmico, sem se perguntar sobre a sua adequação para uma leitura mais complexa e mais realista da vida brasileira. De minha parte, aviso desde já, não se trata de combater "ideias fora do lugar", para lembrar a expressão de Roberto Schwarz, cunhada numa tese que parece pressupor a existência de algum páramo perfeito, onde princípios jurídicos e práticas sociais tivessem sido feitos um para o outro, coincidindo tintim por tintim (também nos EUA, liberalismo e escravidão conviveram por muito tempo, quase noventa anos: a Declaração da Independência é de 1776 e a *Thirteenth Amendment*, extinguindo o regime escravista, veio somente em 1865). Por outro lado, não é aceitável que nos ofereçam, a respeito da importação racialista, a conversa pseudoantropofágica de sempre, caricaturando Oswald de Andrade, numa ansiosa, confusa e supérflua confecção de álibis para tudo. Vamos colocar os pontos nos is: *antropofagia cultural* é assimilação crítica, incorporação subversiva e reinventora, e não complacência, permissividade programática. Entre as características do canibal oswaldiano, análogo simbólico do guerreiro tupi, não se encontra qualquer indício de um estômago de avestruz. Devoração crítica não é vale-tudo. E o jogo que estamos vendo, no caso da transplantação incontinente do racialismo, é uma outra coisa. É submissão mental.

É nesse contexto que devemos situar, com relação a nós, certos aspectos do imperialismo cultural norte-americano. Pierre Bourdieu e Loïc Wacquant, em "Sobre as Artimanhas da Razão Imperialista", examinaram o assunto de modo lúcido, partindo do princípio de que "o imperialismo cultural repousa no poder de universalizar os particularismos associados a uma tradição histórica singular, tornando-os irreconhecíveis como tais". É o que estamos vendo hoje: os EUA tratando de universalizar suas experiências particulares, como se no mundo não houvesse história senão aquela *made in USA*. Em "Relativismo versus Verdade Única", conferência realizada em São Paulo e incluída no livro *O Relativismo Enquanto Visão de Mundo* (organizado por Antonio Cícero e Waly Salomão), Ernest Gellner flagrou essa disposição absolutizante já na própria declaração de independência dos EUA. "Os [norte-]americanos tendem a absolutizar sua própria cultura. O exemplo mais cômico é, naturalmente, um de seus documentos mais conhecidos, que é o preâmbulo da Declaração de Independência Americana. Ele diz: 'essas coisas que consideramos evidentes', e depois as enumera (aliás, são coisas ótimas): 'a vida, a liberdade e a busca à felicidade'. Também tenho esses valores, mas daí a considerá-los evidentes... Ora, a maior parte da humanidade acha-os ininteligíveis, ou paradisíacos, ou heréticos. O que quero dizer é que o resto da humanidade não achava que a busca individualista de metas particulares dentro do respeito pelos outros fosse a condição humana natural — era preciso lutar por isso. E os americanos achavam *self-evident*!". É essa mesma propensão narcísico-absolutizante que se expressa sem pudor no simples e impróprio fato de os norte-americanos chamarem, aos EUA, *America*, como se eles fossem não um dos países do continente, mas a própria massa continental do Novo Mundo. Ou de se autodenominarem "norte-americanos" (expressão que uso por comodidade), como se vivessem sozinhos no espaço físico da América do Norte — e canadenses e mexicanos não fossem mais que ilusões de ótica.

Mas retornemos a Bourdieu e Wacquant, que escrevem: "hoje em dia, numerosos tópicos oriundos diretamente de confrontos intelectuais associados à particularidade social da sociedade e das universidades norte-americanas impuseram-se, sob formas aparentemente desistoricizadas, ao planeta inteiro". E ainda: "Assim, planetarizados, mundializados, no sentido estritamente geográfico, pelo desenraizamento, ao mesmo tempo que desparticularizados pelo efeito de falso corte que produz a conceitualização, esses lugares-comuns ["no sentido aristotélico de noções ou de teses *com as quais* se argumenta, mas *sobre as quais* não se argumenta, ou, por outras palavras, esses pressupostos da discussão que permanecem indiscutidos"] da grande vulgata planetária, transformados aos poucos, pela insistência midiática, em senso comum universal, chegam a fazer esquecer que têm sua origem nas realidades complexas e controvertidas de uma sociedade histórica particular [os EUA], constituída tacitamente como modelo e medida de todas as coisas". E o fato é que esta exportação de modelos e conceitos descontextualizados, como se eles tivessem valor universal, nos atingiu em cheio, transformando parte considerável do ambiente universitário brasileiro numa espécie de McDonald's de construções ideológicas e sanduíches conceituais alheios. O exemplo brasileiro — aviso — não sou eu quem dá, mas os próprios Bourdieu e Wacquant, impressionados com a nossa rendição político-acadêmica à pressão norte-americana. Um caso típico e acabado de dominação simbólica, alcançada por diversos meios, alguns dos quais de difícil admissão por parte dos submetidos ao novo jugo mental. Especificamente, Bourdieu e Wacquant apontam para leituras recentes da realidade racial brasileira que tentam dicotomizá-la:

"Em um campo mais próximo das realidades políticas, um debate como o da 'raça' ["em que a particularidade da situação norte-americana é particularmente flagrante e está particularmente longe de ser exemplar"] e da identidade dá lugar a semelhantes intrusões etnocêntricas. Uma representação histórica, surgida do fato de que a tradição norte-americana calca, de maneira arbitrária, a dicotomia entre brancos e negros em uma realidade infinitamente mais complexa, pode até mesmo se impor em países em que os princípios de visão e divisão, codificados ou práticos, das diferenças étnicas são completamente diferentes e em que, como o Brasil, ainda eram considerados, recentemente, como contraexemplos do 'modelo americano'. A maior parte das pesquisas recentes sobre a desigualdade etnorracial no Brasil, empreendidas por norte-americanos e latino-americanos formados nos Estados Unidos, esforçam-se em provar que [...] o país [...] não é menos 'racista' do que os outros [...] Ainda pior, o *racismo mascarado* à brasileira seria, por definição, mais perverso, já que dissimulado e negado. É o que pretende, em *Orpheus and Power*, o cientista político afro-americano Michael Hanchard: ao aplicar as categorias raciais americanas à situação brasileira, o autor erige a história particular do movimento em favor dos Direitos Civis [nos EUA] como padrão universal da luta dos grupos de cor oprimidos. Em vez de con-

Por um olhar brasileiro

siderar a constituição da ordem etnorracial brasileira em sua lógica própria, essas pesquisas contentam-se, na maioria das vezes, em substituir na sua totalidade o mito nacional da 'democracia racial' [...] pelo mito segundo o qual todas as sociedades são 'racistas', inclusive aquelas no seio das quais parece que, à primeira vista, as relações 'sociais' são menos distantes e hostis. De utensílio analítico, o conceito de racismo torna-se um simples instrumento de acusação".

Como explicar que um padrão particular tenha se elevado à condição de padrão universal — e que ativistas e pesquisadores brasileiros tenham engolido tão sofregamente a nova pílula? "O fato de que, no decorrer dos últimos anos, a sociodiceia racial (ou racista) tenha conseguido se 'mundializar', perdendo ao mesmo tempo suas características de discurso justificador para uso interno ou local, é, sem dúvida, uma das confirmações mais exemplares do império e da influência simbólicos que os Estados Unidos exercem sobre toda espécie de produção erudita e, sobretudo, semierudita, em particular através do poder de consagração que esse país detém, e dos benefícios materiais e simbólicos que a adesão mais ou menos assumida ou vergonhosa ao modelo norte-americano proporciona aos pesquisadores dos países dominados", comentam os autores citados. Que arrolam ainda, entre outros fatores, a ação de instituições norte-americanas ("Poder-se-ia ainda invocar [...] o papel motor que desempenham as grandes fundações americanas de filantropia e pesquisa na difusão da doxa racial norte-americana no seio do campo universitário brasileiro [...] a Fundação Rockefeller financia um programa sobre 'Raça e Etnicidade' na Universidade Federal do Rio de Janeiro, bem como o Centro de Estudos Afro-Asiáticos da Universidade Cândido Mendes"); a comercialização e a internacionalização da produção editorial universitária; a militância dos pesquisadores norte-americanos "que vão ao Brasil encorajar os líderes do Movimento Negro a adotar as táticas do movimento afro-americano de defesa dos direitos civis e denunciar a categoria *pardo* [...] a fim de mobilizar todos os brasileiros de ascendência africana a partir de uma oposição dicotômica entre 'afro-brasileiros' e 'brancos'". Por fim, Bourdieu e Wacquant tocam ainda numa tecla importante: "o imperialismo cultural [...] há de se impor sempre melhor quando é servido por intelectuais progressistas (ou 'de cor', no caso da desigualdade racial), pouco suspeitos, aparentemente, de promover os interesses hegemônicos de um país".

É interessante observar que um modelo dicotômico de classificação das pessoas, bipartindo a nossa população, esteve em vigor no início mesmo da vida colonial brasileira. Naquela época, segundo este esquema redutor, viviam por aqui somente "brancos" e "negros" — categoria que, além dos africanos e de seus descendentes locais, incluía também os índios, os "negros da terra", apesar do tom de sua pele. Tal assimilação do índio ao negro, quando comparamos, por exemplo, um grupo de dançarinas senegalesas e um de índias xinguanas, só pode nos deixar perplexos: não há semelhança alguma entre umas e outras. Mas é exatamente por isso que o fato merece ser sublinhado. Na primeira descrição que temos de nossos antepassados ameríndios, encontrável na célebre *Carta* de Caminha, lemos: "A feição deles é serem pardos, maneira de avermelhados, de bons rostos e bons narizes, bem feitos". Pardos, acastanhados, avermelhados e não, evidentemente, negros. "Esses índios são de cor baça e cabelo corredio; têm o rosto amassado e algumas feições dele à maneira dos Chins", escreve Gândavo, em sua *História da Província de Santa Cruz*, datada de 1576. E a mesma expressão — "de cor muito baça" — vai reaparecer no *Tratado Descritivo do Brasil em 1587*, de Gabriel Soares de Sousa. De "cor baça", vale dizer, sem brilho, opaca, mas também uma pele moreno-amarelada — "baço", do latim *badiu*, "avermelhado". E alguns cronistas daqueles primeiros tempos coloniais chegaram mesmo a fazer uma distinção explícita entre a cor do negro e a do índio. Claude d'Abbeville, por exemplo, em sua *História da Missão dos Padres Capuchinhos na Ilha do Maranhão*, frisa que o índio não é negro, mas de cor morena, "azeitonada". Não dissera outra coisa Léry, na *Viagem à Terra do Brasil*: "Quanto à sua cor natural, apesar da região quente que habitam, [os ameríndios] não são negros; são apenas morenos como os espanhóis e os provençais". Mas, apesar das observações que enquadravam o índio em campo cromático próprio, até mesmo com Gândavo chamando a atenção para a semelhança facial existente entre a população indígena e a chinesa (por conta, certamente, da "prega asiática" repuxando os olhos), aos nossos ameríndios chamaram negros. É o que vemos, inclusive, em textos jesuíticos. No *Diálogo Sobre a Conversão do Gentio*, de Manoel da Nóbrega, por exemplo. À diferença dos negros africanos, eram eles os negros da terra. Como explicar tal recorte nivelador, já que a definição do índio como preto contrariava a imediatíssima evidência da tez ameríndia, visível ali mesmo diante dos olhos de todos? Simples. Classificações binárias não podem admitir a existência de um terceiro elemento — ou desmoronam. Havia os senhores, que eram brancos — e o resto, os "negros". Pouco importava se a divisão não encontrasse correspondência na coloração corporal ameríndia. Esta poderia ter o seu matiz inconfundível — mas somente no âmbito do visível. Em plano taxonômico, não. Neste, a textura epidérmica real não contava para nada. Não havia lugar para variações na cartilha do dualismo cromático.

Por um olhar brasileiro

Vê-se então que, no século XVI, como hoje, a classificação racial binária não sentia o mínimo constrangimento em ignorar os fatos.

Esta classificação binária foi descartada pelo próprio processo histórico-cultural brasileiro, que, em vez de ocultar o "carnaval biológico" dos trópicos (Araripe Júnior *dixit*, em seu ensaio sobre Gregório de Mattos), logo começou a reconhecer, em nosso meio, a existência de pessoas mestiças. Os habitantes da colônia ultramarina de Portugal possuíam, inclusive, palavras para designá-las. Diversas palavras. Algumas, vindas de Portugal, a exemplo de "mulato"; outras, do tupi, como "caboclo" e "curiboca". E isto é da mais alta importância. O indivíduo etnicamente misturado não era um fenômeno biológico silenciado, um ser socialmente invisível. Ele tinha existência linguística. Contava com signos para si. Era assinalado categorialmente no campo do discurso social. Ou seja: em vez de ser artificial e compulsoriamente embutido neste ou naquele compartimento racial, em vez de subsumir na classe dos "brancos" ou na dos "negros", o mestiço aparecia como tal, como entidade nova e diversa, diante da sociedade que se formava em nossas latitudes tropicais. Eram mamelucos, mulatos e cafuzos vistos em sua especificidade. Admitidos e identificados como seres distintos. Em suma: a mestiçagem — "que é o signo sob o qual se forma a nação brasileira, e que constitui sem dúvida o seu traço característico mais profundo e notável", na clara e categórica formulação de Caio Prado Jr., em *Formação do Brasil Contemporâneo* —, no nosso ambiente colonial, não foi somente uma realidade, e muito menos realidade escamoteada ou abolida. Pelo contrário: além de prática generalizada e irresistível, foi *realidade reconhecida*.

Isto é fundamental. É o que nos afasta, de forma extrema, da obsessão binária que se impôs nos EUA. Assim, enquanto nos vemos como mestiços e divisamos na mestiçagem "o caráter mais saliente da formação étnica do Brasil" (Prado Jr.), os norte-americanos simplesmente deram um jeito de eliminar, da vida simbólica da sociedade que construíram, a realidade objetiva das misturas raciais. Decretaram a inexistência do indivíduo híbrido. Da criatura miscigenada. Do sujeito interétnico. Em vez de ser encarado como um caso à parte, como produto novo de um novo mundo, o mestiço não alcançou o direito de respirar como tal. Foi asfixiado numa das duas únicas classes de seres humanos que podiam existir nos EUA. E foi inserido no grande ajuntamento dos negros, naturalmente. Os senhores brancos de modo algum aceitariam que um mulato, fruto do cruzamento indevido de um representante da raça superior com um da raça inferior, pudesse ser incorporado ao seu círculo, conspurcando-o. Se havia uma gota de sangue negro em determinado rebento (de resto, um fruto evidente do pecado, da fraqueza moral), ele era irremediável e definitivamente preto. Branco, jamais. O orgulho racial anglo-saxônico, com a sua recusa de partilhar, de condividir espaços, vivências e memórias com não brancos — com seu nojo de negro, para falar mais francamente —, não permitiria que uma coisa dessas acontecesse. E assim a grande divisão racial vingou nos EUA. Afora brancos e negros, rigorosamente separados, existiriam órbitas exóticas, estranhas, como a dos "nativos" (os índios de lá; os habitantes do Alasca e do Havaí) ou a dos asiáticos. Seres mesclados de branco e negro, não. O fato biológico foi obrigado a ceder, sob a pressão de uma poderosa fantasia ideológica.

Tentar nos levar de volta a um rígido binarismo racial, ainda que a partir de boas intenções políticas, é um retrocesso. Mas o fato é que a tendência para aderir ao figurino norte-americano acabou se impondo, no Brasil, entre militantes do Movimento Negro. Movimento que assistiu, em seguida, à institucionalização de seu esquerdismo racialista no sistema universitário, com acadêmicos ávidos para exibir alguma "consciência crítica", algum engajamento político e de corresponder *ex cathedra* a alguma "base social", ainda que minimamente efetiva ou apenas criável. E daí vieram as críticas fáceis à mestiçagem, os discursos em série contra a classificação racial brasileira, as tentativas de reler o Brasil pelo prisma arbitrário do padrão racial em vigor nos EUA. Com o novo modismo e a nova postura ideológica, a riqueza da classificação cromática brasileira, repito, passou a ser sistematicamente denunciada, como um obstáculo para a organização política dos negromestiços em nosso país, por parte daqueles que, em vez de centrar sua inteligência e sua atuação nas realidades objetivas que vivenciamos, querem se mover dentro de parâmetros norte-americanos para cá transplantados de forma alienada e sem muita imaginação.

É evidente que a existência de mestiços — desde que social e culturalmente admitida e mesmo estimada (como no caso dos padrões brasileiros de beleza feminina, que estão mais para Sônia Braga, Camila Pitanga e Juliana Paes do que para Sharon Stone e as louras do seriado *Sex and the City*, fazendo com que mulheres brasileiras de cor mais clara passem horas bronzeando a pele em praias, terraços, piscinas e centros estéticos) — despolariza a questão racial. As coisas ficam mais fáceis quando colocadas em termos chapados, contrastantes. Degler, em *Neither Black Nor White: Slavery and Race Relations in Brazil and the United States*, assinalou que o medo e o ódio presidiram às relações raciais nos EUA. Que foi o medo que os brancos sempre tiveram (e ainda têm) dos negros que desembocou em segregação legal. Que este mesmo medo definiu a miscigenação, até recentemente, como uma prática fora da lei. "Assim, o receio aos pretos resultou em políticas e leis que

Por um olhar brasileiro

apenas perpetuaram e institucionalizaram os próprios medos contra os quais essas políticas eram, pelo menos em parte, dirigidas." Medo que desembocou em algo que nunca tivemos por aqui: o *racismo de Estado*. Mas também nos EUA — e não só no Brasil — foram os mulatos que se deram melhor. Lá, ainda de acordo com Degler, eles formam "a parte da população de cor mais culta, mais capacitada e mais rica". Do velho Du Bois a Luther King e Condoleezza Rice. Acontece que tais mulatos não são vistos como tais. Permanecem pretos. E assim, em defesa de sua própria afirmação, acabam se engajando na luta pela promoção da população de cor: "a inclusão do mulato na definição de 'negro' força os elementos de pele clara a se identificarem, quer queiram quer não, com a totalidade da população negra. A liderança em potencial para a organização é mantida e a ação estimulada justamente porque são os mulatos nos Estados Unidos que sentem mais profundamente sua privação, já que são os mais cultos e socialmente ascendentes. Não é acidental o fato de a maioria dos grandes líderes de organizações negras nos Estados Unidos terem sido mulatos", observa Degler, citando, entre outros, o nome de Walter White, que, para um olhar brasileiro, era branco, com sua pele e seus cabelos claros, seus olhos azuis. Mas como White, apesar do nome, era classificado como preto e reconhecia a sua ascendência negra, ele foi, durante anos, dirigente da NAACP — a National Association for the Advancement of Colored People (Associação Nacional para o Progresso das Pessoas de Cor).

Ainda aqui, todavia, os racialistas brasileiros mistificam a situação norte-americana, no que ela teve (e continua a ter) de socialmente tensa e psicologicamente ambivalente. Na sua ânsia idealizadora, eles ocultam — ou até não conseguem ver — aspectos relevantes das relações entre negros e mulatos nos EUA, nos campos da história e da política. Sowell foi um dos que focalizaram o assunto, como podemos ver em *Ethnic America: A History*. Neste trabalho, Sowell sublinha que a população negra se foi diferenciando internamente, durante a história da escravidão nos EUA, de acordo com fatores como papéis ocupacionais (o *status* de escravo urbano doméstico numa cidade nortista era muito superior ao do trabalhador rural escravizado no Sul), a data em que a família havia alcançado a sua alforria/liberdade (a distância temporal da condição escrava era vista, pelos negros, como signo distintivo positivo de aculturação, de afastamento do "primitivismo", de diferencial civilizatório) e a proporção de ancestrais brancos na linhagem individual ou familiar. Este último ponto, por mais perturbador que seja para os racialistas, tem de ser negritado. Emerge, aqui, uma diferença que não pode ser apagada, desde que o nosso propósito seja encarar a realidade — e não somente lançar olhares oblíquos em sua direção. Se, para um branco norte-americano, o fato de um negro ter ascendência branca em nada alterava a sua condição de negro, para um negro, ao contrário, ser descendente de brancos contava — e muito. O negromestiço, em sua prática da vida, não aceitava a regra de descendência. Se havia ancestrais brancos em sua genealogia, dava-lhes o realce possível. Pelo simples motivo de que, enquanto mulato, via-se numa classe específica. Distinguia-se e se projetava acima dos negros meramente negros. Detalhe, segundo Sowell: "negros de tez mais clara de longa data se encontravam esmagadoramente entre os membros da raça a atingirem melhor situação, levando não só os brancos como os próprios negros a atribuírem seu sucesso a uma superioridade genética baseada em seus ancestrais brancos". Boa parte das "pessoas de cor livres" nos EUA, em meados do século XIX, era formada por mulatos. Além disso, uma fatia considerável das famílias negromestiças, que haviam alcançado a liberdade em período anterior à Guerra Civil, fora proprietária de escravos negros. E esta elite negromestiça de tez mais clara, esta elite *mulata* norte-americana, não só se sentia social e psicologicamente separada das massas negras. Mais que isso, queria *manter e acentuar* esta distância. Daí o seu preconceito contra os negros veramente negros. Preconceito explicitado diante das sucessivas migrações, para o Norte, de pretos sulistas cansados de perseguições raciais e em busca de melhores oportunidades de vida. "As massas de negros rurais do Sul, não aculturados e mal-educados, que inundaram as cidades do Norte, causaram profundo ressentimento entre negros e brancos, igualmente. A classe média dos negros e a imprensa negra do Norte denunciavam-nos como grosseiros, sujos, arruaceiros e criminosos e como uma ameaça ao padrão de toda a raça aos olhos da sociedade branca mais ampla", escreve Sowell, lembrando o caso do pianista Jelly Roll Morton, deserdado pela avó mulata por ter se associado a "negros ordinários".

Acontece, como vimos, que a elite mulata não era encarada como queria. A "sociedade branca mais ampla" a considerava negra. Indestacável das massas negras das quais ela de tudo fazia para se destacar. E aqui reponta a sua peculiaridade política: definida socialmente como preta, a elite mulata, para conquistar espaços e assegurar direitos, viu-se obrigada a encarnar o papel de porta-voz, passando a falar em nome de toda a população negra norte-americana. Sowell: "À consciência da cor, misturou-se a consciência de classe na elite negra [mulata], que desde muito tempo se mantinha afastada e separada da população negra, embora falando em seu nome publicamente". Assim, foi a elite mulata que gerou a linha de frente da política negra norte-americana. Mais precisamente, são os descendentes de libertos mulatos

Por um olhar brasileiro

do século XIX que vão formar a vanguarda negra das primeiras décadas do século XX. Que vão fundar e comandar a já mencionada National Association for the Advancement of Colored People. A exemplo de Du Bois, descendente de mulatos livres, crescido entre brancos do Massachusetts, primeiro negromestiço a receber um doutorado de Harvard, além de ter estudado em Heidelberg e Berlim e de ser considerado *founding father* da sociologia norte-americana — em especial, graças ao seu hoje clássico *The Philadelphia Negro*, publicado em 1899 (em tempo: no final de sua vida, Du Bois renunciou à cidadania norte-americana e se exilou em Gana). Uma notável exceção, nesse quadro de líderes gerados pela elite mulata, foi Booker T. Washington, que nasceu escravo, embora se tenha tornado livre ainda na infância, graças à Proclamação da Emancipação, publicada por Lincoln no 1º de janeiro de 1863. Nem foi por acaso que Washington e Du Bois nunca deixaram de ser, durante suas vidas, incansáveis rivais. "A elite negra olhava Booker T. Washington como um porta-voz das classes negras mais baixas — os descendentes da mão de obra agrícola escrava. A Associação Nacional para o Progresso das Pessoas de Cor, fundada por Du Bois, destinava-se, pelo menos inicialmente, a preservar a elite", continua Sowell. Via-se aí a "constante ambivalência [que] marcou o relacionamento entre os líderes negros e o povo em cujo nome falavam". Conclui-se então que, nos EUA, os negros podiam ser iguais aos olhos dos brancos. Mas não o eram aos seus próprios olhos.

No Brasil, Walter White faria jus ao nome. Seria branco. Não teria como assumir o comando de qualquer organização negra. O que fazer, então? A "saída" que se imaginou, como disse, foi tentar transformar o Brasil, teoricamente, num campo racial nítida e radicalmente polarizado. Forjar uma situação em que mestiços brasileiros se vissem obrigados a se definir como pretos, à Du Bois e seus companheiros da NAACP. Foi assim que vimos o ex-integralista e atual esquerdista Abdias do Nascimento retornar à cena política nacional, na década de 1970, investindo contra a natureza difusa e furtacor de nossa realidade etnodemográfica. Abdias quis (como seus seguidores quiseram e muitos continuam querendo) enfrentar a despolarização racial brasileira com base na experiência histórico-política norte-americana, que ele conheceu de perto, tendo vivido por algum tempo nos EUA. Assim, diante do amplo e sutil espectro cromático brasileiro, Abdias pretendeu substituir o mosaico racial pelo *pattern* extremista vigente entre os norte-americanos. Pretendeu dicotomizá-lo em modo cirúrgico. Mas é claro que tal bisturi ideológico só poderia produzir alguma espécie de fantasia. Tenho para mim que a questão não é tentar transpor a *one drop rule* para o Brasil. Isto não poderá ter maior eficácia. Não terá (como até aqui não teve) repercussão realmente profunda na vida brasileira. De nada ou quase nada adianta vestir um corpo com a fantasia que desejamos e depois querer tomar a fantasia pelo corpo. Porque o problema não está no modo brasileiro de relacionamentos inter-raciais, mas na ausência de uma política adequada a essa realidade. É inútil querer fazer com que sejamos iguais aos norte-americanos, adotando a regra de descendência. A luta não pode ser contra a mestiçagem e seu vigor sociocultural. Não pode ser contra a realidade. Pois um primeiro esforço, condenado de antemão ao fracasso, seria o de tentar convencer mestiços brasileiros de que eles não são mestiços brasileiros.

No texto "O Que a Cinderela Negra Tem a Dizer Sobre a 'Política Racial' no Brasil", Peter Fry, contestando Michael Hanchard (um sujeito sofisticado, mas também delirioso, capaz de pensar que o Ilê Aiyê não é brasileiro, mas "afrodiaspórico"), observou: "A aproximação entre a 'política racial' do Brasil e dos Estados Unidos que Hanchard propõe parece plausível basicamente porque a linguagem utilizada para descrever e analisar a situação brasileira está repleta de significações advindas dos próprios Estados Unidos... As categorias *blacks*, *whites* e *racial groups*, por exemplo, pressupõem que, no fundo, os brasileiros se pensam divididos e classificados desta forma. Será? *People of African descent* também pressupõe um sistema binário de classificação no Brasil, baseado, como nos Estados Unidos, em critérios de descendência. Será? A expressão *Afro-Brazilian life* pressupõe que os *afro-brasileiros* (e aqui se insinua de novo a existência de um grupo estanque) participam de um estilo de vida distinto do resto da população, como é o caso dos *africano-americanos*. Será? *African-derived populations* sugere alguma comunhão entre a 'África' (e deixo ao leitor a tarefa de imaginar qual África) e aqueles milhões de indivíduos que, conscientemente ou não, têm um antepassado africano. Será? [...] a utilização de categorias nativas americanas disfarçadas de descritores [...] faz com que tais questões sejam respondidas antes mesmo de serem colocadas. Aliás, a linguagem utilizada proíbe a própria colocação destas questões. A linguagem opera, por si só, uma elisão entre a situação brasileira e a situação norte-americana, induzindo o leitor a pensar o Brasil da 'democracia racial' e das múltiplas categorias de classificação 'racial' como, na pior das hipóteses, uma espécie de erro ou de aberração, e, na melhor, como uma etapa de um caminho evolucionário que desembocará na plenitude do tempo na situação atual dos Estados Unidos".

É certo que a importação dessa linguagem acadêmico-militante — desse elenco de conceitos *made in USA* — poderá vir a ter, apesar de sua impropriedade e despropósito, considerável repercussão prática em nosso ambiente político e social. Principalmente, se for eficaz o funcionamento desse polo irradiador que são as "minorias de massa", para lembrar a expressão cunhada por Décio Pignatari — centros de recepção e veículos de disseminação do arsenal de conceitos importados. Na verdade, tudo é imprevisível nesse campo, onde até disparates do *political correctness* são repetidos como verdades sagradas. Temos exemplos disso em nossa história recentíssima. Afinal, a justaposição de reivindicações educacionais concretas e de simplificações paramarxistas e pseudomarxistas, contestando a ditadura militar, mobilizaram massas estudantis brasileiras no final da década de 1960. Tivemos ali, entre outras transposições estapafúrdias, pregações que nos apontavam caminhos (despenhadeiros, seria mais exato dizer) como o da Revolução Chinesa comandada por Mao Zedong, o do foquismo guerrilheiro de Che Guevara ou o da criação de instrumentos de franca inspiração soviética. Na maioria das vezes, as análises e propostas, acionadas naquele período, achavam-se anos-luz ao largo do movimento real da vida brasileira. No entanto, em imprevisto casamento com anseios e necessidades da comunidade estudantil despolitizada, que mais não queria do que uma boa formação universitária, elas deflagraram uma movimentação que se alastrou pelo país inteiro. Do mesmo modo, o atual discurso racialista, apesar de sua inadequação essencial para uma leitura mais correta dos jogos reais da vida brasileira, pode dar uma amplitude inesperada à questão negromestiça em nosso meio, ao se casar com desejos, carências e projetos de vastos segmentos da população do país — um casamento que, de resto, acho que já se desenhou. O que não significa que, à semelhança do discurso da vanguarda estudantil de 1968, as formulações racialistas não sejam, em si mesmas, alheias ao que vivemos. Forjadas para dar conta de especificidades norte-americanas, tais formulações primam por falsificar as nossas.

Tome-se um sintagma como "afrodescendente". É uma das fórmulas verbais mais repetidas (e mais lustrosas) do léxico ativista que grupos negromestiços importaram dos EUA nesses últimos anos. Mas, se pode ser perfeita com relação à situação norte-americana, seu foco não incide sobre nós. Porque tal conceito sublinha e recorta uma realidade preexistente: o fracionamento étnico nacional. Coisa que, se sempre foi facilmente verificável nos EUA, nunca chegou a se desenhar com clareza no Brasil, com a nossa profusão de seres híbridos. Houve uma tentativa anterior de operar nesta direção. Uma investida político-intelectual que visava a assinalar e promover uma espécie de desmembramento racial ou pulverização étnica do povo brasileiro. Foi na década de 1930, quando o pensamento nazista aflorou por aqui, ajustando as suas lentes para construir um projeto para o Brasil. É a primeira vez em nossa história que topamos com um empreendimento assemelhado ao atual esforço de aplicação da categoria de "afrodescendente" à nossa população, no sentido de que procurava fragmentar etnicamente o país — para remeter cada agrupamento étnico à sua matriz original. Em "A Identidade do Brasil Meridional" (texto incluído na coletânea *A Crise do Estado--Nação*, organizada por Adauto Novaes), Ricardo Costa de Oliveira, citando um certo Mário Martins, sintetiza: "Os primeiros intelectuais que elaboraram a diferenciação dos brasileiros por categoria étnica ou religiosa foram os nazistas. O movimento nazista não empolgou a grande maioria dos brasileiros descendentes de alemães, mas também está longe de ter sido uma minoria completamente irrelevante. De acordo com o discurso nazista, não haveria povo brasileiro. 'Não havia, nunca existiram brasileiros, salvo os indígenas. Havia os luso-brasileiros, os sírio-brasileiros, os franco-brasileiros, os afro-brasileiros, etc.' Em 1937, reuniu-se em Benneckenstein o Terceiro Congresso do Círculo Teuto-Brasileiro do Trabalho. Era constituído por 44 membros, dos quais 29 teuto-brasileiros, treze alemães e dois teuto-para-guaios. Suas posições intelectuais apontavam para a formação de uma consciência étnica que se manifestasse em uma comunidade distinta e separada enquanto teuto-brasileira. Seria o primeiro passo para provar ao Brasil os seus direitos. 'Como no Brasil a etnia lusitana é a portadora da cultura oficial, da língua oficial e do poder político, entende-se hoje no Brasil por nacionalidade o reconhecimento da chefia política dos lusos [...] Nós não reconhecemos a etnia lusitana como representante exclusiva do nacionalismo brasileiro [...] Com isso nós nos tornamos uma minoria étnica e criamos uma situação semelhante à dos alemães dos sudetos.' O teuto-brasileirismo era interpretado como 'o gérmen do retalhamento do Brasil, com o nazismo no momento, ou com outro nome qualquer futuramente'".

O fracionamento étnico, todavia, é bem característico da sociedade norte-americana. Em sua *Fenomenologia do Brasileiro*, ao fazer uma comparação entre os ambientes que se ofereciam ao imigrante, no Brasil e nos EUA, o filósofo Vilém Flusser, judeu nascido na Praga de Franz Kafka, foi bastante esclarecedor a este respeito. Nos termos de Flusser, retratando uma São Paulo anterior à década de 1970, o imigrante se deparava, ao chegar ali, com uma massa urbana heterogênea e quase amorfa. Ao penetrar nessa massa, descobria ele um arquipélago, cujas muitas ilhas apareciam em processo de decomposição lenta. "Toda ilha corresponde a uma sociedade europeia, ou a alguma sociedade do Oriente próximo e extremo, e é habitada por imigrantes dessas sociedades, seus filhos, e no máximo netos. As ilhas se diluem na massa que as banha e, se não se diluíram de todo, é por estarem ainda irrigadas por corrente migratória já em vias de secar atualmente", observa

Flusser. Podemos não concordar com todos os comentários do filósofo. Mas a plasticidade da sociedade brasileira — sua extraordinária capacidade de incorporar, absorver e dissolver — é um fato. O Brasil é realmente um *melting pot* — está sempre mais para o padê do que para o *apartheid*. Mas, embora tanto aqui quanto nos EUA, o *jus soli* tenha escanteado o *jus sanguinis* — vale dizer, a nacionalidade seja dada pelo lugar de nascimento e não pelo vínculo a uma matriz étnica —, o mesmo não se pode dizer da sociedade norte-americana. Os EUA podem ser o país imigratório *par excellence*, mas as situações do imigrante, lá e no Brasil, são inteiramente diversas. Ainda Flusser: "O imigrante aos Estados Unidos não toma contato com a massa amorfa, mas com uma hierarquia, na qual os vários níveis correspondem à origem étnica do imigrante, e sua ordenação à data original da entrada de cada etnia, de forma que o nível superior é formado por anglo-saxões, e o inferior por porto-riquenhos. O conjunto dos níveis perfaz a população urbana americana, e a população urbana perfaz a grande maioria da população americana. Isto quer dizer que ser americano significa no fundo pertencer a um desses níveis. Pois todo nível, aberto para o seu país de origem, representa esse país na América e a América no país de origem. Portanto, esses níveis não se dissolvem (como o fazem as ilhas brasileiras), mas entram em toda a sua complexidade na síntese norte-americana. Por isso os Estados Unidos não são *melting pot* como o é o Brasil, e por isso exercem aquele poder assimilatório extraordinário que os caracteriza. Porque, quando o imigrante chega, é recebido pelo nível correspondente, é imediatamente enquadrado nele, e torna-se americano automaticamente". Ora, num quadro desses, o sujeito é, sempre e naturalmente, ítalodescendente, nipodescendente, francodescendente, etc.-descendente. E, muito logicamente, vai se compor a figura do afrodescendente — já que, para além do "nível" de que fala Flusser, trata-se de um ente segregado, impedido de se manifestar como ser humano híbrido ou mestiço. *African-American*, portanto.

Mas, modismo terminológico à parte, o que este conceito de "afrodescendente" tem a ver com a condição, a circunstância e o momento do negromestiço brasileiro, hoje? É evidente que milhões de brasileiros possuem ascendência africana, embora raríssimos tenham alguma ideia da parte e do povo da África aos quais suas origens poderiam ser retraçadas. Mas o conceito de afrodescendente não se refere meramente a esta realidade óbvia e geral. Comprime e estreita o horizonte, afunilando-o num sentido bem preciso. Quando um indivíduo nascido no Brasil se define como afrodescendente, ele, desde que saiba do que está falando (o que nem sempre acontece, mesmo no meio universitário e independentemente de cor, classe, credo e preferências sexuais), nos diz o seguinte. Que se vê, se sente e se percebe, em primeiro lugar, como um descendente de africanos. E só então, secundariamente, como brasileiro. Ao Brasil caberia, nesse quadro, um lugar identitário subordinado. Teríamos, assim, o ser brasileiro como mero complemento ou apêndice do ser africano — e de um ser africano mítico, não é preciso dizer. Bem, é possível que o tal indivíduo acredite piamente no que diz. É a ideologia, não a fé, que move montanhas. Mas é evidente que estamos diante de uma fantasia.

De outra parte, me parece empobrecedora esta pasteurização conceitual. Ao participar ativamente da *invenção* do Brasil, os negros vindos da África e seus primeiros descendentes foram também se inventando como brasileiros. E temos de reconhecer a sua especificidade. Pelé e Cassius Clay (Muhammad Ali) não são simplesmente "afrodescendentes". Estacionar aí é se condenar a não apreender o que cada um deles tem de próprio. É perder o essencial. Cassius-Ali é norte-americano. Pelé, brasileiro. Diversos são os seus modos de olhar a vida e o mundo; distintos são os seus balés corporais. Do mesmo modo, "afrodescendentes" seriam, igualmente, Martiniano Eliseu do Bonfim e Luther King. Mas Martiniano era Ojeladê, sacerdote de Ifá, babalaô do candomblé do Brasil. O mulato Luther King, por sua vez, foi um pastor protestante, filho espiritual dos anglicanos que fundaram a Virgínia e dos *pilgrims* do *Mayflower*, que aportou no litoral da América do Norte na primeira metade do século XVII. E isto muda tudo. Concordo inteiramente, por isso mesmo, com Costa de Oliveira, quando ele escreve: "A condição de brasileiro é uma conceituação política que não necessita de etnia ou religião como distinção particular. A identidade de brasileiro permite a possibilidade de participação, integração e democratização cultural de maneira ampla. Existem outras experiências identitárias, como nos Estados Unidos (incorretamente denominados América), que permitem e exigem parcialidades constitutivas devido à sua fragilidade cultural na integração de particularidades em seus marcos culturais. Os Estados Unidos representam uma livre associação de interesses privados. Afro-americano, ítalo-americano, judeu-americano, por exemplo, apenas anunciam a fraqueza assimiladora do segundo termo — americano. Ser brasileiro exclui possibilidades de complementação. Em primeiro lugar, por razões óbvias. As nossas misturas e mestiçagens são etnicamente inclassificáveis nesses termos. Em segundo lugar, a categoria de brasileiro é forte, democrática e substantivamente presente para evitar qualquer possibilidade de diminuição ou limitação em termos identitários".

Deixemos de lado, portanto, o palavrório político-acadêmico que escolas norte-americanas tentam nos impingir. O problema não é a assimilação de conceitos gerados pela produção intelectual planetária, como o "modo de produção" dos marxistas, a "linguagem poética" do formalismo russo, as classificações semióticas de Peirce ou a leitura estruturalista das criações mitológicas da humanidade — coisas que passaram a fazer parte da vida mental de muitos de nós. A questão não é esta. E sim a transposição de uma situação histórico-cultural específica para outra, impondo-se ideologicamente sobre particularidades óbvias. Nesse caso, o que temos é desajuste, alienação ou mesmo ignorância. Ao se perguntar, em *A Nova Sociedade Brasileira*, sobre a fraqueza política do Movimento Negro no Brasil, um observador isento como o sociólogo uruguaio Bernardo Sorj comentou: "Por que, em suma, o movimento negro permanece minoritário? Uma linha de resposta proposta pelo movimento negro e por alguns cientistas sociais, geralmente norte--americanos, é que a alienação, a opressão, a falta de cultura democrática e o racismo interiorizado ainda conspiram contra a formação de uma consciência negra. Embora esses elementos não possam ser descartados, parece-nos mais simples reconhecer a especificidade da cultura brasileira, que acabou criando uma dinâmica de tolerância, sincretismo e absorção da diferença, sem eliminar o preconceito na prática. A vitalidade da cultura brasileira está numa sociabilidade que se manteve em ampla medida à margem do processo de enquadramento e normatização cultural do Estado nacional. As mais diversas manifestações da cultura brasileira contemporânea, em particular na segunda metade do século XX, afirmaram abertamente as raízes africanas da cultura nacional. Embora a vida social brasileira tenha 'na prática' componentes racistas, não existe uma ideologia sistemática de estigmatização e tampouco o racismo, na segunda metade do século, foi assumido direta ou indiretamente por qualquer grupo político".

Penso por isso mesmo que, ao discutir certos temas brasileiros de política e cultura — como o da nossa questão sociorracial —, será sempre melhor, para além das necessárias e inevitáveis leituras conjunturais, assumir uma perspectiva radicalmente antropológica, sócio-histórico-antropológica, se é que de fato alimentamos a pretensão de tentar entender algumas coisas. O que, de resto, não é nenhuma novidade em nossa tradição intelectual. Sílvio Romero, por exemplo, defendia que os estudos brasileiros deveriam abarcar todo um conjunto de elementos primários (ou naturais, ecológicos), secundários (ou étnicos) e terciários (ou "morais", simbólicos) — esquema ao qual incorporou, posteriormente, o princípio marxista da luta de classes. "Seria preciso estudar acuradamente, sob múltiplos aspectos, cada um dos povos que entraram na formação do Brasil atual", dizia ele, negritando, no largo espectro das investigações necessárias, a questão antropológica — "base fundamental de toda a história, de toda a política, de toda a estrutura social, de toda a vida estética e moral das nações", como escreveu em *Brasil Social* (1908). Pouco depois, seu discípulo Oliveira Vianna, em prefácio a *Populações Meridionais do Brasil*, convocaria as "ciências novas" da psicologia e da antropologia para o estudo da formação do Brasil e para a "caracterização social do nosso povo". O problema, portanto, não está na idade da ideia, mas na disposição para aplicá-la, com seriedade, aos temas correntes. Porque a verdade é que os "clássicos" da interpretação do Brasil estão todos velhos. Não por culpa deles. Freyre, Sérgio Buarque, Caio Prado e Florestan permanecem luminosamente jovens. Nós é que não temos tido a disposição de mantê-los vivos para nós mesmos. De tocar o barco de suas ideias — ainda que saibamos que a cultura intelectual de um país só amadurece, em funda profundidade, quando parte de seus próprios documentos, testemunhos, princípios, desenhos, conceitos, intuições e reflexões. Quando parte decididamente de si mesma. Sem capachismos ideológicos, sem alienações universitárias.

Por um olhar brasileiro

2.
# MESTIÇAGEM EM QUESTÃO

A palavra ou o conceito *mestiçagem* — miscigenação entre pessoas de raças diferentes — caiu em desgraça. Não no conjunto da sociedade brasileira. Mas em certos meios político-acadêmicos e em suas áreas de influência mais imediata, de estudantes universitários à jovem militância negromestiça, de um modo geral. Hoje, não é pequeno o número de professores que levanta automaticamente a guarda à simples menção do velho vocábulo de origem latina — e boa parte dos ideólogos racialistas encontra-se atualmente instalada no sistema universitário e em suas extensões institucionais, onde, aliás, começa a desenvolver um novo tipo de "meritocracia". Com o tempo — e com atraso, como de praxe (a Rede Globo recita hoje, como novidade, pérolas discursivas do final da década de 1970) —, tal alergia reativa deverá atingir, também, o ambiente jornalístico-midiático, quem sabe se com algum *Fantástico* ou *Globo Repórter* denunciando o caráter "senhorial" do conceito e sua inelutável vinculação ao "mito da democracia racial".

Esquematicamente, é possível distinguir duas vertentes nessa crítica ou recusa do fato e/ou do conceito miscigenador. Na primeira delas, temos a crítica política, a recusa racialista da miscigenação. Esta crítica, carregada de negatividade, planta-se nos domínios do "racismo científico" que prevaleceu, na cena mental brasileira, entre as últimas décadas do século XIX e as primeiras do século XX — *grosso modo*, entre a abolição do regime de trabalho escravo e o movimento modernista. A mestiçagem é encarada, aqui, como um projeto ou uma estratégia da classe dominante branca, com vistas a um embranquecimento das massas negras brasileiras. Daí, a sua rejeição pelos grupos políticos negros. Trata-se de combater as misturas. Mas, como todos já andam muito misturados, uma alternativa, para o mestiço escuro politizado, tem sido negar o que há de branco em sua ascendência e se proclamar afrodescendente. Ou seja: adotar para si a regra de descendência, a *one drop rule* norte-americana — e aparecer, diante de nós, como um "neonegro". Além disso, repete-se aqui — desta vez, como equívoco — o truque senhorial de considerar a mestiçagem como sinônimo de congraçamento público e harmonia coletiva. Na segunda vertente, vamos encontrar a crítica mais propriamente cultural. O conceito de mestiçagem é atacado, neste passo, por um outro tipo de mestre — aquele que, com aromáticos ares de vanguarda, desliza com desenvoltura pelas pistas plurifaiscantes da "pós-modernidade". Este mestre (e seus alunos) não rejeita as misturas. Argumenta, apenas, que os conceitos de mestiçagem e sincretismo — além de se acharem colados a cruzamentos genéticos e amálgamas religiosos, respectivamente, não sendo, por isso mesmo, apropriados para leituras mais amplas dos fenômenos culturais — estão excessivamente comprometidos com a tese da democracia racial. E procura, então, dar outros nomes aos mesmos bois. Por fim, as duas vertentes convergem. Em ambos os casos, faz-se confusão entre processo genético e projeto ideológico. Entre o fenômeno objetivo da mestiçagem enquanto mistura gênica e as diversas ideologias da mestiçagem. Além disso, o carro-bomba tem a mesma direção: explode em chamas de encontro às casas-de-palavras de Gilberto Freyre e Jorge Amado, que parecem ter chegado a acreditar que os problemas brasileiros seriam resolvidos na cama.

Entendo a lógica do racialismo. Que me parece, para dizer o mínimo, tortuosa. Podemos visualizá-la, didática e linearmente, na seguinte sequência. Trata-se, em primeiro lugar, de desagregar o que se encontra desigualmente agregado — a população brasileira, com a maioria da massa negromestiça sofrendo sérias carências educacionais, ressentindo-se da dificuldade de acesso a serviços públicos elementares, ocupando o subsolo da ordenação socioeconômica do país. Promovida tal desagregação, assistiríamos então à emergência de um Brasil Branco e de um Brasil Negro. Deixando de parte a possibilidade de elucubração em torno de algum projeto de tomada revolucionária do poder pelos pretos (a insanidade, afinal, não é prerrogativa de brancos), este seria o momento-chave da correção das assimetrias nacionais. Do empenho no sentido de uma equalização social do Brasil. Estaríamos, hoje, atravessando esses dois estágios: processo de desagregação do agregado desigual, início do esboço de um Brasil Negro e implantação das "políticas compensatórias", que vão da criação de órgãos governamentais como a Fundação Palmares (e toda uma série de secretarias de "promoção racial") à instituição do regime de cotas na universidade pública e, futuramente, sabe-se lá onde mais. Equilíbrio instaurado, haveria dois caminhos. Para os mais deliriosos, a consolidação de um Brasil multiétnico e multicultural. Para os menos, viria então, a longo prazo, quiçá uma reagregação, em outro patamar, do povo brasileiro. Uma reintegração do Brasil Branco e do Brasil Negro — se é que isto ainda seria possível — em um novo Brasil. Bem, este é um desenho ideal, um *script*. O que realmente vai acontecer, ninguém sabe. E o que está acontecendo, está acontecendo emboladamente. Mas é no interior dessa moldura geral que devemos entender a postura racialista diante das misturas raciais. Dos cruzamentos de brancos e pretos. Das hibridizações morenas dos trópicos brasileiros. Com o propósito de pavimentar o caminho para a construção de seu Brasil Negro, os ideólogos do racialismo decretam o fim da existência de mestiços no Brasil. Não há lugar para eles na partitura do dualismo cromático. Pouco importa que o povo brasileiro não pense assim. Que se identifique num variadíssimo leque de categorias e expressões. Que se veja moreno, escurinho ou sarará. Os racialistas prosseguem impávidos em seu projeto dicotomizador. Poderiam ouvir uma advertência do poeta Augusto de Campos: não adianta fechar a janela, se a rua vai continuar existindo lá fora. Mas, não. Não há híbridos por aqui, afirmam. Inexistem mestiços de brancos e pretos no país. O que existem são afrodescendentes — e ponto final.

Em *Pluralismo Étnico e Multiculturalismo: Racismos e Antirracismos no Brasil*, por exemplo, Jacques D'Adesky define *negro* como todo indivíduo de ascendência africana. E se acha politicamente legitimado, em sua oposição à classe dominante, para "reunir mulatos, morenos, sararás, jambos numa categoria única — negro". Porque a classificação racial brasileira está subordinada, segundo ele, a um "cânone helenístico". Cânone que é "o reflexo de uma cultura hegemônica" e cuja imposição é "altamente discriminatória", marginalizando e humilhando todos os não brancos. Mais: "A permanente participação dos atores negros em papéis secundários nas novelas de televisão e a virtual ausência de modelos negros na publicidade são provas de que esse cânone helenístico rege de modo subliminar o que é bonito e o que deve ser excluído, assim como revela a existência dessa escala hierárquica que atualiza a subordinação dos negros (mulatos, sararás, jambos, etc.) e a suposta superioridade do branco". Bem, posso fazer duas rápidas observações aqui. Primeiro, desejaria saber se D'Adesky chegou a esta sua conclusão "helenística" depois de ouvir atentamente a poesia da música popular brasileira ou se foi depois de contemplar a bela mulata carioca Valéria Valenssa em vinhetas carnavalescas da Rede Globo. Segundo, ao ver absolutizado o padrão dicotômico, realmente não sei o que D'Adesky faria com os caboclos da Amazônia. Se Chico Mendes não era negro, era ele branco? Desde quando Marina da Silva é negra, como se afirma no livro? E afinal — por que simplificar as coisas a qualquer custo? Fica mais fácil para a análise e a falação política reduzir tudo a um esquema binário? É só por isso? Caetano Veloso, ao contrário, usando até o critério do IBGE, numa composição como o bolero "Lindoneia", cantado por Nara Leão no álbum grupal do movimento tropicalista, escreveu: "Lindoneia/ Cor parda/ Frutas na feira...". Luiz Gonzaga canta caboclas, Chico Buarque poetiza a morena dos olhos d'água, os

Mestiçagem em questão

Novos Baianos nos deliciam com uma "preta preta pretinha", Jorge Ben Jor celebra crioulas e "uma nega chamada Tereza", Lamartine Babo se enfeitiça de mulatas — e é só nas pregações políticas, nas pesquisas e nos estudos universitários racialistas que essas mulheres não têm direito à cidadania?

Ser tendencioso é uma *trademark* do racialismo. Veja-se como o mesmo D'Adesky, repetindo o discurso do Movimento Negro, sai em defesa da tese da marginalização do ator negromestiço no cinema brasileiro e, de um modo mais geral, em nossos meios de comunicação de massa. Entre outras coisas, ele escreve o seguinte: "Zezé Motta lembra que o papel principal do filme *Xica da Silva*, que a tornou célebre em todo o Brasil, quase lhe escapou ante as exigências que o produtor queria impor ao diretor Cacá Diegues: uma atriz de pele mais clara e traços mais finos, que supostamente agradaria mais ao público". Tudo bem, ficam aqui o registro e o meu protesto. Mas foi só isso o que aconteceu? Não. Aconteceu, principalmente, que, apesar do esperneio racista do produtor, Zezé Motta acabou ficando com o papel principal de *Xica da Silva* — e o filme de Cacá Diegues, com a bela atriz negromestiça girando ao som de Jorge Ben Jor, foi um dos maiores sucessos de público de toda a história do cinema brasileiro. Contrariando totalmente a expectativa ou a fantasia racista do tal produtor, as plateias brasileiras não sentiram a mínima falta de "uma atriz de pele mais clara e traços mais finos". Na verdade, não há nenhum indício de que sequer tenham chegado a parar para pensar no assunto. Mas D'Adesky e o Movimento Negro parecem não se importar com isso. A sua ênfase recai, única e exclusivamente, sobre o caso individual do produtor (várias e várias vezes menos significativo, do ponto de vista sociológico), que esbarrou ingloriamente na recusa de Cacá. Vale dizer, que Zezé Motta tenha ocupado o centro da cena e que o Brasil a tenha aplaudido são fatos que não contam. Que não significam nada.

Além de tentar suprimir ideologicamente a figura (e a personalidade) do mestiço, a doutrina racialista repete, como disse, o velho "racismo científico", na sua crença de que miscigenação embranquece — e seu processo continuado conduzirá ao desaparecimento da "raça negra" no Brasil. Todos sabem que a elite brasileira quis de fato branquear o país. Considerava que o Brasil estava encalacrado, sem qualquer perspectiva de desenvolvimento, em decorrência de nossa formação genética. Acreditava-se, naquela época, com base em preconceitos escravistas ou já em informações do pensamento científico, que os negros nunca deixariam de ser seres inferiores, de potência mental reduzida, incapazes de acompanhar os avanços da civilização e inaptos para a execução de determinadas funções exigidas pelo novo mundo social e produtivo que se estava implantando. Com isso, o Brasil estaria condenado ao atraso. Inviabilizado como nação. A saída seria injetar, na corrente sanguínea do país, doses maciças de sangue caucasiano. Daí os esforços da classe dirigente brasileira, desde a segunda metade do século XIX, para atrair imigrantes europeus. Com eles, não só receberíamos representantes de estágios superiores da espécie humana, gente capaz de encarar as mudanças da modernidade, como, aqui se misturando sexualmente com nossos mestiços, essas pessoas promoveriam um clareamento da população, num desempenho que, além de esteticamente almejado, seria indispensável ao nosso futuro como nação. Foi assim que, plantando-se no terreno das superstições do "racismo científico", articulou-se entre nós a "ideologia do branqueamento", ideologia ao mesmo tempo teórica e prática, visando à reconfiguração de nosso perfil etnodemográfico.

Tal ideologia havia aflorado já no pensamento de Silva Lisboa (Visconde de Cairu), como podemos ver em suas *Observações Sobre a Prosperidade do Estado pelos Liberais Princípios da Nova Legislação do Brasil* (1810), para repercutir nas ideias de José Bonifácio, em textos como a *Representação à Assembleia Geral Constituinte e Legislativa do Império do Brasil Sobre a Escravatura*, de 1823. Cairu se angustiava com o fato de o Brasil se encher de negros. E o que era grave: de negros que seduziam e corrompiam os brancos aqui existentes, multiplicando por mil a nossa massa de mulatos de muitos matizes. E ele, embora fosse mulato, tinha vergonha da mulataria. Qual, então, a solução? O visconde é claro. Era necessário estancar o mais rápido possível a importação de africanos. Acabar com o tráfico de escravos. E trazer para cá "gente livre e de extração europeia". Isto é: Cairu surge, às primeiras luzes do século XIX, formulando um programa que se tornaria célebre entre nós: o "branqueamento" racial e cultural do povo brasileiro. Já no entender de Bonifácio, uma nação só poderia se realizar como tal ao se constituir como uma unidade, um todo homogêneo. A população brasileira, porém, era heterogênea. Assim, a construção da unidade nacional brasileira — tarefa que se impôs com urgência depois da proclamação de nossa independência em 1822 — tinha de passar pela superação de um obstáculo formidável: a existência de negros escravizados e de grupos indígenas em nossa sociedade e em nossa extensão territorial. Era necessário incorporar esses contingentes populacionais à nação. Fazê-los brasileiros. Para isso, Bonifácio via dois caminhos. Um deles era a supressão gradual do regime escravista. O outro era a miscigenação — a adoção de um elenco de medidas que incentivassem casamentos inter-raciais, com vistas a um progressivo clareamento da população. "Bonifácio pregava o fim da escravidão com mecanismos de suporte social para os negros, a integração dos índios à sociedade nacional e a mestiçagem, de onde deveria resultar uma nova 'raça', tão brasileira quanto integrada: a miscigenação era o caminho pelo qual se chegaria também à homogeneidade cultural", resume Miriam Dolhnikoff, em introdução a uma antologia de escritos bonifacianos, que ela mesma organizou — *Projetos para o Brasil*. Note-se, contudo, que Bonifácio não via o negro como "ser inferior" em base biológica, mas em sentido civilizatório — vale dizer, era possível superar o abismo entre o "primitivismo" africano e a "sofisticação" europeia. A argumentação biológica só virá mais tarde, no ocaso dos dias imperiais, com a assimilação das teses do "racismo científico", que, confrontado com a nossa realidade, vai acabar gerando, talvez sob a inspiração do Ernest Renan de "O Que É Uma Nação", uma resposta especificamente brasileira para as questões das raças e da miscigenação.

É possível resumir o "racismo científico" em poucas palavras. Trata-se de um pensamento que entrou em campo afirmando a desigualdade essencial entre as raças. Uma desigualdade que não é simples diferença. O "racismo científico" brotava de uma leitura evolucionista da espécie humana. Sustentava a existência de uma hierarquia racial, onde o branco europeu estava no cimo e os extraeuropeus na base, sendo, por isso mesmo, incapazes de alcançar sozinhos os estágios civilizatórios mais elevados. Ainda de acordo com essa cartilha, a miscigenação deveria ser vista em termos negativos, já que misturas raciais produziam híbridos degenerados. O impacto dessas ideias, entre as elites brasileiras e os nossos intelectuais, será enorme — e duradouro. Veja-se o caso de Euclides da Cunha, para quem a mistura de raças tendia a ser principalmente prejudicial: o mestiço era quase sempre um desequilibrado, um decaído. Tal pensamento vai ecoar, ainda, na década de 1920. No *Retrato do Brasil*, de Paulo Prado, por exemplo — embora, entre Euclides e Paulo Prado, o Alberto Torres de *O Problema Nacional Brasileiro* (1914), recorrendo à cultura histórica e aos pensamentos antropológicos de Ratzel e Franz Boas, tenha contestado com erudição, sagacidade e ironia o dogma racista. Mas, como disse, os brasileiros não ficaram na simples cópia das teses europeias. Abraçaram o "racismo científico", mas para chegar a uma conclusão surpreendente: divisar, na mestiçagem, a perspectiva de nossa realização plena como povo e nação. Daí que eu tenha me referido a Renan, que via os povos europeus do século XIX como resultados da mestiçagem das antigas populações que habitavam o velho continente. Podemos ver a ideia em escritos de Sílvio Romero e num texto como "Sur les Métis au Brésil", que Baptista de Lacerda, antropólogo do Museu Nacional, apresentou no Primeiro Congresso Internacional das Raças, realizado em Londres, em 1911.

É neste ponto crucial que o "racismo científico" brasileiro e o norte-
-americano diferem entre si: a mestiçagem. Veja-se, a propósito, a exposição
que Louis Menand faz da versão ianque, em *The Metaphysical Club: A Story
of Ideas in America*. O início de discussão norte-americana, nesse terreno,
está na obra de Samuel G. Morton. A partir de uma série de comparações,
Morton chegou a uma classificação hierárquica da espécie humana, com base
numa suposta capacidade craniana das raças. No topo, a raça caucasiana (em
especial, os "teutônicos": alemães, ingleses, anglo-americanos); a rés do chão,
a raça africana — figurando, no fim da linha, os hotentotes, os chamados
aborígenes australianos e, *nota bene*, os pretos nascidos nos EUA, seres ainda mais inferiores do que os negros nativos da África. Estas pesquisas de
Morton fizeram a cabeça do suíço Agassiz, àquela altura vivendo nos Estados Unidos, onde se convertera na grande celebridade científica do país. Melhor dizendo, Agassiz era então, nos EUA, sinônimo de ciência — influencian-
do pensadores nas mais diversas áreas do saber, mesmo em gerações posteriores à sua, como o Ezra Pound do *ABC da Literatura*, que transportou para
os estudos poéticos o método naturalista de observação direta dos peixes. E
Agassiz levou Morton ao extremo, ao adotar o poligenismo para tentar explicar as diferenças que julgava existir entre as raças. Isto é: ao aceitar a tese
de que cada raça tinha sido criada separadamente, em espaços geográficos
distintos, e possuía, desde o seu aparecimento na superfície terrestre, atributos e aptidões particulares, exclusivamente seus. Enquanto o monogenismo
defendia a existência de uma origem comum para toda a humanidade, com
as raças diferenciando-se entre si por determinações climáticas, o poligenismo
aposentava o mito bíblico de Adão e Eva. Negros e brancos, antes que variações de uma mesma matriz, eram espécies diferentes, dessemelhantes uns dos
outros. Para Agassiz, os negros não só constituíam, anatômica e fisiologica-
mente, uma espécie distinta — mas eram uma espécie definitivamente inferior ("o cérebro do negro é equivalente ao cérebro imperfeito de um infante
de sete meses no ventre de uma branca") e sem qualquer esperança de salvação, desde que as raças eram imutáveis. Agassiz encontrou então seus pares
poligenistas entre os cientistas-ideólogos dos EUA naquele meado do *otto-
cento*, a exemplo do "negrólogo" Josiah Nott e de George Gliddon, os autores de *Types of Mankind*, livro de enorme sucesso na época. Juntos, eles
não só frisavam a diferença radical entre negros e brancos (diversos entre si
como o cisne e o' ganso, dizia Nott), como estavam empenhados, até à medula, no combate às misturas raciais.

Era preciso impedir por todos os meios a mestiçagem — ou os EUA
conheceriam a catástrofe genética, a falência mental e o colapso moral. Cru-

zamentos de pretos e brancos? *"God protect us from such contact!"* ("Deus nos proteja de tal contato!") — protestava Agassiz, já no final da década de 1840, numa carta à sua mãe, citada em *The Metaphysical Club*. E as ideias de Agassiz, Nott e Gliddon se espalharam e se enraizaram entre os brancos dos EUA, inclusive reforçando, ao longo das lutas contra a escravidão, planos para deportar os negros norte-americanos para a África ou para lugares da América Central e do Sul. Na verdade, ideias e planos desta natureza já vinham de muito antes da emergência do "racismo científico". Já em 1714, um autor anônimo sugeria recambiar os pretos para a África. "Pouco depois da Guerra da Independência, Samuel Hopkins e o reverendo Ezra Stiles discutiram a possibilidade de colocar em ação este plano. Em 1777, uma comissão legislativa da Virgínia, presidida por Thomas Jefferson, havia apresentado um plano de gradativa emancipação e deportação", lembram Hope Franklin e Moss Jr., em *From Slavery to Freedom: A History of Negro Americans*. Jefferson não desistiu do projeto, que continuava a defender em 1820, escrevendo sobre o assunto a um plantador sulista. "Ele também era vítima do medo e da culpa", observa Hugh Brogan em *The History of the United States of America* — como não conseguia confiar nos negros e acreditava que, entre os desígnios de Deus, não estava a partilha do Novo Mundo entre descendentes de europeus esclarecidos e de africanos rudes, achava que qualquer intento abolicionista tinha de prever meios para expatriar os pretos. Brancos não proprietários de escravos pregavam a mesma coisa. Brogan nos fala, também, das "muitas pessoas de boa vontade" que se envolveram com a Sociedade Norte-Americana de Colonização, no intuito de enviar os negros de volta à África. De tais empenhos expulsivos teve início, de resto, a colonização, por ex-escravos norte-americanos, da atual Libéria (cuja capital ganhou o nome de Monróvia, em homenagem ao presidente Monroe), na antiga Costa da Pimenta dos navegadores lusitanos. É certo que, na maioria de suas manifestações públicas, os negros rejeitavam planos de expatriação. Mas não todos — e nem sempre. Caso conhecido é o de Paul Cuffe, negro livre que se fez armador e comerciante, proprietário de brigues, casas e terrenos. Em 1811, conduzindo um de seus navios, Cuffe foi até Serra Leoa, ver com seus próprios olhos a possibilidade de lá assentar negros livres dos EUA. Em 1815, ele mesmo levou 38 negros para o continente africano, com as despesas correndo por sua conta. Algumas personalidades negras dos EUA acharam que não haveria futuro para os pretos naquele país. Mesmo na segunda metade do século XIX, um líder negro como Frederick Douglass — leitor de Shakespeare e Feuerbach, hostil a empresas expatriadoras e a qualquer modalidade de *black separatism* — acabou jogando a toalha, cansado, ainda que apenas por um breve instante, de nadar contra a maré do racismo e da opressão. Teve palavras gentis para famílias negras de Rochester que migraram para o Haiti. E anunciou aos leitores do *Douglass' Monthly*, em 1861, que ele mesmo estava de partida para a "república negra", a fim de observar aquela "moderna terra de Canaã", para onde muitos pretos estavam indo, de modo a escapar "da escravidão do moderno Egito". Douglass só não viajou porque, antes do dia marcado para o seu embarque, aconteceu o bombardeio de Fort Sumter. A eclosão da guerra civil norte-americana.

Mas o fogo dos confrontos bélicos não impediu o prosseguimento dos projetos de expatriação, agora com o aval supostamente isento e superior do "racismo científico". Em *The Idea of Race*, Michael Banton parte justamente deste ponto: "A 14 de agosto de 1862, Abraham Lincoln convocou um grupo de negros norte-americanos para a Casa Branca [e não deixa de ser interessante que a sede do governo dos EUA se chame casa *branca*], para lhes explicar o seu desespero a respeito do futuro da raça negra nos Estados Unidos e o seu interesse em esquemas que os enviassem para a África. Começou assim: 'Vós e nós somos raças diferentes. Existe entre ambas uma diferença maior do que aquela que separa quaisquer outras duas raças. Pouco importa se isto é verdadeiro ou falso, mas o certo é que esta diferença física é uma grande desvantagem mútua, pois penso que muitos de vós sofrem enormemente ao viver entre nós, ao passo que os nossos sofrem com a vossa presença'". O Congresso chegou a arrebanhar recursos para despachar a crioulada para fora do país, instalando-a na África. O plano não se concretizou. Mas nos deixa completamente perplexos o simples fato de ter chegado ao ponto que chegou: ao assentimento objetivo do presidente Lincoln, à concordância prática do Congresso dos EUA. Banton vincula a postura de Lincoln e dos congressistas ao "racismo científico" norte-americano, com seu horror pelos negros e pela mestiçagem. E, mais diretamente, ao livro de Nott e Gliddon. "A influência desta escola de pensamento é evidente na crença de Lincoln", escreve. No final de *Types of Mankind*, a dupla de "racistas científicos", avalizada por um estudo introdutório de Agassiz, conclui, entre outras coisas: "Que a superfície do nosso globo está naturalmente dividida em diversas províncias zoológicas [...] que todas as espécies de animais e plantas foram originalmente atribuídas à sua província adequada [...] Que a família humana não representa exceção a esta lei geral, mas que antes se lhe submete: estando a humanidade dividida em vários grupos de raças, cada uma das quais constitui um elemento primitivo na fauna da sua província peculiar [...] Que as raças do homem mais separadas na sua organização física —

como negros e brancos — não se juntam perfeitamente". Aceitando tais princípios, Lincoln foi um dos que tenderam a ver, na expulsão dos negros norte-americanos para a margem oriental do Atlântico Sul, uma maneira de evitar a derrocada biológica, moral e intelectual dos EUA.

O caso brasileiro foi inteiramente outro. Sílvio Romero não ficou preso na disputa sobre se as misturas raciais eram ou não maléficas. Simplesmente partiu da constatação de que, biológica e culturalmente, vivíamos num mundo mestiço. Mesmo os brancos e negros "puros" existentes no país achavam-se já "mestiçados pelas ideias e costumes", como escreveu em *Estudos Sobre a Poesia Popular do Brasil*. Pragmaticamente, Romero achava que, em nossas mesclas raciais, o branco predominaria, graças à sua superioridade física e mental. Logo, o povo brasileiro estava no caminho do clareamento. Recuperava-se, por essa via, a esperança em um futuro nacional. A ciência apontava para a presença de raças inferiores na formação de nosso povo e ensinava que a mestiçagem era responsável pela geração de seres degenerados? Tudo bem, a sociedade brasileira estava em processo de branqueamento. Não é diferente o que diz Baptista de Lacerda. Também ele acreditava que a questão racial brasileira seria resolvida pelo branqueamento. "Para Lacerda, o país estava caminhando para o branqueamento porque os mestiços, além de não formarem uma 'raça fixamente constituída', tendiam, por 'seleção sexual', a ter filhos com brancos, ainda mais no Brasil, onde os 'cruzamentos não obedecem a regras sociais precisas, onde os mestiços têm toda a liberdade de se unir aos brancos'. Aliado à dinâmica interna de transformação racial, Lacerda chamava atenção para o papel da imigração como fator de aceleração do processo de branqueamento através da infusão de sangue europeu/ariano", resume Ricardo Ventura dos Santos, em "Mestiçagem, Degeneração e a Viabilidade de uma Nação: Debates em Antropologia Física no Brasil (1870-1930)", texto que integra a antologia *Homo Brasilis: Aspectos Genéticos, Linguísticos, Históricos e Socioantropológicos da Formação do Povo Brasileiro*, organizada por Sérgio D. J. Pena. Os pensadores brasileiros invertem o sinal da teoria europeia: a mestiçagem é um mal, mas vai se converter num bem, quando o nosso povo estiver clareado. Em outro texto da mesma antologia — "O Brasil Sob o Paradigma Racial" —, Souza Ramos define bem o quadro: "Em comum com as teorias estrangeiras, os autores brasileiros acreditavam na desigualdade das raças, na inferioridade dos mestiços e na incapacidade dos povos negros em alcançar a civilização sem a tutela ocidental. A peculiaridade nacional, contudo, residia na crença em que a inferioridade dos mestiços não era um fato absoluto e que, através da miscigenação das raças inferiores com as melhores raças brancas, era possível produzir-se, por uma espécie de seleção natural, um tipo mais branco e evoluído e que esse processo estava acontecendo no Brasil. Para tal, contribuíam uma baixa fertilidade dos negros e mulatos, a tradição portuguesa de cruzamento inter-racial e a imigração europeia". Enfim, a elite brasileira não tinha dúvida de que estava alvejando nosso povo. Tudo era uma questão de tempo. Baptista Lacerda, inclusive, fazia as contas. Segundo seus cálculos, o branqueamento da população brasileira estaria já concluído na segunda década do século XXI. Se estivesse vivo, não sei como reagiria à *boutade* de Chico Buarque, conclamando-nos a providenciar o casamento do goleiro Taffarel e da apresentadora Xuxa, a fim de evitar a extinção da raça branca no Brasil.

É óbvio que nenhum racialista cai nessa conversa fiada de "baixa fertilidade" do negro — os pretos brasileiros fazem filhos à vontade (e esta foi uma das razões do fracasso da ilusão branqueadora). Sua primeira reação é contra um projeto elitista — real — de eliminação da "raça negra" no Brasil. Um projeto genocida *sui generis* (pouco importa se irrealizável, datado e restrito à classe dominante e seus intelectuais): os negros não seriam fuzilados ou asfixiados em câmara de gás, mas geneticamente diluídos. Genocídio suave, à brasileira. Em segundo lugar, reage-se contra a argumentação ridícula, mas ao mesmo tempo humilhante, do evolucionismo biológico, que despachava o negro para um escalão inferior da espécie humana. Mas a grande preocupação prática é manter acesa e elevada a autoestima negra. Marcar a diferença étnica e glorificá-la, de modo a impedir que negromestiços cedam à tentação de ver, no casamento com brancos, um caminho para a ascensão social ou um meio de fazer com que seus filhos, nascendo mais claros, não estejam tão expostos às farpas doloridas do preconceito racial — seja este francamente brutal ou, o que é mais comum em nosso meio, delicado e sutil. Em última análise, a recusa racialista à miscigenação parece se articular a partir de duas pontas: orgulho racial e preservação étnica. O que significa que estamos diante de uma recusa que é, sobretudo, política. Aceitando a tese do "racismo científico", segundo a qual a hibridização branqueia, o racialista nada contra a maré do branqueamento, esforçando-se para impor um *cordon sanitaire* entre as raças, com o intuito de impedir seus cruzamentos. De outra parte, a fim de construir uma "identidade negra" para efeitos de desempenho político, tenta convencer mestiços mais trigueiros a se identificar como pretos. Mas não deixa de ser curiosa a crença no branqueamento como resultado último dos processos miscigenadores.

No prefácio a *Rediscutindo a Mestiçagem no Brasil*, de Kabengele Munanga, o sociólogo Teófilo de Queiroz Júnior é explícito. Avisa que o livro de Kabengele "põe a nu o real objetivo com que se tolera [no Brasil] a mistura de brancos com não brancos — asiáticos, índios, mas particularmente negros —, o branqueamento de nossa população". Chama a atenção para uma suposta incapacidade dos "homens brasileiros de saber e de poder" em reconhecer "os prejuízos que a mestiçagem vem causando ao negro no Brasil". E, por fim, fala da necessidade de "equipar" o negromestiço para que este resista "à tentação de ser mulato". De fato, Kabengele (pronuncia-se "cabenguelê"), embora não veja no branqueamento populacional o desfecho último das nossas mestiçagens, pensa que é preciso construir uma personalidade coletiva do negro no Brasil. Que essa construção passa pelo reconhecimento da herança africana, do passado histórico de escravo e pela cor — "pela recuperação de sua negritude, física e culturalmente". E que o grande obstáculo para que isto se realize está na ideologia racial que se configurou no país "do fim do século XIX a meados do século XX", com seu "ideário do branqueamento", que "roubou dos movimentos negros o ditado 'a união faz a força' ao dividir negros e mestiços e ao alienar o processo de identidade de ambos". Escreve Kabengele: "As dificuldades dos movimentos negros em mobilizar todos os negros e mestiços em torno de uma única identidade 'negra' viriam do fato de que não conseguiram destruir até hoje o ideal do branqueamento". Assim, enquanto Teófilo fantasia um Estado onipotente, onipresente e onisciente, capaz de controlar inteiramente a vida de seus súditos, tolerando as misturas raciais por nelas ver o expediente por excelência da clarificação do povo brasileiro, Kabengele julga que os mestiços não se identificam como negros, não contribuem para forjar uma identidade negra coletiva e politicamente mobilizadora, pela simples razão de que "*todos* sonham ingressar um dia na identidade branca" (grifo meu), que consideram "superior". E é incapaz, assim, de se fazer perguntas bem elementares. Será mesmo que *todos* os mestiços brasileiros gostariam de ser brancos? Será que *todos* os mestiços, se colocados diante de uma forte "personalidade negra", fariam a opção de se classificar como negros? Ou será que muitos deles não se veem e se estimam como mestiços, satisfeitos de serem o que de fato são? Parece inimaginável, para Kabengele e seus companheiros racialistas, que um mestiço não tenha problema em ser mestiço. O que percebo, em muitos casos, é o contrário. Não vejo, nas morenas brasileiras, o desejo de serem negras — e muito menos "branquelas", como costumam dizer. É certo que existe a pressão branqueadora. E que esta pressão tem a sua eficácia sobre muitos mestiços. Muitos, mas não todos. O problema do racialismo, nesse caso, é a indisposição ou a insuficiência para distinguir e admitir a especificidade do mestiço.

Em O *Genocídio do Negro Brasileiro*, Abdias do Nascimento — ele mesmo um mulato, independentemente do modo como queira se definir — ataca em duas pontas. De uma parte, encadeia mestiçagem, branqueamento e alienação da *identidade* negra. De outra, mestiçagem, branqueamento e aniquilação da *raça* negra. "Os africanos e seus descendentes, os verdadeiros edificadores da estrutura econômica nacional, são uns verdadeiros coagidos, forçados a alienar a própria identidade pela pressão social, se transformando, cultural e fisicamente [?], em brancos", escreve Abdias, citando o exemplo do ilustre *putañero* baiano Gregório de Mattos, "o famoso satírico 'boca do inferno' que tão ferozmente ironizou os mulatos possuidores de amantes negras ou mestiças; seu ideal de beleza era a beleza branca". A pressão é poderosa, sim, afetando negromestiços em profundidade — e, não raro, de modo dilacerante. Mas o caso de Gregório, que Abdias (embora cite) desconhece, é mais complexo. Gregório não pode ser tratado como *flat character*, para lembrar a terminologia de Forster, em *Aspects of the Novel* — como "personagem plana", "tipo" construído "ao redor de uma única ideia ou qualidade". Teófilo de Queiroz Júnior chegou perto dos fatos, em *Preconceito de Cor e a Mulata na Literatura Brasileira*, ao situar o poeta barroco-popular da Bahia como "ofensor e defensor" das mulatas, simultaneamente. Mas há ainda um pequenino detalhe, sobre o qual Abdias e seus seguidores não fariam mal em meditar. Gregório não era negro. Nem mestiço. Era branco. E isto muda tudo. Nascido na Cidade da Bahia em dezembro de 1636, aluno do Colégio dos Jesuítas, doutor pela Universidade de Coimbra, filho de família muitíssimo bem situada na hierarquia social baiana — família da classe dominante, senhora de engenho de açúcar e de cerca de 130 escravos no Recôncavo Baiano —, Gregório era, ainda, "cristão velho" (é assim que a Inquisição classifica sua linhagem), sem mescla de sangue árabe ou judeu. Que, sendo assim tão branco, tenha escrito o que escreveu, é coisa que deveria dar, aos racialistas, o que pensar. Como na celebração da mulata Tereza. Primeiro, pelo fato de o poeta saber cumprimentar a beleza mulata se impondo ao padrão estabelecido da beleza branca:

> *Seres, Tereza, formosa,*
> *Sendo trigueira, me espanta;*
> *Pois tendo beleza tanta,*
> *É sobre isto milagrosa.*
> *Como não será espantosa*
> *Se o adágio me assegura,*
> *Que quem quiser formosura*

> *A há de ir na alvura ver;*
> *E vós sois linda mulher*
> *Contra o adágio da alvura.*

E mais, ainda Tereza em tela, o branco totalmente fascinado por sua radiância mestiça:

> *Se por todo mundo andara,*
> *Não vira no mundo inteiro,*
> *Nem riso mais feiticeiro,*
> *Nem mais agradável cara.*

De outra parte, como disse, Abdias vê a mestiçagem como estratégia de extermínio dos negros. "Situado no meio do caminho entre a casa-grande e a senzala, o mulato prestou serviços importantes à classe dominante; durante a escravidão ele foi capitão do mato, feitor, e usado noutras tarefas de confiança dos senhores, e, mais recentemente, o erigiram como um símbolo da nossa 'democracia racial'. Nele se concentraram as esperanças de conjurar a 'ameaça racial' representada pelos africanos. E estabelecendo o tipo mulato como o primeiro degrau na escada da branquificação sistemática do povo brasileiro, ele é o marco que assinala o início da liquidação da raça negra no Brasil." E ainda: "O processo de mulatização, apoiado na exploração sexual da negra, retrata um fenômeno de puro e simples genocídio. Com o crescimento da população mulata a raça negra está desaparecendo sob a coação do progressivo clareamento da população do país". É uma visão unilateral e distorcida. Dos pontos de vista histórico e genético. Primeiro, porque, em nosso passado escravista, os mulatos não foram apenas capitães do mato e feitores (nos EUA, os feitores, além de negros, foram, invariavelmente, escravos). Participaram, também, de rebeliões antissenhoriais e viveram em quilombos. Era mulata a liderança da Revolução dos Alfaiates ou Conspiração dos Búzios (1798), que se posicionou contra a escravidão e a dominação colonial — para ser presa e enforcada em praça pública. Segundo, porque a miscigenação não é um processo unilateralmente embranquecedor. Inexistem genes racistas. Terceiro, a ideologia do branqueamento e o projeto de clarear a população brasileira são coisas datadas e exclusivas de uma classe social. Não foi esta a política dos governadores-gerais do Brasil Colônia, nem é a de nossos governos mais recentes, de Sarney a Lula, passando por Fernando Henrique. Por outro lado, a sociabilidade brasileira *in globo* não se desenvolveu colada aos trilhos fixados pelo Estado e a classe dirigente. Pelo contrário, correu, basicamente, à sua revelia. A postura antimiscigenadora do racialismo é, portanto, parcial e anacrônica. Mas vem daí o temor de que a "raça negra" se dilua e termine por desaparecer do mapa. Nesse caso, a recusa racialista da miscigenação passa então, subterraneamente, por uma espécie qualquer de instinto étnico coletivo de sobrevivência. E se organiza como discurso anti-"genocida". Mas me parece perdida no tempo.

Não se afasta desse figurino o discurso do "feminismo negro". O que temos, aqui, é um forte protesto contra a mestiçagem, entendida como violência sexual contra a mulher negra. "No Brasil e na América Latina, a violação colonial perpetrada pelos senhores brancos contra as mulheres negras e indígenas e a miscigenação daí resultante está na origem de todas as construções de nossa identidade nacional, estruturando o decantado mito da democracia racial latino-americana, que no Brasil chegou até às últimas consequências. Essa violação sexual colonial é, também, o 'cimento' de todas as hierarquias de gênero e raça presentes em nossas sociedades, configurando aquilo que Angela Gillian define como 'a grande teoria do esperma em nossa formação nacional'", escreve Sueli Carneiro, em "Enegrecer o Feminismo", texto incluso no volume *Racismos Contemporâneos*. E a própria Angela Gillian, uma norte-americana voltada para assuntos brasileiros de "gênero" e raça, em *Multiculturalismo e Racismo: o Papel da Ação Afirmativa nos Estados Democráticos Contemporâneos*: "O papel da mulher negra é negado na formação da cultura nacional; a desigualdade entre homens e mulheres é erotizada; e a violência sexual contra as mulheres negras foi convertida em um romance". De um modo geral, não tenho do que discordar. A miscigenação inicial com a mulher negra escravizada se deu principalmente na base do estupro. Principalmente, mas nem sempre, em todo caso. A relação entre senhores e escravas comportaram aspectos mais sutis, da sedução à gratidão, da cumplicidade cotidiana ao amor, como foi demonstrado pelas pesquisas de Ligia Bellini (ver "Por Amor e Por Interesse — A Relação Senhor-Escravo em Cartas de Alforria", no livro *Escravidão & Invenção da Liberdade*, organizado por João José Reis), que enfatiza, para além da mera exploração sexual, "a complexidade e a força dos laços pessoais que uniam escravas e proprietários". A regra, no entanto, foi a violência. Bem mais contra negras do que contra índias, que não só eram curradas, mas também seduziam brancos e a eles eram dadas de presente pelos morubixabas. Nesse âmbito luso-ameríndio, de resto, casamentos como o de Caramuru e Catarina Paraguaçu e o de Garcia d'Ávila com a índia Francisca não têm nada a ver com violência sexual. De qualquer sorte, uma discussão acerca da opressão e da exploração das mulheres pelos homens, na vida histórica brasileira, teria de incluir machos índios e africanos. Negras foram (e ainda são) vítimas da violência de negros. Mesmo em Palmares, com a sua carência de mulheres. Sabe-se que guerrilheiros palmarinos assaltavam fazendas para sequestrar escravas — com o seu consentimento ou contra a sua vontade, independentemente do fato de elas terem ou não companheiros e filhos —, arrastando-as para os mocambos da Serra da Barriga. E a dominação sexual masculina, entre os tupinambás, era pesada. Enquanto os homens se dedicavam à guerra e à festa, as mulheres tinham de dar conta do trabalho doméstico, da produção cerâmica e têxtil, das plantações. E se um homem podia ter muitas mulheres, a mulher que cometesse adultério corria o risco de ser punida com a morte. Mas não é isto o que nos interessa, no momento. E, assim, volto ao anacronismo. A mestiçagem, hoje, não pode ser vista como violência contra a mulher negra — não só pelos cruzamentos de negros e brancas, mas porque a união com um branco, em nossos dias, passa pelo assentimento (quando não, pela iniciativa) da mulher negromestiça.

De todo modo, temeroso de um branqueamento final da população brasileira, o racialista abre fogo contra relações amorosas e/ou sexuais de natureza inter-racial, envolvendo brancos e negros. Anátema, sim. No âmbito inicial do Movimento Negro, esse combate às relações sexo-amorosas interétnicas era comum. O próprio Abdias foi criticado por conta de seu casamento com uma branca norte-americana, Elisa Larkin, autora de *Pan-Africanismo na América do Sul: Emergência de uma Rebelião Negra*. Esta proibição não escrita (mas implícita, subentendida e, sempre que necessário, verbalizada) de uniões inter-raciais, do simples namoro ao casamento, visa, obviamente, a abortar a miscigenação, preservar a "afrodescendência" e, assim, favorecer o vir à tona de um Brasil Negro. Talvez se possa encontrar uma justificativa menor para isso no fato de que, regra geral, são opostas as posturas de brancos e pretos diante do casamento interétnico. Podemos ilustrar essa diferença com exemplos colhidos no livro *Racismo Cordial*, organizado por Cleusa Turra e Gustavo Venturi. Num deles, o vereador paulista Vital Nolasco, negromestiço e comunista, relata: "A ideia de branqueamento da raça é muito forte. Minha mãe dizia para as filhas: 'vocês têm que casar com branco para apurar a raça'. O negro de classe média também rejeita a [própria] raça". Diversa é a história de Paula Barreto, branca, filha do produtor cinematográfico Luís Carlos Barreto, que se casou com Cláudio Adão, jogador de futebol, negro. Ela diz que sofreu "pressões naturais" da família contra o casamento, com a mãe chegando a perguntar se havia pensado no destino dos filhos, que seriam mulatos. "Era o que eu mais queria", comenta Paula — "ter filhos lindos, que não fossem branquelos como eu e que fossem uma mistura minha e do Cláudio". Se a família negromestiça pode pressionar em favor da união interétnica, a família brancomestiça tende a pressionar para evitá-la.

Por outro lado, o fato de a mestiçagem ser socialmente reconhecida, no Brasil, acaba gerando um complemento racialista que é, no mínimo, estranho. O Movimento Negro insiste sempre nesse ponto: o mestiço, ao se ver e se expor e ser aceito como mestiço, em nada ajuda no sentido da construção de uma identidade negra no país. Pelo contrário, concorre para afrouxar os laços de solidariedade que supostamente deveriam existir entre ele e os "negros indisfarçáveis", como diz Kabengele Munanga, explanando: "Nos Estados Unidos, onde o preconceito enfatiza a origem, a identidade de um indivíduo ou de um grupo será construída com base na origem racial fundada no princípio de hipodescendência. No Brasil, onde a ênfase está na marca [Oracy Nogueira] ou na cor, combinando a miscigenação e a situação sociocultural dos indivíduos, as possibilidades de formar uma identidade coletiva que aglutine 'negros' e 'mestiços', ambos discriminados e excluídos, ficam prejudicadas". Se, por um lado, a hipodescendência gerou o segregacionismo, por outro, o *apartheid* norte-americano "permitiu a construção de identidades raciais e étnicas fortes no campo dos oprimidos". Uma outra consequência, nada irrelevante — a aceitação do mestiço faz com que os casamentos inter-raciais, no Brasil, reduzam o contingente populacional negro; nos EUA, ao contrário, aumentam, já que lá todo filho de preto, pretinho é. Ou seja: a *one drop rule* e a segregação estão no alicerce e na argamassa da identidade negra norte-americana. Como não temos isto no Brasil, os "negros" aqui não se unem — argumentam os racialistas. E é aqui que vamos flagrar o estranho complemento racialista a que me referi. É que alguns ideólogos do racialismo brasileiro só faltam se queixar explicitamente, com todas as letras: lamentavelmente, não tivemos, no Brasil, a regra de descendência; infelizmente, o preto brasileiro não teve a sorte de ser violentamente discriminado e segregado como o preto norte-americano. Tivesse isto acontecido e teríamos hoje, entre nós, uma identidade negra firme, categórica, concentrada e densa. A menos que, antes disso, houvessem todos sido expulsos para o continente africano, como quase chegou a acontecer nos EUA.

Quaisquer que sejam as cartas na mesa, porém, não parece que a atitude repressora do racialismo esteja dando o resultado esperado. O jogo dos genes prossegue em alta rotação em nossos trópicos. A mestiçagem brasileira é tão (ou mais) intensa, hoje, quanto o foi nos primeiros tempos coloniais. Segundo o IBGE, casamentos entre brancos e pretos no Brasil experimentaram, de 1991 a 2000, um aumento de 100%. E uma pesquisa da *Folha de*

*S. Paulo*, realizada em 1995, revelou que 72% dos negros e dos brancos entrevistados (e 74% dos "pardos") se manifestaram a favor da mestiçagem, concordando inteiramente com a frase impressa nos questionários: "Uma coisa boa do povo brasileiro é a mistura de raças". Está claro que considero absurdo qualquer interdito a relações amorosas e sexuais entre pessoas que as desejam. Sei também, como ensina o samba, que o amor é forte — "não tem idade, não tem cor". Mas o que importa, no momento, é outra coisa. É o fato de ideólogos racialistas acreditarem que, hoje, uma forma possível de "genocídio" do negro passe por fodas, orgasmos e filhos. Repete-se aqui, já o vimos, a crença do "racismo científico" oitocentista: a miscigenação embranquece. É uma visão totalmente unilateral. Nina Rodrigues, aliás, em *As Raças Humanas e a Responsabilidade Penal no Brasil*, julgava improvável que a "raça branca" viesse a predominar nas marés das mestiçagens brasileiras. E o próprio Kabengele Munanga, apesar de alguma hesitação, termina por acreditar no que os seus olhos veem: "Com certeza o processo de mestiçamento no Brasil foi talvez o mais alto e intenso do continente americano nos últimos cinco séculos da nossa história. Não há dúvida de que todas as culturas dos povos que no Brasil se encontraram foram beneficiadas por um processo de empréstimos e de transculturação desde os primórdios da colonização e do regime escravocrata. Mas a realidade empírica, crua, observada por todos, é a de que o Brasil constitui o país mais colorido do mundo racialmente, isto é, o mais mestiçado do mundo [...] O que leva a crer que o projeto de branqueamento, sustentado e experimentado pela elite ideológica e estrategista como solução às mazelas raciais, não surtiu totalmente seus efeitos [...] fica insustentável, graças às observações empíricas evocadas, a crença no aniquilamento do contingente negro, por um lado, e no branqueamento completo (pelo menos fenotipicamente) de toda a população brasileira, por outro [...] O colorido da população desmente as previsões do modelo". Óbvio. Não só não é provável, biologicamente, a supressão dos pretos, como há um aspecto da mestiçagem sobre o qual o racialismo silencia. Se a miscigenação diminui a população negra, leva também a um decréscimo da população branca. Afinal, a miscigenação branqueia — e não escurece? Que magia é essa? De uma coisa, podemos ficar certos: no dia em que não houver um só negro no Brasil, também não haverá um só branco. O que significa que o "genocídio" do negro não pode ser pensado sem o "suicídio" do branco.

Esta visão monocular — que vê a mestiçagem como embranquecimento dos pretos, mas nunca como escurecimento dos brancos — parece ser uma constante do racialismo. De suas leituras e debates da questão racial brasileira, em todas as suas dimensões — do plano genético ao cultural. Mas não se trata de uma característica exclusiva dos ideólogos racialistas. Esse unilateralismo está presente em meio a políticos e intelectuais que simpatizam com — e defendem — as "causas dos oprimidos". Trata-se de uma visão viciada, que vislumbra somente um lado das coisas, para aí se concentrar obsessivamente, no afã de denunciar injustiças, descaracterizações perversas e recalcamentos de expressões simbólicas dos humilhados e ofendidos. É o que acontece em discussões em torno das vicissitudes da cultura negromestiça no Brasil. Vê-se apenas o curso da água erodindo a margem do rio, mas não se percebe que o barro assim escarvado vai tingir esta mesma água, modificando a sua composição. Como se, num enxerto botânico, a flor amarela marcasse a vermelha e esta apenas aceitasse as marcas, quando também o inverso poderia ser dito, estampas rubras no tecido louro.

É o que encontramos, por exemplo, em leituras histórico-interpretativas do fenômeno umbandista carioca. "Umbanda e Classes Sociais", texto de Diana Brown publicado na revista *Religião e Sociedade* (1977), é uma boa mostra disso. Como se sabe, a umbanda nasceu no Rio de Janeiro em meados da década de 1920, com irrupções de "encantados" em ambiente kardecista. Diana Brown ("Uma História da Umbanda no Rio", *Cadernos do Iser*, 1985): "durante meados dos anos 20 um grupo de homens da classe média dedicou-se à criação de um sincretismo de práticas religiosas afro-brasileiras e do espiritismo, adotando o termo 'umbanda' como o nome desta nova religião. Este grupo incluía membros das profissões liberais, jornalistas, pequenos comerciantes e oficiais do exército [além de funcionários públicos]. Eram espíritas insatisfeitos e entediados com o que consideravam ser uma ênfase doutrinária superintelectualizada do espiritismo. Isto os conduziu aos terreiros afro-brasileiros situados ao redor da cidade. Durante este período um dos membros do grupo adoeceu e, enquanto doente, recebeu o espírito de um índio brasileiro, a revelação de sua missão: fundar uma religião chamada umbanda". O grupo meteu mãos à obra, tratando de combinar princípios kardecistas e entidades e práticas macumbeiras num novo culto de possessão. Nesse passo, descartou o que via como espiritualmente menos "evoluído" na macumba, do time irrequieto dos exus ao sacrifício ritual de animais (com o que hoje concorda, por sinal, o babalaô Agenor Miranda Rocha, autor de *Os Candomblés Antigos do Rio de Janeiro*, condenando a chamada "matança"). Nada de "magia negra", de quimbanda, dizia-se. No centro de tudo, a teoria cármica em que se fundava o espiritismo francês, para cá trazido em meados do século XIX. E o que aconteceu, então? Segundo Diana, aqueles integrantes da classe média carioca, lendo a macumba pelas lentes do kardecismo, desfiguraram a alma negra dos terreiros. Com a sua postura

Mestiçagem em questão

seletiva diante da manifestação popular, lograram desafricanizá-la. De outra parte, quando líderes da nova religião começaram a sublinhar a identidade brasileira da umbanda, apenas confirmaram, no entender da autora, a desafricanização do culto mestiço mais tradicional: "embora a contribuição africana fosse expressamente valorizada, ela era novamente menosprezada, desta vez em favor de uma imagem nacionalista brasileira" (é curioso que, para além do estranho problema com o fato de uma religião ser "brasileira", não ocorra à estudiosa que, seguindo o seu raciocínio, esta mesma "imagem nacionalista" implicaria, igualmente, "menosprezo" à "contribuição branca"). Em resumo: a umbanda significou um *branqueamento* da macumba. Concordo, é claro — mas apenas em parte. O que Diana expõe não passa de meia-verdade. É preciso iluminar a outra face do que aconteceu, de modo a não assinar embaixo de uma amputação ideológica do processo.

A umbanda nasceu naquele que pode ser definido como o *momento nacional-modernista* da história brasileira. A chegada da década de 1920, sob o signo da celebração do primeiro centenário da independência nacional, fez a maré político-cultural se agitar com força e brilho no país, no sentido da promoção de um *redescobrimento* do Brasil e das coisas brasileiras e de nossa atualização histórica como nação. Foi esta a época do movimento tenentista e do Modernismo de 1922. Tanto no plano político quanto no estético-intelectual, a preocupação com o Brasil veio então para primeiro plano. Oswald de Andrade, no hoje célebre "Manifesto da Poesia Pau-Brasil" (1924), escrevia: "A poesia existe nos fatos. Os casebres de açafrão e de ocre nos verdes da Favela, sob o azul cabralino, são fatos estéticos. O Carnaval do Rio é o acontecimento religioso da raça. Wagner submerge ante os cordões de Botafogo. Bárbaro e nosso. A formação étnica rica. [...] Contra o gabinetismo, a prática culta da vida. [...] Temos a base dupla e presente — a floresta e a escola". Como escreveu Benedito Nunes, em texto introdutório ao volume *Do Pau-Brasil à Antropofagia e às Utopias* (de Oswald de Andrade), "o ideal do *Manifesto da Poesia Pau-Brasil* é conciliar a cultura nativa e a cultura intelectual renovada, a *floresta* com a *escola* num composto híbrido que ratificaria a miscigenação étnica do povo brasileiro". O tenentismo, por sua vez, buscou igualmente voltar-se para o Brasil, de uma perspectiva simultaneamente nacionalista e modernizadora. E a umbanda nasceu nessa contextura (não examinada por Diana, que vai se concentrar no que veio depois, a Era Vargas), entre a revolta do Forte de Copacabana e a Semana de Arte Moderna, numa ponta, e a Coluna Prestes e a vanguarda "antropofágica", em outra — e talvez instigada até por extremos caricaturais "verde-amarelistas" à Plínio Salgado ("sou um caboclo do Brasil e detesto a Europa que me ensinou a ler"). O objetivo de seus fundadores era chegar ao Brasil "autêntico", busca constante da época, superando a afetação e o europeísmo. Era fazer com que o espiritismo deixasse de ser uma abstração vazia, trazendo o descarnado kardecismo para se encarnar no fogo dos terreiros de macumba. Era dar uma injeção popular brasileira na doutrina francesa. Ir às favelas, como pregava Oswald, para fundir o "primitivo" nacional e o influxo estrangeiro, "a floresta e a escola". Não nos esqueçamos, aliás, de que aqueles oficiais do exército que fizeram parte do grupo de espíritas enfastiados que partiu para fundar a nova religião eram, como anota Diana Brown, "jovens militares simpáticos ao nacionalismo extremado dos 'tenentes'". E o gesto umbandista se inscreveu no horizonte nacional-modernista de então, projetando caboclos (espíritos "ameríndios") e pretos velhos (espíritos "afrodescendentes") nas sessões mediúnicas concebidas em território francês. Como escreveu Renato Ortiz, em *A Morte Branca do Feiticeiro Negro*, "a Umbanda [...] tem consciência de sua brasilidade, ela se *quer* brasileira [...] religião nacional que se opõe às religiões de importação: protestantismo, catolicismo e kardecismo".

Resultado: espiritismo macumbeiro, macumba kardecista. Pomba-Gira no terreiro de Allan Kardec. Tendas tropicais para o espiritismo francês, com linhas e falanges de entidades várias. Talagadas de cachaça e fumaça de charutos e defumadores dando uma outra natureza à mesa branca kardecista. Menos sectário e mais complexo e realista do que Diana Brown, nosso Renato Ortiz pondera: a umbanda resultou "da fusão de dois movimentos: o embranquecimento da cultura negra e o 'empretecimento' da ideologia kardecista". Ortiz justifica as aspas em "empretecimento" dizendo que é preciso diferenciá-lo de *enegrecimento*. "O preto se opõe ao negro na medida em que o primeiro se refere à superfície da cor negra, enquanto o segundo diz respeito à essência negra, ou seja, o que o africano traz de característico de uma África pré-colonial", escreve. Mas, como ele não se dispõe a distinguir entre "branqueamento" e "embranquecimento", com referência a uma "essência branca" que o europeu teria trazido de uma Europa pré-tropical ou pré-colonialista, sinto-me à vontade para apagar as suas aspas unilateralmente essencialistas. Se os elementos de origem negra foram reinterpretados, pelos então kardecistas cariocas da década de 1920, "de acordo com os cânones de uma sociedade onde a ideologia branca é dominante", falemos então de assimetria. De "fusão" desequilibrada. E então, ainda que assimetricamente, não só da morte *branca* do feiticeiro negro, mas também da morte *negra* do feiticeiro branco — se é que a palavra *morte* é adequada, no âmbito desse enredo.

Mestiçagem em questão

Para se ter uma ideia do significado desse enegrecimento do kardecismo, do que ele representou em termos de subversão e desfiguração do espiritismo europeu, basta inverter as perspectivas de Brown e Ortiz — e examinar o processo umbandista de um ponto de vista branco. Para isso, podemos recorrer a uma história interessante, recontada no livro *The Aryan Christ: The Secret Life of Carl Jung*, de Richard Noll. Foi na época em que Jung, promovendo sessões com mulheres de sua família, dedicou-se ao estabelecimento de "diálogos formais" com espíritos. Era Jung *performing* em paragens paranormais, com reflexos que se fariam sentir em suas teorias psicológicas e técnicas psicoterapêuticas. Mas o que nos interessa, no momento, aconteceu logo na primeira sessão organizada pelo futuro prestidigitador dos arquétipos, numa noite de junho de 1895. Naquela noite, uma jovem prima de Jung, Hélène Preiswerk — Helly, para os mais próximos —, empalideceu de repente, desaprumou-se na cadeira e principiou a falar com uma voz estranha, como se fosse uma outra pessoa. Anunciou que eles estavam sendo visitados pelo avô, Samuel Preiswerk, naquele momento. Que ela devia partir em viagem. Pediu, ainda, que procurassem saber para onde ela estava sendo levada. E desmaiou, caindo no chão. A partir daí, o espírito do avô Samuel tomou conta do corpo de sua neta. E passou a falar. A alma de Helly deixara o corpo para embarcar num voo mágico. "Rogai ao Senhor que minha neta alcance seu objetivo, pois ela se encontra agora nos cumes gelados do Polo Norte. É o caminho mais curto para chegar à América." Por que à América? — quis saber Jung. E o avô Samuel: "Logo Helly vai chegar em São Paulo. Neste momento, sobrevoa o istmo do Panamá. Deve evitar que os negros se apoderem de Bertha". Bertha era uma tia de Jung e Helly que, migrando para o Brasil, aqui se casou com um mulato. Mas Helly não chegou a tempo de "salvar" a pobre tia. O avô Preiswerk pediu então a todos que rezassem por Bertha. *"Berthi hat soeben ein kleines Negerlein geboren."* Bertha havia dado à luz um bebê negro, informou o velho ariano, que não distinguia entre preto e mulato. E tudo o que a família podia fazer era orar por ela — rezar para que Deus perdoasse a filha decaída, responsável, como diz Noll, pela "introdução de sangue 'degenerado' na genealogia familiar". Bem, é muito fácil imaginar como este círculo espírita racista ariano reagiria à súbita e excessiva entrada de charutos e pretos velhos em recinto tão ascético e asséptico. Degenerescência, escândalo, horror: morte negra da magia branca — diriam os jung-preiswerks do mundo. Para redimi-los, espera-se que o mulatinho brasileiro de Bertha tenha crescido entre pontos riscados, tocando algum tambor.

Mas voltemos à estrada principal. Pensou-se desde o início — desde o final da década de 1970, quando se formou o Movimento Negro Unificado

(MNU) — que a emergência de um Brasil Negro deveria estar assentada em dois supersignos da história e da cultura negras em nosso país: o quilombo e o candomblé. Zumbi e Xangô. Naquela época, nossa militância política negromestiça era predominantemente *left-wing* e acalentava sonhos socialistas — hoje, diversamente, o racialismo esquerdista habita o mundo acadêmico, ao passo que a liderança do movimento social negromestiço optou por um "racialismo de resultados", pode-se dizer, em analogia com o que ocorreu no movimento sindical brasileiro. A escolha de Zumbi tinha, então, um sentido claro. Luta armada, socialismo, etc., tudo se projetava então no símbolo chamado Zumbi. Este "pilar" do Brasil Negro, tal como imaginado naquela época, não mais existe. Antes que apropriação seletiva do passado pelo presente, para efeitos de atuação prática com vistas ao futuro, Zumbi pertence agora à História. Não aponta mais para a instauração de uma nova ordem social. Seu reconhecimento e sua celebração, no Dia Nacional da Consciência Negra, concorrem para fortalecer a coesão e a autoestima negromestiças, mas na linha do racialismo de resultados. O outro pilar do Brasil Negro — o candomblé — também não desempenha função fundadora. Era equivocada a visão racialista do candomblé. Além disso, as massas negromestiças desertaram dos terreiros.

Se não o eram na África, as religiões africanas se converteram, no Novo Mundo, em religiões universalistas, como vemos hoje não apenas nos terreiros de São Paulo, mas também nos templos mais tradicionais da Bahia, matriz do axé tropical brasileiro. Brancos já frequentavam cultos bantos na Bahia seiscentista. E isto se foi acentuando com o passar dos séculos, com brancomestiços iniciando-se nos mistérios, nos "fundamentos" das casas de santo, para se tornar sacerdotes de deuses africanos. Clara fica esta dimensão universalista, quando acompanhamos a expansão do candomblé em Buenos Aires. Maria Julia Carozzi e Alejandro Frigerio tocaram nesse tema no texto "Mamãe Oxum y la Madre Maria: Santos, Curanderos y Religiones Afro-Brasileñas en Argentina", publicado na revista *Afro-Ásia* (1992). Para explicar o surgimento de terreiros portenhos, Carozzi e Frigerio observam que a existência do candomblé não depende da presença de uma tradição cultural negra. Não preciso ter nascido na Índia para me converter ao budismo. E o candomblé, em vez de se fechar racialmente, abriu-se para o mundo, franqueando a todos os seus caminhos para os descaminhos da vida. Na verdade, o que chamamos *candomblé* se espalhou da África às Américas. Podemos ver isso através de seus orixás mais importantes. De Ogum, deus de Irê, "leão da floresta fechada", por exemplo. Sandra Barnes, no texto "The Many Faces of Ogun", observa que algumas personalidades míticas, transcendendo

Mestiçagem em questão

seus contextos de origem, ganharam uma projeção internacional e um significado metacultural. Como exemplos, menciona os casos do grego Édipo, do indiano Shiva e do africano Ogum. Realmente, Ogum, um deus originário da África Ocidental, é hoje reconhecido e cultuado não somente no território africano, mas também no Brasil, no Caribe e mesmo nos EUA, onde penetrou a partir da irradiação de seus focos antilhanos. Neste sentido, podemos falar que Ogum, como outros orixás, conheceu uma trajetória histórico-cultural vitoriosa. São deuses que saíram da África carregados no coração dos escravos e souberam se impor na vida das Américas. O culto dos orixás deixou de pertencer, assim, a grupos iorubanos, para se converter em culto multinacional. Sandra estima que, atualmente, mais de 70 milhões de pessoas possuem algum vínculo com práticas religiosas que incluem Ogum, "o embebido em sangue", entre as suas divindades mais fulgurantes.

Mas há também o reverso da medalha. No momento de sua mais vistosa afirmação cultural no Brasil, o candomblé não é uma religião realmente popular, em termos numéricos. Não é, sequer, a religião com o maior contingente de adeptos em meio às massas negromestiças brasileiras. Nem mesmo na Bahia. Pelo contrário, experimentou um inegável processo de elitização. E, hoje, é mais uma religião de elite (da elite negra, inclusive, econômica e culturalmente falando — vale dizer, a classe média negromestiça mais intelectualizada) do que de massas. Seus terreiros vêm iniciando ritualmente, em número cada vez maior, estrelas do Olimpo da cultura de massas no Brasil. E são frequentados por políticos, empresários, publicitários, escritores, músicos, cineastas, atores e atrizes célebres, etc. As massas, ao contrário, acham-se ausentes. Foram arrebatadas pelos novos discursos evangélicos. Hipnotizadas e arrastadas para templos onde o candomblé virou sinônimo de tudo que é demoníaco. Não por acaso, aliás, o Brasil é, desde 2002, o maior produtor mundial de bíblias, com uma tiragem média de 7 milhões de exemplares por ano. É certo que exportamos bíblias em grego, em árabe e até em braille, para diversos países do mundo. Mas a maioria das vendas, lideradas por editoras evangélicas, acontece no mercado interno. E este salto, na produção e no consumo de bíblias no país, é explicado, principalmente, pela expansão do movimento católico da Renovação Carismática e pelo crescimento espetacular do número de fiéis evangélicos. De acordo com o IBGE, a participação dos evangélicos na população brasileira passou de 9%, em 1991, para 15%, em 2002. Não devemos ter menos de 30 milhões de evangélicos no país. E boa parte dessa multidão é de negromestiços. Daí que os despachos tenham praticamente desaparecido das ruas do Rio de Janeiro, onde os macumbeiros estão escasseando. A própria ex-governadora carioca, Benedita da Silva, uma negra, é evangélica. Mesmo na Bahia, repito, a pressão é forte e bem-sucedida. A cruzada dos evangélicos contra o candomblé, por sinal, levou uma mãe de santo baiana a proferir, recentemente, palavras sábias, ao pedir o fim dos ataques aos terreiros: "Deus não tem religião". E o *marketing* evangélico — combatendo a anomia, caprichando no pragmatismo mais utilitarista e batizando eventos e promoções com etiquetas de um misticismo *kitsch* e popularmente sedutor, como se algum senhor divino dos anéis fosse premiar moçoilas solitárias com a rubra e magnética rosa do amor — é de uma eficácia espantosa. Quanto ao futuro do candomblé, prefiro não arriscar nenhuma profecia. Não há búzios nem obis no baú da sociologia.

Por tudo isso, é difícil evitar a impressão de que um Brasil Negro, se vier a aflorar, irá se configurar de modo bem diferente do que se imaginava na década de 1970 — e bem ao largo do que desejaria o racialismo esquerdista do ambiente político-acadêmico. Ele está ensaiando se constituir no campo prosaico das necessidades mais concretas e urgentes. Na luta pela ascensão social. Por educação, emprego e renda. Pela superação do atual padrão de correspondência entre fenótipo racial e *status* socioeconômico. Enfim, sob o signo e pela via do racialismo de resultados. Nada de muita teoria, nem de ataques retóricos à ordem estabelecida — mesmo porque todas as esferas governamentais brasileiras, hoje, reagem com reverência exagerada a qualquer gesto reivindicatório negromestiço. Comportam-se como se tivessem a obrigação de estar sempre pedindo desculpas. Como se fossem responsáveis por todas as atrocidades cometidas ao longo da vigência do regime escravista no país. E estivessem, agora, pagando a grande conta cármica. O racialismo de resultados, por sua vez, arquivando delírios contestadores, está aí para avançar dentro da lei, conquistar espaços permitidos, negociar. E assim o seu Brasil Negro será menos compacto e fechado do que aquele sonhado pelos ideólogos do racialismo esquerdista. E dificilmente tentará bloquear com rigidez o fluxo orgástico das trocas genéticas.

E aqui chegamos a um outro ponto da discussão da mestiçagem: a confusão entre o genético e o ideológico. Fiz referência ao caso de certa crítica literária "pós-moderna". Ao seu vezo de não distinguir entre a mestiçagem propriamente dita e a interpretação ou leitura que se faz desse processo físico, que une espermatozoides e óvulos de raças diferentes, como se o gene e o ideologema fossem permutáveis. Mas, como a preocupação da crítica "pós-moderna" é com o cultural *stricto sensu*, a discussão de suas redenominações e arbitrariedades é mais adequada numa abordagem dos fenômenos do sincretismo. Apenas lembro aqui, de passagem, que os "pós-modernos" têm uma birra com o conceito de mestiçagem, que julgam indestacável da obra de Freyre. E, por isso mesmo, preferem falar de "hibridação", como se o mais importante não fossem as coisas — e sim os termos. Acontece que não há novidade alguma nisso. Há muitos e muitos anos, os estudiosos do assunto usam alternadamente, como sinônimos, as palavras mestiçagem e hibridização. Gilberto Freyre, inclusive. Parece, aliás, que os tais "pós-modernos", e outros detratores de Freyre, conhecem a sua obra apenas indiretamente, sem ter lido de fato os seus textos, já que, volta e meia, ouço coisas do tipo: "a democracia racial, de que fala Gilberto Freyre em *Casa-Grande & Senzala*...", quando, em nenhum momento, em nenhuma página, em nenhuma linha de *Casa-Grande & Senzala*, Freyre emprega a expressão "democracia racial". Mas este é um outro assunto. O que importa dizer, aqui, é que o conceito de mestiçagem não é de modo algum propriedade privada de Freyre. Recusar-se a usá-lo, por sua associação com a obra do escritor pernambucano, é o mesmo que se negar a empregar o vocábulo "raça", pela destinação que os nazistas deram ao conceito, combatendo sem tréguas a mestiçagem. Assim como não faz sentido fundir a realidade da mestiçagem e a ideologia da democracia racial. Lembro-me, aliás, de um belo poema medieval, texto de um trovador occitânico chamado Marcabru, mestre do *trobar clus*, o trovar escuro, fechado, hermético. É uma pastorela, composta no século XII (quando, presumo, Freyre ainda não tinha nascido), onde ouvimos:

> *L'autrier jost' una sebissa*
> *Trobei pastora mestissa...*

Marcabru está dizendo que há alguns dias (*l'autrier*, "outro dia"), junto a uma *sebissa*, uma sebe, uma cerca de plantas ou arbustos, encontrou uma pastora mestiça. De passagem, um trocadilho. *Trobei*, do verbo *trobar*, significa "achar", "encontrar", mas também "trovar" e, por extensão, "cantar". *Troubadour*, o poeta-compositor do Languedócio, é aquele-que-acha. E *mestissa* traz uma dupla indicação: a moça mestiça não é apenas a que traz determinado matiz em sua tez — ela vem, também, de berço pobre. Mas quando Marcabru encontrou/cantou a sua pastora mestiça, a mestiçagem já era coisa de milênios, tão antiga quanto a humanidade. "A fusão de raças tem-se processado desde os primórdios da vida humana sobre a terra", observa Juan Comas, em "Os Mitos Raciais", estudo incluído na coletânea *Raça e Ciência I*, da Unesco. Para acrescentar: "É bem possível que o tipo 'Cro-Magnon' do Paleolítico Superior se tenha cruzado com o homem de Neanderthal, como parecem indicar as descobertas antropológicas que apresentam características intermediárias. A existência de raças negroides e mongoloides na Europa pré-histórica é outra prova de que a mestiçagem não é um fenômeno recente e que as mais antigas populações da Europa são o resultado desta miscigenação no decorrer de milhares de anos".

Mas é também verdade que a miscigenação assumiu aspectos radicalmente novos desde que as grandes navegações oceânicas — desencadeadas pelo centro que o Infante D. Henrique criou no promontório de Sagres, em Portugal — revelaram a humanidade a si mesma, em todos os seus coloridos físicos e culturais. Até à chegada do século XVI, era possível contar nos dedos o número de europeus que tinha visto um negro com seus próprios olhos. Os grandes périplos marítimos e as colonizações da África e das Américas mudaram tudo. As misturas raciais ganharam uma intensidade e uma amplitude que a espécie humana jamais sonhara experimentar. E é aí que tem início a história biológica contemporânea da humanidade. Como escrevia Harry L. Shapiro, no final da década de 1950, em "As Misturas das Raças" (*Raça e Ciência II*), "as misturas em questão são características da época contemporânea porque fazem aparecer muito claramente a natureza do processo da mestiçagem, porque produziram uma população numerosa e inteiramente nova e porque estão no começo de uma série de problemas cuja solução exige toda a nossa atenção". Nessa revolução na trajetória da espécie, o Novo Mundo se converteu num imenso laboratório. No grande centro planetário dos cruzamentos raciais. Pois bem: até aqui, estamos falando da realidade objetiva das trocas genéticas. Acontece que, diante da magnitude do fenômeno, surgiram centenas de modos de encará-lo. De Gobineau a nossos dias, a mestiçagem foi vista e examinada dos mais diversos (e contraditórios) pontos de vista. Freyre representou um momento especialmente brilhante nesse espectro de teses. E fundamental para nós, brasileiros. Mas não único, nem eterno. E nem sequer merecedor de concordância *in totum*. A mestiçagem existe independentemente dele — e de seus projetos para o Brasil. Quando falo de mestiçagem, aqui, estou me referindo a um processo biológico e ao reconhecimento social e cultural da existência e dos produtos deste mesmo processo — e não acionando algum artifício celebratório, como às vezes fazia Darcy Ribeiro. Porque mestiçagem, como disse, não é sinônimo de congraçamento ou de harmonia. Mestiçagem não significa abolição de diferenças, contradições, conflitos, confrontos, antagonismos. Mestiçagem não implica fim do racismo, da violência, da crueldade. E a melhor prova disso é o Brasil. Um país informal, gregário e convivial, sim, mas também o país onde o candomblé foi perseguido, com templos profanados por invasões policiais — e foi longa, ao contrário do que fantasiam os ideólogos do racialismo, a luta pela subversão das hierarquizações culturais. País onde vigoram preconceitos contra pessoas mestiças de pigmentação relativamente mais escura; onde diferenças somáticas têm implicações sociais, condenando indivíduos a situações de humilhação e pobreza; onde muitos negromestiços ainda vivem em estado de semiescravidão econômica. País onde há momentos em que o *apartheid* se sobrepõe brutalmente ao padê. Mas constatar essas coisas não é o mesmo que fazer de conta que a mestiçagem não existe. Ou considerá-la como nada mais do que um truque diabólico das elites. Não há como acreditar nisso. Assim como não acredito que a pregação racialista vá conseguir "desagregar" a população brasileira, no sentido antes referido. Penso que é vã a tentativa de fazer com que negros e brancos, no Brasil, se encerrem em castas, tal como acontece nos EUA. As nossas misturas já foram longe demais — e as nossas mesclas se deram em profundidade. O desenvolvimento de uma "consciência negra" não tem impermeabilizado as pessoas. A nossa formação é a de um povo dado a contatos e contágios. Tudo tende a acontecer aqui de forma nada linear. Pensar o contrário é desconhecer o país. Padrões seculares de relações humanas não serão substituídos por um passe ideológico de mágica. Talvez o mais sensato seja dizer: que permaneçam brancos os brancos que o quiserem, que permaneçam negros os negros que o desejarem. Mas é inútil pretender anular os mestiços ou acabar com a mestiçagem.

Quando completou quinhentos anos de existência histórica, o Brasil completou meio milênio de misturas genéticas. Cinco séculos de mestiçagem. E esta é uma péssima notícia para os ideólogos do racialismo: salvo raríssimas exceções, nossos negros são todos mestiços. Fenotipicamente negros, mas genotipicamente mestiços. Além de afro, eurodescendentes. De modo que, mesmo que estancassem hoje, em todo o território nacional, os cruzamentos de brancos e pretos, não haveria como rebobinar o filme. A solução seria inverter a velha política imigratória das elites brancomestiças, à época da expansão dos cafezais paulistas: importar negros africanos para empretecer pretos brasileiros... Outra notícia não muito boa, para os mesmos racialistas: é muito maior do que se pensa o número de brasileiros que, induzida ou espontaneamente, se classificam como mestiços. Marvin Harris, Josildeth Consorte, Joseph Lang e Bryan Byrne fizeram uma experiência reveladora nesse campo, cujo resultado apareceu em *Social Forces*, sob o título de "Who Are the Whites? Imposed Census Categories and the Racial Demography of Brazil". Insatisfeitos com o censo do IBGE, que oferecia aos brasileiros a possibilidade de se classificar racialmente como branco/pardo/negro/amarelo/índio, eles fizeram uma coisa simples. Aplicaram questionários em que o vocábulo *pardo(a)*, pouquíssimo utilizado no cotidiano linguístico do país, foi substituído pela palavra *moreno(a)*, de uso corrente e conhecida de todos. Uma substituição que deveria ser adotada pelo IBGE, num país que não olha com nenhuma simpatia a palavra *pardo*. Afinal, quem é mesmo que quer ser "pardo", por livre e espontânea vontade? Elza Berquó, pesquisadora do Centro Brasileiro de Análise e Planejamento e especialista em demografia da população negra brasileira, não só não se opôs à troca de "pardo" por "moreno", nas investigações do IBGE, como adiantou: "Eu acho que a grande maioria vai se classificar como morena, porque a população brasileira é morena mesmo". Elza sabe que o número de mestiços, no Brasil, aumenta a cada dia. Não era outra coisa o que imaginavam Harris e seus companheiros, ao entrar em campo para realizar sua pesquisa.

Resultado: uma modificação substantiva do quadro demográfico que se define quando "pardo(a)" é a classe que resta para quem é mestiço. Passaram a se classificar como morenos quase a metade daqueles que antes haviam se definido como brancos — e 50% dos que haviam se definido como negros. É uma alteração notável. E que revela a natureza ficcional de nossos dados etnodemográficos oficiais, que podem acabar transformando o IBGE em inesgotável fonte de arrazoados irrazoáveis sobre o país. Metade dos que se classificam como brancos ou negros o fazem por falta de alternativa, mas não se veem como tais. A experiência de Harris foi feita em Rio de Contas, pequeno burgo barroco da parte velha da Chapada Diamantina, no interior da Bahia. Deveriam fazê-la em Salvador ou no Rio. Porque em moreno/morena está toda a ambiguidade racial brasileira. Mas dizer isto não significa fazer qualquer pregação em defesa da "morenidade" como signo identitário envolvente ou síntese de uma suposta "raça brasileira". Não é este o meu objetivo. Apenas penso que há muito menos de realidade nos quilômetros de delírio do neonegrismo racialista do que num simples centímetro da extensão morena de nossa gente.

Mestiçagem em questão

# 3.
## MULATO, O VISÍVEL E O INVISÍVEL

Vamos fazer uma pergunta simples, singela até. Por que o filho de um preto e de uma branca ou de um branco e de uma preta, *quando nasce nos Estados Unidos*, é classificado como negro e não como branco? Sempre que faço esta pergunta a norte-americanos, em conversas informais ou debates públicos, escuto um silêncio embaraçado, como se nenhum deles jamais tivesse feito a si mesmo tal perguntinha tão básica, tão elementar. E a resposta a ela é muito simples. Nos EUA, uma simples gotícula de sangue negro macula, suja para sempre o indivíduo, excluindo-o definitivamente do mundo separado e superior dos brancos. É o mito da pureza de sangue, a obsessão doentia da pureza racial branca, que está na base do *apartheid* ianque. Um *cordon sanitaire* colocando os seres puros e superiores de um lado e, de outro, atafulhando todos os mestiços na mesma barca — a barca estigmatizada dos *niggers*. Daqueles que são racialmente enodoados, impuros, infectados, em suma, que têm sangue contaminado correndo em suas veias. Ou seja: o padrão racial dicotômico é estrutural e essencialmente racista. Por que pretender, então, promover a sua transposição para o Brasil? Vamos querer estabelecer aqui, ideológica e/ou juridicamente (já que culturalmente é impossível), uma construção social arbitrária, racista até à medula — e justamente em nome do combate ao racismo? Não faz sentido.

Aliás, se olharmos o Brasil do ponto de vista da classificação racial ainda em vigor nos EUA, vamos ter de concluir que os negros já partilham o poder no Brasil há tempos. Passando em revista a galeria de nossos ditadores e presidentes da República, vamos ver ali não só as etnias básicas que nos formaram, como também as que aqui chegaram nas assim chamadas "migrações secundárias", entre as últimas décadas do século XIX e as primeiras do século XX (a família Kubitschek, por exemplo, veio da Boêmia — e não há dúvida de que o presidente Juscelino fez jus *cum laude* ao topônimo). Vamos ver, de cara, brancos como Geisel. Mas o que pouca gente costuma perceber é que nossos dois primeiros "dirigentes máximos", Deodoro da Fonseca e Floriano Peixoto, ambos alagoanos, exibiam traços de nítida ascendência indígena. A mãe de Deodoro era praticamente uma índia. Poderia posar ao lado das kamaiurás de Ipavu. Por conta disso, quando o pai do futuro marechal (e *donjuán*) se casou com ela, sobreveio tremenda grita familiar. Em represália, ele eliminou de seu nome completo um dos sobrenomes — Galvão, "o mais enfeitado dos sobrenomes paternos" —, passando a assinar Manuel Mendes da Fonseca. É por isso que o homem que proclamou o regime republicano no Brasil se chama Deodoro da Fonseca e não Deodoro da Fonseca Galvão. Por causa de uma ríspida e insuperada rixa doméstica em torno do sangue indígena. E um que poderia sem maior dificuldade passar por índio era o marechal Castello Branco. Sei: a feiura de Castello era tal que mais parecia um castigo vindo das profundas do inferno — e não tenho a menor intenção de ofender nenhum grupo indígena. Trata-se de um exercício de antropologia física. Castello seria um índio indescritivelmente feio, mas um índio. Basta eliminar a brilhantina, deixando seus cabelos crescerem soltos e corridos sobre os ombros — e, desculpem o mau gosto, imaginá-lo nu, numa daquelas corridas indígenas com toros de madeira. Ou feito pajé cachimbando na praça da aldeia no meio da noite. A Funai não desconfiaria de nada. Mas cheguemos aos mulatos — aos *negros*, de acordo com a *one drop rule*. Poderíamos partir dos bem mais brancos, como Campos Salles, carregando para lá e para cá o seu apelido de Pavão. José do Patrocínio, em artigo que fez furor na época (publicado no jornal *Cidade do Rio de Janeiro*, em 1900), o tratou como mulato. O presidente estava sendo acusado de selecionar, pela cor da pele, os marinheiros que o conduziriam em viagem de navio a Buenos Aires. Espalhara-se pelo Rio a versão de que ele não queria ratificar a conversa portenha de que no Brasil só havia pretos e mestiços. O preto Patrocínio não perdoou. No artigo, fala do "nariz carnudo", dos "beiços abringelados e grossos" do presidente, de sua cor de "prato de pó de terra". Assinala, ainda, a "testa do moçambique e os quadris do cabinda" do Pavão, para encerrar dizendo que Salles era "branco de segunda". Deixando de lado o tom enfurecido, raivoso mesmo (e roçando o racismo) de Patrocínio, lembremos de passagem o amulatado Nilo Peçanha, dito "o moreninho". Para, enfim, chegar a esses dois "afrodescendentes" chamados Fernando Henrique e Lula. E agora olhemos em volta, sempre conforme o prescrito pela categorização norte-americana. Negro seria o vice-presidente José Alencar. Negra seria a maioria do Congresso Nacional. Negro seria o finado Roberto Marinho, o poderoso chefão das Organizações Globo.

A transposição da ordenação bipolar norte-americana, para a paisagem antropológica brasileira, só pode mesmo causar confusões. Ainda mais que a aplicação do modelo dicotômico, no Brasil, é capenga. Não acompanha a rigidez do original. Tem sido feita de modo caprichoso. Teoricamente, para os nossos racialistas, "afrodescendente" é toda pessoa de ascendência africana. Na prática, a conversa é outra. Veja-se o caso de Abdias do Nascimento: quando quer celebrar algum mulato, Abdias chama-o *negro*; quando quer execrar, trata-o, depreciativamente, como *mulato*. Para Abdias, o mulato Luiz Gama — filho de um brancomestiço baiano de origem portuguesa e da negra Luiza Mahin — é negro. Já o mulato capitão do mato é mulato mesmo. O que me faz tentado a adaptar para o contexto a comparação de Orwell, em *A Revolução dos Bichos*: todos os afrodescendentes são iguais, mas alguns são mais iguais do que outros. Bem vistas as coisas, o racialismo brasileiro — de esquerda ou de resultados —, com representantes seus circulando entre o sistema universitário e a burocracia estatal, quer aplicar a regra bipolar, convoca a *one drop rule* e ensaia levá-la à prática. Mas não consegue. Mete os pés pelas mãos. E o afrodescendente se converte em afrossubjetivo. Mas é que a própria realidade racial brasileira, tal como vista e vivida por nosso povo, embaralha o jogo, desconcerta embaixadores e arautos da dicotomização — e rejeita a classificação espúria. Assim como os norte-americanos têm dificuldade em entender o espectro plural e às vezes lábil, flutuante mesmo, de nossa taxinomia racial, adotar o binarismo deles significa, para nós, tentar enfiar a nossa riqueza cromática numa camisa de força abstrata e arbitrária, sem qualquer fundamento biológico, já que não só atropela o dado concreto da mistura genética como, invertendo seus termos, poderíamos classificar como branca qualquer pessoa que possuísse uma mínima gotinha de sangue branco. Em outras palavras, teríamos que encarar o Brasil como se fôssemos obrigados a tratar um filme colorido em termos de preto e branco.

Sobre esta confusão brasileira, tome-se o caso (etiquetando-o como *affirmative action*, "ação afirmativa", ou política compensatória, tanto faz) da importação da iniciativa norte-americana para o estabelecimento de "cotas para negros" em nossa universidade pública, hoje caindo aos pedaços e enclausurada em rotinas internas, sem participar vivamente dos debates públicos nacionais, como acontecia nas décadas de 1950-1960 — caso que ilustra à perfeição a rejeição do padrão dicotômico pela própria lógica e pelo próprio movimento da vida brasileira. Com as cotas, surgiu, de imediato, a dificuldade de definir quem era e quem não era negro no meio estudantil secundarista brasileiro, na turba do ensino médio a caminho do vestibular, lutando por acesso a cursos universitários (dizer "superiores", na situação em que hoje se encontra o sistema educacional brasileiro, seria força de expressão). Claro: esse meio estudantil reproduz, em sua escala, o universo social, cultural e etnodemográfico do país. É um "modelo reduzido" do cosmos brasileiro. E aí começam os problemas. Cria-se uma política pública compen-

Mulato, o visível e o invisível

satória para privilegiar desprivilegiados, mas não se tem uma definição de quem são esses desprivilegiados. Ou seja: temos uma política pública incapaz de identificar os seus destinatários. De uma parte, porque não há, entre nós, uma coletividade negromestiça bem delimitada e definida, que se identifique e seja identificada, socialmente, como tal. Com isso, no caso das cotas, ficaríamos à mercê de dois expedientes, ambos variavelmente subjetivos. Ou a universidade pública estabelece critérios para definir o *seu* negro, ou deixa que o problema se resolva na esfera da autoidentificação racial. Mas o que é importante salientar, no campo da discussão que ora nos ocupa, é que, tanto no caso da fixação de critérios quanto no da autoidentificação, a regra de descendência, defendida pelos racialistas para implantar o regime de cotas, não comparece para nada. Fica de *background*, no fundo do palco. Constata-se então que, na questão das cotas, o que está contando de fato não é a "raça", a "afrodescendência" — mas o fenótipo. A *cor*. A base da classificação racial múltipla dos brasileiros, e não a classificação dicotômica importada. O padrão bipolar não resiste ao *tête-à-tête* com o real. E a verdade é que os racialistas não souberam como escapar do beco sem saída em que se meteram.

Mas não é só. Não é exatamente raro que, numa mesma família nuclear, no Brasil, seja possível encontrar um membro classificável como preto e um classificável como branco, embora filhos dos mesmos pais. Nos EUA, o problema não existiria: ambos seriam negros. Não há lugar para sombreamentos sob a regra de descendência. Mas o fato é que, no tocante às cotas universitárias, nem mesmo os racialistas mais extremados ousaram invocar a *one drop rule* para separar o trigo negro do joio branco. Mesmo porque, se o fizessem, o número de felizardos com direito ao pacote de cotas daria um salto espetacular. E — atenção, por favor — a ampliação racialista do contingente negro da população brasileira é assunto de ordem exclusivamente teórica e estratégica, mas nunca de ordem tática e prática. Logo, cabe a pergunta. O que aconteceria aos dois irmãos do nosso exemplo, diante do exame vestibular? Simples. Ao que é classificável como negro, o prêmio compensatório da cota. Ao que é classificável como branco, nada. E isto independentemente do fato de ambos viverem a mesma realidade e amargarem as mesmas carências. Aviso, de passagem, que não sou exatamente contra as cotas — embora saiba que elas não vão de modo algum resolver o problema do acesso das massas negromestiças ao ensino universitário. A solução desse problema exige muito mais do que a mera e conturbada adoção de um regime restrito de cotas. O que quis demonstrar, com o caso, foi a inadequação do racialismo, o recuo ou o silêncio dos racialistas, diante da possibilidade real de aplicação prática do que tanto pregam: o princípio da afrodescendência. Mas aviso ainda, e também de passagem, que penso que temos de ter para nós uma política que leve em consideração a existência de gente mestiça do tipo de Elza Soares, Margareth Menezes (bonita e gostosa cantora negro-mestiça baiana, que chegou a ser barrada no Ilê Aiyê, por não ter sido considerada suficientemente *black* para dançar no bloco ao longo do desfile carnavalesco), Martinho da Vila, João Ubaldo, Caetano Veloso, Ronaldo, Luiza Brunet, Romário, Emanoel Araújo, Cacá Diegues, Marina Lima ou Lula, por exemplo. Disse antes que, na prancheta do binarismo norte-americano, Lula seria preto. Mas, no espaço histórico-cultural brasileiro, nunca. Nenhuma classificação arbitrária, importada dos EUA, vai conseguir transformar o presidente Lula num branco ou num preto. Ele será, sempre, um mestiço tropical brasileiro. E é com isso que temos de saber lidar. Primeiro, porque ninguém vai conseguir fazer com que os mestiços brasileiros renunciem em massa à sua condição de mestiços. Segundo, porque a transformação das realidades sociorraciais brasileiras não tem de se dar, obrigatoriamente, por linhas étnicas rígidas. Seus meios podem ser múltiplos. É um caminho mais complicado, sem dúvida. Não iremos achar a cartilha pronta, o programa escandido, a tese soletrada. Teremos de nos mover por nossa conta e risco, enfronhando-nos em nossos mundos e em nossas realidades. E o que vai se abrir à frente é a aventura do pensamento *in fieri*. Em vias de nascer, em ato de tornar-se. Mas tal aventura é preferível a tomar o rumo enganoso de navegar por mapas alheios, cujos sinais não dizem respeito a terras que temos sob nossos pés.

Quanto à dificuldade norte-americana, veja-se, por exemplo, o livro *Coal to Cream* do jornalista Eugene Robinson, que foi correspondente do *Washington Post* na América do Sul. Inúmeros textos e testemunhos nos mostram que norte-americanos que visitam o Brasil sempre se surpreendem e se deixam impressionar com a mistura de raças nas ruas, nas praças, nas praias, nos lugares públicos. E Robinson não fugiu à regra. Pelo contrário, deslumbrou-se com o que viu. Vale a pena acompanhar as suas reações diante do carnaval racial brasileiro. Menino nascido na Carolina do Sul, criança criada no "*segregated Deep South*", Robinson se habituou desde cedo a ver a humanidade em termos dicotômicos. Em preto e branco. E a viver num clima pesado de permanente tensão racial, com paredes invisíveis, mas densas, separando em definitivo os indivíduos — e onde mesmo conversas corriqueiras entre amigos traziam sempre um "subtexto racial". No Brasil, como sempre havia pensado em "raça" e nunca em "cor", ficou simplesmente atônito. Antes que birracial, o país era multicolorido — e pessoas das mais

Mulato, o visível e o invisível

diversas cores se misturavam e interagiam com uma facilidade e uma intimidade impressionantes, incompreensíveis para um norte-americano. De imediato, Robinson ficou maravilhado. Chegou mesmo a acreditar que, ao pôr os pés no Rio de Janeiro, havia desembarcado no paraíso racial. Que o seu avião tinha perdido a rota e aterrissado inadvertidamente na Terra Prometida da Gente de Cor, *Colored People's Promised Land*. E é justamente desse deslumbramento que nasce o seu desencanto. Como o Brasil não é (nunca foi) um paraíso racial, Robinson só podia mesmo se desencantar, ao verificar a existência de nossos preconceitos raciais. Mas, numa entrevista ao jornal *Folha de S. Paulo*, acabou chegando a uma conclusão, digamos, mais sensata: no plano da convivência inter-racial, se comparado ao Brasil, os EUA andam bastante atrasados. E toda a confusão física e mental de Robinson girou em torno do autorreconhecimento da sociedade brasileira como mestiça. Da visibilidade histórica, social e cultural do mulato — dos diversos tipos de morenos e mulatos. Da inexistência de uma separação pétrea entre as pessoas.

Peço ao leitor que segure a despaciência. Mas é que a distinção entre "raça" e "cor" — categorias igualmente imprecisas, "expressões ocasionais", diria Max Horkheimer — é muito importante para esta nossa conversa. O que conta, quando o indivíduo se classifica e/ou é classificado com base na "raça", como acontece nos EUA, é a ancestralidade. Mas quando ele se classifica e/ou é classificado pela cor, como ocorre no Brasil e em outros países das Américas, a exemplo de Cuba e Venezuela, o que vem para o primeiro plano é o fenótipo atual, concreto — o corpo presente, com todas as suas implicações. Aqui, a classificação é feita pela aparência física, por um conjunto de traços somáticos, e não pela origem ou pelo legado genético. Há quem diga que o conceito de "raça" é mais preciso, mais "científico". Depende. Tal como os norte-americanos o aplicam, o conceito pode ser preciso (precisão não é antônimo de falsidade ou incorreção), mas nada tem de "científico". É arbitrário. Claro: se apago a ancestralidade branca do indivíduo, para reconhecer somente a ancestralidade negra, estou dando as costas aos fatos biológicos reais — e escolhendo apenas o que me apraz, em função de determinada decisão ideológica apriorística, redutora, caprichosa e abusiva (e quem determinou que assim o fosse não foram sociólogos subversivos, mas senhores escravistas brancos — os sociólogos apenas acataram a determinação). Não é, nunca foi e nem será "científica" a amputação programática de elementos do fenômeno observado. Nesse sentido, a regra de descendência é absolutamente precisa — mas é, também, fundamentalmente falsa. E é óbvio que, nesses termos, poder-se-ia adotar o procedimento oposto. Inverter, como disse, a direção da escolha (porque é disso que se trata: de uma *escolha* — e escolha racista): uma gota de sangue branco faz de qualquer descendente de brancos e negros um branco. Porque se as origens genéticas estivessem sendo consideradas, tal indivíduo não seria classificado como branco, nem como negro. Mas como branconegro ou negrobranco. Como mestiço. Tal como se dá no Brasil e em Cuba, onde o mestiço é reconhecido como mestiço — e os mestiços se distribuem num variegado leque de definições, a depender de coisas como a espessura dos lábios, a textura dos cabelos, os matizes e nuances da cor de sua pele. Subjetivo? Sim — mas não tanto. E nem tão falso e falsificador quanto a regra de descendência, supostamente — e apenas supostamente — fundada na herança genética.

No entanto, os ideólogos racialistas brasileiros — ao tempo em que não formulam crítica alguma a esta fantasia pseudobiológica que é a regra de descendência, fundamento do padrão dicotômico — não hesitam em disparar suas armas contra a "falsidade" da classificação racial brasileira, baseada na cor. Veja-se o que diz sobre o assunto o ex-althusseriano e atual racialista Antonio Sérgio Alfredo Guimarães, em *Racismo e Antirracismo no Brasil*. Para Antonio Sérgio, "a noção nativa de 'cor' é falsa, pois só é possível conceber-se a 'cor' como um fenômeno natural se supusermos que a aparência física e os traços fenotípicos são fatos objetivos, biológicos e neutros com referência aos valores que orientam a nossa percepção". Para reforçar o seu ponto de vista, o sociólogo cita Henry L. Gates Jr., "Writing 'Race' and the Difference it Makes", introdução à antologia *"Race", Writing, and Difference*, editada pelo próprio Gates Jr.: "Necessita-se de pouca reflexão, contudo, para se reconhecer que essas categorias pseudocientíficas [mas desde quando a categoria 'moreno', por exemplo, se pretendeu 'científica'? — pergunto eu] são, elas próprias, imagens. Quem já viu realmente uma pessoa preta ou vermelha, uma pessoa branca, amarela ou marrom? Esses termos são construções arbitrárias, não registros de realidade". Prossegue, então, Antonio Sérgio: "De fato, não há nada de espontaneamente visível na cor da pele, no formato do nariz, na espessura dos lábios ou dos cabelos, ou mais fácil de ser discriminado nesses traços do que em outros, como o tamanho dos pés, a altura ou a largura dos ombros. Tais traços só têm significado no interior de uma ideologia preexistente (para ser preciso: de uma ideologia que cria os fatos, ao relacioná-los uns aos outros), e apenas por causa disso funcionam como critérios e marcas classificatórias. Em suma, alguém só pode ter cor e ser classificado num grupo de cor se existir uma ideologia em que a cor das pessoas tenha algum significado. Isto é, as pessoas têm cor apenas no interior de ideologias raciais". E ainda: "Quando os estudiosos incorporam ao seu discurso a cor [...] eles estão se recusando a perceber o racismo brasileiro. Suas conclusões não podem deixar de ser formais, circulares e superficiais: sem regras claras de descendência não haveria 'raças', mas apenas grupos de cor".

É impressionante como Antonio Sérgio, ao falar da falsidade e do racismo subjacentes ao conceito de cor, não consiga ver a falsidade e o racismo inerentes à regra de descendência... Nem tampouco ver que também é "nativa" a partição dicotômica norte-americana. Mas tudo bem: a cor não é "natural", é uma construção "arbitrária". Em termos, evidentemente. O equipamento ótico da humanidade é certamente luxuoso, em comparação ao de outros animais, mas não é tão poderoso assim. Distinguimos apenas as cores que integram a faixa do espectro que é visível para nós. Outras vibrações escapam aos nossos sentidos. Além disso, embora o funcionamento das células retinianas não varie segundo as raças, há o problema do limite da linguagem. Ou dos limites das línguas. Humboldt e os neokantianos já ensinavam que cada sistema linguístico encerra uma análise do mundo exterior que lhe é própria — e diversa da de outras línguas. E isto é bem claro no campo da classificação e da denominação das cores. Em *Os Problemas Teóricos da Tradução*, Georges Mounin dá vários exemplos: "O hebreu parece distinguir nitidamente o branco, o negro e o vermelho; possui uma palavra que se aplica a coisas verdes e amarelas e, para nós, sua maneira de designar o azul não é muito clara [...] [Em sânscrito] o azul e o preto têm denominações imbricantes, assim como o amarelo e o verde. O grego tem uma palavra só para um verde amarelo e um vermelho, uma só palavra para um verde amarelado e para um castanho acinzentado, outra para azul, preto e por vezes escuro [...] O latim possui uma oposição simbólica entre branco (*albus*) e branco brilhante (*candidus*); *purpureus* é usado para o arco-íris e para a neve". Também no latim inexistem palavras para o cinza e o marrom comuns. E, em navajo, há uma única palavra para azul e verde. Mas chega de exemplos. Como a física nos ensina que o comprimento de onda da luz que os objetos refletem é contínuo, então é o olhar humano que segmenta o espectro, com a linguagem sacralizando as divisões. Logo, cores são criações culturais. Mas isto não quer dizer que as línguas modelem a retina à sua maneira. As cores existem não porque existam palavras para elas. É o contrário: existe um léxico das cores porque o mundo humano é colorido. Além disso, as línguas são todas traduzíveis umas nas outras, frustrando a punição bíblica na destruição da Torre de Babel. Assim, apesar de descoincidências lexicais, a percepção de diferenças cromáticas é real. Diferenças detectadas na abóbada celeste, em meio a minerais, na flora, na avifauna e, naturalmente, entre seres humanos. E o que é importante: desde sempre. Desde que a humanidade faz as suas estrepolias sobre a superfície terrestre. Sempre houve no mundo gente classificada como negra. Sempre houve quem não era exatamente preto. Independentemente de racismo. E, acredito, fora de qualquer ingerência mágico-retroativa de uma ideologia racial brasileira.

É certo que as pessoas sempre tenderam a preferir os seus iguais e a olhar com alguma desconfiança para estranhos. É certo, ainda, que os mundos clássico e medieval não se deixam caracterizar como espaços de claros antagonismos raciais. Daí que, de um modo geral, os estudiosos inscrevam o preconceito e a discriminação no âmbito da história moderna da expansão da Europa Ocidental. Juan Comas: "falando de uma maneira geral, pode-se afirmar que não havia verdadeiro preconceito racial antes do século XV, uma vez que, antes desta data, a divisão da humanidade prendia-se não tanto ao antagonismo de raças mas sobretudo à animosidade entre cristãos e infiéis — uma diferença mais superficial desde que as divergências entre religiões podem ser vencidas, enquanto que a barreira racial biológica é intransponível [...] Com o início da colonização africana e do caminho para as Índias pelo Pacífico, houve um considerável aumento dos preconceitos de raça e cor. Isto pode ser explicado face aos autointeresses econômicos, ao fortalecimento do espírito do colonialismo imperialista e a outros fatores". Não é outra a visão de dezenas de estudiosos da matéria. A de Kenneth L. Little ("Raça e Sociedade", também em *Raça e Ciência I*), por exemplo. Também para ele os problemas começam com a expansão europeia a terras de além-mar. Sancionar diferenças entre grupos étnicos, através de leis e práticas, é coisa de europeus, a partir do século XV. No mundo muçulmano, o que importava era a adesão ao islamismo, não a cor da pele. Gregos tinham negros e gregos como escravos. Os egípcios desprezavam *todos* os estrangeiros, fossem negros ou líbios de olhos azuis. Em Roma, havia escravos núbios, etíopes, germanos e celtas. No início do século III, de resto, a cidadania romana foi estendida a todos os homens livres do império, independentemente de suas cores. "Pode-se pois descrever as atitudes e os antagonismos raciais como funções da organização mais ampla da sociedade ocidental, e como o produto dos movimentos sociais que moldaram seu desenvolvimento nos últimos quinhentos ou seiscentos anos", conclui Little. O que não significa, repito, que não tenham existido, muito antes disso, classificações de seres e grupos humanos pela cor da pele. Há quase 4 mil anos, o faraó Sesóstris III colocou um marco acima da segunda catarata do Nilo, onde se lia: "Nenhum negro atravessará este limite por água ou por terra, de navio ou com seus rebanhos, salvo se for com o propósito de comerciar ou fazer compras". Na tradição bíblica, preto era um dos três reis magos que foram visitar o Menino Jesus na manjedoura. No século XIII, em *As Viagens*, ao descrever a gente de Bastian (ou Badakhshan), o texto latino do périplo de Marco Polo informa: "*Homines istius contractae sunt nigri*" — "os homens desta terra são pretos". E todos sabiam ver, independentemente de quaisquer condicionamentos ideológicos, que havia algo de diferente entre um homem de cor branca, um de cor morena e um de cor preta. Isto não é apenas cultural. A aparência física, por mais que seja culturalmente revestida, tem a sua base biológica — e características próprias manifestando-se no horizonte do visível. Como não ver, com os olhos que Deus nos deu, que existe alguma coisa de diferente entre, digamos, Clementina de Jesus e Grace Kelly, Naomi Campbell e Margaret Thatcher, Kofi Annan e Robert Redford?

E é evidente que é muito mais fácil classificar as pessoas pela cor da pele e a textura dos cabelos do que pela altura ou a cor dos olhos. Lembro aqui *As Aventuras de Sindbad, o Marujo*, narrativa árabe do século IX, escrita sob o reinado do califa Harun al-Rachid. Em sua quarta viagem, ao divisar um grupo de africanos, Sindbad não tem a menor dúvida sobre os termos em que descrevê-los: "um grupo de homens nus: eram negros, com cabelos encarapinhados". Se fôssemos classificar racialmente por altura, tamanho dos pés e largura dos ombros, acabaríamos encaixando Grande Otelo e Toni Tornado em grupos raciais radicalmente distintos. Quanto à classificação pelos olhos, há olhos negros e castanhos nas mais variadas raças, da Inglaterra ao Japão, passando pela África — e o que faríamos, aliás, com mulatos e mulatas de olhos verdes, como tantas personagens de nossa criação textual e a Maureen Peal do romance de Toni Morrison? Por fim, se, como quer Antonio Sérgio, as pessoas só têm cor no "interior de ideologias raciais", forçoso é admitir que, do mesmo modo, as pessoas só não têm cor no interior dessas mesmas ideologias. Ideologias são forças incomensuravelmente poderosas, sim. Basta lembrar que, antes do surgimento das movimentações ecológicas, os cariocas não notavam que havia uma floresta na Tijuca, dentro da cidade do Rio de Janeiro. Mas não pense nosso sociólogo que ele pode pairar "cientificamente" acima de impurezas pedestres. Ideologias orientam classificações raciais tanto no Brasil quanto nos EUA. Resta ver o que está na base delas — e seus efeitos no mundo social. Pois é por isso mesmo que existem mulatos cubanos e mulatos brasileiros, mas não existem mulatos norte-americanos.

A "raça" elimina o mulato. A "cor", não. Pensando no fato de que o mulato, no Brasil, é reconhecido como tal e não classificado compulsoriamente como "negro", Marvin Harris tentou explicar, em *Patterns of Race in the Americas*, a origem da regra de descendência — "uma invenção que fizemos nos Estados Unidos a fim de evitar a intromissão de fatos biológicos em nossas fantasias racistas coletivas". E voltou a sua atenção para a questão demográfica. Em sua expansão imperial pelo mundo, Portugal não tinha como povoar, com seus próprios homens, as regiões distantes que ia conquistando ou nas quais estabelecia pontos de comércio. Plumb, em sua introdução a *O Império Marítimo Português*, de Charles Boxer, tocou nesse ponto: Portugal, pobre e pouco povoado, foi "dramaticamente bem-sucedido" em seus empreendimentos colonizadores. Não tinha homens para ocupar o que ia ocupando. A saída esteve mesmo na mestiçagem. Além disso, a escassez de mão de obra implicou a importação massiva de africanos escravizados. No caso brasileiro, o que vimos foi a transposição do modelo já aplicado nas chamadas ilhas atlânticas: capitão donatário, plantação da cana-de-açúcar, pretos na faina agrícola. Pretos, muitos pretos. Mas não foi bem isso o que aconteceu nos EUA, que começou a ser colonizado mais tarde. A população rural inglesa, na época, estava sendo expulsa dos campos, em consequência da expansão da criação de carneiros, estimulada pela fabricação de tecidos, preâmbulo da Revolução Industrial. Agrupamentos religiosos, como o dos puritanos, eram perseguidos. E as vastas áreas americanas estavam abertas para abrigar migrantes, que ali poderiam se dedicar à agricultura, ao cultivo de suas crenças ou à produção manufaturada. E os ingleses embarcaram para lá, ainda que na base da chamada "servidão por contrato" (brancos que deveriam resgatar em tempo de trabalho a liberdade empenhada e "cuja vida estava um pouco acima da dos escravos", como os situou Herbert Aptheker em *A History of the American People: The Colonial Era*). A introdução da figura do negro escravizado, trabalhando nas plantações, foi um fato algo tardio no processo norte-americano. E um fato numericamente menos significativo do que no Brasil. Em 1624, na Virgínia, viviam 15 mil brancos e apenas 300 negros. Em 1715, enquanto não brancos formavam a maioria da população brasileira, nos EUA eles só eram majoritários na Carolina do Sul.

O número de pessoas "de cor" que eram livres, no Brasil, sempre foi maior do que a quantidade de negros libertos nos EUA. Eram muitos os mestiços livres por aqui. Harris explica essa expansão de uma *"free class of hybrids"* em termos militares e econômicos. Os brancos precisavam dessa classe mestiça intermediária para cobrir os mais diversos misteres. Prear índios, combater quilombos, enfrentar invasores como os franceses e holandeses, engajar-se na criação de gado e na produção de alimentos, executar tarefas burocráticas menores, dedicar-se ao artesanato, etc. Acontece que, nos EUA, essas atividades econômicas e militares (mais de luta contra índios que de enfrentamento de ameaças estrangeiras, a bem da verdade) eram realiza-

Mulato, o visível e o invisível

das não por mulatos, cafuzos ou mamelucos, mas por brancos mais pobres, às vezes organizados em milícias, as famigeradas patrulhas escravagistas das terras sulinas e seus cães treinados para matar. A maioria da população branca do Sul não era formada por latifundiários escravistas. O sulista "típico" era o sitiante que não possuía escravos. Esses pequenos fazendeiros, artesãos, trabalhadores brancos de um modo geral, detestavam os negros escravizados, que reduziam os seus ganhos, já que, em qualquer eventualidade, poderiam sempre trabalhar de graça. Mas não apenas no Sul. No Norte rico, também. A campanha antiabolicionista norte-americana apelava sempre para o orgulho branco, denunciando que o fim da escravidão nivelaria socialmente brancos pobres e negros (economicamente, eles já estavam próximos). E o sentimento antinegro foi-se tornando cada vez mais violento em todo o país, como atestam fatos como o incêndio de um asilo para crianças negras órfãs em Nova York. Para Harris, é nesse contexto que devemos entender como se estabeleceu a *one drop rule*. Tratava-se de não permitir que negros e brancos pudessem, pelas brechas de um desenho social falho ou por um azar qualquer do destino, partilhar a mesma canoa. Havia que criar uma distinção insuperável entre uns e outros. E esta separatriz foi encontrada na linha da raça. No uso simbólico-ideológico do "sangue". Desde que mantivessem a pureza racial anglo-saxônica, brancos jamais se confundiriam com negros. Por pobres que fossem, pertenciam à "raça superior".

Mas é difícil acreditar que isso explique tudo. De saída, como lembra Degler, "a 'prática' de excluir negros dos teatros, hotéis, parques e segregá-los nos bondes, trens e outras instituições públicas data de muito antes [do estabelecimento da segregação legal, que passou a vigorar, principalmente, no século XIX] na história da nação". É coisa que vem dos primórdios do escravismo norte-americano. Além disso, Harris absolutiza a interpretação sociológica, deixando de lado a questão cultural. E esta é fundamental para o entendimento do que aconteceu nos EUA. A compreensão da origem e da natureza da dicotomia rácico-cultural norte-americana deve ser lida, também, a partir da rigidez, da inflexibilidade puritana. Aqueles anglo-saxões viram-se de repente diante de uma raça que consideravam inferior. Uma raça que atravessara o mar oceano carregando consigo o peso demoníaco de suas culturas eróticas, telúricas e pagãs. E as diferenças entre a cultura anglo-saxã e as culturas ibéricas são significativas para o entendimento dos processos socioculturais ocorridos nas Américas. Como salientou Genovese, em *Roll, Jordan, Roll: The World the Slaves Made*, "as sociedades escravistas do Novo Mundo [...] enraizavam-se em diferentes experiências europeias e brotavam em diferentes condições geográficas, econômicas e culturais. Tinham muito em comum, mas cada caso era um caso especial". O próprio Genovese vai ver, na espécie lusitana de catolicismo medieval-barroco, um dos fatores básicos de diferenciação entre as realidades do Brasil e dos EUA. Para ele, no Brasil, "o racismo dos brancos e a cruel discriminação que acompanha inevitavelmente a escravização dos negros pelos brancos defrontaram-se com as forças equilibradoras de um poder espiritual genuíno. Todas as provas que estão sendo reunidas para demonstrar a existência e a gravidade do racismo dos brancos brasileiros não bastam para explicar o abismo existente entre Brasil e Estados Unidos no tocante aos casamentos inter-raciais, ao acesso dos negros [no sentido norte-americano] a posições de respeito e poder e à integração das pessoas de cor numa única nacionalidade. A diferença não pode ser atribuída unicamente ao catolicismo, mas este nunca deixou de atuar no processo, pela força de seu impacto sobre toda a sociedade". E ainda: "a própria flexibilidade do catolicismo luso-brasileiro possibilitou o sincretismo religioso afro-brasileiro e propiciou em muito a autonomia cultural afro-brasileira no processo de consolidação nacional. Há no Brasil de hoje cultos religiosos afro-brasileiros de grande amplitude e força, e elementos especificamente africanos estão presentes neles com uma profundidade e evidência quase desconhecidas nos Estados Unidos". Na verdade, devemos dizer *desconhecidas* e não "quase desconhecidas", como quer Genovese. De qualquer sorte, e sem se resumir ao exemplo católico, a cultura lusa de extração barroca sempre se mostrou mais aberta para o "outro" do que a cultura puritana, mais fechada em seus princípios, sob os signos da pureza e do pecado. Se quiserem, podem falar de competência e inflexibilidade puritanas e de incompetência e promiscuidade lusas. O que não se pode é fechar os olhos para a distinção.

Esta "promiscuidade" do catolicismo lusitano merece algum comentário. Podemos falar dela a partir da polêmica travada entre Manoel da Nóbrega e o bispo Sardinha, no século XVI. Em suas *Cartas do Brasil*, Nóbrega não somente faz referência a casamentos de brancos com índias. Ele os aprova — e abençoa. Mas o relaxamento dos rigores religiosos lusitanos, no Brasil, vai além disso. Como no caso da *confissão*. Em princípio, a confissão é um monólogo, onde conto a um sacerdote — e somente a ele, como representante do Cristo — o que fiz de pecaminoso. É um discurso dolorido, que fica entre o eu que fala e o divino que ouve. Os jesuítas, nos trópicos, diante da língua tupi que ainda não entendiam, romperam tal barreira. Subverteram o rito da confissão. Nóbrega ouvia relatos de angústia pecaminosa — e até de velhas índias, como a Paraguaçu — por meio de intérpretes meninos. Pela voz de curumins tupinambás. O bispo Sardinha não gostou. Esta foi uma das razões de suas brigas com os padres da Companhia de Jesus. Nóbrega reconhecia que a confissão com intérpretes era "cousa nova, e não usada em a Cristandade". Mas argumentava em seu favor, citando autoridades eclesiais. O que estava no fundo, todavia, era a realidade inédita dos trópicos. Em carta de 1552, escrita na Bahia, ele também defendia outras práticas jesuíticas olhadas com desconfiança pelo mesmo bispo, como "cantar cantigas de Nosso Senhor em sua [dos tupis] língua pelo seu tom e tanger seus instrumentos de música, que eles [tocam] em suas festas, quando matam contrários, e quando andam bêbados, e isto para os atrair a deixarem os outros costumes essenciais, e, permitindo-lhes e aprovando-lhes estes, trabalhar por lhes tirar os outros, e assim o pregar-lhes a seu modo em certo tom, andando, passeando e batendo nos peitos, como eles fazem, quando querem persuadir alguma coisa, e dizê-la com muita eficácia". Ou seja: ao tempo em que catequizavam os índios, os jesuítas não deixavam de tupinizar as suas práticas. De promover uma laicização da liturgia. Se o bispo Sardinha era contra, não por acaso, mas por castigo, foi comido pelos caetés. Ele não perdia tempo com índios. É o próprio Nóbrega quem fala: "mas quanto ao gentio e sua salvação se dava pouco, porque não se tinha por seu bispo [...] mas nisto me ajude vossa mercê [Thomé de Sousa] a louvar a Nosso Senhor em sua providência, que permitiu que fugindo ele dos gentios e da terra [...] fosse comido d'eles [...] porventura quis [...] castigar-lhe juntamente o descuido e pouco zelo que tinha da salvação do gentio". Indo além, os jesuítas flexibilizaram a noção de incesto, infringindo a lei canônica com base em estruturas ameríndias de parentesco. Adaptaram-se, em certa medida, à moral tupi. E assim — do sermão cantado à confissão bilíngue e à diluição do incesto — começaram a construir uma igreja sincrética, impensável em termos puritanos.

Como quer que tenha sido, o fato é que a regra de descendência se estabeleceu nos EUA. E permanece, ainda que como algo injustificável em termos brasileiros. E o correspondente desse artifício jurídico-ideológico do padrão racial dicotômico, na dimensão simbólica, é a segregação espiritual. O cordão sanitário "astral", confinando em sítio degradado bens culturais extraeuropeus. A impermeabilidade da cultura anglo-saxônica aos mundos culturais de extração africana ou indígena. É sintomático que tenham se aproximado desses mundos os dissidentes do "sonho americano", os *beatniks*. Os que negavam a *America*. Os que — apostando na exposição total da subjetividade, no anarco-romantismo, no desgarramento existencial, nas drogas — viraram radicalmente as costas aos valores da cultura técnica e ao *modus vivendi* norte-americano. Foi por esse caminho que aqueles jovens rebeldes, herdeiros de Blake e Whitman, puderam promover uma espécie de abertura antropológica, uma vinculação direta e simétrica com pessoas e signos excêntricos, do ponto de vista do sistema cultural hegemônico — e assim chegar ao mundo dos guetos. Mas há que fazer uma ressalva — fundamental. Os *beatniks* podiam frequentar bares jazzísticos, mas nunca colocaram os pés num templo religioso negro, no sentido brasileiro desta expressão. Jamais deram o ar de sua graça em algo de equivalente a um centro de macumba ou a um terreiro de inquices. Não porque não quisessem, mas por um motivo sociológico superior: templos desta natureza inexistiam nos EUA. Daí que a frenética busca *beatnik* de elementos e códigos culturais extraocidentais os tenha conduzido a paragens ameríndias, como no caso de Burroughs e Ginsberg mergulhando na viagem do *yagé*. E, mais tarde, no brilho contracultural de Castañeda, encontrando, num *brujo iáqui*, a sabedoria alternativa que nos legou em textos como *The Teachings of Don Juan*, *A Separate Reality* e *Journey to Ixtlan*.

O que aconteceu no Brasil foi coisa bem diversa. A mestiçagem brasileira foi intensa, assim como intensos foram os nossos processos de sincretismo cultural. Quando enfatizo o caráter essencialmente mestiço e sincrético do povo brasileiro e de sua cultura, não quero dizer que isso não tenha ocorrido em outros lugares. Ocorreu, sim — e ocorrerá sempre. Mas temos de atentar para três aspectos fundamentais de nossa configuração histórica e cultural. Primeiro, para o alto grau de mestiçagem que marcou o Brasil. Isto foi — e continua sendo — um fato historicamente digno de nota. Segundo, para o fato de que aqui culturas muito diversas entre si se mesclaram em funda profundidade. A nossa cultura, com todas as suas diversidades internas, é totalmente sincrética: nenhum de seus elementos, nenhuma de suas formas guardou qualquer espécie de pureza original, tenha ela sido real ou imaginária. E isto desde o seu início, já que os colonizadores portugueses não conseguiram impor uma linha divisória entre a cultura dominante e as culturas dos dominados. Terceiro, para o fato de que, além de sermos mestiços, sabemos nos reconhecer como tais. Ao contrário do que se passa nos EUA, onde o antepassado branco de um indivíduo "negro" é amputado patologicamente da história pessoal deste, olhamos para as nossas peles e nelas vemos muitos matizes. Os brasileiros sabem assumir os seus ancestrais.

Não é por acaso que o Darcy Ribeiro de *As Américas e a Civilização* se sente autorizado a tratar os brancos norte-americanos como um "povo-transplantado", diferente dos "povos-testemunho" andinos e meso-americanos, herdeiros das culturas incaica e asteca-náhuatl, ou de "povos-novos", como os do Brasil e das Antilhas. Na tipologia de Darcy, povos-transplantados configuram "nações modernas criadas pela migração de populações europeias para novos espaços mundiais, onde procuraram reconstituir formas de vida essencialmente idênticas às de origem". Os EUA aparecem aqui, em seu segmento branco, como exemplo de tal transplantação. Seus colonizadores foram recrutados, inicialmente, "dentre os grupos europeus dissidentes, sobretudo religiosos; mais tarde [os EUA] se incrementaram com toda sorte de desajustados que as nações colonizadoras condenaram ao degredo; finalmente, inflaram através das enormes levas migratórias de europeus desenraizados pela revolução industrial de suas comunidades rurais e urbanas, que vinham tentar a sorte nas novas terras". Entre suas características básicas, está "a homogeneidade cultural que mantiveram, desde o início, pela origem comum de sua população". Já um "povo-testemunho" é formado por "representantes modernos de velhas civilizações autônomas sobre as quais se abateu a expansão europeia". São as populações mexicanas, meso-americanas e andinas que descendem das civilizações asteca, maia e incaica, subjugadas pela conquista espanhola. E "novos" são os "povos americanos plasmados como um subproduto da expansão europeia pela fusão e aculturação de matrizes indígenas, negras e europeias". Povo-novo é o povo cubano. Povo-novo é o povo brasileiro. Embora não acompanhe a argumentação geral de Darcy, seu evolucionismo de base marxista ou seu gosto por simplificações, acho que, no fundamental, ele está certo. Contemplando a realidade mexicana, vejo um povo-testemunho; diante dos brancos dos EUA, um povo-transplantado; e, ao pensar em Cuba e no Brasil, um povo-novo. Tenochtitlán alguma marcava a paisagem brasileira. O que tivemos aqui, a partir da aldeia eurotupinambá de Caramuru, acentuando-se com a chegada dos africanos, foi a configuração de uma nova realidade socioantropológica. Em sua base, mestiçagens e sincretismos.

Em "Geopolítica da Mestiçagem", Luiz Felipe de Alencastro se empenhou para explicar a questão. Confrontando a alta disposição portuguesa para as misturas genéticas no Brasil Colônia e a sua baixa miscibilidade no período da dominação colonial na África nos séculos XIX e XX, Alencastro diz que podemos falar de duas eras da miscigenação moderna. A primeira, estendendo-se de 1500 a 1825, estaria fundada no comércio e na evangelização. A segunda, indo de 1850 a 1950, se processaria sob os signos do estado-nação e do "racismo científico". Na primeira foi que se deram, como no caso do Brasil, "as formas mais extensas da mestiçagem moderna". Basicamente, por razões demográficas e econômicas. A migração forçada de africanos, a escravização dos índios e a vinda organizada de portugueses — quase sempre, homens — acionaram, nos termos do historiador, "um duplo movimento de aculturação e miscigenação". Escreve Alencastro: "Transforma-dos em engrenagem do comércio mundial, os índios, os negros e os brancos [...] tecem uma trama densa de relações sociais". Já a segunda era da mesti-çagem, de baixíssima miscigenação genética, se deu numa realidade com-pletamente diferente. "Arrastada no turbilhão da Revolução Industrial, a Europa fecha-se provisoriamente em si mesma, unificando os espaços nacio-nais, concluindo a concentração das populações, abrindo caminho para a for-mação de Estados-nação constituídos em torno de um território, uma lín-gua, um povo". Em comparação com o que fizeram no Brasil, os portugueses praticamente não se misturaram nos tempos mais recentes do colonialismo em terras africanas. Frisa o historiador Oliveira Marques, em *Portugal na Crise dos Séculos XIV e XV*, que, mesmo no século XVI, a mestiçagem bra-sileira não encontra paralelo em nenhuma outra parte do império português — à exceção, talvez, de Cabo Verde.

Na base desses processos miscigenadores, esteve, inicialmente, a quase total ausência de mulheres brancas, nos primeiros tempos da colonização do Brasil. O que os europeus encontraram pela frente, ao desembarcar nos tró-picos atualmente brasileiros, foi a indiada. Manadas de ameríndias nuas. E logo se atiraram sobre elas — que, de resto, encaravam de forma bastante livre a dimensão erótica de suas vidas. Daí, aliás, a fantasia europeia de que a sexualidade ameríndia ignorava restrições. De fato, da maneira como al-guns cronistas coloniais escrevem, fica parecendo que, ao colocar os pés no Brasil, eles depararam o caos sexual original, que Lucrécio imaginou ter exis-tido no "estado selvático" da história humana. É claro que não era assim. Por mais livre que fosse a vida sexual de uma cunhã, havia sempre a regula-mentação cultural. Interdições derivadas do sistema de parentesco, dos có-digos mágicos, do "estado civil" das índias. O que os europeus não percebiam era a diferença entre a sua moral sexual e a dos indígenas. Mas as relações sexuais interétnicas proliferaram, com as índias nos papéis de esposa, con-cubina, escrava, conquista ocasional ou vítima de estupro. Em seguida, os cruzamentos sexuais inter-raciais dos brancos alargaram o seu círculo, de modo a incluir uma população feminina negra em expansão. E assim as mu-latas foram nascendo, entrando no baile e tomando conta do salão. Desde o início, os religiosos protestaram contra tamanha obsessão sexual, que não poupava clérigos. Os jesuítas não se cansaram de pedir, ao poder lusitano, que enviasse mulheres brancas para a colônia de ultramar. Quaisquer mu-lheres. Órfãs. Ou mesmo putas — desde que, na ressalva de Nóbrega, não tivessem perdido de todo "a vergonha a Deus e ao mundo". Devemos subli-nhar, contudo, que estas mestiçagens tropicais não foram, exclusivamente,

Mulato, o visível e o invisível

subprodutos da carência e da necessidade. Não se impuseram somente em decorrência da falta de mulheres brancas na América Portuguesa. Intervieram também o acaso, o fascínio, o amor. Já na *Carta* de Caminha vemos que os marinheiros da armada cabralina ficaram encantados com a graça das índias. E, dali em diante, esta foi a regra, nunca a exceção. Veja-se o *Diário da Navegação*, do jovem Pero Lopes de Sousa, mestre na arte náutica e nos ofícios do mar. Presenciando um baile na Bahia de Todos os Santos, em março de 1531, Pero Lopes não consegue tirar os olhos de cima das índias nuas. Está seduzido, embriagado pelas moças tupinambás. E acha que elas não deixam nada a desejar, numa comparação com as moças bonitas da Rua Nova de Lisboa, que era a rua chique da capital portuguesa, naquela época. Negras e mulatas não fizeram sucesso menor. Tanto é que, quando mulheres brancas começaram a chegar em número mais significativo, nos séculos XVII e XVIII, sua presença de modo algum conseguiu reduzir as fusões e confusões raciais que vinham caracterizando o Brasil. Àquela altura, parâmetros extralusitanos de beleza, sedução e erotismo femininos — de *tesão*, em suma — já se haviam imposto na vida brasileira.

Uma vida onde a visibilidade do mulato não conheceu refluxos. Antes, foi sempre crescente e incontornável. Na documentação seiscentista acerca da sociedade que aqui se articulava, especialmente nos centros mais vivos do Brasil Atlântico Central, a figura do mulato reponta a cada passo, mesmo que merecendo tratamento preconceituoso, depreciativo. Já em princípios do século XVIII, Antonil, em *Cultura e Opulência do Brasil*, veiculou a fórmula que ficaria famosa: o Brasil é inferno dos pretos, purgatório dos brancos e paraíso de mulatos. Antonil, aliás, carrega nas insinuações, acenando para um poder mulato: poder de sedução sobre senhores e senhoras — sedução sexual, inclusive. Ao longo desse mesmo século XVIII, conquistando sua alforria com maior facilidade, os mulatos foram se distanciando dos pretos. Foram avançando na hierarquia social. Ampliando o seu capital de relações sociais. Mas é no século XIX que ganham extrema visibilidade, numa inédita onda de ascensão social e política. Onda que se produz em consequência do incremento do processo de urbanização da sociedade brasileira no período imperial. Alguém já disse que bacharéis e mulatos foram, principalmente, produtos das cidades e das plantações litorâneas. É nos centros urbanos que eles discursam, empunham a pluma, alojam-se na burocracia estatal, abrem escritórios, engajam-se na imprensa, promovem campanhas políticas. Surgem como conservadores ou reformadores urbanos. Escreve Gilberto Freyre, em *Sobrados e Mucambos*: "É impossível defrontar-se alguém com o Brasil de Dom Pedro I, de Dom Pedro II, da Princesa Isabel, da campanha da Abolição, da propaganda da República por doutores de *pince-nez*, dos namoros de varandas de primeiro andar para a esquina da rua, com a moça fazendo sinais de leque, de flor ou de lenço para o rapaz de cartola e de sobrecasaca, sem atentar nestas duas grandes forças, novas e triunfantes, às vezes reunidas numa só: o bacharel e o mulato". Nem foi por acaso que o século XIX viu aparecer um romance como *O Mulato*, de Aluízio Azevedo. A personagem principal desse romance é um mestiço, Raimundo, filho de um branco contrabandista de escravos e de uma escrava negra, que "seria um tipo acabado de brasileiro", não fossem os seus grandes olhos azuis. Com seus cabelos pretos e crespos, sua "tez morena e amulatada", Raimundo é o típico bacharel mestiço, formado em Coimbra, com viagens por vários países da Europa, onde ensaiou versos líricos e se deixou imantar pelas "ideias revolucionárias" em voga. Raimundo termina assassinado, na trama de um livro romântico-naturalista. No Brasil real, porém, o que se deu foi o triunfo dos raimundos, em meio à projeção de uma juventude que, desde a escola, lutou pela Abolição e pela República. E a mestiçagem continuou, aumentando a mulataria.

Em *O Trato dos Viventes*, Alencastro abordou a "invenção" brasileira do mulato, fazendo uma distinção entre miscigenação e mestiçagem. Miscigenação seria a simples mistura biológica. A mestiçagem surgiria da combinação da miscigenação e da aculturação. Porque a troca sexual, em si, não é socialmente fecunda e duradoura. É preciso que, além de fazer mestiços, a classe dirigente aceite a sua existência como tais. Foi o que aconteceu no Brasil — mas não, na mesma época, nos EUA e em Angola. Além disso, "para que a mestiçagem conhecesse uma dinâmica regular carecia ainda que a comunidade dominante não criasse obstáculos intransponíveis à ascensão social dos mulatos. Ao contrário do que sucedeu na América do Norte e em Angola tais práticas de favorecimento aos mulatos tiveram curso no Brasil desde as primeiras décadas da colonização". Mais Alencastro: "Como no Brasil, havia miscigenação em Angola: o colonato local tinha filhos com as negras. Mas não havia mestiçagem: quando os pais se afastavam ou morriam, as mães retornavam às suas aldeias com seus filhos mulatos, levando-os de volta à comunidade tradicional e à africanização. A sociedade luso-angolana conservava povoados nativos, núcleos etnogênicos que absorviam os mulatos transformando-os em negros". Nos EUA, os mulatos não retornavam a rotinas aldeãs, retribalizando-se. Mas, definidos como "negros", eram rejeitados em seu existir. No Brasil, diversamente, participaram da construção de uma sociedade que desde cedo reconheceu os seus mestiços e a si mesma como mestiça, por razões econômicas, imperativos militares, lassidão simbólica, indisciplina cultural, frouxidão social, seduções irrecusáveis ou encantos indizíveis — e/ou por tudo isso ao mesmo tempo.

Os estudos genéticos do povo brasileiro, por sinal, avançaram consideravelmente nesses últimos anos. Focalizando a população branca do país, a fim de mapear a sua ascendência, Sérgio D. J. Pena nos dá uma excelente comprovação disso. Veja-se o seu "Retrato Molecular do Brasil". Pena examinou amostras de DNA de brancos brasileiros com dois "marcadores" moleculares de linhagens genealógicas. O cromossomo Y — para estabelecer patrilinhagens; e o DNA mitocondrial, — a fim de fixar linhagens maternas. Com isso, trouxe à luz informações preciosas sobre a composição genética atual de nossa população. No caso da aplicação do cromossomo Y, não há nenhuma novidade: patrilinhagens de brasileiros brancos remetem a populações europeias. Já no campo das linhagens maternas, embora a presença de mestiçagens euro-ameríndias e euro-africanas não vá surpreender ninguém, os números impressionam. "Ao contrário do revelado pelo estudo do cromossomo Y (ampla maioria de haplogrupos europeus), os DNA mitocondriais tiveram, para todo o Brasil, uma distribuição de origens geográficas bem mais uniforme: 33% de linhagens ameríndias, 28% de africanas e 39% de europeias." Isto significa que, em matéria de ascendência materna, a maioria dos brancos brasileiros pertence a linhagens não europeias: 61% de suas matrilinhagens são ameríndias ou africanas. "A presença de 60% de matrilinhagens ameríndias e africanas em brasileiros brancos é inesperadamente alta e, por isso, tem grande relevância social", escreve Pena. Mesmo o contingente branco da população brasileira é notavelmente mestiço, coisa que de modo algum acontece nos EUA. Mas volto a insistir na mesma tecla: o que conta, social e culturalmente, não é o fato de o sujeito ser mestiço, mas o gesto com que ele se reconhece como tal. Com base numa pesquisa realizada por Conrad Kottak numa aldeia de pescadores, "Race Relations in Arembepe", Marvin Harris acabou fazendo uma lista de nada menos que quarenta tipos raciais brasileiros. Clóvis Moura, por sua vez, listou nada menos do que 136 expressões raciais em nosso país. O IBGE registrou outras tantas. E o próprio Harris acabou catalogando nada menos do que 492 termos raciais ("Referential Ambiguity in the Calculus of Brazilian Racial Identity", publicado no *Southwestern Journal of Anthropology*). Sempre me lembro, a propósito, de um fato narrado por Optato Gueiros, oficial das patrulhas policiais que combateram o "banditismo social" nordestino, em seu livro *Memórias de um Oficial das Forças Volantes*. Conta ele que, uma noite, numa casa de fazenda, a conversa girando num grupo de cangaceiros, alguém observou que Lampião era "cor de canela". Lampião não gostou. Disse que canela era "cor de mulher" — e que ele era outra coisa: "moreno lusco-fusco"... Pois bem: esta complexa e cambiante terminologia cromática brasileira aparece como simplesmente intraduzível para o inglês. É o comentário de Harris: seria *"foolhardy"* (temerário e mesmo néscio) tentar traduzir esses termos para a língua inglesa. "Considerando as premissas totalmente diferentes das terminologias norte-americana e brasileira, é claro que não existem em inglês equivalentes precisos [dos termos brasileiros]", diz Harris. Enfim, somos mestiços, digam o que disserem os que não querem que isto seja dito. E a nossa disposição, gradualmente crescente, é para incorporar todos os nossos ancestrais. Talvez não no ambiente político-acadêmico, mas certamente no conjunto da sociedade, onde vigora um *continuum* hierarquizado de cores (espectro a ser reconfigurado na luta política e cultural) e os orixás não solicitam atestados de filiação ou testes de DNA para aceitar seus "filhos" ou "filhas" de santo. E para que, afinal, substituir a riqueza cromática pela pobreza dicotômica?

O correspondente dessa mestiçagem visível e socialmente reconhecida está na mistura cultural. No sincretismo. Na coexistência, mesmo que hierarquizada, e no entrelaçamento de mundos culturais distintos num mesmo espaço antropológico. Vamos colher um exemplo disso já no Brasil seiscentista, na poesia de Gregório de Mattos, que, apesar de seus preconceitos, empregava palavras africanas e ameríndias em suas criações textuais. Ao escrever um poema como "procurador" da Cidade da Bahia, atacando vícios ou supostos vícios de seus moradores, Gregório satiriza o mundo cultural banto, que já ia se alastrando em nosso meio: "que de quilombos que tenho/ com mestres superlativos/ nos quais se ensinam de noite/ os calundus e feitiços". Vivaldo da Costa Lima esclareceu que *calundu* (palavra que passou a designar, no português do Brasil, uma espécie de "zanga", outra palavra banta), "nos falares de Angola, nos falares da língua congo, significa um sinônimo de *inquice*, portanto, de *orixá*, de *vodum*". O que temos então, no texto gregoriano, é a referência a um culto de candomblé (outra palavra banta), a terreiros de inquices (que é como se chamam os deuses bantos no Brasil — *nkisi*, em língua kikongo), com os seus sacerdotes (os "mestres do cachimbo") e as suas práticas rituais. Ora, quando Gregório inclui o calundu entre os traços distintivos da Bahia seiscentista, nos revela a importância que aquele culto adquirira. O poeta registra, aliás, que tais terreiros ("quilombos", palavra banta, é a expressão que emprega) eram frequentados por um respeitável número de pessoas de ambos os sexos (e por homossexuais). Com Nuno Marques Pereira, em seu *Compêndio Narrativo do Peregrino da América*, vemos que o calundu existia, também, pelos campos do Recôncavo. Sua forte presença, na região, levou o nosso moralista a denunciar a "quase geral ruína de feitiçaria e calundus dos escravos e gente vagabunda neste Estado do Brasil". Mas não eram somente os negros que se entregavam a tais práticas e frequentavam tais ritos. Também mestiços e brancos recorriam a bruxos e batuques. Já se formara em nosso meio, no século XVII, um mundo cultural paralelo. E esse mundo — apesar de todas as humilhações e perseguições — veio se afirmando através dos séculos. Por essas e outras coisas é que, com respeito aos EUA, nos sentimos tentados a falar de aculturação totalizante, quase absoluta. Já com relação ao Brasil, seria mais correto apontar para um processo transculturativo assimétrico, já que se desdobrando entre senhores e escravos, dominadores e dominados.

E os mestiços fizeram não poucas pontes entre esses mundos. Mas não vamos nos demorar numa estrada que já foi percorrida à exaustão pelos estudiosos brasileiros. Em *O Povo Brasileiro*, Darcy Ribeiro observa que os mulatos "ou eram brasileiros ou não eram nada, já que a identificação com o índio, com o africano ou com o brasilíndio [o mameluco] era impossível". O mulato também não podia ser um membro da gente metropolitana vivendo no ultramar. Estava condenado a ser brasileiro. Nem é por acidente que, no processo de construção fragmentada de nosso povo — que, só com o tempo, irá se perceber em seu conjunto, como totalidade distinta ou povo singular —, será ele o primeiro a explicitar sua diferença. Sim — é em meio a mestiços que vai aflorar entre nós o sentimento de uma *diferença* com relação ao "ser português" e a Portugal. O sentimento de ser "filho da terra", de não pertencer ao mundo lusitano. Foi assim que o mulato se converteu em peça-chave do processo de autocriação do povo brasileiro.

# 4.
# EM BUSCA DE AMBOS OS DOIS

A mixofobia da sociedade norte-americana é um fato. Mesmo no plano político, os EUA costumam caminhar divididos, com italianos votando em italianos, irlandeses em irlandeses, etc. No Brasil, o que se vê é coisa diferente. Elogio da mestiçagem, celebração das misturas, com ou sem uma consciência mais clara de nossas desigualdades sociorraciais. Das reflexões políticas e sociais à literatura e à poesia de nossa música popular, as hibridizações merecem respeito, reverência e louvor. Não temos uma tradição de voto étnico. O racismo é admitido como real e combatido como nefasto. A segregação é entidade *non grata*.

Entre as décadas de 1970 e 1980, porém, começou a se esboçar uma alteração nesse quadro. Tanto no Brasil quanto nos EUA. Nadando, lá e cá, contra a maré. Mas se apresentando com sentidos inversos. De uma parte, com negromestiços brasileiros importando o modelo norte-americano de classificação racial e, assim, passando a defender a tese de que nenhum gato é pardo. De outra, com negromestiços norte-americanos recusando a regra de descendência, reivindicando o reconhecimento de sua birracialidade, de seu pertencimento a uma *mixed race*. Em *A Rap on Race*, a certa altura de seu diálogo com James Baldwin, a antropóloga Margaret Mead disse que uma das coisas que os negros norte-americanos tinham de fazer era assumir os seus antepassados brancos. Bem, aquela conversa entre Baldwin e Mead aconteceu em inícios da década de 1970. No final da mesma década, apareceu, na Califórnia, uma organização como a I-Pride, para dar assistência a casais multirraciais. Dez anos depois, surgia a AMEA, a "Association of MultiEthnic Americans", que já era uma confederação nacional de grupos locais do ativismo birracial. E adiante, na passagem do século XX para o XXI, mulatos reivindicaram a inclusão de uma categoria racial mista no censo do país. Ou seja: enquanto negromestiços brasileiros lutam para que o Brasil adote o modelo racial ianque, negromestiços norte-americanos caminham em sentido contrário, aproximando-se do modelo brasileiro, no sentido da superação da *one drop rule*.

Talvez seja bom lembrar que o "embranquecimento" da população, através do cruzamento racial, chegou a ser discutido, em esfera governamental, nos EUA. No caminho para a abolição do sistema escravista, algumas pessoas pensaram que a solução para o problema etnodemográfico do país poderia estar nos amálgamas raciais, destinados a clarear a massa negra da população. Quando a emancipação foi determinada, Lincoln apontou Gridley Howe para coordenar uma comissão encarregada de formular políticas públicas para os negros. Howe procurou Agassiz para discutir o assunto. Consultou o cientista sobre a perspectiva de um branqueamento dos pretos nos EUA. Queria saber se a raça africana seria *persistente* nos EUA, ou "absorvida, diluída e apagada" na população branca. Agassiz — que não deixava de considerar que mulatos podiam ser "particularmente atraentes", do ponto de vista físico, pela peculiar constituição de seus corpos — investiu pesadamente contra a ideia de uma política de embranquecimento. Howe recuou. O "racismo científico" falou mais alto. A mistura racial não era natural, nem desejável. Iria degradar o povo norte-americano, como já o havia feito com descendentes de espanhóis e portugueses em outros países da América. E o projeto gorou. De qualquer modo, fica o registro. O Brasil não deteve o monopólio de uma "ideologia do embranquecimento". O que houve foi que as nossas elites viram uma "saída" nesse ideal. As norte-americanas, não.

Os EUA tiveram um modo muito peculiar de lidar com a mistura racial de brancos e pretos. Não é que não tenha havido miscigenação por lá. Houve. Desde que africanos e europeus se viram cara a cara naquela parte do Novo Mundo. Sabe-se que, no século XVII, houve muita mistura na área de Chesapeake, entre a Virgínia e Maryland. Os cruzamentos se deram entre pretos e brancos pobres. Com uma nota interessante. Não foram apenas homens brancos e mulheres negras que fizeram sexo e, quem sabe, amor. Mulheres brancas, empregadas domésticas, também entraram na dança. Envolveram-se com crioulos do lugar. As transas eram punidas na base da chicotada pública. Mas nada conseguiu impedir os "contatos ilícitos". Aconteceram casamentos, inclusive. Mas foi uma exceção. Regra geral, a miscigenação norte-americana foi fruto de relações sexuais entre homens brancos e mulheres pretas. O discurso público dos brancos sempre foi contra essas misturas. Na prática, a coisa era diferente. E não eram somente brancos pobres que se mesclavam com as negras. Ricos, também. Entre eles, dois dos *founding fathers* e futuros presidentes do país, George Washington e Thomas Jefferson, tiveram filhos de escravas suas — a paternidade de Jefferson, no caso de um filho de sua escrava e amante Sally Hemings, foi comprovada, na década de 1990, através de um teste de DNA. A proximidade física gerava tentações. Os senhores se achavam no direito de se servirem sexualmente das escravas. E mulatinhos foram nascendo pelo país. A tal ponto que

92        A utopia brasileira e os movimentos negros

a vasta maioria dos norte-americanos definidos como pretos não é de descendentes puros de africanos. É de mulatos. F. James Davis, em *Who Is Black? — One Nation's Definition*, diz que pelo menos 75% dos pretos ianques têm antepassados brancos — e há estimativas que falam de 90%. Ocorre que a sociedade branca considerava inaceitável a miscigenação. Era inadmissível a existência de um filho mulato numa família branca. Os mulatinhos viviam nas senzalas, como crianças de ninguém. Eram escravos. E, para todos os efeitos, negros. Foi assim que a *one drop rule* começou a se configurar, informalmente, como a norma da classificação racial nos EUA. E o racismo desempenhou um papel central nesse processo. Com a guerra civil, as coisas se tornaram ainda mais nítidas. Os senhores reforçaram a fronteira racial. Rejeitados pelos brancos, os mulatos ficaram mais próximos dos negros. Viram que tinham de se ver como pretos. Passaram até a falar como líderes de toda a comunidade negra, em consequência da luta contra a segregação, de que eram as vítimas mais sensíveis. E assim a *one drop rule* se fixou, se generalizou e foi internalizada por toda a sociedade norte-americana. Para virar lei no final do século XIX.

A chave está, portanto, na definição — social e legal — de quem é preto nos EUA. A *one drop rule* é a regra que determina que toda pessoa racialmente misturada pertence ao grupo "inferior", e nunca ao "superior", de sua ascendência. Assim, mulatos como Douglass e Booker T. Washington são considerados negros. E mesmo indivíduos que são (para nós, brasileiros) exemplos de brancura. Parte considerável dos líderes negros, nos EUA, exibe uma genealogia razoavelmente branca. Biografando o marido, em *A Gentle Knight: My Husband, Walter White*, Poppy Cannon, que era uma branca de cabelos pretos, chega a ser divertida. Conta que, viajando pelo mundo, numa daquelas missões de "boa vontade" dos EUA, ela e White eram apresentados como "casal inter-racial". E que as pessoas perguntavam então a White sobre a história de seu casamento com uma mulher "de cor"... Mas não é preciso empilhar exemplos. Lembro apenas que Luther King tinha uma avó irlandesa. Era mulato. O não reconhecimento social e jurídico da existência do mestiço, as contas amalucadas da *one drop rule* — classificando como negro um *octoroon*, uma pessoa com um oitavo de "sangue africano" (com um bisavô preto para sete bisavós brancos) — é que fazem com que indivíduos de traços físicos marcadamente brancos se definam e sejam definidos como negros. E é claro que isto causa não somente confusão, mas, também, sofrimento. A este respeito, não faltam relatos de experiências doloridas. Sabemos dos jogos de maquiagem e luz de Billie Holiday e sua banda, narrados em *Lady Sings the Blues*. E James Davis lembra as dificuldades encontradas, por conta de sua *lightness*, na década de 1940, pela atriz Jane White, filha de Walter White. Por um lado, mesmo carregando na maquiagem, a fim de escurecer a pele de marfim, ela não convencia. Entrava no palco e ninguém a achava parecida com uma pessoa preta. Por outro lado, não podia desempenhar papéis brancos, pois os pretos eram então impedidos de fazê-lo. Só depois de algum tempo, de muita perseverança, Jane White conseguiu estrear, fazendo uma bem-educada mulata na versão teatral de *Strange Fruit*, de Lilian Smith. James Davis lembra ainda o caso de um moço do Mississippi chamado Davis Knight. Em 1948, o rapaz foi condenado a cinco anos de prisão, por ter violado a lei que proibia a miscigenação. O Estado provou que ele tinha ascendência negra. Menos de 1/16 avos de sangue negro, é verdade. Mas tinha. Uma das suas bisavós fora escrava, quando era menina. Detalhe: Davis não tinha a menor ideia de que havia transgredido a lei. Desconhecia o fato de que havia uma preta em sua linhagem. E que, portanto, era preto.

Os EUA são a única nação do planeta a possuir uma classificação racial desta natureza. Estranho é que os norte-americanos estranhem que o resto do mundo não classifique pretos e mulatos do mesmo modo que eles. Falam aqui a cegueira e a arrogância imperialistas de sempre. Mas, também, o provincianismo cultural. A singularidade do caso norte-americano era já apontada por Gunnar Myrdal, em seu *An American Dilemma*, publicado em inícios da década de 1940. E não é por acidente que o livro de F. James Davis traz, como subtítulo, a ressalva *"one nation's definition"*, "a definição de uma nação". Nas palavras de Davis, "a regra é única no sentido de que é encontrada nos Estados Unidos e em nenhuma outra nação do mundo". E mais: "Esta definição emergiu do Sul dos EUA para se tornar uma definição nacional, aceita de forma generalizada tanto por brancos quanto por pretos [...] Os pretos não tiveram escolha [...] esta definição cultural norte-americana de *negro* é dada prontamente como certa tanto por juízes e funcionários da ação afirmativa, quanto por requerentes pretos e integrantes da Ku Klux Klan". E já que não é fácil entender de que modo tal noção estapafúrdia se tornou *taken for granted*, resta-nos a pergunta: como foi que isto aconteceu?

Já observei que a *one drop rule* se formou no período colonial-escravista. Mas era uma codificação informal, ainda que rigorosa, das relações raciais norte-americanas. Acontece que o que veio, depois da liquidação do sistema escravista e dos breves anos da Reconstrução (quando os negros alcançaram conquistas civis e avanços políticos), foi pesado demais. No plano teórico, havia o "racismo científico". No prático, a Ku Klux Klan. Mas não só. Este foi, também, o período da loucura jurídica antinegra. Os pretos perderam direitos civis recém-conquistados e houve um recrudescimento do segregacionismo. E foi aí que a *one drop rule* passou de código informal a código legal, formalizado no final do século XIX, quando se configurou de vez o chamado "sistema Jim Crow" de segregação racial (o nome Jim Crow, que batizou o conjunto de leis do *apartheid* ianque, veio de uma personagem de um espetáculo musical: um crioulo infantil, dócil, irresponsável, ignorante e preguiçoso; um *good nigger*, que sabia exatamente qual era "o seu lugar", para empregar a expressão norte-americana, que muitos julgam ser brasileira). Os estudiosos citam, como marco histórico desse longo período jurídico-político, o caso Plessy *vs.* Ferguson, de 1896, quando juízes norte-americanos negaram a Homer Plessy, um *octoroon* que poderia passar por branco, o direito de sentar em lugares reservados para brancos, em trens que circulavam pela Louisiana. Firmou-se aí o princípio jurídico da separação. A base legal da distinção entre o mundo dos brancos e o mundo dos pretos. A codificação jurídica da "norma social e cultural que ditara, por gerações, as interações entre as raças, desde que os primeiros escravos chegaram aos EUA", como dizem Ann Rockquemore e David Brunsma, em *Beyond Black: Biracial Identity in America*.

Os negros já não eram legalmente considerados, havia algum tempo, cidadãos norte-americanos, fato que, por sinal, complicou uma ida de Frederick Douglass a Paris: ele simplesmente não tinha como obter um "visto" para entrar na França, já que a lei não o reconhecia como cidadão dos EUA. E leis segregacionistas vinham sendo promulgadas desde o final da década de 1860, em terras sulistas. Leis contra o casamento inter-racial. Leis determinando lugares separados no sistema público de transporte. Leis proibindo a presença de negros em hotéis, barbearias, restaurantes e teatros dos brancos. Leis estabelecendo escolas, hospitais e até bebedouros separados. O que aconteceu com o caso Plessy *vs.* Ferguson foi que a Suprema Corte dos EUA sacramentou a segregação. Tinha-se agora uma base não apenas cultural, mas igualmente jurídica, para sustentar as desigualdades raciais norte-americanas. Uma massa legislativa que foi se avolumando e permaneceria em vigor até ao final da década de 1960, quando seria anulada na luta pelos direitos civis dos pretos. Mas, antes que isto acontecesse, aconteceu o que aconteceu a Bessie Smith, considerada uma das maiores cantoras que apareceram na história da música popular, em todo o mundo. Uma cantora de blues, do blues "clássico" da década de 1920. Dizem inclusive que, não raro, em suas apresentações, a plateia entoava um sonoro "amém" quando ela terminava de cantar. Como se estivesse participando de um rito religioso, atmosfera passível de ser criada graças ao enraizamento do blues na música religiosa do cristianismo negro norte-americano. Bessie fez muito sucesso naquela década de 1920. E ganhava muito dinheiro, gastando-o descontroladamente com homens e bebida. "É difícil descrever a razão do fascínio de sua voz. Ela era áspera e possuía um tom de tristeza até mesmo nas melodias mais alegres e despretensiosas. Bessie cantava simplesmente como uma representante de um povo que conheceu vários séculos de escravidão e que, mesmo após sua liberação, foi mais duramente discriminado que antes. Seu segredo, porém, era deixar transparecer essa tristeza sem a menor sombra de sentimentalismo. Sua voz era direta, rude, e possuía a firmeza e a soberania só encontradas entre os maiores intérpretes do mundo", escreveu Joachim E. Berendt, em *O Jazz: do Rag ao Rock*. Mas o sucesso de Bessie não durou muito. Perdida entre imposições de empresários, ela perdeu público e dinheiro. Voltou à pobreza que conhecera em sua infância no Tennessee. Até cair na miséria. Em 1937, sem um tostão no bolso, sofreu um acidente de carro no Mississippi. Foi levada às pressas, perdendo sangue, para um hospital de Memphis. Não a deixaram entrar. O hospital só recebia brancos. Que a levassem para Clarksdale, onde havia um hospital para pretos. No caminho de Memphis para Clarksdale, Bessie morreu. Não sei o que escreveram em seu obituário. Mas não há dúvida sobre a *causa mortis*. Ela foi assassinada pelo racismo ianque. Somente três décadas mais tarde, seu túmulo, num pequeno cemitério da Pensilvânia, ganhou uma lápide: "A maior cantora de blues do mundo nunca vai parar de cantar". Preço da lápide: 500 dólares. Quem pagou? Uma jovem branca chamada Janis Joplin. Àquela altura, a luta pelos direitos civis havia já conquistado vitórias expressivas. No papel, ao menos. Pois a segregação *de facto* permaneceu viva nos EUA.

A *one drop rule* e o sistema Jim Crow foram blindagens contra a mistura racial de pretos e brancos. O que está em suas bases é a crença racista de que a miscigenação conduz à degeneração biológica e cultural da raça branca. O mesmo princípio que vamos ver em ação no nazismo, inclusive com a proibição de casamentos inter-raciais. É absurdo, por isso mesmo, ver professores universitários brasileiros, que se dizem "de esquerda", defendendo a transposição, para os nossos trópicos, da regra racista amada pela Ku Klux Klan. Mas o curioso é que, à época do sistema Jim Crow, explicitou-se ao extremo o discurso de proteção das mulheres brancas, da *white womanhood*, para justificar as leis antimiscigenação. Será que aqueles senhores brancos precisavam proteger tanto assim as suas sinhás e sinhazinhas? Parece que sim. Não nos esqueçamos das mulheres brancas de Maryland... Nem de que, hoje, casamentos birraciais nos EUA, regra geral, enlaçam um macho negro e uma fêmea branca. Rockquemore e Brunsma lembram, a propósito, da expressão dessa obsessão branca no campo da cultura de massas em *Birth of a Nation*, de Griffith, "o patriarca do cinema", como o chamou Eisenstein. Nesse filme, a donzela branca é perseguida por um negro até à beira de um precipício. Vendo que não há escapatória, diante da aproximação do preto, ela escolhe, evidentemente, o mal menor: salta para a morte. Sexo com negro, miscigenação, *never*. E o preto que ia para a cama com uma branca era sério candidato ao linchamento. Mais de mil negros foram linchados nos EUA na última década do século XIX (prática duradoura na história daquele país, por sinal, como no caso acontecido em 1953 com Emmett Till, um garoto negro de apenas catorze anos de idade: Till assoviou para uma branca, no Mississippi, e foi linchado até à morte — encontraram seu corpo no fundo do rio Tallahatchie). É nesse contexto que devemos situar a formação da fantasia branca do "estuprador negro". Angela Davis examinou o assunto em *Women, Race & Class*. De saída, note-se a inversão racista. Senhores brancos violentavam negras rotineiramente. Como diz Angela, "a coerção sexual era uma dimensão essencial das relações sociais entre senhor e escravo". Senhores consideravam que o direito sobre o corpo das negras era uma extensão de seus direitos de proprietários de escravos. Achavam que era normal comer as pretas. E muitos se compraziam sadicamente com a violência sexual. Angela frisa que o abuso sexual institucionalizado das negras foi tão poderoso que se estendeu além da escravidão, gerando, entre outras coisas, os estupros grupais perpetrados por membros da Ku Klux Klan. No entanto, os brancos forjaram o mito do estuprador negro, do homem bárbaro que não conseguia controlar sua fúria sexual sempre acesa. Não é este o espaço para acompanhar a tese de Angela. Observo, apenas, que ela vê a fantasia como um artifício do racismo pós-escravista para reprimir os pretos; considera que a ficção sexual só podia ganhar sentido no âmbito irracional da ideologia racista; e que o mito do preto estuprador tinha a sua contrapartida no mito da preta promíscua: "o estuprador mítico implica a prostituta mítica". Mas lembro, também, que o mito se formou no pós-guerra civil, quando senhores sulistas, vendo reduzida a população masculina branca, temeram que a mestiçagem se espalhasse, envolvendo irresistivelmente as *suas* mulheres.

A *one drop rule* foi reforçada ao extremo nesse contexto. Brancos combatiam ferozmente a miscigenação, mas, ao mesmo tempo, exploravam sexualmente as negras, produzindo mestiços. A saída era radicalizar: filho de preta não teria como não ser preto. Mas há, ainda, um outro aspecto da classificação racial norte-americana que deve ser sublinhado. Porque aí se realiza sem rodeios o racismo dos brancos ianques contra os pretos. É que a *one drop rule* aplica-se, única e exclusivamente, aos negros. Somente aos pretos — e a mais ninguém. A regra de descendência não é apenas especificamente

Em busca de ambos os dois

norte-americana, portanto. A sua vigência é também etnicamente específica. Ninguém que tenha sete bisavós brancos e um asiático é automaticamente classificado como asiático. A regra não vale para não negros. Não vale para filipinos ou para gente vinda do Extremo Oriente. Não vale para mexicanos que descendam de índios da América Central. O que não quer dizer que os norte-americanos brancos não sejam racistas diante de representantes de outras etnias extraeuropeias. Eles sabem muito bem como discriminar. Apenas não usam, para quem exibe ancestralidade não africana, os mesmos critérios feitos para oprimir e marginalizar os seus pretos. A *one drop rule* foi decretada somente para a gente que penou na escravidão.

Pelo que foi dito até aqui, fica evidente que a regra de descendência é uma categoria "nativa", ianque. Uma construção social que viola a "lógica genética" (Davis). Nada tem de objetiva, nem é com base nisto que funciona na vida norte-americana, em termos práticos e cotidianos. Como não há notícia de que ninguém costume andar com marcadores genéticos no bolso, o que acaba prevalecendo, no dia a dia, é a "cor", a aparência da pessoa. No máximo, a história que se conhece da sua vida. O caso de Susie Guillory Phipps é muito ilustrativo, a este respeito. Susie não conseguiu carimbo no passaporte porque, ao preencher o quesito de identificação racial, escreveu "branca". A sua certidão de nascimento dizia outra coisa: "negra". Para a sua legítima ou fingida surpresa, a peripécia era antiga. Em 1770, um fazendeiro francês, Jean Gregoire Guillory, tomara Margarita, uma escrava de sua esposa, como amante ou concubina. Fizera filhos nela. Mais de dois séculos depois, a tataraneta do casal transgressor, Susie, ainda era considerada "negra" pela burocracia norte-americana. Em 1983, ela entrou na justiça com um pedido de revisão da sua designação racial. Mas a solicitação foi negada pela Suprema Corte. A decisão se apoiou no fato de que, embora Susie pudesse passar por branca, parentes seus declararam que se viam *colored*. Susie ficou furiosa. Sempre tinha vivido como branca. E mais: havia se casado não uma, mas duas vezes, como branca. Uma coisa, então, era o parecer judicial, assentado na regra de descendência. Outra era a realidade existencial da reclamante. Nenhuma objetividade biológica foi convocada para esclarecer a matéria. Mas a própria justiça norte-americana reconhece que nunca se pautou pelo conhecimento científico. Por indagações genéticas. Sua sustentação última sempre foi a leitura empírica de traços físicos. A percepção sociocultural da anatomia. Recorrendo, para esclarecer casos mais difíceis, a testemunhos leigos. Nem é outra a postura da burocracia censitária. Os funcionários do censo classificam negros não a partir de testes laboratoriais, mas com base no que é visível. No famoso *olhômetro*. Como, no final das contas, tudo pode se limitar apenas ao reino da aparência — da "cor" e não da "raça", para confusão ainda maior dos nossos racialistas —, muitas pessoas posam, simplesmente, de brancas.

E o fato de muitas pessoas "de cor" passarem — ou, o que talvez seja mais importante, desejarem passar — por "brancas" deve nos prevenir para a articulação política que ampliou ao extremo a realidade do orgulho racial negro nos EUA. Não devemos nos esquecer da negra que ficou milionária fabricando cosméticos para pretos: Madame Walker, a primeira *self-made woman* milionária dos EUA. O dinheiro veio através de sua Walker Company, que se tornou sucesso nacional, na década de 1890, com a venda de produtos de beleza destinados a dar uma aparência mais clara às negromestiças. Madame Walker ganhou tanto dinheiro, que construiu uma mansão cinematográfica com vistas para o rio Hudson, vizinha de milionários como Rockefeller. O fato de a Walker Company ter conhecido um êxito tão fabuloso mostra a extensão em que os pretos haviam internalizado formas brancas de beleza. Por isso mesmo, o *black is beautiful* só pôde acontecer no bojo de uma grande onda político-ideológica de mudança da visão que o negro tinha de si próprio. E o *marketing* não esteve ausente desse jogo. Ninguém cria, com sucesso espetacular, uma bandeira como *"black is beautiful"*, se não contar com um pé na realidade e outro na carência. Uma mulher realmente bonita não sai por aí gritando que é bonita — e que as pessoas precisam aprender a reconhecer e a aceitar a sua beleza. Ela só vai fazer isso se tiver dúvidas sobre si mesma. Os negros se achavam bonitos e feios, simultaneamente. E queriam afirmar, alto e bom som, a sua beleza. Mas isto foi muito bem induzido. Foi um barco lançado — com estardalhaço e estudo — num mar de cosméticos, perucas e cabelos espichados. Uma campanha político-publicitária de desrecalque nacional. Extremamente bem-sucedida. Porque milhares e milhares de negros, nos EUA, sempre quiseram passar por brancos. Muitos, de fato, passaram. Oficialmente, inclusive, por alterações em sua documentação. E o simples fato de "preto" passar por "branco" destrói qualquer pretensa objetividade da regra de descendência.

Mas não vamos prosseguir sem fazer uma escala no caso afro-indígena. Houve cruzamentos entre pretos e ameríndios nos EUA. E não foram poucos. Estima-se que cerca de 25% da população preta dos EUA possui alguma ancestralidade indígena — assim como muitos dos que hoje são classificados como índios têm ascendência negra. Para dar exemplos conhecidos, tinham sangue indígena personalidades como Douglass, Luther King e Jimi Hendrix. Mas ninguém com ancestralidade índia — um quarto de sangue sioux, *blackfoot* ou cherokee, por exemplo — é classificado como índio. A pessoa pode simplesmente querer afirmar a sua ascendência ameríndia. Sempre foi até charmoso fazer isto, como reflexo cultural do Romantismo — ou reflexo vistosamente renovado por sua neta mais dileta, a contracultura. Mas quem descende de índio é assimilado. É norte-americano. O que não deixa de trazer uma implicação curiosa. Até onde, afinal, o sujeito é considerado índio, branco ou mestiço? Se houve apenas mistura de índio e preto, o que acontece é interessante. O sujeito pode ser considerado índio enquanto está numa reserva. Colocou os pés fora dela, é preto. E ainda há sociólogos brasileiros que elogiam a objetividade da regra de descendência... Uma "objetividade" que faz o sujeito mudar de cor (ou de "raça") a depender do lugar onde se encontra.

Existia uma reação à mistura racial também do ponto de vista dos pretos. A "comunidade negra" se sentia ferida e traída quando algum de seus filhos se envolvia, sexual e/ou amorosamente, com um branco ou uma branca. Em especial, irritavam-se (como ainda se irritam), com tais relações, os ideólogos de plantão. Claro que o assunto é delicado — e cada caso é um caso, definitivamente especial. Mas o fato é que, neste sentido, o amor sempre foi — e sempre será — um problema. Nunca deixou nem vai deixar de perturbar não só as pessoas mais simples e práticas nas coisas da vida, mas também os esquemas e as análises dos sociólogos, sempre em busca de correspondências simétricas entre o desenho social e a ação do indivíduo. Nunca deixou nem vai deixar de perturbar o linearismo dos ideólogos, com as suas ânsias de estabelecer caminhos mais curtos entre o que eles são quase obrigados a supor que sejam apenas dois pontos. Porque o desejar do desejo nos conduz muitas vezes a escolhas que contrariam o mundo inteiro. Não é que o amor seja cego, como costuma dizer o povo. É que ele, além de mover o sol e as outras estrelas, como dizia o velho Dante Alighieri, não se sente na obrigação de olhar na mesma direção em que os não amantes estão, naquele momento, prosaicamente olhando. Não nos apaixonamos por livre e espontânea vontade. Por uma decisão racional. Na verdade, nem sabemos ao certo o que é o amor, ou o que nos faz amar.

Basta pensar na vida de Frederick Douglass. Ele sentiu o peso de muitas barreiras. E atropelou parte delas. Veja-se o *"unusual pas de deux"* — como disse Maria Diedrich, em *Love Across Color Lines* — envolvendo Douglass, negro de traços indígenas, e Ottilie Assing, com sua *rosy skin*, sua pele rósea, e seus olhos azuis. Douglass nasceu em Maryland, numa plantação escravista. Seu pai era branco, senhor de escravos. Logo depois de seu nascimento, sua mãe, Harriet Bailey, uma negra escravizada, foi alugada a um outro fazendeiro. O menino Fred passou a viver, então, na cabana dos avós (maternos, obviamente). Aos seis anos de idade, sua avó Betsy o levou até à casa-grande, entregando-o ao seu proprietário. Sua mãe, às vezes, caminhava milhas para vê-lo, depois de todo um dia de trabalho. Chegava quando já era noite escura, colocava-o para dormir e partia ao nascer do sol. Seu pai nunca tomou conhecimento dele, a não ser para castigá-lo e, eventualmente, chamá-lo *"my little Indian boy"*. Aos oito anos, Fred passou às mãos de um outro senhor, em Baltimore. Meteu-se onde foi possível. Aprendeu a ler e a escrever. Com vinte anos de idade, contando com a ajuda financeira de Anna Murray, uma afro-ameríndia, fugiu para o Norte. Casou-se com Anna, teve seus primeiros filhos e, aos 23 anos, mergulhou na campanha abolicionista, tornando-se um *race leader*. Ottilie nasceu em Hamburgo (naturalizou--se, depois, norte-americana, passando a assinar Ottilia), na Alemanha, no meio de uma família de alta classe média. Era uma burguesinha. Sua mãe, Rosa Maria, escritora e poetisa, vinha de uma família respeitada, com inclinações liberais e mesmo radicais (pioneiramente feministas, inclusive). Era a família Varnhagen — da qual descende o *founding father* da moderna historiografia brasileira, Francisco Adolpho de Varnhagen, aqui nascido porque seu pai, um oficial alemão, fora contratado por João VI para restaurar e ampliar a fundição de ferro em Ipanema, Sorocaba, no interior de São Paulo. Rosa Maria falava alemão, francês, italiano e inglês, além de ler em latim e grego. O pai de Ottilie, David Assur (depois, Assing), filho de uma família de comerciantes ricos, era um judeu convertido ao cristianismo, em meio à comunidade judaica de Hamburgo, formada, desde inícios do século XVII, por judeus expulsos da Espanha e de Portugal. Seu avô paterno era tratado respeitosamente por Kant, o filósofo da *Crítica da Razão Pura*, na cidadezinha em que ambos viviam, Königsberg. Bem, David e Rosa Maria casaram--se sob a censura de judeus e alemães conservadores. Assim como, ao círculo de amigos de um tio de Ottilie, Karl Varnhagen (que foi chamado de "canalha covarde" por Engels), pertencia o filósofo-geógrafo Humboldt, a casa de seus pais era frequentada pela fina-flor do radicalismo alemão da época, jovens como Karl Gutzkow e Heine, o autor de *Atta Troll* e do poema *Sklavenschiff* ("Navio Negreiro"), que levaria Castro Alves a compor o seu próprio "Navio Negreiro".

Jornalista e professora, Ottilie — depois de viver a onda revolucionária europeia de 1848, interpretada por Marx em *O 18 Brumário de Luís Bonaparte* — migrou para os EUA. Descendente de judeus, sabia o que era o preconceito racial. Conhecera o antissemitismo da Europa oitocentista. Vira perseguições a judeus em Hamburgo. Experimentara a hostilidade e a violência raciais em seu cotidiano. E era, ela mesma, classificada como "semijudia", expressão usada para designar crianças que nasciam de casamentos mistos. Como sua mãe era cristã e seu pai, judeu, a união de ambos transgredira a noção do relacionamento entre raças (do mesmo modo, Douglass era filho de um intercurso transgressor — filho de branco livre e preta escravizada). Pois bem: Ottilie se identificou com a luta dos negros norte-americanos e acabou conhecendo Frederick. Em termos genealógicos e existenciais, como diz Maria Diedrich, estavam, um e outro, suspensos entre "ambos e nenhum", entre *both* e *neither*, carregando em si duas raças e duas culturas. Ottilie traduziu para o alemão uma das autobiografias de Douglass, apaixonou-se por ele — e a recíproca foi verdadeira, durante um bom tempo. Rebelde, inteligente, sofisticada e ambiciosa, ela o deixou encantado. Durante 28 anos, de 1856 a 1884, Ottilie e Frederick tiveram um caso de amor que, ainda nas palavras de Maria Diedrich, "violou as fronteiras oitocentistas que separavam o negro e o branco e desafiou os sentimentos vitorianos sobre moralidade, gênero e classe". E desenvolveram um companheirismo, tanto erótico quanto mental, que sem dúvida exerceu forte influência na caminhada intelectual e na trajetória política de Frederick.

Douglass era o grande líder negro do abolicionismo nos EUA. Como tal, não podia infringir certas convenções, principalmente no campo da moralidade. Tinha de ser burguesamente exemplar, paradigma da caretice vitoriana. Embora fosse um intelectual, havia se casado, na juventude, com Anna Murray, uma negra notável, mas analfabeta — e que resistiu a todos os seus esforços para alfabetizá-la. Ele, que era obrigado a viajar muito, queixava-se até de que não podia escrever cartas íntimas para a mulher, pois estas teriam de ser lidas por terceiros. E era evidente o seu fascínio por mulheres intelectualmente requintadas. Como, também, o seu fascínio — altamente correspondido — por mulheres brancas. Mas, na sua condição de *man in the spotlight*, de negro "mais visível" dos EUA — país no qual detalhes da vida amorosa ou sexual de um homem público, desde que destoem um mínimo da cartilha puritana, podem simplesmente liquidar pretensões políticas —, Douglass sabia que não podia cometer deslizes. Não deveria sequer se divorciar, para não confirmar o discurso racista de que os pretos, instáveis e promíscuos, eram incapazes de constituir famílias. Nem ter casos extraconjugais. Muito menos com uma branca, coisa que detonaria a sua reputação — desta vez, na "comunidade negra". Já experimentara o dissabor de uma campanha difamatória, ao discordar da linha política de Garrison e seus abolicionistas brancos — estes ex-companheiros de luta levaram a público notícias de um suposto envolvimento seu com uma abolicionista branca, a inglesa Julia Griffiths, que, para não prejudicar Douglass e o movimento pela emancipação dos escravos, preferiu se retirar dos EUA. Ainda assim, Douglass alimentou seu caso com Ottilie. Esta, por sua vez, tinha perfeita consciência de tudo. Divertia-se, brigava, encantava-se e militava com o amante. Mas sabia que Douglass só se casaria com ela se ficasse viúvo. Quando Anna Murray morreu, Ottilie pensou que o seu sonho iria se realizar. Mas, para a sua surpresa e desespero, Douglass não se juntou oficialmente a ela. Casou-se com a secretária, Helen Pitts. De passagem por Paris, completamente perdida, Ottilie se matou.

Acontece que também Helen Pitts era branca. E vinte anos mais nova que Douglass. A comunidade e a imprensa negras, nos EUA, não perdoaram. Douglass foi atacado por se ter unido a uma branca. A notícia de suas novas núpcias, como ele mesmo disse, de forma atenuadora, caiu num *"freeze of popular disfavor"*. Houve gelo, sim. Mas houve, igualmente, recriminações. Amar Ottilie já tinha feito de Douglass um "traidor da raça". E seu casamento com Helen foi a gota d'água. *"We have no further use for him"* ("ele não serve para mais nada"), escreveu, na época, um jornalista negro. Do mesmo modo, já no século XX, o casamento de Walter White com Poppy Cannon foi condenado pelos pretos. Muitos outros foram — e continuam a ser. A condenação do envolvimento de um preto com uma branca, ou de uma preta com um branco, ocorre ainda hoje, como podemos ver num filme de Spike Lee, *Jungle Fever*. Lee trata a questão de diversos ângulos. O casal negro é fundamente perturbado quando o marido aparece com uma amante branca, filha de italianos. A esposa negra, na verdade, é mulata *light*, a pele quase tão clara quanto a da amante. Mas é considerada preta. O filme nos mostra as reações de brancos e pretos ao casal birracial. Em crise, o próprio amante diz que não quer ter filhos *"octoroons"*. E a amante branca é vista, por todos, como "cadela". Pelos pretos, como "cadela branca". É um retrato ágil e preciso do tema. Lee conhece a história dos EUA.

Mas vamos em frente. Preconceitos de pretos contra pretos, nos EUA, podem ser examinados por diversos ângulos. Preconceito contra pretos vindos de fora do país, como aconteceu no caso da migração negra antilhana, em princípios do século XX. Foram milhares de negros das Antilhas deslocando-se para os EUA. Para Nova York, principalmente. E esses negros se deram bem em Manhattan. Ascenderam socialmente, ocuparam bons postos profissionais, jogaram duro no campo dos negócios "de negros". Os negros norte-americanos não perdoaram. Duplamente preconceituosos, chamavam, aos antilhanos e seus filhos, *black jews*, "judeus negros". Em *The Nature of Prejudice*, Gordon W. Allport recorre a uma pesquisa realizada por Ida Reid, na década de 1930, para nos falar dos estereótipos acionados por pretos ianques para caracterizar os imigrantes negros das Antilhas. Diziam eles que os antilhanos eram mais educados do que os norte-americanos, hipersensíveis, esnobes com relação aos demais pretos, inconfiáveis em matéria de dinheiro, cultores do espírito de clã, falastrões. Com ou sem preconceitos e estereótipos, todavia, alguns antilhanos e descendentes de antilhanos se firmaram na cena norte-americana. Tornaram-se figuras públicas, destacando-se na vida do país, como Garvey, Malcolm X, Sidney Poitier e Harry Belafonte. Mas havia, também, preconceitos internos. Os negros norte-americanos não podem ser vistos como uma massa homogênea, apresentando com regularidade os mesmos delineamentos, as mesmas características físicas. E, à sua diversidade fenotípica interna, corresponderam outras tantas variações e divisões de natureza social e cultural. Em meio a isso, afloraram preconceitos de pretos contra pretos. Mulatos claros olhando preconceituosamente os negromestiços mais escuros, com base na crença de serem os mais preparados para se mover no mundo criado pelos brancos e, em consequência, os mais bem-sucedidos em matéria de ascensão social. James Davis fala de uma *genteel tradition* dos mulatos norte-americanos. Já servindo na casa-grande, na época das plantações, mulatos tinham mãos finas. Assimilavam maneiras, hábitos e crenças dos brancos. Aprendiam mais o inglês senhorial do que o dialeto rude dos campos. Eram servos domésticos e treinavam ofícios elaborados. Quando se tornaram livres, antes ou depois da guerra civil, levaram a *genteel tradition* para as cidades, onde ingressaram na elite negromestiça. E continuaram cultivando as maneiras brancas e a cor mais clara da pele como sinais de um *status* mais elevado. Fundaram associações que só admitiam o ingresso de *very light mulattoes* — e estas organizações foram fundamentais para a sua ascensão social.

Mas havia, ainda, preconceitos de mulatos escuros contra mulatos claros. Lembre-se a história da cantora Lena Horne, típica mestiça norte-americana, recontada por James Davis. Lena era filha de mulatos claros da alta classe média do Brooklin. Viveu com os avós paternos até perto dos sete anos de idade. Seu avô tinha pele clara e olhos azuis. Sua avó nascera de uma escrava. Uma das bisavós de seu pai era uma índia *blackfoot*. Lena dizia ter herdado dela a cor algo bronzeada, *coppery*. Já uma das avós de sua mãe — cujo pai é definido como um *portuguese negro*, um "preto português", o que provavelmente quer dizer um mestiço luso — era uma negra do Senegal, que falava francês e nunca fora escrava. Quando os pais de Lena se separaram, ela viveu em casas de parentes ou amigos, em diferentes lugares dos EUA. Sua casa favorita era a de um tio chamado Frank, um "negro" de cabelos ruivos e olhos azuis, professor de uma escola só para pretos, na Geórgia. Nesse lugar, Lena aprendeu uma lição que a marcou para sempre. As crianças negras da comunidade quiseram saber por que ela tinha uma cor tão clara. E passaram a chamá-la *yellow bastard*, a "bastarda amarela" — e a expressão *bastard*, no inglês dos EUA, tem um peso puritano que desconhecemos no português do Brasil. Lena aprendeu aí uma coisa importante. Se os seus pais são separados, se não há "evidência satisfatória" de que são pessoas respeitáveis, ter uma pele clara significa ser filha ilegítima, "natural" (como costumamos dizer, bem mais levemente, no Brasil) e contar, em sua ascendência mais imediata, com algum branco pobre. A pele branca se torna, assim, sinônimo de "desgraça familiar" na comunidade negra. Lena, em sua infância, foi vítima desse tipo de preconceito. E cresceu encarando outros. Falamos do preconceito preto contra casamentos interétnicos. Lena também sofreu com isso. Duplamente. Por ocasião da união de sua mãe, em novas núpcias, com um cubano branco: a "comunidade" fez cara feia para o intrometido. E quando o seu segundo casamento, com um compositor e arranjador branco, se tornou público, em 1950, depois de ter permanecido em segredo por três anos.

Na época de maior agitação do *black power*, no final da década de 1960, o preconceito de mulatos escuros contra mulatos claros ganhou outro sentido. Naquela época, a população negromestiça norte-americana esteve unida como poucas vezes se viu ao longo de toda a história da diáspora africana nas Américas. Questões como as da identidade e do orgulho negros vieram vivamente à luz e andavam à flor da pele. Foram momentos marcados por emoções fortes e por uma igualmente forte polarização racial. Recordamos, ainda hoje, os atletas Tommie Smith e John Carlos fazendo o gesto-signo do *black power* na Olimpíada do México. Recordamos que aqueles foram tempos do *black is beautiful*. Da projeção de figuras públicas como Luther King, Carmichael (um político radical que amava *Alice no País das Maravilhas*, de Lewis Carroll — para ele, Carroll desnudava e ridicularizava a hipocrisia anglo-saxônica), Malcolm X e Angela Davis. Da conversão de Cassius Clay em Muhammad Ali. Nessa conjuntura, o mulato de pele clara passou por maus bocados. Era o *high yelluh*, de que falavam os pretos mais pretos. Alguém que, historicamente, havia servido de intermediário entre os mundos antagônicos do senhor e do escravo. Entre a casa-grande e a senzala. Alguém que lembrava a traição da raça. Que era quase a encarnação do inimigo. Um ser suspeito, que precisava estar sempre demonstrando a sua lealdade, o seu pertencimento efetivo à comunidade. Ainda assim, os mulatos, vítimas da segregação branca, cerraram fileiras com os negros. E este reforço da *one drop rule* era de interesse do poder negro. Tornava-o mais forte. É claro que não desejo, com tais observações, diminuir a importância — política, social e cultural — do *black power* na história dos EUA. Tenho para mim que a configuração de um poder negro foi de altíssima significação na vida do povo norte-americano. Representou um momento-chave em que os negros estadunidenses se redefiniram — para si e para o país. O momento em que eles reconstruíram a sua imagem. E um novo ser negro se modelou então, em termos ativos e positivos. Arquivou-se para sempre, ali, o estereótipo do *sambo*, do *good nigger*, do negro que "conhece o seu lugar". O clichê racista do preto bobo, dócil e idiotamente feliz. Com o *black power*, os negros norte-americanos passaram a se ver como agentes enérgicos de seu próprio destino. Como pessoas fortes, inteligentes, inventivas, bonitas e gostosas. Neste sentido, como radicalização massiva da Renascença do Harlem, aquela foi a conjuntura em que os pretos norte-americanos perderam a vergonha de serem pretos. De serem eles mesmos, em sua criatividade e exuberância narcísica. Os negros passaram a se ver com outros olhos. E fizeram com que o mundo inteiro passasse a encará-los de outra forma. Aquilo, sim, foi uma *affirmative action*. Mas é claro, também, que nem tudo é perfeito. Toda radicalização implica parcialismo e exclusão.

No caso da elite socioeconômica negra, os preconceitos de pretos contra pretos assumiram um outro matiz. Um toque de classe. Leia-se *Our Kind of People: Inside America's Black Upper Class*, de Otis Graham. O preconceito da *black elite* — formada, basicamente, por mestiços claros e às vezes lácteos — contra mestiços *darker-skinned*, mulatos de pele escura, é franco e assumido. Intramuros, ao menos. Basta lembrar o chamado *brown paper bag test*, em que a pessoa, para ser admitida em certo recinto, precisa ter a pele mais clara do que um papel de embrulho marrom. E ter dinheiro não é suficiente para fazer parte dessa elite. Contam coisas como a genealogia, a educação, os clubes fechados a que se pertence, etc. — daí que mulatas e mulatos famosos como Whitney Houston, Jesse Jackson e Diana Ross não tenham acesso ao círculo privilegiado. Eles não nasceram nas famílias certas, nem foram criados nos lugares certos. O membro típico da elite mulata é o negro ou a negra com educação superior — geralmente rico, geralmente claro; geralmente chique, geralmente *kitsch* —, que nasceu de família tradicional, frequentou ou frequenta determinadas escolas, clubes, praias, igrejas e *resorts*, exibindo *black-ties*, casacos de pele e cabelos lisos, à distância do grosso da negrada, que ele auxilia assinando cheques para sustentar obras educacionais, empreendimentos assistencialistas ou organizações políticas. Uma elite que nunca gostou de ver seus filhos em companhia de negrinhos pobres. Que não se identificava com a cultura popular criada pelas massas negras e desdenhava coisas como o *spiritual*, por exemplo. Preconceito de cor, sim — mas, também, preconceito social e cultural. Em resumo, era uma gente que driblara as humilhações raciais do sistema Jim Crow: para não se ver obrigada a sentar na parte traseira do ônibus, comprava um automóvel. E hoje possui mansões, empresas, títulos universitários, ótimos empregos.

Em retorno, pretos comuns olhavam e olham preconceituosamente, com um misto de inveja e rejeição, para os charmosos mestiços claros da elite negra, com seus lábios mais finos, seus olhos verdes ou azuis, seus cabelos longos e ondulados, suas festas *blue-vein* (festas de pessoas cuja cor da pele, mais próxima do branco que do preto, deixa transparecer as suas veias), seus iates e suas casas de veraneio. É a elite *yellow-skinned*, rica e esnobe. Militantes negros sempre criticaram, igualmente, o caráter burguês e as "aspirações brancas" dessa elite, da qual fazia parte, no entanto, Betty Shabazz, a viúva de Malcolm X, que chegou a ser protegida pelos panteras negras, mas que era, também, integrante do Links, seleto e fechado grupo feminino, reunindo profissionais bem-sucedidas, educadoras, *socialites* e ricas matronas. De qualquer sorte, esses pretos privilegiados nunca deixaram de financiar organizações políticas negras, como a NAACP. Mas, pelo menos desde os anos de 1960 do século passado, os dólares doados significavam mais um distanciamento do que um envolvimento. Como observa Graham, pretos bem-sucedidos economicamente, ao tempo em que davam dinheiro à NAACP, não a consideravam parte de seu círculo social. Os membros da organização não tinham "classe", disse a Graham uma *socialite* negra de Chicago, argumentando: "tenho tanto a ver com eles quanto um branco rico tem a ver com seu jardineiro". Preconceitos sociais e culturais da velha-guarda da elite negra podem ser vistos, com clareza, nos campos da religião e da música. "A cultura *folk* das massas negras — *spirituals*, jazz, dialetos — era rejeitada pela elite em favor de elementos mais aristocráticos da cultura norte-americana branca", observa Thomas Sowell. Aquelas mocinhas que usavam vestidos de seda e tomavam aulas de piano, de francês, achavam que música era Chopin ou Brahms. O que vinha da África não passava de *jungle music*, de batuque selvagem. Aretha Franklin era intérprete de uma música "batista", *low-class*, *spiritual-sounding*. O que ela cantava era coisa de gente ignorante e pobre, nascida nos templos desses mesmos pobres. A elite olhava de cima as igrejas batista e metodista, que, desde os tempos da escravidão, agrupavam a maioria dos negros. Escolhera as igrejas episcopal e congregacional. A vertente episcopal atraía por sua formalidade. Mas tanto ela quanto a congregacional possuíam sacerdotes educados e um número reduzido de fiéis. Tinham algo de clube privê. Graham anota que, para os membros mais cínicos e *status-*

-*conscious* da *black elite*, estas eram as igrejas certas, pelo simples fato de que a maioria dos negros não as frequentava.

Não surpreende que o "desejo de brancura" não tenha sido extirpado do mundo negro norte-americano. E é aqui que devemos ver o *passing*, rito de passagem cuja relevância social, nos EUA, os estrangeiros nem sempre entendem. O *passing as white* é um fenômeno unicamente norte-americano. A pessoa tem de *fingir* que é branca. E o faz às escondidas. Se descobrirem um ponto preto em sua genealogia, é desmascarada. Retorna ao outro lado da linha de cor. Por isso, quem faz o *passing* é muitas vezes obrigado a desaparecer da vida de sua família. A se afastar das pessoas e do lugar onde nasceu. A telefonar um dia para a casa de sua família, dizendo algo mais ou menos assim: "vou me mudar; ficarei em contato com vocês, mas, por favor, não me procurem; não tentem se encontrar comigo".

O conceito de *passing* aplica-se apenas a pretos. Davis: "Para grupos não negros fisicamente visíveis, a miscigenação promove a assimilação, apesar das barreiras de preconceito e discriminação durante duas ou mais gerações de mistura racial [...] quando a ancestralidade, num desses grupos raciais minoritários, não excede 1/4, a pessoa não é definida somente como membro daquele grupo [...] Para minorias não negras visivelmente não caucasoides, o caminho completo da assimilação total, nos EUA, é lento, mas possível. Para todas as pessoas de qualquer reconhecida linhagem negra, porém, a assimilação é bloqueada — e não é promovida pela miscigenação. São ainda formidáveis as barreiras à oportunidade e à participação plenas dos pretos. E uma pessoa parcial ou fracionariamente preta não consegue escapar desses obstáculos sem passar por branca e sem cortar todos os laços com a família e a comunidade negras. A dor desta separação e sua condenação pela família e a comunidade são as maiores razões que fazem com que muitos ou a maioria, dos que poderiam passar por brancos, escolham não fazê--lo". Mas muitos o fizeram — e ainda o fazem. Graham compôs um quadro de *rules of passing*, que pretos acionam para cruzar clandestinamente a linha racial norte-americana e passar a viver como brancos. Se alguém deseja fazer o *passing*, melhor seguir tais regras. De saída, sabendo que a "passagem" é mais fácil quando se é estudante — de preferência, num *campus* predominantemente branco, numa cidade pequena e afastada. Na hora de trocar o sobrenome, a pessoa deve substituir o seu por um que não seja tradicionalmente associado a famílias pretas, como Jones, Jackson ou Brown. Ao recriar sua genealogia, o que se aconselha é que se apresente como filho único de um casal de filhos igualmente únicos, que morreram há alguns anos. O ideal é se mudar para uma cidade distante, isolando-se da família e do contato com outros pretos. Apagar-se da memória de amigos negros. Esquivar-se de qualquer relacionamento significativo com pessoas de cor. Associar-se a organizações que fortaleçam a identidade branca, como a Igreja Presbiteriana ou o Partido Republicano. Evitar o sol, o bronzeamento da pele. Adotar um estilo sóbrio de vestir e falar. Pintar o cabelo e cair no bisturi, para afinar lábios e nariz. Não confiar o segredo da "passagem" nem mesmo ao marido ou esposa. Fazer o estilo *low profile*. Inventar uma ascendência europeia que inclua tipos mais escuros, como gregos ou portugueses, ou gente do Líbano, por exemplo. Não se sentar, nem se deixar fotografar com pretos, protegendo-se do realce de algum traço negroide do corpo. Adotar uma criança branca, em vez de ter um filho, correndo o risco de que este venha a sair mais escurinho do que a encomenda. Enfim, a pessoa tem de se matar como negra — e ressuscitar com uma identidade nova, passando a viver "na raça branca", expressão tão reveladora do mundo norte-americano. Mas negros e mais negros encararam a "passagem". Por quê? A explicação costuma ser de base sociológica. Pragmática.

Entre os séculos XIX e XX, os pretos norte-americanos comeram o pão que a Ku Klux Klan amassou. O sistema Jim Crow se expandiu. Comitês e ligas de brancos contra a miscigenação se formaram no Mississippi, na Louisiana e em outros lugares. O terrorismo branco atingiu seu apogeu. Pretos perdiam empregos, tinham seus caminhos obstruídos, viam suas casas serem incendiadas, eram perseguidos, linchados e assassinados. Foi nessa época que o *passing* alcançou seus números mais altos. Entre a década de 1850 e a de 1920. Onde era possível encontrar uma brecha no sistema jurídico e/ou ocultar laços de família, "pretos" passaram a ser "brancos". Muitas vezes, apenas para conseguir estudar ou ter um emprego razoável. Pagando os altos preços da culpa, da solidão, da angústia e do desespero. Como disse, a pessoa podia se ver na obrigação de "esquecer" a família, de cortar qualquer ponte com o mundo em que se achava mais íntima e neuroticamente entrelaçada. Ou de ser empurrada a uma postura esquizoide, sendo "branca" no trabalho e "preta" dentro de casa. Estudiosos chamam a atenção para o fato de que a preocupação branca com o *passing* foi tão grande, nessa época, que bastava a pessoa se comportar como preta ou manter relações com negros para ser classificada como *white nigger*. Não se perguntava sobre uma real ancestralidade negra. A "raça" se converteu em categoria inteiramente social, dispensando conexões biológicas. Mas não devemos nos esquecer de que a preocupação com o *passing* tornou-se uma obsessão, também, no meio negro. Todo preto que não "passava", ou que recusava a ideia da "passagem", sempre quis saber tudo a respeito do assunto. Quando alguém mais próximo fazia a ultrapassagem, inquietava-se ao extremo. Buscava notícias, detalhes, razões. Encarava amigos que tinham pulado a cerca racial. Quase sempre, para se decepcionar. Graham nos fala de um médico negro que encontrou, num aeroporto, uma amiga que tinha "passado" e que não via há anos. Dirigiu-se a ela, chamando-a pelo nome. Ela, impassível, disse que não o conhecia e que devia estar havendo algum engano... Os negros, na verdade, desenvolveram uma alta sensibilidade neurótica para identificar pretos passando por brancos. Uma coisa obsessiva, doentia. Mas que deu a eles um impressionante faro para flagrar "passantes". E eles sempre dizem que brancos são cegos a este respeito — veem apenas as características físicas mais óbvias, não percebendo, como negros, pessoas que os pretos, de longe, sabem identificar como tais. Mas a explicação sociológica é insuficiente. Não dá conta de toda a complexidade em jogo. E é insustentável quando quem faz o *passing* é um negro rico, que não precisa ser empregado de ninguém. Curiosamente, membros da *black elite*, ainda hoje, querem explicar o *passing* de parentes e amigos com base na velha conversa de que estes estavam em busca de "melhores oportunidades" na vida. Mas como é possível falar assim de pretos ricos? De pretos que dirigem escritórios e são donos de empresas, em posição de dar "melhores oportunidades" de vida a muitos outros? Não faz sentido. O que vemos, aqui, é um discurso cristalizado, automaticamente disparado para encobrir o que não se quer dizer — o fato de um negro virar as costas a negros porque *preferiu* ser branco. A justificativa pragmática é acionada então para encobrir a ferida narcísica. A humilhação.

Mas houve também a radicalização inversa: mulatos querendo ser, sobretudo, negros. Encarando os brancos como seres indignos de confiança. Como exploradores sexuais das mulheres negras — e sempre incapazes de assumir sua progênie mestiça. Como a encarnação do Mal. A Renascença do Harlem, na década de 1920, acentuou — e muito — a opção preta. Foi um movimento que — envolvendo poetas, escritores, músicos, dançarinos, etc., predominantemente mulatos — empenhou-se na criação e na afirmação de uma nova cultura negra norte-americana. Com isso, fortaleceu a identidade e a autoestima dos pretomestiços. Mas reforçou, também, a *one drop rule*, em sua recusa não só do mundo e da cultura dos brancos, mas igualmente das misturas raciais com seus antigos senhores. Temos assim, simultaneamente, o desejo e a recusa do *passing*. Uma contradição especialmente visível no mundo da cultura de massas. Não é que as pessoas mestiças, negromestiças ou até brancomestiças que vemos neste reino supostamente encantado, nos EUA, estivessem ou estejam querendo (ou mesmo possam) "passar por brancas". Longe disso, às vezes. Em muitos casos, assistimos aí a gloriosos espetáculos de afirmação da profundidade e da riqueza da experiência negra nos Estados Unidos. Mas a introjeção de padrões estéticos brancos de beleza pessoal também comparece em cheio. Pensem naquelas mulheres do ponto de vista da semiótica vestual. O que temos, na história do entretenimento cultural nos EUA, nesse particular, é toda uma legião de atrizes e cantoras negro-mestiças fazendo de quase tudo para embranquecer a aparência. Na maquiagem, nas perucas, no laquê. As estrelas masculinas, também. De cabelos cortados rentes à cabeça ao recurso a cirurgias plásticas para "corrigir" traços negroides. Sob este aspecto, Michael Jackson é uma expressão concentrada da sociedade que se configurou nos EUA. É signo — e sintoma — do mundo que ali se criou. Baldwin dizia que ninguém pode fugir à patologia da sociedade em que nasceu. E ele está certo. Michael Jackson é um produto acabado da patologia social norte-americana. Um produto acabado do racismo ianque, da escravidão, da *one drop rule*, da repressão puritana, do sistema Jim Crow, do *passing*, da Ku Klux Klan, do assassinato espiritual do africano nos Estados Unidos. É um filho sofrido de séculos de inveja, ódio e humilhação. Um filho dilacerado das mais cruéis perversões sociais dos EUA.

É em meio a tudo isso que o desejo de reconhecimento da birracialidade vem crescendo nos EUA. Pessoas mestiças estão se vendo e querendo ser vistas como mestiças — e não como seres que pertencem, exclusivamente, ao grupo racial de apenas um de seus pais. E isto as conduz ao questionamento da regra histórica e socialmente estabelecida da identidade racial. Ao questionamento de uma consciência secularmente sedimentada. Hoje, nos EUA, não são apenas pais de crianças mestiças que se manifestam contra o padrão racial dicotômico. Existem ativistas da multirracialidade. Organizações como as citadas I-Pride e AMEA. Rockquemore e Brunsma falam da presença e das articulações de um *multiracial movement* na vida política e social dos EUA. De um movimento multirracial em ação pelo reconhecimento oficial da existência de mulatos naquele país. De gente que não é apenas branca, nem somente preta. Foi esta gente que, em inícios da década de 1990, defendeu a inclusão de uma nova categoria no censo do ano 2000. A reivindicação não foi atendida. Agências do governo se manifestaram desfavoravelmente. Representantes da NAACP e líderes como o mulato Jesse Jackson também foram contra. Em verdade, o esforço para conseguir escapar ao binarismo racial norte-americano será gigantesco. Os brancos instituíram a segregação e querem a manutenção da regra. E o movimento pelos *civil rights* desenrolou-se inteiramente no horizonte racial bipolar. Que foi assumido, com intensidade nunca antes vista, pelos próprios pretos: os oprimidos, em resposta à opressão, fizeram sua a arma do opressor.

Em busca de ambos os dois

Na década de 1960, em meio a uma poderosa maré subversiva que se expandiu em escala mundial, a luta pelos direitos civis dos negros foi um momento especialmente marcante na história dos EUA. No exterior, tinha-se um país vergonhosamente envolvido na Guerra do Vietnã, onde as suas tropas cometiam atrocidades, crimes que a humanidade jamais irá esquecer ou perdoar. Internamente, contudo, brilhavam as chamas libertárias da contracultura, do feminismo, do poder negro. Os brancos reagiam, especialmente no Sul dos EUA, à onda antirracista, mas os negros batiam pé firme e avançavam. A decisão da Suprema Corte a favor da dessegregação escolar já havia gerado reações racistas. Em 1957, Eisenhower teve de enviar tropas federais para o Arkansas, a fim de garantir matrículas de crianças negras. Naquela época, negros foram assassinados na Carolina do Sul, no Alabama, na Geórgia. Impunemente. Além disso, contestadores negros perdiam empregos, não conseguiam empréstimos, tinham hipotecas executadas. Em resposta, os negros se fizeram mais incisivos e agressivos. O cenário internacional começou a ficar favorável às suas intervenções. Em 1957, Gana se tornou a primeira ex-colônia britânica com assento na ONU. "Como observou com muita propriedade Talcott Parsons, a ascensão das nações ao Sul do Saara à independência mudou enormemente a significação mundial do problema racial norte-americano e ofereceu considerável estímulo ao movimento pela igualdade entre as raças nos Estados Unidos. Enquanto o Congresso começava a debater o projeto dos direitos civis proposto no verão de 1957, os representantes diplomáticos de Gana já haviam ingressado na ONU e fixado residência em Washington. Este importante fato não podia deixar de ser considerado pelos membros responsáveis do Congresso. Parecia que negros do Velho Mundo haviam chegado justamente em tempo de instaurar o equilíbrio racial no Novo Mundo", escreveram Hope Franklin e Moss Jr., confundindo Novo Mundo com EUA.

À entrada da década de 1960, começou a onda do *sit-in*. Do "protesto sentado". Negros entravam numa lanchonete para brancos e se sentavam, ocupando o espaço e fazendo pedidos. Foi uma boa confusão. Muita gente foi presa, mas a moda pegou (o próprio Luther King chegou a ser preso num *sit-in*, numa loja de departamentos em Atlanta). Segmentos mais inquietos da juventude branca, contestando o *establishment* e mergulhando nas águas do que viria a ser a contracultura, aderiram. "Na primavera e no verão de 1960, jovens brancos e negros participaram de formas de protesto similares [ao *sit-in*] contra a segregação e a discriminação. Sentavam-se em bibliotecas de brancos, entravam na água em praias de brancos e dormiam no saguão de hotéis de brancos", lembram Hope Franklin e Moss Jr., acrescentando:

"Na época em que os quatro estudantes negros [da Carolina do Norte] lançaram o movimento do *sit-in*, o cenário já estava pronto para o início das mudanças mais profundas e mais revolucionárias que haviam ocorrido na condição dos pretos norte-americanos desde a emancipação. O caminho para a revolução tinha sido aberto por migrações significativas da população negra das áreas rurais para as cidades e do Sul para o Norte e o Oeste, por decisões da Suprema Corte sobre a segregação no voto e na escola, pela recusa de Rosa Parks a passar para a parte traseira de um ônibus, pelo boicote aos ônibus de Montgomery, pelo surgimento de Martin Luther King, pela aprovação da lei dos direitos civis de 1957 e pelo nascimento de Estados nacionais independentes, na África". Começou, então, a grande virada — que a televisão, o rádio e a imprensa transformariam em questão nacional.

A situação do preto norte-americano tinha, naquela época, as suas grandes complicações. Não só na integração escolar. Havia dificuldades de emprego, discriminação étnica de espaços de moradia e mesmo problemas com o direito de voto. A eleição de Kennedy não deixou de ter a sua importância, nesse contexto. Ainda antes da eleição presidencial, Kennedy e seu irmão Robert entraram em campo para tirar Luther King da cadeia — e tiraram. Ao tempo em que se atolava na barbárie do Vietnã, Kennedy nomeou negros para cargos federais importantes. Acionou a Guarda Nacional para assegurar a matrícula de um negro numa faculdade do Mississippi, numa época em que o governador do Alabama, George Wallace, ficou na porta de uma escola com o intuito de impedir que um preto se matriculasse. E, na passagem do centenário da abolição do regime escravista nos EUA, em 1963, declarou: "cem anos depois da emancipação, não deveria ser necessário que qualquer cidadão norte-americano fizesse manifestações nas ruas pelo direito de se hospedar num hotel ou comer num balcão de lanchonete [...] nas mesmas condições de qualquer outro norte-americano". Os pretos estavam, de fato, mandando brasa em suas manifestações públicas. Em 1963, Luther King comandou os protestos de Birmingham, reprimidos com cães e jatos de água pela polícia. E a repressão, legal ou ilegal, não brincava em serviço. Naquele mesmo ano, assassinou, em frente à sua casa, o militante Medgar Evers, líder da NAACP no Mississippi. Houve protestos pelo país, como os comícios de Los Angeles e San Francisco. Em resposta, Kennedy apresentou seu programa de direitos civis. Luther King avançou na cena, capitaneando a célebre passeata de 200 mil pessoas em Washington, na qual fez o seu mais famoso discurso, *I Have a Dream*. Meses depois, assassinaram Kennedy em Dallas, no Texas. Foi uma tremenda ducha fria. Uma tristeza geral no meio negro norte-americano. Mas Lyndon Johnson tocou o barco. Em 1964, o

Congresso aprovou a Lei dos Direitos Civis. Houve reação, inclusive com incêndios de igrejas negras. Mas o movimento negro prosseguiu, com elogios do presidente. Luther King recebeu o Nobel da Paz. Um número inédito de norte-americanos — pretos e brancos — abraçara já a causa da igualdade racial. A batalha continuou. As mortes, também. Em 1965, tivemos o assassinato de Malcolm X. Em abril de 1968, num hotel de Memphis, um tiro tirou a vida de Luther King.

Àquela altura, diante das discriminações e do fuzilamento de líderes e militantes negros, alguns pretos já não acreditavam numa solução pacífica para os conflitos norte-americanos. Alguns brancos também achavam que a transformação da sociedade ianque teria de passar pelo emprego da violência. Foi nessa conjuntura que surgiram organizações políticas radicais como o *Weatherman* e o *Black Panther Party*, ambas criadas por jovens. Brancos, no primeiro caso. Negros, no segundo. O *Black Panther Party* — criado, no final de 1966, por Huey P. Newton e Bobby Seale, aos quais se juntou Eldridge Cleaver — nasceu do desencanto, da vontade de partir para um choque frontal com o sistema. Huey, que tinha uma coragem física espantosa e vivia se envolvendo em brigas de rua, sempre fora contra o juridicismo da NAACP e de Luther King. Achava perda de tempo ficar batalhando para aprovar mais leis de direitos civis, quando a legislação existente não era obedecida. Alguns *angry young blacks*, na verdade, denunciavam que o movimento dos direitos civis falava mais à classe média branca do que se entranhava na comunidade negra. Huey e Seale rejeitavam também o chamado "nacionalismo negro". Não caíam na conversa do *black business*, nem partilhavam a visão que os "nacionalistas" tinham dos brancos. Num caso, consideravam que, se empresários negros cobravam dos pretos os mesmos preços cobrados por empresários brancos, eram igualmente exploradores do povo. O combate era ao sistema capitalista — incluindo-se, neste, a burguesia negra. No outro caso, os "nacionalistas" viam em todo branco um inimigo — "eles *odiavam* as pessoas brancas simplesmente pela cor de sua pele", escreveu Seale, em *Seize the Time: The Story of the Black Panther Party*. Ele e Huey sabiam muito bem distinguir entre um branco racista e um não racista, levando em conta que este, eventualmente, poderia ser um aliado. Insatisfeitos, deram as costas ao movimento estudantil e, sob a inspiração de Frantz Fanon e Malcolm X, partiram para organizar os guetos. (As influências de Mao e Guevara viriam depois; vendendo, no campus de Berkeley, para radicais brancos, exemplares do *Livro Vermelho* de Mao, que orientava a Revolução Cultural na China, eles não só descolaram grana para comprar armas, como fizeram as suas adaptações do maoismo para o contexto norte-americano, a partir da afirmação de que o poder nascia da ponta de um fuzil.) De Fanon — psiquiatra da Martinica que foi parar na Argélia e publicou, em 1961, *Les Damnés de la Terre* —, Huey e Bobby recolheram as lições sobre o papel pedagógico da violência, e de que deveriam organizar o subproletariado dos guetos: vagabundos, assaltantes, drogados, desempregados, etc. (Huey foi além, organizando a criançada das favelas.) De Malcolm X, a tese de que os negros deveriam se armar defensivamente contra o poder racista.

E foi assim, com Fanon embaixo do braço e uma pistola 9 mm ao alcance da mão, que eles criaram o Partido da Pantera Negra. "*Go to the streets*", era o chamado. Em vez de ficar o tempo todo teorizando e discursando, falando merda ("*to sit down and articulate* [...] *a bunch of esoteric bullshit*"), melhor mergulhar "na prática real da luta revolucionária", *dixit* Seale. Um dos pontos do programa do partido exigia o fim da violência policial nos guetos. A ideia era formar grupos negros de autodefesa, a fim de enfrentar a brutalidade da polícia. E foi aí que a coisa pegou fogo. Os panteras foram armados para a rua, para encarar os policiais, os *pigs*, os "porcos" racistas que, no dizer de Huey, ocupavam as comunidades negras como se fossem uma tropa estrangeira. Passaram a patrulhar a polícia. E vieram as situações de confronto no coração do gueto, com os panteras becando camisas azuis, jaquetas de couro, calças e boinas pretas. A mídia tratou a novidade em termos espetaculares. Os panteras viraram heróis nacionais dos negros. E células do Black Panther Party surgiram então em todas as grandes cidades dos EUA. Mas a repressão fechou o cerco. Asfixiou os militantes. Prisões foram se sucedendo, tirando os panteras do ar. Na década de 1980, seus antigos líderes faziam viagens bem diferentes. Reformistas — não mais revolucionárias. Huey se limitava a escrever. Seale optara pelos caminhos da política tradicional. Cleaver se convertera em evangélico total.

Num balanço retrospectivo, devemos dizer que os negros norte-americanos avançaram como nunca, ao longo da década de 1960. Alcançaram uma presença social e um poder político admiráveis. Mas, no que aqui nos interessa, no momento, silenciaram diante de um aspecto elementar da vida nos EUA. A luta pelos *civil rights* se deu no espaço demarcado pela *one drop rule*. A dos panteras, também. Ninguém pensou em relativizar a linha de cor. Em reconhecer o estatuto *in-between* dos mulatos. A regra de descendência era acionada, pelos pretos, a fim de incrementar a solidariedade comunitária e sustentar ações políticas. Naquele momento intenso, magnetizado pela tensão racial, não haveria espaço para a questão das mesclas e nuances de cor. Este só poderia ser um problema secundário, numa conjuntura de enfrentamento racial no horizonte de uma sociedade historicamente dividida. Mas, em dias mais sossegados, com a conversa prevalecendo sobre o tiroteio, a questão viria a aflorar. Trata-se, afinal, de assunto realmente básico. Por que, diante da sociedade, eu, tendo uma mãe branca e um pai preto, ou um pai branco e uma mãe preta, sou obrigado a me definir como integrante do grupo racial de um ou de outro, *ou* do meu pai *ou* da minha mãe, como se eu não fosse filho de ambos os dois?

Nunca houve, nos EUA, uma política nessa direção. Nunca se desenhou uma perspectiva para os mestiços e a mestiçagem. E as coisas acabaram por vir à tona. No caso do birracialismo *black & white*, os problemas começam já no casamento. Quando um preto e um branco se casam, nos EUA, estão geralmente fadados a experimentar agruras. Não me refiro às dores e aos constrangimentos intrínsecos a qualquer relacionamento conjugal em tempos modernos. A própria ideia do casamento não vai contar com a aprovação da família branca, nem da família preta. O casal verá parentes e amigos se afastarem. Vai conhecer a solidão social. Mas admitamos que o casamento não se desintegre. E que aconteça o nascimento de um filho. A criança vai experimentar situações difíceis, ou mesmo traumáticas. E o que ocorreu foi que, pelo menos até à década de 1970, esta criança foi marginalizada não apenas social, mas também politicamente. Não encontrou apoio no âmbito das organizações políticas norte-americanas. E agora entra em campo, reivindicando. É certo que sempre houve desvios do esquematismo racial nos EUA. Índios norte-americanos, com alguma ascendência negra, resistem há tempos a se enquadrar na *one drop rule*. Havaianos, também. Assim como, mais recentemente, os chamados "hispânicos" tentam rejeitar o (ou escapar do) padrão bipolar. Evitar a classificação censitária de "negros". Não eram vistos assim em suas terras natais. Um descendente de índios e espanhóis, vindo de família do México ou do Peru, mesmo nascendo e se criando nos EUA, e aí ganhando um preto na linhagem, sabe que não é um "*black*". Admite-se, atualmente, que eles possam ser classificados como "hispânicos", utilizando-se o termo como uma nova categoria racial. O que não deixa de ser curioso — e até pitoresco, para nós. Afinal, "hispânico" não é uma categoria racial. É um rótulo que remete a uma cultura e não a uma raça. "Hispânicos" podem apresentar genealogias distintas entre si, incluindo negros, eventualmente, em suas histórias de família. Autoclassificando-se ou deixando-se classificar como "hispânicos", todavia, muitas pessoas conseguem escapar ao binarismo racial norte-americano. E esta "dissidência" é aceita tacitamente nos EUA, embora os negros custem a entender a razão de os tais "latinos" não se enxergarem como pretos; a entender que eles vêm de uma outra tradição. Mas a verdade é que, divergindo da fantasia racial dicotômica, os latinos podem produzir efeitos muito interessantes na vida norte-americana. Antes de mais nada, por seu peso demográfico (existe a perspectiva de que o espanhol venha a ser considerado um dia a segunda língua oficial do país; e os "hispânicos" — mexicanos, principalmente — não estão longe de chegar a ser a maioria da população de lugares como a Califórnia e o Texas, retomando pacificamente terras que, no passado, pertenceram a ancestrais seus). Mas também por sua energia para a ação política e disposição para disputas jurídicas. De qualquer modo, há uma diferença básica entre as reivindicações dos latinos e o atual protesto birracial. E ela aparece no momento em que o protesto é feito por alguém que é filho de um branco e de um negro. Porque a *one drop rule* não foi criada para índios, havaianos ou latinos. Foi criada para pretos. Quando um latino diz que não é preto, ele está *destoando* do padrão ianque de classificação racial. Mas, quando o filho do casamento de um preto e de uma branca solicita o reconhecimento de seu estatuto mestiço, o que acontece é outra coisa. Ele está minando por dentro a regra de descendência. Contestando a *one drop rule*. E milhões de pessoas estão fazendo isso, hoje, nos EUA.

O processo me faz lembrar uma observação da escultora negra norte-americana Barbara Chase-Riboud, que disse (grifos meus): "Basta olhar para nós para ver que *a miscigenação* é parte da nossa experiência e da nossa história, pouco importa o modo como decidimos lidar com ela. *É o último grande tabu* e penso que tanto os pretos como os brancos vão ter de encarar isso". A miscigenação é, de fato, o *last big taboo* da vida norte-americana. E começa a ser encarada. Nesses últimos anos, a sociedade norte-americana teve, como nunca antes, a sua atenção chamada para a questão da mestiçagem. A mídia levantou temas e problemas de pessoas *mixed-race*. James Davis nos lembra alguns momentos significativos dessa onda. Em 1990, quando Renee Tenison foi saudada como a primeira negra a ser a gata do ano da *Playboy*, ela declarou que não se sentia confortável com a definição. Sua mãe era branca. Do mesmo modo, ao vencer o concurso para "Miss USA", em 1995, Chelsi Smith disse que não era a primeira negra a ganhar o prêmio, pelo fato de ser mestiça. Foi o maior tititi na imprensa preta. Dizia-se que a declaração de Chelsi ameaçava a "unidade negra". Mas outros mestiços continuaram se afirmando como tais. O golfista Tiger Woods, ao empalmar o *Masters Championship*, disse que descendia de tailandeses, chineses, negros, índios e brancos. Não era, simplesmente, preto. E, ao responder ao censo, definira-se como "asiático". Tais declarações não teriam sido feitas se não houvesse um movimento multirracial no país. O movimento deu força para que

Em busca de ambos os dois

eles afirmassem a sua personalidade mestiça, enfrentando a dicotomização e as pressões da "comunidade negra". De fato, o movimento multirracial avançou na década de 1980. E, nos anos de 1990, espraiou-se. Os EUA assistiram ao nascimento de dezenas de organizações de ativistas do multirracialismo. Surgiu uma imprensa multirracial, representada por órgãos como Interrace, New People e Biracial Child. Na Internet, encontram-se informativos como *Interracial Voice* e *The Multiracial Activist*.

Significativamente, o ativismo birracial não se apresenta como oposição à *one drop rule* — não seria inteligente fazer isto, do ponto de vista tático —, mas como movimento em favor de um direito humano fundamental. Em vez de atacar a regra de descendência, concentra-se na tese de que cada pessoa tem o direito de reconhecer e assumir os seus antepassados — e de afirmar plenamente o modo como vê a si mesma. James Davis conta, a propósito, a história de uma aluna sua que, num painel estudantil sobre experiências discriminatórias, falou que descendia de franceses, cherokees, filipinos e negros. Que a sua família a ensinara a cultivar esses grupos e a ser ela mesma, em sua inteireza. As pessoas, algo desconcertadas com a sua aparência física, costumavam perguntar se ela era cigana, portuguesa, etc. Na universidade, estudantes ficavam curiosos e mesmo agressivos em sua presença, querendo saber o que ela realmente era, em termos raciais (uma fixação neurótica sobre a definição racial que, não custa nada lembrar, é coisa tipicamente estadunidense). A essa altura de sua fala, uma estudante preta a interrompeu, para afirmar que o seu caso nada tinha de complexo, nem apresentava problema algum: ela era uma negra. Os demais estudantes — pretos, em sua maioria — concordaram. A moça, não. "*No. No. Not just black. I am the other things too. All of them*" — "Não, não. Não apenas preta. Eu sou as outras coisas, também. Todas elas". É justamente esta nova mentalidade, esta nova espécie de percepção de si mesmo, que está na base do movimento multirracial. A família ensinou a moça a ser uma personalidade interétnica. Ela aceitou o ensinamento. Não tem como aceitar uma *black identity*, definindo-se, para si e para os outros, como uma pessoa unicamente negra. Tudo isso é muito óbvio para nós, brasileiros. Para os ianques, é revolucionário. Choca-se com uma mentalidade que se cristalizou ao longo de séculos.

Estudiosos veem o movimento multirracial como um passo lógico na sequência das lutas pelos direitos civis dos negros nos EUA. Insiste-se no fato de que não reconhecer a existência de mestiços de branco e preto — não permitir que uma pessoa exista socialmente como descendente de todos os seus ancestrais — é uma forma de discriminação. De racismo. O próprio movimento, por sua vez, discursa na convergência de duas realidades. Como sintetizam Rockquemore e Brunsma, a argumentação do movimento multir-racial se desenvolve em duas dimensões. De uma parte, o argumento é quan-titativo. De outra, é cultural — ou, se preferirem, psicossocial. O argumen-to demográfico é o mais simples. Diz respeito ao aumento do número de ca-samentos inter-raciais e do número de nascimentos de crianças mescladas, nos últimos anos, nos EUA. Da década de 1970 para cá, o número de casa-mentos inter-raciais, nos EUA, passou de 300 mil para 1,5 milhão. E houve um verdadeiro *boom* de crianças *mixed-race*. Há hoje mais mestiços, nos EUA, do que já houve em toda a história do país. Se o fenômeno da miscige-nação não é historicamente novo, a novidade está no modo como ele vem sendo encarado. E aqui entra o argumento cultural. Muitos mestiços já não se veem, nem querem ser vistos, pelo prisma da *one drop rule*. Não se trata, simplesmente, de negar a identidade negra. Mas de afirmá-la na amplitude de um espectro real, mostrando a convivência e a fusão de ancestrais racial-mente diversos na linhagem de uma mesma pessoa. Já no livro *Black, White or Mixed Race — Race and Racism in the Lives of People of Mixed Pa-rentage*, Ann Phoenix e Barbara Tizard abordavam o assunto. Para concluir que seres birraciais viviam numa espécie de zona de fronteira. Rockquemore e Brunsma sutilizaram o elenco de autodefinições, numa pesquisa de campo. E chegaram a três tipos de autoidentificações. Reconheceram a existência do ser fronteiriço de Phoenix e Tizard. Eles se definiriam numa *border identity*, convencidos de que não são pretos, nem brancos. Ficariam no interstício de categorias raciais previamente definidas. Incorporariam a encruzilhada das dimensões genética e simbólica. Formariam uma identidade *blended*. Nas pesquisas, é a categoria que mais aparece. Mas não é a única. Existe ainda uma identidade camaleônica. É o caso de birraciais que se conduzem como brancos enquanto estão circulando no mundo branco e são vistos como mem-bros dele. Mas que se tornam pretos, se estão cercados de pretos e vivendo coisas da vida negra. Tudo depende de companhias e contextos. E estas pes-soas não deixam de curtir suas identidades fluidas, nem de reconhecer, com uma certa vaidade, a capacidade que têm de ser brancas aqui e negras ali. Mas há também os que se entrincheiram numa espécie de "identidade transcen-dental". Que não dão — ou fazem de conta que não dão — importância al-guma a definições raciais, achando que este é um modo falso de interagir com seres humanos. Sentem-se ou se comportam como estranhos no ninho, numa sociedade que confere tal importância a exclusivismos raciais. Querem estar fora do jogo. E filosofam sobre seu distanciamento, ainda que em termos banais. Seja como for, nem os habitantes fronteiriços, nem os que se dispõem a metamorfoses contextuais, nem os que querem distância "transcendental" do assunto aceitam a imposição da *one drop rule*. E esta é a questão.

Acontece que negros e brancos norte-americanos reagiram às pretensões do movimento multirracial. Agências do aparelho estatal, políticos brancos do Partido Democrata, pessoas formadas na ideologia da Ku Klux Klan e líderes negros como Jesse Jackson firmaram posição contra a introdução de uma nova categoria racial no censo de 2000, de maneira a não permitir que birraciais se definissem como quisessem. A sugestão do movimento multirracial foi tratada como supérflua e divisionista. Ninguém, nessa área, chegou a vê-la como uma renovação da consciência social norte-americana. Achava-se, apenas, que a ampliação do elenco das definições raciais reduziria o tamanho da "comunidade negra", contribuindo para enfraquecê-la. Os brancos, que criaram a regra para oprimir os pretos, não têm interesse no arquivamento da grande divisão racial. Não desejam aposentá-la. Para aceitar o fim da regra de descendência, teriam de ser menos racistas, segregacionistas e boçais. Mas é uma ironia que uma fantasia racial, tecida em defesa da escravidão e do segregacionismo, seja vista por muitos, hoje, como essencial à manutenção da solidariedade negra. A vasta maioria dos negros norte-americanos aceitou a *one drop rule*, criou e socializou seus filhos dentro daqueles parâmetros racistas e, hoje, reage a qualquer desafio à regra de descendência. Os especialistas nos fornecem um panorama da matéria. A regra de descendência foi criada em terras sulistas, escravocratas, com o objetivo de confinar todos os mestiços de branco e negro na categoria de escravos. Mais tarde, serviu para fortalecer o sistema Jim Crow e outros padrões e artifícios de discriminação e segregação racial. Tornou-se a norma nacional a presidir as relações entre as duas raças nos EUA. E ganhou sustentação jurídica. Este enorme empenho racista branco fez com que pessoas de traços físicos distintos passassem todas a pertencer à "comunidade negra". A partilhar uma experiência e um destino comuns. Mulatos claros e escuros se deram as mãos para se proteger. Não havia alternativa. Com o tempo, os negros não só internalizaram como passaram a defender a regra, de modo a não perder os seus mestiços mais claros. Dadas as origens racistas da *one drop rule*, pergunta-se sobre as razões que levam a "comunidade negra" norte-americana a defendê-la com tanto empenho. A resposta está no fato de que, sob o signo da *hypodescent rule*, todos os mestiços de branco e preto foram definidos como pretos — e, assim, a regra, ao obrigar os mestiços a ter uma experiência negra de vida e cultura, forneceu uma base ampla para o desenvolvimento compulsório da solidariedade étnica, do orgulho negro e, logo, deu força às ações políticas da "comunidade". Daí que a afirmação de que a *one drop rule* é uma construção social arbitrária soe como uma ameaça. Como uma ideia perigosa, destinada a enfraquecer os movimentos negros. Daí as reações da NAACP e de Jackson a qualquer mudança nesse panorama. Eles temem perder bases sociais de suas trajetórias e carreiras políticas. Perder líderes, sacerdotes, empresários, profissionais de destaque na vida norte-americana. É o que explica a agressividade com que alguns negros atacam o movimento multirracial. Mas não creio que estes ataques consigam refrear a afirmação da mestiçagem nos EUA.

Como se vê, o que temos hoje, no Brasil e nos EUA, são movimentos inversos. E surgem as perguntas óbvias. Os negromestiços brasileiros vão conseguir impor, em nosso meio, a velha dicotomia ianque? As reivindicações negromestiças norte-americanas irão abolir a *one drop rule*? Acho que maiores possibilidades de êxito estão com o movimento multirracial norte-americano e não com o neonegrismo racialista do Brasil. O multirracialismo ianque já provoca, hoje, uma fissura saudável, nuançando o esquematismo racista norte-americano. Penso que James Davis está certo: as exceções à regra, fazendo-se mais numerosas, podem torná-la obsoleta. O principal já foi feito. A regra de descendência está dessacralizada na vida norte-americana. Mas há ainda uma outra coisa, decisiva. A regra se choca com uma outra tradição norte-americana, que é a da liberdade individual de escolha. A mudança, porém, não vai ocorrer de uma hora para outra. A agonia da *one drop rule* deverá ser longa. De todo modo, mais cedo ou mais tarde, ela acabará deixando o reino dos vivos, para pertencer apenas aos extensos domínios da história. Ao contrário, não posso deixar de considerar improvável que os brasileiros passem a se classificar na base do modelo dicotômico. A *one drop rule* está inextricavelmente entrelaçada na experiência histórica e social dos EUA. As nossas vidas nunca foram regidas por nada que se parecesse a tal norma. O racismo brasileiro nada produziu de semelhante ao sistema Jim Crow. Nossos pecados e virtudes são outros. Nossa população nunca foi obrigada a amputar antepassados. É majoritariamente mestiça. E se reconhece como tal. Mas não tenho dúvida de que o racialismo e o birracialismo irão alcançar repercussões. Lá e aqui. Espero que no sentido do combate ao racismo, da redução das desigualdades e discriminações — e no caminho do aperfeiçoamento cotidiano das práticas da democracia.

# 5.
# A MORTE DOS DEUSES NOS EUA

Especialistas se embatucam diante da invisibilidade social das culturas tradicionais africanas nos EUA. Não são raros os que, incisiva ou cautelosamente, fazem a constatação de que os negros norte-americanos pouco, muito pouco, quase nada ou mesmo nada retiveram — em suas crenças e práticas presentes — das culturas que iluminavam os seus lugares de origem na África. Frazier comenta, em *The Negro Family in the United States*, que os escravos ianques haviam abandonado inteiramente as culturas de seus antepassados africanos. Como se a vida nas plantações escravistas e nas cidades dos EUA tivesse representado uma espécie de Letes, o rio do oblívio da literatura clássica greco-latina, providenciando o apagar da memória de quem provasse a sua água. Sem sombra quase de dúvida, é praticamente inútil procurar, nas realizações técnicas e/ou expressivas da atual população negra norte-americana, signos claros, sinais evidentes ou mesmo rastros inconfundíveis que remetam, de modo distinto e direto, às constelações culturais que se configuraram um dia em terras africanas. E isto é imediatamente flagrante no campo fundamental da religião, que se impôs de forma vívida em outros espaços americanos, expressando-se em manifestações como o vodum haitiano, a *santería* de Cuba, o candomblé brasileiro.

Não são variadas as análises que os estudiosos costumam oferecer, em suas tentativas de elucidar esta amnésia coletiva. Mas se elas contêm algum poder explicativo, nunca chegam a ser inteiramente convincentes. Genovese sintetiza o quadro, ao observar que a memória religiosa africana foi em grande parte destruída, nos EUA, pela conjunção de três fatores: a existência de um poder branco hostil, a dimensão reduzida das fazendas e dos núcleos agrícolas e o encerramento prematuro do tráfico de escravos. Num texto recente, "Os Escravos do Sul dos Estados Unidos", Pap Ndiaye, deixando de parte o *hostile white power* de Genovese, alinhou aqueles dois pontos básicos, por meio dos quais se tenta tradicionalmente explicar o distanciamento e a desmemória, que caracterizam o relacionamento do negro norte-americano com o que deveria ser a sua herança africana perpetuada e recriada no Novo Mundo: a americanização dos escravos e seu contato constante com os brancos. Ndiaye parte da pauta de sempre: as consequências culturais da singularidade demográfica e da dimensão reduzida da propriedade no escravismo norte-americano. "À diferença do resto do continente americano, onde a maior parte dos escravos adultos tinha nascido na África, os escravos nativos da América do Norte tornaram-se majoritários desde antes da proibição do tráfico. No momento da independência norte-americana, 80% deles tinham nascido na América [...] Em segundo lugar, os proprietários de escravos residiam, em sua grande maioria, nas próprias plantações [...] A isso convém acrescentar que a maioria das plantações norte-americanas era de pequenas dimensões, à diferença dos imensos domínios do Caribe [...] trabalhar em pequenas plantações significava viver em proximidade imediata com os senhores [...] As regiões escravagistas dos Estados Unidos foram, portanto, marcadas por constantes interações entre negros e brancos, as quais aceleraram a erosão das heranças africanas, contrariamente ao Caribe, cuja enorme maioria negra conservou numerosas práticas culturais africanas", resume o historiador. Com efeito, aí estão razões explicativas para a desafricanização do negro nos EUA. Mas, como *hereinbefore* se disse, elas não esclarecem tudo. Deixam-nos acentuada sensação de inconcludência, rastreio enganoso e carência factual.

É claro que não devemos negar importância ao fato de boa parte da população escrava dos EUA, no final do século XVIII, ser formada por negros norte-americanos. Devemos, apenas, relativizá-lo, situando-o com relação a outros fatos. O nativo e o forasteiro não vivem as mesmas realidades. Movem-se em esferas diferenciadas — ecológica, psicológica e sociologicamente distintas. Enquanto o primeiro *vivencia* o seu mundo, o segundo *experimenta* um mundo que não é seu. O primeiro nasceu ali, naquele lugar. Aqueles são a paisagem e o clima, aquelas são as pessoas e a língua, aqueles são os bichos, aquela é a arquitetura e aquela é a religião, aqueles são os hábitos e os valores, aquele é o trabalho e suas técnicas, aquela é a concepção do tempo, a organização social que, desde o início, o envolve inteiramente. O segundo, ao contrário, foi arrancado de seu espaço de origem e colocado abruptamente ali, sem consulta à sua vontade. E esta diferença traz, em tese, todo um rosário de implicações. A primeira delas está em que o nativo, diversamente do ádvena, não vai sofrer de reminiscências extra-americanas. Não será um ser nostálgico, tecendo sonhos de retorno à África. Não vai se entregar tão frequentemente ao desânimo e ao desespero, comparando a sua situação a alguma *âge d'or* ultramarina. Nem irá murchar na irrevogável melancolia do banzo. De outra parte, terá condições para crescer, em meio à maioria nativa de negros, como um indivíduo mais ajustado aos códigos hegemônicos. Dominando mais aproximadamente o idioma dos senhores brancos. Assimilando de modo menos imperfeito e até mais crítico o pensamento religioso e as práticas rituais destes. E assim por diante. Não será nenhuma surpresa, portanto, que venha a se deixar caracterizar — em tese, volto a dizer — por um certo afastamento, ou mesmo por um esquecimento ou abandono, das culturas dos antepassados africanos. A indiferença pode se tornar um sentimento dominante. E, a depender da pressão senhorial, negritando a inferioridade e o primitivismo ancestrais, o descaso e o desprezo têm tudo para predominar naquele coração cativo, que lembrança alguma conserva da África, a não ser, quem sabe, gestos humilhados de familiares seus. Assim, se a África tende a ser, para o negro africano escravizado, chama rubra esbraseando sob as montanhas do peito, ela pode não passar, para o cativo nativo, de coisa esmaecida, sem força para se imprimir como tatuagem anímica.

Veja-se o caso das culturas jeje (ewe) e iorubá (ou nagô) — ou, mais precisamente, do complexo cultural jeje-nagô — no Brasil. Na Cidade do Salvador da Bahia de Todos os Santos. Os iorubanos foram, juntamente com os jejes (daomeanos de língua fon) e haussás islamizados, os últimos africanos a desembarcar como escravos nos trópicos brasileiros. Em *Fluxo e Refluxo do Tráfico de Escravos entre o Golfo do Benin e a Bahia de Todos os Santos*, Verger delimitou quatro "ciclos" do comércio escravista entre os baianos: o ciclo da Guiné, durante a segunda metade do século XVI; o ciclo de Angola e do Congo, ao longo do século XVII; o ciclo da Costa da Mina, cobrindo os três primeiros quartos do século XVIII; e o ciclo da baía do Benin, estendendo-se de 1770 a 1851, últimos dias do tráfico clandestino. "A chegada dos daomeanos, chamados jejes no Brasil, fez-se durante os dois últimos períodos. A dos nagô-iorubás corresponde sobretudo ao último", acrescenta Verger. Guerras com povos vizinhos e guerras endógenas reduziram milhares de nagôs ao cativeiro, conduzindo-os, nos navios negreiros, à margem ocidental do Atlântico Sul. Diversos autores nos falam dessas guerras, a exemplo dos enfrentamentos bélicos que opuseram Oió e Ilorin, ou que resultaram em massacres de egbás (um subgrupo nagô que, fugindo de suas terras, acabou fundando, em 1830, a cidade de Abeokutá, centro africano do culto a Iemanjá). E das guerras com o antigo Daomé, que atravessaram todo o século XVIII e a maior parte do século XIX, produzindo os ataques daomeanos aos reinos iorubás de Xabé e Ketu, quando muitos nagôs foram mortos ou capturados e vendidos como escravos — a história de Ketu, como frisam os estudiosos, é referência preciosa para o entendimento do mundo baiano. Mas o que nos interessa sublinhar, no momento, é que o fato de os nagôs terem sido os últimos a chegar aqui foi, sem dúvida, um aspecto nada insignificante no sentido da afirmação da cultura iorubá na Bahia — e, a partir daí, em todo o Brasil. Podemos hoje dizer que os grupos africanos mais importantes, na construção da sociedade e da cultura baianas, foram os ambundos, os bakongos, os iorubás e os jejes. Mas se é verdade que ambundos e bakongos — bantos vindos de reinos que encantaram fantasias poético-antropológicas de Frobenius e Breton —, por sua antiguidade em nosso meio, imprimiram marcas profundas na Bahia, hoje elas precisam de algum modo ser reconstruídas, já que se encontram mais difusas na memória, nos discursos e nas práticas coletivas. As pessoas até se surpreendem quando identificamos para elas a origem banta desse ou daquele signo da vida brasileira, especialmente em campo linguístico. Os traços nagôs, ao contrário, aparecem com maior frescor e nitidez. Entre outros motivos, por terem sido transplantados para o — e recriados no — Brasil mais recentemente.

O exemplo das culturas africanas na Bahia pode ser usado para reforçar ou para negar a tese de que tais culturas não sobreviveram, nos EUA, pelo fato de a população escrava norte-americana ter-se tornado, desde cedo, majoritariamente nativa. No caso iorubano, para reforçar. No caso banto, para negar. A tese que equaciona naturalidade estadunidense e abandono cultural fica, assim, relativizada. Porque muitos bantos (bakongos, inclusive) foram levados para os EUA. E porque, à maneira dos escravos estadunidenses, os descendentes de povos bantos, na Bahia do final do século XVIII, também já não eram, em sua maioria, africanos, mas nativos. Gente nascida na Bahia de Todos os Santos e seu Recôncavo. Gente que já não tinha praticamente nenhum contato com as regiões do Congo e de Angola. Mas, ao contrário do que ocorreu com os pretos norte-americanos, aqueles negromestiços baianos não perderam a memória. Se é verdade que o conjunto de elementos e práticas do culto religioso congo-angolano passou a sofrer influxos do candomblé jeje-nagô, também é verdade que os seus templos, os seus deuses e os seus cânticos permaneceram vivos, atravessando os séculos. Descendentes de bantos na Bahia, apesar de isolados das terras de seus antepassados (os vínculos baianos haviam se deslocado para o golfo do Benin), não esqueceram os seus deuses. Não esqueceram Zambi, Dandalunda, Caiari ou Catendê. E, ainda hoje, batem os seus tambores para eles, num terreiro como o Bate-Folha, plantado em exuberante trecho de Mata Atlântica que ainda resiste na Cidade da Bahia. É evidente que o que se deu aí foi um processo interno de transmissão de crenças, valores e saberes. Códigos culturais passados de geração a geração. E é estranho que processo semelhante não se tenha desencadeado, também, no ambiente dos negros norte-americanos.

Ainda a este respeito, é preciso sublinhar um aspecto. Genovese não pode arrolar, entre os fatores que convergiram para destruir a memória religiosa africana nos EUA, o encerramento prematuro do tráfico de escravos. Porque o tráfico ianque durou mais do que o cubano e o brasileiro. Os negros escravizados nos EUA podem ter passado a ser, em sua maioria, norte-americanos. Mas é também verdade que — do começo da escravidão na Virgínia, nos primórdios do século XVII, ao fim do comércio clandestino de escravos, no final do século XIX — eles, direta e indiretamente, jamais perderam contato com a África e as coisas africanas. O tráfico de negros para os EUA gerou controvérsia desde que foi iniciado. Nem sempre por motivos "humanitários". Os brancos norte-americanos, de modo praticamente unânime, não se sentiam confortáveis na companhia de negros. E muitos reclamavam da chegada de levas sucessivas de africanos às terras do Novo Mundo. Mais tarde é que principiaram a ganhar corpo movimentações e discursos ideológicos antitráfico e pró-emancipação dos negros, no caminho dos *quakers*. Mas sem maiores resultados mediatos — e, muito menos, imediatos. O silêncio da Declaração da Independência sobre o tráfico e a escravidão — eclipsando o específico em favor de uma afirmação genérica do direito do ser humano à vida, à liberdade e à busca da felicidade — frustrou os abolicionistas. Sobreveio a guerra contra a Inglaterra. Negros ingressaram no exército revolucionário. A esperança retomou seu frescor. E nada feito. Negros e brancos pró-abolição acreditaram que a libertação dos EUA teria, como corolário e coroamento, a libertação dos escravos. Ficaram decepcionados com o desfecho do processo independentista. Suas forças não foram suficientes sequer para dar cabo do tráfico negreiro. Navios continuaram despejando pretos abertamente no litoral estadunidense até 1807, quando o tráfico foi declarado ilegal (por temor de que se repetissem, ali, cenas da chacina racial que ocorrera no Haiti). Mas a lei começou a ser descumprida desde o instante em que foi promulgada. Cargas humanas não cessaram de ser remetidas para as plantações ianques. Apenas eram despachadas por baixo do pano. Clandestina e numerosamente.

Hope Franklin e Moss Jr. fazem uma observação algo cruel sobre o assunto, ao dizer que a traficância transgressora instituiu a primeira *underground railroad* da história do escravismo nos EUA. A chamada *underground railroad*, "ferrovia subterrânea", não era bem uma estrada de ferro, mas o nome de fantasia de uma rede secreta abolicionista, que ajudava negros a escapar da escravidão sulista para o Norte dos EUA ou para o Canadá, no período anterior à guerra civil. Escrevem Franklin e Moss Jr.: "As violações da lei [antitráfico] foram numerosas. Comandantes de navios da Nova Inglaterra, negreiros do litoral atlântico central e plantadores sulistas — todos ignoraram a legislação federal e estadual quando acharam conveniente fazê-lo. Aqueles que tinham interesse altruísta pelo fim do tráfico de escravos podiam dizer, alguns anos depois de 1808, que quase nada havia mudado no abominável tráfico, exceto que ele havia passado a ser feito clandestinamente. A primeira *underground railroad* não foi aquela estabelecida pelos abolicionistas para levar escravos à liberdade, e sim, aquela estabelecida pelos negreiros e outras pessoas para introduzir mais negros na escravidão". Na década de 1830, milhares e milhares de africanos eram enviados, sem problemas, para os EUA. Protestos contra o tráfico continuavam inúteis. O presidente Van Buren reclamava que o comércio clandestino desonrava a bandeira norte-americana. À entrada da década seguinte, outro presidente, John Tyler, denunciava o incremento das ações ilegais dos traficantes. E tudo ficava por isso mesmo. "A costa longa e desprotegida, os mercados certos e a perspectiva de enormes lucros eram demais para os traficantes norte-americanos [...] Quase todos os anos testemunhavam um apelo do presidente ou de algum líder do governo por uma aplicação mais rígida da lei, mas nada se fazia. As violações mais flagrantes não provocavam a opinião pública a ponto de causarem uma ação contra aqueles que lucravam com o tráfico", recordam os historiadores supracitados. O comércio negreiro prosseguia nos EUA quando já havia cessado no Brasil. Nas décadas de 1850 e 1860, o porto de Nova York vendia escravos africanos para o Brasil e para Cuba, como demonstrou Luís Henrique Dias Tavares, em *Comércio Proibido de Escravos*. Escrevendo em 1860, Ottilie Assing fala ainda de um *"expanding transatlantic slave trade"*. A chegada do século XIX não representou, portanto, para os negros dos EUA, a fixação de uma intransponível barreira humana e comunicacional, de um marco de inconexão com o continente africano. Gentes da África prosseguiam nas travessias compulsórias, carreando suas práticas de cultura. O que não havia, nos EUA, eram terras onde pudesse medrar, com viço e vigor, a sua magia.

A tese de que o convívio constante de pretos e brancos carcomeu a herança simbólica africana é, também, facilmente relativizável. Argumenta-se, aqui, que o chamado "absenteísmo" não foi uma *trademark* dos senhores brancos dos EUA. Ao contrário de seus equivalentes caribenhos e brasileiros, eles costumavam residir em seus sítios e fazendas. Estavam sempre mais próximos de seus escravos do que aqueles senhores das Américas Central e do Sul, que apareciam apenas sazonalmente, ou de modo ainda mais raro, em seus domínios territoriais. Além disso, as propriedades rurais norte-americanas, regra geral, possuíam pequenas dimensões. E um número reduzido de escravos. Diversamente do que se via nas Antilhas e no Brasil, onde predominavam o latifúndio e, na extensão descomunal da terra, copiosa escravaria. Desse modo, o senhor ianque se achava ainda mais perto de seus pretos. Morava na fazenda, a fazenda era pequena e os pretos eram poucos. Podemos então fazer as contas e, *pari passu*, comentá-las. A grande maioria dos escravos, nos EUA, vivia no Sul. E, no Sul, pelo menos metade deles nem sequer morava em fazendas, mas em sítios. "Sítios de dez escravos ou menos não desenvolveram uma ampla divisão de trabalho. O sitiante branco e sua mulher dividiam tarefas, mas o grau de especialização entre os escravos raramente ultrapassava a designação de uma ou duas mulheres para o trabalho doméstico; e mesmo estas tinham de trabalhar nos campos, quando necessário. O esforço comum de senhor e escravo trabalhando juntos produzia uma familiaridade fácil, reforçada por arranjos de vida. A dona da casa ou talvez uma escrava cozinhava para todos, ao mesmo tempo e do mesmo modo. Só a segregação à mesa traçava uma linha de casta. Os escravos dormiam numa casa pequena com a família do senhor ou numa cabana que dava a frente para um pátio comum. Escravo e liberto, preto e branco, viviam bem perto um do outro", relata Genovese, em *Roll, Jordan, Roll*. E os sitiantes, está claro, viviam em seus próprios sítios. Mas mesmo as fazendas, as grandes plantações, não eram tão grandes assim. No século XVIII, definia-se como *plantation* uma unidade agrária de vinte ou mais escravos. Ainda Genovese: "Se definirmos uma grande plantação como uma unidade de cinquenta escravos, então apenas um quarto dos escravos do Sul vivia em grandes plantações. Os senhores de escravos do Caribe ou do Brasil achariam graça nessa definição, pois suas próprias plantações costumavam ter mais de cem escravos". E a maior parte dos escravos das plantações sulistas morava com proprietários residentes. Na soma total, portanto, a vasta maioria dos negros escravizados nos EUA vivia com seus senhores. E mais uma vez os contatos interétnicos e interculturais eram favorecidos. Com a sempre curiosa implicação, para os estudiosos do escravismo norte-americano, de que tais contatos desconfiguravam apenas e somente heranças culturais originárias da África.

Disse que a tese é facilmente relativizável. E é. A começar pelo absenteísmo. A classe senhorial brasileira foi bem menos absenteísta do que se costuma supor. Nesse particular, o Brasil sempre esteve mais próximo dos EUA do que da Jamaica. "Os senhores de engenho compunham uma classe de proprietários residentes", escreve Stuart Schwartz, em *Segredos Internos: Engenhos e Escravos na Sociedade Colonial*. Muitos deles passavam parte do seu tempo na Cidade da Bahia — mas as suas plantações ficavam na hinterlândia imediata daquela que foi a capital do Brasil até meados do século

XVIII. Schwartz: "Alguns dos mais abastados mantinham residências na cidade, outros iam regularmente a Salvador a negócios, para visitar amigos e tomar parte nas atividades cívicas. Essa participação da oligarquia rural na vida da cidade era possibilitada pela proximidade de muitos engenhos das margens da baía. A viagem de barco de Santo Amaro a Salvador levava apenas duas horas. A presença de senhores de engenho como membros da Câmara ou confrades da Misericórdia indica a existência de laços estreitos entre a cidade e o Recôncavo". Havia, ainda, os que, possuindo mais de um engenho, terceirizavam a administração de algumas propriedades — mas isto acontecia também nos EUA. Em contrapartida, a expansão da zona açucareira baiana, no século XVIII, aprofundou a ruralização de parte da elite senhorial. E ocorre que, nesta região brasileira, a preservação de formas culturais de extração africana se deu de modo especialmente denso. A presença de proprietários em suas plantações de cana-de-açúcar e de fumo, os constantes contatos entre brancos e pretos, não lograram desfigurar os corpos culturais africanos lançados para cá por sobre o Atlântico. Isto quer dizer que o não absenteísmo senhorial, por si só, não diz muita coisa. Vamos situá-lo, então, no quadro norte-americano típico. Poucos escravos, numa fazendola, trabalhando e vivendo juntos com o senhor, em inevitável, mesmo que involuntária, intimidade. Com isto, os sulistas brancos teriam feito as cabeças dos pretos. Ou a simples proximidade de padrões culturais "superiores" teria desestabilizado princípios e práticas de origem africana, solapando as suas bases de sustentação e, com o tempo, fazendo-os dissolverem-se no ar. Mas como as culturas africanas não eram assim tão débeis, nem andavam mendigando uma extrema-unção, a explicação não me parece crível, nem terminante. Mesmo porque as fazendas brasileiras não eram invariavelmente imensas. Em Santiago do Iguape, no Recôncavo Baiano, existiam fazendolas de lavradores de cana, com os seus escravos. Veja-se o estudo "E se a Casa-Grande Não Fosse tão Grande? — Uma Freguesia Açucareira do Recôncavo Baiano em 1835", de Barickman. A norma, no Iguape, era outra. Não predominava, ali, a grande lavoura escravista. O que havia eram pequenas propriedades. E trato íntimo entre senhores e escravos.

No Brasil, como em Cuba, uma tal proximidade levou senhores não só a tolerar, como a frequentar os batuques "pagãos", os calundus noturnos dos escravos. Nuno Marques Pereira, hospedado em casa senhorial do Recôncavo Baiano, passou uma noite em claro por causa "do estrondo dos atabaques, pandeiros, canzás, botijas e castanhetas". Quando o dia se fez, comentou o assunto com o dono da casa, definindo o que escutara como "horrendo alarido, que se me representou a confusão do Inferno". Não era o que o dono da casa pensava. Para este, inexistia "coisa mais sonora, para dormir com sossego". Mas disse a Marques Pereira: "se eu soubesse que havíeis de ter este desvelo, mandaria que esta noite não tocassem os pretos seus calundus". Pereira, intrigado, perguntou: "que cousa é calundus?". Respondeu o senhor de engenho: "São uns folguedos, ou adivinhações [...] que dizem estes pretos que costumam fazer nas suas terras [africanas], e quando se acham juntos, também usam deles cá [no Brasil], para saberem várias cousas; como as doenças de que procedem; e para adivinharem algumas cousas perdidas; e também para terem ventura em suas caçadas e lavouras; e para outras cousas". Percebendo a natureza religiosa do calundu, Pereira partiu para a pregação anti-herética. Condenou com veemência a permissão senhorial para pretos realizarem "semelhantes ritos". Convenceu o dono da casa a reunir seus escravos. Entregou-se a uma longa arenga vituperando a idolatria. Obrigou todos a se ajoelharem. A rezar. E mandou fazer uma fogueira, onde ordenou que fossem atirados "os instrumentos com que se obravam aqueles diabólicos folguedos". E aqui temos uma contradição bem brasileira, que jamais chegou a ser resolvida: membros da classe dominante contra — membros da classe dominante a favor — dos "batuques" dos pretos. No caso, é evidente que a intervenção de Marques Pereira, falando do fogo do inferno e queimando instrumentos musicais, serviu apenas para atazanar a vida dos outros. Nem bem ou mal ele meteu o pé na estrada, endereçando pragas a outros quintais, o senhor e seus pretos, livres daquela amolação moralista, puderam retornar à vida de sempre, com atabaques novos para o velho calundu. E o fato é que o culto seiscentista do calundu, trazido da África pelos negros bantos, permanece ainda hoje vivo em terras brasileiras.

Foram os calundus os primeiros templos do culto candomblezeiro que se implantou no Brasil. É a eles que nos dirigimos quando falamos, atualmente, dos candomblés congos e angolas. Coisa muito diferente, portanto, do que ocorreu nos EUA. Do que aconteceu nas plantações e nos sítios sulistas de lá, onde senhores e batuques não experimentaram nada de parecido a um convívio profundo, nem brancos parecem ter frequentado festas negras de tambor e magia (a rendição temerosa ao feitiço, assim como ceder à tentação de leituras divinatórias, é outra coisa; nada tem a ver com encontro genuíno). Enlouquecida em sua lógica perversa, em seus extremos de punição e pecado, a ideologia puritana seria incapaz de fazer vistas grossas a escapadelas em direção a um terreiro, a um suposto foco de regozijo satânico — ou melhor, nem sequer permitiria que este existisse. Descartadas a benevolência e a tolerância, banida a eventualidade de um contágio cultural mais marcante do senhor, pela proximidade do escravo, restaria então, como fruto possível do contato, a inexorável deculturação do negro. A desafricanização do africano. Mas o que o prisma comparativo nos revela é que a "constante interação" entre negros e brancos não pode ser vista, em si mesma, como um fator que acelera, unilateralmente, a "erosão" das heranças negroafricanas. Se tal funda e definitiva corrosão cultural aconteceu nos EUA foi por conta de peculiaridades intransferíveis, definidoras da configuração histórico-cultural norte-americana. Porque não foi isto o que aconteceu no Brasil ou em Cuba. Formas e práticas africanas de cultura se afirmaram e se reinventaram, no Brasil e em Cuba, em situações de intenso contato. No século XIX, o candomblé brasileiro foi um fenômeno vistosamente urbano. Justamente o contrário do que se deu nos EUA. Neste aspecto, é possível dizer que os espaços de liberdade, encontráveis na vida citadina, foram acionados de maneira oposta, por negros e negromestiços brasileiros e norte-americanos, fossem eles escravos ou livres.

Devemos distinguir graus de liberdade já na organização do trabalho escravo. E que ninguém estranhe a expressão "graus de liberdade": o regime foi cruel e violento, sim, mas os africanos, no Brasil ou nos EUA, não conheceram nada de semelhante aos campos de concentração em que nazistas enfiaram filhos do povo judeu. Realidades sociais se distinguiam em decorrência dos empregos a que os negros eram destinados. Uma era a vida do escravo das minas, outra a dos escravos nas plantações, outra a do escravo doméstico e ainda outra a do escravo urbano, relativamente solto no espaço da cidade. "No Brasil, o enquadramento dos escravos urbanos não se parece ao dos escravos do campo. A obediência não é praticada de maneira idêntica no campo, na cidade, na mina. As servidões de um escravo tropeiro não são as mesmas de um doméstico, um artesão, um lavrador", nos diz a Kátia Mattoso de *Ser Escravo no Brasil*. A escravidão urbana não se deixa confundir com a mineradora ou a camponesa. É claro o contraste entre o cotidiano acanhado do engenho e o rebuliço do mundo urbano. Escalas diferentes, em termos de percepção e experiência humana e social. Eram negros menos livres aqueles estabelecidos em plantações, pisando o chão de terra nua das senzalas, isolados "do mundo", entre os edifícios do complexo arquitetônico açucareiro. A cidade propiciava um leque de movimentos impensáveis em furnas e eitos. Stuart Schwartz: "O trabalho em um engenho brasileiro era ininterrupto, sendo as tarefas pertinentes aos canaviais realizadas durante o dia e as atividades de moenda feitas à noite. A moenda ficava em funcionamento normalmente por dezoito a vinte horas, parando por apenas algumas horas para limpeza do mecanismo. No século XVII, os engenhos baianos [...] iniciavam a moagem às quatro horas da tarde, prosseguindo durante toda a noite até às dez horas da manhã seguinte [...] Durante as poucas horas de folga, os escravos tentavam dormir, mas às vezes passavam esses momentos procurando mariscos ou outros alimentos". Nem todos os engenhos utilizavam força hidráulica. Havia os que eram movidos a tração animal — bois, quase sempre. E crianças eram empregadas como condutoras dos animais. Cumpriam jornadas penosas, andando em círculo, no ritmo da moagem. A colheita era feita por pessoas de ambos os sexos. Os homens cortando a cana rente ao solo e retirando-lhes as folhas de cima; as mulheres reunindo as canas em feixes. E sempre havia mulheres trabalhando na moenda, passando canas, carregando bagaço, regando as engrenagens ou cuidando da candeia. Muitas, entre exaustas e bêbadas, tinham as mãos trituradas pelas máquinas. Mas a faina prosseguia, à luz das fornalhas. O caldo das canas indo para gamelas e daí para a "casa das caldeiras", passando por processos de cozimento até atingir a consistência do "melado", que era retirado das tachas sob a orientação do mestre de açúcar. Colocado em formas de barro na "casa de purgar", o melado passava umas duas semanas endurecendo, antes de ser filtrado. Seis semanas depois, o açúcar estava pronto. Mas este era um trabalho que se estendia até ao tempo das chuvas, quando as atividades cessavam. Havia, portanto, períodos de alguma independência. É a partir de coisas assim que podemos estabelecer uma gradação. Num extremo, ficaria, talvez, a escravidão mineira. Não há estação propícia para uma pepita rebrilhar numa jazida. Engajado nas tarefas contínuas da mineração, o escravo praticamente não contava com um tempo para si mesmo, onde pudesse recompor um espaço de refúgio, voltando-se para crenças ancestrais. O escravo agrícola, ao que parece, teve mais liberdade que o escravo das minas. No tempo entre o plantio e a colheita, via-se relativamente livre para se dedicar aos seus sonhos. Mas era visualmente controlado. E o seu mundo não tinha a variedade da vida citadina.

Os escravos urbanos eram empregados em tarefas domésticas ou trabalhavam no "ganho", fazendo "serviços" nas ruas. Ainda aqui, havia graus distintivos. "É evidente que a mucama de rica família não pode ser equiparada à escrava de família remediada, onde, via de regra, além de realizar os serviços domésticos ainda contribuía para a despesa da casa com trabalho realizado fora. A mesma disparidade pode ser constatada entre os escravos de aluguel. Um servente alugado para obras públicas não goza do mesmo *status* nem possui o mesmo preparo de um oficial de carpinteiro, também alugado", escreve Maria Inês Côrtes de Oliveira, em *O Liberto: o seu Mundo e os Outros*. Para ganhar mais e ter maior mobilidade física e social no espaço urbano, o escravo dependia ainda de atributos seus, de seu sexo, sua idade, seu temperamento, sua inteligência, sua capacidade de sedução, seus músculos. De qualquer modo, o escravo direcionado para o "ganho" — empenhando-se em ocupações manuais qualificadas ou não, e sob diversos tipos de relações de trabalho — tinha um nível de autonomia pessoal que é quase impossível encontrar na exploração de minas de metais preciosos e nas atividades de plantio e colheita desenvolvidas no campo. Ou mesmo entre outros escravos urbanos, como as mucamas e os pajens que realizavam serviços pessoais economicamente não rentáveis para os seus senhores. Vender coisas ao ar livre, passando por lugares movimentados e coloridos, com oportunidades de paquera e namoro, estabelecimento de laços de amizade ou troca de palavras e ideias, não era o mesmo que passar o dia com a bateia na mão, em busca de grãos luzentes, ou despendê-lo no eito, entre sementes e mudas. Note-se, ainda, que o aluguel de escravos tornou-se prática cada vez mais comum, entre nós, ao longo do século XIX, quando os nagôs haviam chegado ao Brasil. Maria Inês chama a atenção para um aspecto interessante, neste sentido. Para a "contradição que começava a se operar na relação de trabalho escravista: de um lado o locador, mantendo com o escravo uma relação escravista calcada na propriedade de outra pessoa, e de outro lado, o locatário, que se utilizava da força de trabalho não mais realizando uma inversão [um investimento] e sim preferindo alugá-la ao modo de um 'capitalismo embrionário'. A generalização do costume de alugar a mão de obra, ao invés de comprá-la, pode ser um fator elucidativo das primeiras manifestações de dissolução do sistema escravista e de transição para formas de trabalho assalariado, aceleradas especialmente a partir da perda de sua principal fonte de renovação, com o fim do tráfico". Realmente, o "ganhador" aparece como um curioso misto de escravo e trabalhador assalariado. Em *O Escravismo Colonial*, Gorender prefere chamar, aos "negros do ganho" (vendedores, artesãos, carregadores, estivadores, alfaiates, pedreiros, carpinteiros, etc.), "rendeiros do próprio corpo". E toca no ponto crucial da liberdade. Se não quisermos dizer que os escravos urbanos do "ganho", com os seus pontos de encontro e comércio quase sempre étnicos, eram mais livres do que os escravos da mineração ou das plantações, digamos, então, que eram menos escravos do que estes.

Tem razão Kátia Mattoso: "A sociedade urbana parece menos dicotômica do que a rural, menos enquadrada [...] não resta dúvida que o escravo urbano é com frequência mais independente diante de seu senhor do que o escravo rural. Artesão, ele pode morar longe da residência de seu senhor [...] O senhor que aluga seu escravo carregador, pintor ou marinheiro, certamente o vigia, mas é forçado a permitir-lhe certo grau de autonomia. O escravo urbano circula nas ruas, estabelece vínculos com os homens livres humildes, seus irmãos de trabalho, e sente-se, sem dúvida, menos prisioneiro de sua condição que o escravo rural". Gorender fala, a propósito, de duas concessões restritas: a da locomoção relativamente livre e a da propriedade individual do escravo. "Numerosos escravos urbanos desfrutavam de liberdade de locomoção de certa latitude, negada aos escravos rurais. Podiam até, mediante ajuste com o senhor, residir em domicílio separado". Maria Inês bate na mesma tecla: "os ganhadores gozavam de uma liberdade de movimento muito mais ampla do que os escravos domésticos [...] submetidos à vigilância direta dos senhores [...] podiam criar instrumentos de solidariedade grupal, dentre os quais as 'juntas' para alforria foram os mais conhecidos e, ao mesmo tempo, preservar a tradição cultural africana". Gorender: "Quanto à propriedade individual do escravo, a norma geral foi negativa [...] Mas a praxe consuetudinária cedo admitiu a propriedade individual do escravo, por ajuste com o senhor, como no caso dos negros de ganho, por doação ou legado, por usufruto de lotes de terra concedidos nos estabelecimentos agrícolas". E Inês: "Dentre as propriedades pertencentes a escravos, a mais peculiar é a posse de outros escravos". A soma de tudo isso é interessante. Escravos não só compraram escravos aqui mesmo, no Brasil, como chegaram a importá-los da África. E a se juntar para alforriar os seus, por motivos de afeto ou para fins de ação político-cultural. Sabe-se que a devoção à Senhora da Boa Morte, em Salvador, serviu para acobertar o culto às deusas-mães iorubanas e às atividades de uma "sociedade secreta" feminina — Gueledé (obrigada à clandestinidade, no contexto escravista vigente, quando na África essas associações eram públicas), mas, também, para alforriar sacerdotisas nagôs. Mas o que é importante é dar realce ao fato de que, trabalhando nas ruas de uma cidade, o escravo estava mais à vontade do que no campo. Possuía um outro e maior grau de autonomia. Física e psíquica.

Também pelas cidades circulavam negros livres e libertos. Mulatos de diversas gradações. Tanto no Brasil quanto nos EUA. De acordo com os dados disponíveis, 400 mil escravos viviam em comunidades urbanas, por volta de 1850, nos EUA. Entre eles, escravos tecnicamente qualificados. Sapateiros, marceneiros, alfaiates, tanoeiros, pintores, carpinteiros, etc. Mas estes artesãos, assim como os servos domésticos, andavam muito mais preocupados em se integrar no mundo branco do que em preservar tradições da África. Sowell observa que os trabalhadores domésticos assimilavam, muito mais rapidamente do que os rurais, a cultura branca norte-americana e seus valores. Assimilavam, incorporavam e exibiam. E o mesmo pode ser dito dos negros livres, cerca de meio milhão de pessoas que, por esse mesmo tempo, tendiam a ser, sobretudo, seres urbanos. A maior margem de manobra, nas cidades, foi explorada, por negros brasileiros e norte-americanos, a partir de estratégias descoincidentes. No caso norte-americano, a escolha foi aprofundar o ajustamento. No brasileiro, em boa medida, vingou a procura de nichos de sobrevivência, de clareiras quase clandestinas, de esconsos onde resguardar relíquias. Predomínio quase exclusivo do afã integracionista, de um lado. De outro, preocupação preservacionista convivendo com a estratégia do ajuste. Os negros urbanos norte-americanos não perdiam oportunidade de assimilar signos culturais brancos. Esforçavam-se, ao extremo, para dominar os repertórios dominantes. Caminhavam, como podiam, nos rumos da "integração" — não hesitando em sufocar ou atirar fora o que lhes restava da reserva de "africanismos". Não era somente isso o que a vanguarda negro-mestiça brasileira parecia querer. E aí principiou a se delinear a diferença. No Brasil, os negros adotavam o catolicismo. Mas não abriam mão de inquices, voduns, orixás. Nos EUA, ao contrário, a adesão dos negros ao cristianismo protestante implicou renegar cultos africanos. Olvido e repúdio que não devem, contudo, ser atribuídos ao encerramento de um tráfico que prosseguiu avançando pelo século XIX, a uma "americanização" (existiam pregadores africanos nos EUA) ou a uma convivência caracterizada pelos excessos da proximidade. Porque, mais do que para falar dos EUA, tais traços de intimidade fraterna e forçada poderiam ser convocados para tipificar sociedades miscíveis e promíscuas como a brasileira e a cubana. Para falar em termos esquemáticos, mas verdadeiros, o que aconteceu foi que, nos EUA, os negros se apropriaram de todos os espaços possíveis para se incorporar aos modelos brancos, enquanto que, no Brasil, os negros se aproveitaram para perpetuar, através das frestas que divisavam ou das clareiras que abriam, configurações anímicas ancestrais.

Não há maiores informações sobre a vida religiosa dos escravos, nas colônias inglesas que viriam a formar os EUA, durante o século XVII e boa parte do século XVIII. Nem o poder branco havia desenvolvido, até então, qualquer esforço catequético mais abrangente e sistemático para converter os negros. É razoável supor que estes — africanos ainda ou nascidos já no Novo Mundo —, entregues a si mesmos, tenham persistido em suas práticas africanas tradicionais, aqui e ali tingidas de elementos da circunstância ecossocial em que se achavam agora inseridas. Nas palavras de Genovese, "a massa escrava aparentemente se tornou cristã em fins do século XVIII e no princípio do século XIX". Surgiram aí não apenas muitos fiéis, mas também pregadores negros. Em *The Americans: The National Experience*, Boorstin sugere que esta é apenas a face visível da história. Que haveria uma história não documentada, dispersa, anônima, de *negroes' churches*, de "comunidades invisíveis". Permanece, todavia, o grande mistério: de que modo, em que momento e pela conjunção de quais fatores as crenças africanas se desintegraram ou foram enjeitadas, deixadas para trás? Ninguém sabe com certeza. De qualquer sorte, ao tempo em que descendentes de africanos, no Brasil e em Cuba, construíam abrigos para deuses ancestrais, o que eles organizavam, nos EUA, eram lojas maçônicas e igrejas protestantes. Uma primeira loja de maçons negros, aberta em Boston, no final do século XVIII, serviu de exemplo — e assim, ao longo do século XIX, a maçonaria negra se foi propagando pelo país. Mais ou menos pela mesma época, começaram a se firmar casas de culto separadas, feitas por negros e para negros. Igrejas batistas negras formavam-se já durante a guerra da independência. Na Geórgia, na Virgínia, etc. Em fins do século XVIII, dois pastores negros da Filadélfia, Absalom Jones e Richard Allen, criaram, respectivamente, a Igreja Episcopal Protestante Africana e a Igreja Episcopal Metodista Africana Não Conformista, que gerou capítulos em diversas cidades. Também Nova York viu nascer, em 1796, uma Igreja Sionista Episcopal Metodista Africana. E a teia se estendeu pela nação, embora tenhamos alguma dificuldade em entender a auto-classificação "africana", quando tais templos eram apenas *black*. De todo modo, em meados do século XIX, uma igreja presbitariana preta de Nova York podia abrir as suas portas para receber Frederick Douglass, *"black master of verbal arts"*, a canhonear, com a sua retórica de fogo, o sistema escravista norte-americano.

Mas o que era mesmo que o cristianismo significava para um negro escravizado nos EUA? Em *The Interesting Narrative of the Life of Olaudah Equiano, or Gustavus Vassa, the African*, publicado no final do século XVIII, o ex-escravo Olaudah Ekwano, convertido ao protestantismo e morando em Londres, nos conta, a propósito, uma conversa que teve com um escravo na ilha de Montserrat, no Caribe. Este escravo, nas horas de folga, pescava. Não raro, algum branco arrancava-lhe, à força, os peixes que acabara de fisgar. Às vezes, o vilão era o seu próprio senhor. Comentário do escravo: quando um branco qualquer tomava-lhe o peixe, queixava-se a seu senhor, que restituía seu direito; mas, das vezes em que acontecia ser vítima de seu próprio senhor, a quem iria se queixar? Olhando então para o alto, para o céu azul das Antilhas, o mesmo escravo respondeu: a Deus. Só um deus todo-poderoso, reinando invencível nas alturas do ar mais alto, poderia fazer com que o direito do pobre pescador não lhe fosse negado. Nesta vida — ou em outra. Pois tanto o senhor quanto o escravo se achavam em suas mãos — e não eram desiguais perante a sua luz. O que as palavras do escravo caribenho deixam

A morte dos deuses nos EUA 137

claro é que a ideologia religiosa está enraizada no mundo humano. A este e somente a este diz respeito. E é ainda para este que os seus discursos apontam, mesmo quando saturam sua dimensão referencial de elementos extranaturais. Além disso, o escravo-pescador nos diz que, quando um ser humano é obrigado a baixar a cabeça para outro, resta-lhe o consolo de poder elevar os seus olhos para o alto, em direção ao divino. Humana, demasiado humana, a religião é também, muito embora não só, uma fantasia compensatória das asperezas existenciais. Especialmente o cristianismo, em todas as suas variantes. E aqui não posso deixar de me lembrar do Freud de *O Futuro de uma Ilusão*. Para Freud, as religiões se formaram em resposta ao desamparo da humanidade. À nossa insignificância frente às forças da natureza e à imensidão do cosmo. Os deuses teriam a tríplice missão de "exorcizar os terrores da natureza, reconciliar os homens com a crueldade do destino, particularmente a que é demonstrada na morte, e compensá-los pelos sofrimentos e privações que uma vida civilizada em comum lhes impôs". Daí que Freud considere infantil a atitude religiosa (a criança aninhando-se sob as asas de um pai todo-poderoso), inclusive responsabilizando a educação religiosa por uma certa atrofia mental da humanidade. Acreditava ele que um dia a humanidade se tornaria adulta, aceitando a realidade do seu desamparo e da sua insignificância, para superar o infantilismo religioso. Ingressaríamos, então, na fase da "primazia do intelecto". Do triunfo de Logos, o deus freudiano. Na verdade, Freud se movia em meio a uma crise religiosa da inteligência europeia. Julgava que o avanço do espírito científico estava minando a religião. Reduzindo a sua influência sobre as massas. E que, sob a luz do sol racionalista, a ilusão religiosa terminaria por se evaporar. Não foi o que ocorreu. O prodigioso desenvolvimento científico dos últimos cem anos veio acompanhado de um florescimento místico igualmente prodigioso, em escala planetária. Aconteceu, inclusive, uma espécie de desrecalque da dimensão religiosa do ser humano na própria esfera da vida científico-intelectual. Talvez a humanidade não saiba como viver sem deuses. Se há um campo simbólico com existência assegurada, numa sociedade futura, é aquele em cujo centro se planta o *homo religiosus*. É possível que um dia a miséria seja varrida da face da Terra. Mas o mistério, não. Pelo simples fato de que é improvável que o cérebro seja um instrumento adequado para entender a si mesmo; ou que a estrutura do cosmo tenha sido construída para ser compreendida pela mente humana. Se assim for, não haverá como deletar, de nossas vidas, o espaço plenipotenciário do mito, com o seu caráter de explicação total e totalizante para a totalidade dos enigmas da *Seele* e da realidade física.

Mas voltemos ao desamparo do escravo e à sua conversão ao cristianismo, religião de aceitação do destino, oferecendo consolo e esperança aos humilhados e ofendidos. Mas, também, religião que chama à altivez, sublinha a liberdade do espírito e negrita a igualdade dos seres humanos diante de Deus. Genovese nos lembra que "o cristianismo ofereceu aos oprimidos e desprezados a imagem de Deus crucificado pelo poder, a ganância e a maldade, mas ainda assim ressuscitado ao final, triunfante, redimindo os fiéis [...] O cristianismo pregou a dignidade e o valor do indivíduo e, portanto, ameaçou estimular o desafio à autoridade, mesmo pregando a submissão [...] Assim, não interessa quão obediente — quão Pai Tomás — o cristianismo tenha feito o escravo, pois também enraizou em sua alma uma consciência dos limites morais da submissão, colocando um senhor acima do seu senhor, assim dissolvendo o solo moral e ideológico onde devia se assentar o próprio princípio da autoridade humana absoluta". Ainda Genovese: "A utopia cristã [...] sempre conteve implicações políticas radicais [...] Ao proclamar uma só natureza para todos os homens, dada por Deus, proclamou também que todos os homens são irmãos. Mas, ao fazer isto, a despeito de todas as tentativas de separar o Reino de Deus dos reinos humanos, evidenciou o abismo existente entre a igualdade dos homens perante Deus e a cruel desigualdade do homem perante o homem". Não foi por acidente que o cristianismo nasceu como religião de escravos e se consolidou sancionando a ordem social. O cristianismo é contraditório. Religião paternalista, ambígua, cheia de avessos internos. Irredutível tanto ao extremismo quanto ao conformismo políticos; tanto ao revolucionarismo social quanto à quietude, à submissão ao poder e às instituições humanas. Religião capaz de flexionar em direções interpretativas opostas. Para justificar assim como para condenar a escravização de seres humanos. O que significa que a mensagem cristã pode ser entendida do modo que pareça mais adequado à realidade daquele que a recebe. Para mandar um negro ao açoite e um branco à forca. De fato, a Bíblia tanto conduziu à resignação quanto avivou flamas rebelionárias. Foi nesse universo religioso que os escravos norte-americanos imergiram. E o fizeram com fé genuína, alistando-se em alguma das denominações de uma variante histórica recente da religião cristã: o protestantismo. Cristianismo que abriu, para eles, caminhos de consolo, convívio, resistência e integração. Consolo diante do que tinha de ser suportado. Resistência frente às pressões desumanizadoras inerentes à escravidão. Convívio pela criação de uma comunidade que transcendia os limites terrenos da senzala e da casa-grande. Integração na nova sociedade que se formava, pela assimilação de um de seus códigos centrais de interpretação do mundo.

Na conferência "O Homem e a Adversidade", Merleau-Ponty escreveu: "Um homem não pode receber uma herança de ideias sem a transformar pelo próprio fato de que dela toma conhecimento, sem lhe injetar a sua própria e sempre outra maneira de ser". Ao concordar com a observação, devemos concluir que o escravo norte-americano terminaria por transformar o cristianismo branco numa espécie qualquer de cristianismo negro. E isto a partir de suas próprias concepções "religiosas", aqui onde as aspas sinalizam uma primeira dificuldade e o terreno inicial da transformação. Porque, nas sociedades africanas tradicionais, a religião não tem uma vigência setorial. Não é um departamento da vida. Permeia todas as instâncias da existência. O universo é religioso. Não há uma autonomia do secular face ao sagrado. Por isso é que, como lembra John Mbiti, em *African Religions and Philosophy*, em muitas línguas africanas inexiste um vocábulo específico para "religião". A religião é a cosmovisão, a *Weltanschauung* que define a comunidade. Genovese acha que esta visão de mundo integrada transferiu-se, com os negros, para o Novo Mundo. Penso que está certo. Também no espaço afro-latino das Américas, os negros não parecem ter encarado a religião como entidade autônoma. Como um nicho demarcável no universo da práxis humana. Nesse caso, teríamos, aqui, uma certa "africanização" do cristianismo. Genovese chama a nossa atenção, também, para um conceito peculiar de pecado e para uma fraca ênfase no transcendental, que caracterizariam o cristianismo dos escravos negros nos EUA. De fato, as religiões africanas desconhecem o "pecado original" — "e os africanos, quando aceitaram o cristianismo, nunca se renderam por completo a esta ideia cristã tão profunda e decisiva". A própria noção de pecado parece ter sido principalmente ética. Sinônimo de *wrongdoing*, de má conduta, de delito, "injustiça para com os outros e violação dos códigos morais vigentes". De outra parte, as religiões africanas tendem mesmo a ser imanentes e pragmáticas. Não prometem uma vida melhor depois da morte. "Viver aqui e agora é a mais importante preocupação das atividades e das crenças religiosas africanas", observa Mbiti. Como disse Roland Hallgren, o que vemos, na África, é uma cultura religiosa voltada para a realização das *"good things in life"*, das coisas boas *na* vida. "A tradição africana conferiu à religião dos escravos uma irreprimível afirmação de vida: a capacidade de ver o mundo como um 'vale de lágrimas' e mesmo assim desfrutar de uma alegria de viver que os brancos ora admiravam, ora desprezavam, mas ante a qual geralmente se espantavam", acredita Genovese. Que generaliza corretamente, ao dizer que "o que a África legou à Afro--América — a celebrada alegria de viver, tão frequentemente denegrida [*sic*] e mal explicada — foi uma fé que afirmava a vida". Uma *life-affirming faith*.

Alegria de viver sublinhada, entre nós, nos estudos de Freyre e Bastide. Mas, até aqui, estamos nos movendo num terreno muito genérico. Tentemos chegar mais perto das coisas.

Os negros que desembarcavam nos EUA se viam envolvidos em um universo religioso que não era o do catolicismo barroco das colônias da Espanha e de Portugal, com as suas igrejas repletas de imagens, santos dourando altares, e a sua liturgia complexa, esteticamente requintada, voltada para o acender dos sentidos e o extasiar da alma. A existência não somente de um Deus, mas de uma legião de santos, miríade de divindades menores, no cristianismo católico, facilitava a criação de nexos com as tradições africanas, que apresentavam uma combinação de monoteísmo e politeísmo. Era possível traçar não só uma identificação entre o deus supremo do catolicismo e os deuses supremos dos bantos, dos iorubás, dos daomeanos, mas fazer aproximações entre santos, inquices, orixás e voduns, a partir de um certo elenco de similitudes. A semelhança que um nagô divisava, de um determinado ângulo, entre as figuras do santo e do orixá — por seus atributos, suas naturezas, seus lugares na economia ou na estrutura geral da vida e do cosmo —, permitia-lhe distinguir ou quase adivinhar um vínculo entre Oxóssi e São Jorge, entre Iemanjá e Nossa Senhora da Imaculada Conceição, entre Santa Bárbara e Oiá-Iansã. Além disso, ele podia fazer adaptações linguísticas para designar papéis sacerdotais iorubanos, como na tradução da palavra-montagem *ialorixá* pela palavra-composta "mãe de santo". Já o cristianismo protestante, que dominava a vida religiosa branca nos EUA, nada tinha a oferecer nesta direção. Era liturgicamente ascético e não cultuava santos. Inexistia a possibilidade de inventar um espaço mais ou menos comum, a partir do qual se fosse configurando algo de semelhante aos sincretismos afro-católicos que se articularam no Brasil e em Cuba. "O sincretismo toma aqui [nos EUA] formas inteiramente diferentes. Conquanto o negro possa encontrar na Bíblia, em lugar dos santos, algumas divindades intermediárias, como os anjos e os arcanjos, nenhum quadro de correspondências pode ser estabelecido", adverte-nos Bastide, em *As Américas Negras*. O cristianismo protestante é uma religião textual. Uma religião da *palavra*, existindo ela, para efeitos de fé, nos espaços diferenciados da narrativa, da epístola, da profecia, da prece, do hino ou do sermão. E foi nesse domínio verbal, discursivo — reino da palavra escrita, falada, recitada, cantofalada, cantada — que os negros escravizados nos EUA realizaram as suas intervenções culturais mais criativas. Aí se foi dar, em boa parte, o sincretismo afro-protestante. Sincretismo "fraco", para os que conhecem as formas fortes dos processos hibridizadores que aconteceram no mundo colonial latino, mas nem por isso menos in-

A morte dos deuses nos EUA    141

teressante, genuíno ou inventivo. Sincretismo sem deuses, sem justaposições de culturemas visíveis — mas, sobretudo, sincretismos de ressemantizações de encadeamentos vocabulares, de invencionices sintagmáticas, não raro em suportes sonoros que irão repercutir no corpo do devoto, conduzindo a êxtases. No plano narrativo, os negros estabelecem um paralelo entre a sua situação na sociedade escravista norte-americana e a dos judeus no antigo Egito. Moisés se torna personalidade histórica, mitológica e atual. A figura do libertador, conduzindo seu povo à liberdade. O êxodo bíblico ganha, então, um novo sentido. Assim como também é novo o Jesus que vai aparecer em tal horizonte. Paul Radin fez a distinção preciosa. Enquanto os brancos se voltavam para Jesus em busca de perdão, o que os negros encontravam nele era uma identificação. O Filho de Deus descera à Terra na condição de deserdado. Viera como homem pobre, sujeito ao sofrimento, em meio a seus irmãos oprimidos.

Podemos falar da releitura da Bíblia a partir de uma perspectiva negro-escrava. Mas logo procedimentos de extração africana vieram à luz. No canto, na dança, no transe. Nas palmas, na cadência marcada com os pés, nos movimentos corporais. Na veemência expressiva do culto. Na "exaltação", para lembrar a palavra cara a Du Bois. A hinologia evangélica foi reinventada. O salmo protestante branco se transfigurou no *spiritual*. A forma responsorial e reiterativa se impôs. Os negros inundaram, com os dons de seus sons, as casas de oração. Sobrevivências africanas eram detectáveis, ainda, nas cerimônias fúnebres dos negros, até pelo emprego de tambores. "O funeral de um escravo era um espetáculo, um acontecimento da maior importância e uma realização, ao mesmo tempo solene e pujante, de toda a comunidade. Os escravos queriam ter um serviço religioso, mas não dispensavam uma exibição. Dessa forma, davam continuidade à tradição da África Ocidental, segundo a qual um funeral digno fazia descansar o espírito de quem partira, garantindo que ele não retornaria como fantasma — ideia que alguns negros sulistas rurais ainda conservavam no século XX", escreve Genovese. Acrescentando: "Após a solenidade, para quebrar a tensão, costumava haver um jantar. Foi devido a essa mistura dos momentos mais fortes da procissão, sobretudo o uso dos tambores que tanto lembravam a África e tanto ameaçavam os ouvidos dos brancos, e dos jantares às vezes barulhentos que se seguiam ao enterro, que muitos brancos consideraram esses funerais 'festivais pagãos' e os interpretaram do modo racista que mais lhes convinha". Genevose está certo de que, mesmo adaptada e modificada, a herança africana era visível em tais eventos. Em reforço de sua tese, convoca Farris Thompson: "Terminado o funeral, ficavam as sepulturas. 'Cacos de louça quebrada', escreve Robert Farris Thompson, 'adornam a lápide dos túmulos de alguns afro-americanos em regiões remotas do Mississippi, da Geórgia e da Carolina do Sul, e foram encontradas inscrições tumulares gravadas em madeira que têm relação com os notáveis sedimentos de Pine Harbor e Sunburg, na Geórgia'. Thompson estabelece um vínculo especial entre esse costume e a prática dos bakongos do Norte de Angola, ponto de vista que vem ganhando cada vez mais credibilidade, pois surgiram novas provas de que chegou ao porto de Charleston um número de angolanos bem maior do que se supunha".

Por fim, não devemos deixar de fazer referência aos feiticeiros negros dos EUA e ao primeiro movimento de importação do vodum das Antilhas. Nos séculos XVIII e XIX, feiticeiros africanos, "práticas e crenças quase africanas" e "estranhas superstições" abundavam no Sul dos EUA, de acordo com Genovese. Escravos acreditavam em visões, bruxarias, fantasmas, premonições. E os senhores sabiam, ainda nas palavras de Genovese, que o cristianismo dos negros "continha uma boa dose de crença africana". Genovese cita, a propósito, D. R. Hundley, um senhor de escravos que era, também, um intelectual. Hundley dizia que poucos escravos, àquela altura, ainda acreditavam nas religiões africanas como tais, mas que a maioria deles continuava a crer em bruxaria, encantamentos e outras modalidades de "paganismo". A observação é importante. Os escravos acreditavam em magia — mas não mais em religião — africana. Os complexos religiosos tradicionais haviam se desintegrado ao se chocar com o novo ambiente, a nova sociedade e o universo cristão protestante que dava as cartas naquela parte do continente americano. Independentes ou descolados de qualquer sistema intelectual coerentemente estruturado, sobreviviam, desgarrados, elencos de técnicas de magia. E os negros não duvidavam de sua eficácia. Eram cristãos, sim — mas tinham medo de feiticeiros porque achavam que feitiços funcionavam. Mas não só os pretos pensavam assim. Também os brancos recorriam aos bruxos pretos. Senhores procuravam feiticeiros, faziam consultas, solicitavam serviços. Há notícia de um adivinho preto que contava, em sua clientela, com jovens senhoras brancas que andavam em busca do "verdadeiro amor". E ninguém achava que aquilo fosse incompatível com o cristianismo. Já era assim na velha Europa. As formas do vodum permaneceram essencialmente negras. Mas algo perdidas. Foi coisa que chegou aos EUA no século XVIII, com escravos levados da África e, principalmente, das Antilhas. Mas que não se manteve como culto ordenado, nem logrou se projetar socialmente. "Como sistema de crença, o vodum sulista jamais atingiu a coerência interna do vodum haitiano", prossegue Genovese, e "foi sempre periférico à experiência dos escravos". Sobreviveu, durante algum tempo, mais pelo terror que chegou a impor do que pela reverência que poderia ter despertado.

Apesar dos vestígios indicados, o que se impõe, ao olhar do observador, é que os negros norte-americanos renunciaram às culturas tradicionais africanas. O próprio Genovese chega a dizer que, nos EUA, a "civilização africana" se transformou demais, "se é que dela restou algo". E isto é bastante claro em campo religioso. Mais Genovese: "A tradição religiosa africana contribuiu para moldar uma religião afro-americana que há muito esquecera suas origens". Os negros não mantiveram vínculos nítidos com o passado. Com os deuses da África. Com os seus mitos e ritos. Podemos falar de influxo africano em funerais de escravos, mas não vamos encontrar, nos EUA, uma cerimônia fúnebre claramente africana, como o axexê, que os nagôs realizam no Brasil. Devemos dizer, então, que negros e negromestiços norte-americanos foram extraordinariamente inventivos, sim — mas na criação de uma variante religiosa do cristianismo: o cristianismo protestante negro dos EUA. Uma fé cristã algo diferente da dos brancos — mas não menos cristã do que a deles. Assim, quando falamos de religião negra nos EUA, o que vem para o primeiro plano não são voduns ou orixás. Mas o modo como os pretos assimilaram, traduziram e recriaram a tradição cristã. A maneira como reinventaram para si mesmos a palavra estampada na Bíblia. E é por isso que a religião dos negros norte-americanos é um ramo do mundo religioso do cristianismo, no quadro das formas que este mundo assumiu nos EUA. "Se a religião negra nos Estados Unidos ainda hoje ecoa a África e expressa algo do destino comum do povo negro em quatro continentes, ela permaneceu, contudo, um produto distinto da experiência escrava norte-americana. Nem poderia ter sido de outro modo. Mas esta religião dos escravos se tornou cristã e se desdobrou como um capítulo especial da história geral das religiões cristãs", sintetiza o tantas vezes citado Genovese, num livro que, a começar pelo título (*Roll, Jordan, Roll*), está inundado de citações, alusões e epígrafes bíblicas. Daí que ele se veja na obrigação de examinar não cosmologias e deuses africanos redimensionados no Novo Mundo, mas, antes, uma "*Afro-American Christianity*". Nada de xirê, ipeté, axexê, olubajé, ebó. Nenhuma festa para deuses do Congo e de Angola.

A sensação é a de uma perseverança não muito grande, na história da resistência negra ao sistema escravista norte-americano. Os escravos, nos EUA, não foram tão insistentemente rebeldes como os do Brasil. Se fizermos uma lista das principais revoltas negras que explodiram em terras norte-americanas, ficaremos com apenas três: a de Stono, na Carolina do Sul, em 1739; a de Nova Orleans, em 1811; a do pregador protestante e visionário Nat

Turner, em Southampton, Virgínia, em 1831. Mas nada de comparável a Palmares, ou aos levantes dos malês, no Brasil das primeiras décadas do século XIX. De outra parte, temos a lacuna dos cultos africanos. Tem razão Sowell, quando afirma que "pouca ou nenhuma cultura africana" subsiste hoje em meio aos pretos norte-americanos. E quando esses negromestiços começaram a falar com mais frequência da África, nas últimas décadas do século XX, o fizeram em termos vagos. Falavam de "a África", da terra-de--seus-pais, sem maior precisão geográfica, histórica ou antropológica. Os referenciais haviam se dissolvido no ar. No Brasil e em Cuba, ao contrário, muita coisa permaneceu viva. Grupos religiosos bantos e iorubanos sabem retraçar as suas origens. Línguas litúrgicas se mantiveram. Nos EUA, o panorama é outro: nem terreiros, nem quilombos.

Os fatores destacados para explicar a destruição das memórias religiosas negras nos EUA — fechamento do tráfico, americanização dos escravos, pequena dimensão das propriedades agrícolas, frequência dos contatos entre pretos e brancos —, mesmo somados, não dão conta do recado. Não são suficientes para esclarecer a extirpação das riquezas semióticas oceanicamente conduzidas pelos pretos. Resta-nos, então, prestar atenção naquele "poder branco hostil", de que fala Genovese. Mas para encará-lo em termos não estritamente policialescos. Porque a repressão não foi capaz de erradicar cultos de origem africana em outros espaços das Américas — nem no antigo Brasil colonial, nem no Haiti pós-revolucionário do negro Toussaint L'Ouverture, nem na Cuba comunista sob Fidel Castro. Nem foi capaz, ao longo da onda repressiva do século XIX, de diminuir conversões ou de controlar a fé e retrair o fervor de negros e negromestiços dos EUA, em seu mergulho no protestantismo. Diversos estudiosos mencionam cultos secretos do cristianismo entre os pretos norte-americanos, reuniões clandestinas na calada da noite. O que intriga é pensar que os pretos desafiavam a repressão para serem protestantes, mas não o faziam para cultuar deuses da África no Novo Mundo. Pregadores pretos espancados não deixavam de levar o evangelho às senzalas. Encontros cultuais proibidos eram anunciados através de cânticos, durante a jornada de trabalho. Mas ninguém se dispôs a enfrentar a repressão para cantar um oriki ou arriar um ebó. E é com relação a isto que se torna crucial encarar o "poder branco" como algo de alcance mais profundo do que o de um simples aparato repressivo. Em *From Sundown to Sunup: The Making of the Black Community*, Rawick observou que, embora não tenhamos muitos dados sobre a religião escrava nos EUA antes do século XVIII, há algo que não deve ser esquecido. O simples fato de que não se tenha feito nenhum esforço digno de nota, durante os cem primeiros anos do regime escravista, para cristianizar os pretos, implica que não faltaram oportunidades para que religiões africanas se estabelecessem nos EUA. Por que isto não aconteceu? Por que, em vez de organizar terreiros, os negros implantaram igrejas? Por que a energia social foi mobilizada a tal ponto em direção à incorporação da cultura branca, que não deixou espaço para a preservação de tradições africanas? Além disso, não devemos passar ao largo da típica situação de nascimento, do *birth trauma*, de tais igrejas. Falamos já de momentos de proibição do culto cristão pelos escravos. Da repressão a seus *prayer meetings* noturnos. Mas não foi só isto o que ocorreu. É verdade que muitos brancos, assim como muitos pretos, alimentaram o desejo de ter casas de culto separadas. Templos só para brancos, templos só para pretos. Mas a formação das primeiras igrejas negras veio em consequência do fato de pretos terem sido expelidos das congregações brancas de que faziam parte. E esses negros, em vez de acusarem o racismo institucionalizado, a segregação do espaço sagrado, partiram para implantar os seus próprios templos, onde poderiam cultivar para si mesmos o que consideravam a verdadeira mensagem cristã. Era impressionante a força de tal fé, aliada a uma necessidade de afirmação e a um revanchismo sociais. Para esclarecer o móvel da adesão é que devemos nos voltar para o "poder branco".

"As pressões sobre os negros norte-americanos foram muito mais extremas do que sobre os negros de qualquer outro lugar do Novo Mundo", escreve Rawick. E é nesses termos que devemos ver a grande coação cultural branca, cercando, submetendo e modelando os pretos nos EUA. Linhas raciais rigorosamente demarcadas. Atitudes segregacionistas claras e firmes. Um racismo intenso destroçando a autoestima dos pretos. E o rolo compressor de uma cultura branca soberba, confinando as criações simbólicas africanas ao submundo do disforme. O africano — e, por extensão, qualquer descendente seu — era encarado como a encarnação da baixeza e da estupidez. Como alguém que deveria levantar as mãos para o céu, em agradecimento à tintura de civilização que poderia absorver, graças à sua transferência para os EUA. A rejeição do mundo negroafricano foi tão absoluta e determinada — foi de uma nitidez tão brutal —, que os negros baixaram a cabeça e jogaram a toalha, alijando de suas vidas heranças de seus antepassados. Era preciso assimilar os códigos brancos de cultura, distinguir-se do grosso da massa negra e se ajustar aos modelos da classe dirigente, para um dia deixar de pertencer ao mundo dos seres inferiores. Ao conjunto dos indivíduos ignorantes e espalhafatosos, que viviam enlameados no terreno de uma moralidade definitivamente primitiva. E a religião era (como ainda é) um traço dominante na vida da sociedade branca norte-americana. Estava presente em tudo, da educação à política, não fosse aquele um país criado por religiosos. O caso de Lincoln é exemplar. Era um presidente que se dirigia à nação como um pastor protestante pregando em sua igreja. O seu discurso de posse, ao ser reeleito para a Presidência dos EUA, ficou célebre como peça dessa oratória. Não por acaso a medida emancipacionista de Lincoln levou Frederick Douglass a puxar cantos num templo protestante. Mesmo Douglass, que olhava atravessado para uma instituição que apoiara a escravidão, não abria mão da retórica religiosa em seus discursos libertários — sabia que, se o fizesse, corria o risco de não mais incendiar corações negros. Pretos e mulatos haviam aderido ao cristianismo branco, ainda que para transformá-lo. Adesão que significava, ao mesmo tempo, várias coisas. Introjeção dos signos e dos valores socialmente dominantes, mas também afirmação de sua dignidade pessoal e coletiva. Uma espécie de alforria simbólica. Ser cristão era sinônimo de ser civilizado, de não pertencer à barbárie dos litorais africanos. Era um caminho para a respeitabilidade social. Uma condição indispensável para a conquista da cidadania. Um signo de pertencimento aos EUA. Nessa caminhada, sob a pressão formidável, titânica mesmo, do poder branco, os cultos africanos haviam-se tornado um fardo pesado demais para carregar. O impulso religioso africano foi sufocado. Os negros abandonaram os seus deuses.

Na abertura mesma de *Roll, Jordan, Roll*, Genovese observa que uma "questão da nacionalidade" vem rondando a história norte-americana desde os seus primórdios coloniais, quando já se empregava o sintagma "uma nação dentro de uma nação". Ele assinala que alguns historiadores, brancos e pretos, afirmam — tanto quanto outros, pretos e brancos, negam — que a experiência afro-norte-americana tem sido uma *experiência nacional separada*. E não se furta a fazer referências, ainda que algo lateralmente, a uma "nação negra", argumentando, com a inteligência e a solidez habituais, que "os escravos, como uma classe social objetiva, assentaram os alicerces de uma cultura nacional negra separada", ao tempo em que enriqueciam, ao extremo e *in globo*, a cultura norte-americana. Este é um paradoxo cultural específico dos EUA. Lá, os negros construíram uma *separate reality*. Mas não a construíram com signos tradicionais africanos. E, sim, com signos estrutural e ostensivamente brancos — na religião, na ficção literária, na poesia da música popular, no teatro, no cinema, nas artes visuais *and so on*. O paradoxo cultural brasileiro é outro. Embora a nossa realidade negromestiça apresente traços africanos infinitamente mais nítidos do que a norte-americana, não há lugar para se falar entre nós de uma experiência ou de uma cultura nacional negra apartada. Pela simples, forte e profunda razão de que as culturas negroafricanas, trazidas para os nossos trópicos, foram impregnando e imantando, sedutora e progressivamente, os brancos do Brasil, passando assim a integrar e a constituir os seus códigos e repertórios simbólicos, por meio de elementos relativamente autônomos, ou já através de mesclas, hibridizações, sincretismos. A tal ponto que hoje podemos nos sentir à vontade para afirmar que os brancos brasileiros são, em boa parte, mais "negros" — mais "africanos", melhor dizendo — do que os pretos norte-americanos.

# 6.
# PRESENÇA DE EXU

As histórias do Brasil e de Cuba se cruzam em mais de um ponto. Vínculos socioculturais solidarizam, em especial, Cuba e a Bahia de Todos os Santos. Cuba foi uma espécie de Bahia tardia e, ao mesmo tempo, mais avançada. Tardia porque o apogeu da economia açucareira cubana ocorreu no século XIX, quando os canaviais baianos, apesar da euforia dos últimos dias coloniais, contavam apenas com a perspectiva do declínio. Mais avançada porque o que se implantou em Cuba, na época, foi um parque açucareiro moderno, industrialmente novo, com investimentos em pesquisa e tecnologia.

Até meados do século XVIII, Cuba era um lugar escassamente povoado, com pequenas cidades, alguma criação de gado, fazendas fumageiras, chamadas *vegas*. A produção de açúcar era insignificante, esgotando-se no consumo dos próprios ilhéus. E os escravos se contavam nos dedos, pontos pretos em meio a uma população de larga predominância branca. Boa parte deles estava empregada em serviços domésticos. Os demais se espalhavam pelo campo, trabalhando lado a lado com seus senhores, nas *haciendas* e nas *vegas*. Enfim, Cuba era uma ilha sossegada, sem maiores anseios, riquezas ou tensões. Um espaço de quase nenhuma importância para a coroa espanhola. De uma hora para outra, porém, esta placidez foi pelos ares. Cuba mergulhou num processo que transfiguraria a sua paisagem humana e social. Foi a *revolução agrícola* cubana, configurando-se entre as últimas décadas do século XVIII e as primeiras da centúria seguinte. Uma série de fatores internacionais convergiu para conduzir a ilha da letargia à agitação produtiva, transformando-a no maior produtor mundial de açúcar. Em *Slave Society in Cuba during the Nineteenth Century*, Franklin W. Knight lista, a propósito, entre outras coisas, a ocupação militar de Havana pelos ingleses, o colapso produtivo do Haiti (hoje, um dos países mais pobres do mundo) e as guerras de independência que desarticularam o império espanhol nas Américas. Os cubanos souberam se aproveitar de todos os ventos favoráveis. Cuba se tornou a joia mais rara da coroa espanhola. E saltou para a linha de frente do mercado mundial.

Com a expansão dos canaviais, a população de negros escravizados, em Cuba, aumentou rapidamente. Em larga escala. *"Azúcar y esclavos crecen paralelamente en la Isla*", na frase de Moreno Fraginals, em "Peculiaridades de la Esclavitud en Cuba", texto publicado na revista *Del Caribe* (1987). Em meados do século XIX, os negros, libertos ou escravizados, somavam já a maioria da população ilhoa. Muitos deles eram bantos. Outros, do Calabar. Mas uma parte considerável viera da baía do Benin, da mesma fonte dos escravos importados para a Bahia. Assim, entre o final do século XVIII e a primeira metade do século XIX, a Bahia e Cuba se viram igualmente invadidas pelos iorubás. Esta grande migração compulsória vai marcar, em todas as suas dimensões, as vidas baiana e cubana, irmanando-as sob o signo dos orixás. E também através de seus incessantes procedimentos de mestiçagem e sincretismo, que irão aproximar as criações estéticas e intelectuais de ambos os lugares, da produção literária à reflexão antropológica, passando pelos campos da poesia e da música popular. Quando, em *The Yoruba of Southwestern Nigeria*, Bascom escreve que nenhum grupo africano teve maior influência, na cultura do Novo Mundo, do que o grupo iorubá, nagô-lucumí, ele tem em vista as realidades do Brasil e de Cuba — povos mestiços entoando orikis e tecendo teias semióticas em tantos pontos afins. Porque, entre os negromestiços do Brasil e de Cuba, a preservação recriadora dos legados ancestrais africanos é uma realidade inquestionável.

Para um contraste, podemos recordar aqui a abordagem que Rawick faz de experiências de conversão religiosa de negros sulistas norte-americanos ao cristianismo protestante. Experiências místicas onde as pessoas perdem subitamente a (ou passam a um outro estado de) consciência, tendo visões ou alucinações audiovisuais que as conduzem à conversão, como se tivessem morrido para renascer em Cristo. Em relatos de experiências do gênero, vividas por negros norte-americanos, aparece com frequência a figura de um *little man*, de um "homenzinho", surgindo em meio à visão que leva o pecador ao caminho da fé, como se fosse um mensageiro de Deus ou mesmo o próprio Deus. Rawick expõe, então, a sua hipótese. Defende que há um sabor africano em tais narrativas. E remete a figura do *little man* a Legbá ou Exu, o *trickster* dos povos fon e iorubá. Ou seja: a hipótese de uma sobrevivência disfarçada e remota de Legbá-Exu em fantasias místicas de pretos norte-americanos. É uma ginástica mental engenhosa. Mas um cubano ou um brasileiro dificilmente consegue conter o riso diante de uma cena em que Exu apareceria, perante o pecador fulminado, para dizer: "*My little one, you must die for Jesus' sake*". E com razão. Esta frase nada tem a ver com Exu, a menos que ele esteja aprontando alguma. O que vemos aí é que os deuses africanos foram apagados da memória cultural negra norte-americana — e, evidentemente, jamais chegaram a ter uma presença no mundo cultural branco-puritano. É como se os escravos negros, nos EUA, tivessem passado por uma bem-sucedida lavagem cerebral. No Brasil e em Cuba, ao contrário, a vida religiosa sempre foi muito menos pura e disciplinada. E o fato é que contamos hoje com a presença viva de Exu em nosso ambiente, celebrado em milhares de terreiros e recebendo oferendas constantes nas ruas das cidades do país. Da mesma forma, é significativa a presença de Oxóssi e de outros orixás na paisagem cultural brasileira, o que permitiu que Pierre Verger escutasse um mesmíssimo cântico de Iemanjá na Bahia e em Abeokutá, na Nigéria. Aqui, os negros preservaram elementos de suas matrizes culturais de origem, de modo que hoje esses elementos se acham vivamente presentes entre nós. Fazem parte, com suas cores e brilhos, do cotidiano brasileiro. E coisas semelhantes podem ser ditas da vida cubana. Basta lembrar que, no verão de 1948, segundo Bascom (*Les Afro-Americains*), sacerdotes cubanos da religião dos orixás fizeram uma viagem à Nigéria — e se comunicaram, com seus pares africanos, através da língua litúrgica do culto das divindades iorubanas. Nem é por outro motivo que expressões comuns na boca do povo cubano sejam também comuns na boca do povo brasileiro. *"Bajarle el santo"*, por exemplo.

Em "Influencia Africana en Latinoamerica: Literatura Oral y Escrita" (capítulo de *África en América Latina*, volume organizado por Fraginals), o cubano Samuel Feijóo escreveu: "Uma mesma massa escrava resistia, por fidelidade vital, àquelas influências estrangeiras do senhor, buscando seu ser íntimo, seu saber, sua crença, para exterminá-lo. A vitalidade do escravo africano refugiou-se em sua religião e em sua cultura *folk*, para uma resistência legítima perante a força de seu explorador branco. Suas danças, cantos, mitos, vozes, liturgias, comidas, remédios, etc., foram mais amados, mais abraçados, e é por isso que pôde persistir com determinação desde os primeiros tempos, quando o primeiro núcleo escravo resistiu, para salvar a rica herança de sua própria cultura, para transformar e alegrar a cultura estrangeira, opressora, na qual foi introduzido pela violência". E esta resistência escrava foi vitoriosa. Histórica e culturalmente vitoriosa. Formas religiosas levadas do continente africano foram preservadas nos campos e nos *cabildos* (associações de escravos e ex-escravos cubanos), que mais tarde se vinculariam ao carnaval ou se transformariam em templos. Conquistaram as principais cidades da ilha. Seduziram e incorporaram não poucos indivíduos brancos (ou brancomestiços) da população cubana. E isto, como no Brasil, apesar das proibições e das perseguições aos cultos religiosos nascidos na África. Proibições e perseguições ocorridas não só no período colonial-escravista, mas também em tempos mais recentes. Em *Los Negros Brujos*, Fernando Ortiz, referindo-se a inícios do século XX, fala de campanhas racistas movidas, em Cuba, contra sistemas e práticas culturais de extração africana. Assim como acontecia no Brasil, também na ilha caribenha era comum ver a polícia invadindo templos negros, prendendo sacerdotes e fiéis, desmantelando objetos rituais. No entanto, estes cultos se mantiveram, para se afirmar no horizonte cultural cubano. Especialmente, ao longo da década de 1940, quando ocorreu um relaxamento na vida cubana — e a Constituição do país, tão diferente do sistema Jim Crow, se encarregou de condenar discriminações *por motivo de sexo, raza, color o clase o cualquiera otra lesiva a la dignidad humana*".

Em "Las Religiones de Origen Africano durante la Republica Neocolonial en Cuba" (*Del Caribe*, 1988), o antropólogo López Valdés sintetizou o que aconteceu na época. Lembra ele que, durante os anos da II Guerra Mundial, criou-se em Cuba um ambiente favorável ao exercício mais amplo da cidadania. "Ante esta relativa liberalização da vida cidadã, teve lugar um auge da religiosidade popular, especialmente no tocante às crenças e práticas de origem africana." Nem o poder político pôde se manter indiferente ao fenômeno. No 8 de setembro de 1946, a primeira-dama de Cuba compareceu à tradicional festa da Virgem de Regla, com o seu santuário junto ao mar, no povoado do mesmo nome, do outro lado da baía de Havana. Detalhe: a Virgem de Regla é sincretizada com Iemanjá, na *santería*, e com uma entidade chamada Mareagua, no *palo monte*, nome que se dá aos cultos bantos em Cuba. "Também por esses anos chegaram a se estabelecer contatos entre os praticantes das religiões de origem africana em Cuba com os lugares de que haviam partido os escravos que foram seus primeiros portadores", escreve López Valdés, prosseguindo: "Com o auge da religiosidade popular que teve lugar nos anos de 1940, entrou em circulação o uso de motivos religiosos para fins de propaganda comercial. Muitos estabelecimentos varejistas ou de serviços à população tinham nomes de santos, que se faziam extensivos a produtos e até a clínicas privadas". Mais: "de acordo com os dados de Ortiz, em 1951, havia duzentos babalaôs em Cuba, cifra que pressupõe a existência de um número várias vezes maior de babalorixás e ialorixás e maior ainda de praticantes e crentes". Os tempos da repressão a tais práticas religiosas, contudo, não haviam se encerrado. Com a imposição do comunismo em Cuba, na década de 1960, depois da vitória dos jovens guerrilheiros de Sierra Maestra, um velho e surrado princípio marxista voltou à tona, sintetizado na célebre frase de Marx, disparada em sua análise da filosofia do direito de Hegel: *Die Religion ist das Opium des Volkes* — "a religião é o ópio do povo". Um dogma de cruéis consequências práticas. Sob a sua determinação, a atitude marxista, diante da religião, era a do combate. Uma postura agressiva, de guerra ideológica. Mas também, desde que possível, de repressão física. Como aconteceu na Rússia soviética. E na Cuba de Fidel Castro. A propósito, ao falar da supracitada festa da Virgem de Regla-Iemanjá, padroeira do porto de Havana, em seu livro *Yemayá y Ochún: Kariocha, Iyalorichas y Olorichas*, a cubana Lydia Cabrera não perdoa, assinalando (grifos meus): "O oito de setembro — *antes de Castro* — era uma data importante na devoção do então alegre e despreocupado povo de Havana". Não foi por veleidade turística que, às primeiras luzes da década de 1960, com a metamorfose da revolução cubana em regime comunista, membros da *santería* deixaram a ilha, refugiando-se nos EUA. Na Flórida (a antiga *florida* dos conquistadores ibéricos), principalmente — onde, aliás, foi viver a citada Lydia Cabrera, tia do escritor Cabrera Infante e autora de livros fundamentais para a compreensão do universo religioso cubano. Ao contrário do que sugeria Maiakóvski, em seu poema "Black & White", de 1926, o negro cubano não deveria ter-se dirigido "ao Komintern, em Moscou". E esta revoada de sacerdotes da ilha produziu, por sinal, um efeito muito interessante. No exílio, a *santería* conquistou um número razoável de adeptos nos EUA, levando os orixás iorubanos a serem cultuados na Ilha de Manhattan. Mas este é um outro tema. O que interessa observar, no momento, é que, com o passar dos anos, veio a descompressão. Diante do profundo enraizamento das formas religiosas de origem africana na vida do povo mestiço de Cuba, a ditadura castrista começou a fazer vista grossa para o assunto. Até que deixou de reprimir os cultos. De modo que, em 2003, a velha Havana pôde sediar um encontro internacional nagô. O evento — *Oricha 2003, VIII Congreso Mundial Yoruba* — aconteceu no palácio de convenções de Havana, reunindo especialistas para discutir os mais variados temas, da música à ética, passando por práticas divinatórias e o uso terapêutico de ervas e tambores.

"Hoje, seria impossível definir a religião do povo cubano. Não há um credo geral, nem popular, nem oficial. As práticas religiosas da África são tão seguidas quanto as cristãs; às vezes, ao mesmo tempo. E, fora delas, o espiritismo e a teosofia estão muito difundidos, assim como todo gênero de superstições. E tudo numa confusão inextrincável de conceitos teológicos de imanência, de transcendência ou de panteísmo", escrevia já Ortiz, em seus *Estudios Etnosociológicos*. Além disso, o protestantismo estadunidense se espalhou pela ilha, formou-se um tipo de vodum cubano e as misturas prosseguiram a todo vapor, inclusive com correntes orientalistas (há tempos, muitos chineses foram parar em Cuba, vivendo e trabalhando em condições infrahumanas) produzindo um surpreendente culto a San-Fan-Con, divindade de

Presença de Exu

origem chinesa sincretizada com Xangô. De todo modo, podemos dizer que a *santería* e o *palo monte* são as principais religiões de raízes africanas praticadas em Cuba. É claro que também há práticas rituais de origem ewe-fon. E que, numa abordagem dessa dimensão essencial da vida cubana, não devemos passar ao largo da sociedade masculina dos *ñañigos* — ou sociedade *abakuá* —, que contribuiu fortemente para a formação da cultura cubana. O culto mais antigo é o *palo monte*, de origem banta. Os escravos que levaram as bases — ou os "fundamentos", como se costuma dizer também na Bahia — do que viriam a ser a *santería* e a sociedade *ñañiga* ou *abakuá* só foram chegar em Cuba mais tarde, no caminho entre os séculos XVIII e XIX.

A sociedade secreta *ñañiga* ou *abakuá* formou-se em Cuba nas primeiras décadas do século XIX, fundada por escravos e libertos procedentes da região do Calabar (entre a Nigéria e o Camerum), que eram designados, na ilha, pelo termo genérico *carabalís*. Esses *ñañigos* despertaram muito temor na vida cubana, por sua violência e suas navalhas, e pelos seus conhecimentos, supostos ou reais, de feitiçaria. Eram considerados, ao lado dos chineses, os mais terríveis feiticeiros da ilha. A princípio, tratava-se de uma sociedade iniciática, uma espécie de maçonaria negroafricana, exclusivamente masculina, composta apenas por *carabalís* nascidos na África, que se organizavam em grupos chamados *potencias*, *tierras*, *partidos* ou *juegos*. Para usar a definição de um líder *abakuá* de meados do século XX, cada *potencia* era um "*Estado en chiquito*", um aparelho estatal miniaturizado, com quatro poderes encarnados em quatro grandes chefes: o Iyamba (rei), o Mocongo (o general, o poder militar), o Isué (o bispo, poder eclesiástico) e o Empegó (o escriba, o poder legislativo). Estes *carabalís* africanos não permitiam o ingresso de negros *criollos* (naturais de Cuba) em seus círculos secretos. Mas os *criollos* — que, afinal, eram filhos daqueles primeiros *ñañigos* — forçaram a porta e acabaram admitidos. Ao entrar, fecharam a mesma porta para mulatos e brancos. A partir da década de 1860, porém, as *potencias* foram franqueadas a todos: pretos, brancos, mestiços — apenas mulheres e homossexuais ficariam fora do jogo. O responsável pela abertura foi Andrés de los Dolores Petit, chefe de um grupo *abakuá* de Havana. Brancos faziam de tudo para ter acesso ao segredo *ñañigo*. E Andrés via, na incorporação deles, o caminho para o *ñañiguismo* perdurar na vida cubana. Mas soube jogar. Cobrou uma bela soma de dinheiro para revelar aos brancos o segredo da sociedade, de modo que estes pudessem abrir as suas próprias *potencias*. Políticos, empresários, autoridades policiais, etc., iniciaram-se então nessas águas. "*Lo que el ñañiguismo perdió en misterio y en la fantasia de las gentes, lo há ganado en fuerza electoral*", comentou, a propósito, Lydia Cabrera, em inícios da década de 1950, no seu livro *El Monte: Notas sobre las Religiones, la Magia, las Supersticiones y el Folklore de los Negros Criollos y del Pueblo de Cuba.*

A sociedade secreta, com as suas crenças e o seu conjunto de ritos — *ñaitua* — foi transposta diretamente da África para Cuba, onde, ao longo do tempo, foi experimentando misturas várias — especialmente, pela assimilação de elementos do catolicismo a seus ritos, do cálice da missa à cruz e à pomba do Espírito Santo. "No *abakuá* existe uma divindade suprema chamada Abasí, a qual se manifestou aos homens na forma do mitológico peixe Tanze, que vemos aparecer na lenda-fundadora da instituição e que depois se materializa no tambor secreto ou de fundamento chamado Ekue, que contém a voz divina ou o som que Tanze emitia", resume Moliner Castañeda, em "Los Ñañigos" (*Del Caribe*, 1988). Em termos breves, a lenda, recontada em detalhes e variantes por Lydia Cabrera, é a seguinte. No Calabar, Sikán (também chamada Acanabionké), filha do rei (Iyamba) e esposa de Mocongo, saiu, como fazia todos os dias, para apanhar água no rio Odan. Chegou à margem do rio, encheu a sua tina, colocou-a na cabeça e tomou o caminho de volta para casa. Avançava tranquila, quando, de repente, sentiu que o ventre da tina esfervilhava, e logo escutou uma voz terrível, que disse — *ekué!* Era Abassí, o ser supremo, que se materializara, assumindo a forma de um peixe, o peixe Tanze. Iyamba soube imediatamente do acontecimento extraordinário e assumiu o comando da cena. Foi ver o peixe maravilhoso, encarnação de Abassí. E dele ouviu os ensinamentos, as instruções que estruturam e informam a sociedade *abakuá*. Iyamba reuniu então os seus e lhes narrou o que havia acontecido, sob solene juramento de que ninguém revelaria o segredo — e, se o fizesse, seria condenado à morte. Sikán-Acanabionké não resistiu. Acabou contando que ouvira a voz de Abassí. Foi, então, sacrificada — e é por isso que a sociedade *abakuá* mantém as mulheres a distância (*"ninguna mujer es capaz de guardar un secreto"*, dizem os *ñañigos*). O som do peixe mítico — *ekué* — ainda hoje está guardado no (e dá nome ao) tambor sagrado dos *abakuás*, soando nos *plantes*, nas festas e cerimônias importantes do grupo, de caráter fúnebre ou iniciático. A iniciação *abakuá*, por sinal, é complexa em sua trama, envolvendo o consumo ritual do sangue de galos sacrificados. Tudo começa à meia-noite, com uma oração à árvore sagrada. Pede-se licença ao sol, à lua, às estrelas, ao espírito do vento, às nuvens, ao espaço — e então começam os ritos, que se prolongam até ao entardecer do dia seguinte. Uma parte se desenrola entre quatro paredes, em cômodos secretos. Outra se passa ao ar livre, com danças, cantos, procissões. Nesta parte externa é que bailam as entidades chamadas *íremes* — os *dia-*

Presença de Exu

*blitos*, como são popularmente conhecidos em Cuba —, que são espíritos de antepassados, de antigos *ñañigos*. Esses *"diablitos"*, com seus movimentos característicos e suas máscaras coloridas, dançam em todas as festas *abakuás*. Lydia Cabrera: "O andar, os gestos rigorosamente estilizados — cada gesto é uma frase [os *diablitos* são mudos; 'falam' gestualmente] — dos *ocobios* [*ñañigos*] vestidos de *diablitos*, que representam os iniciados mortos em tempos distantes, a máscara imemorial em função religiosa e em todo seu valor que os transforma em abstrações, em seres irreais e sagrados; sua mímica e sua dança, contempladas à luz da mágica noite de Cuba, é um espetáculo de uma beleza estranha, tão fora do tempo, tão remota e misteriosa que não pode deixar de impressionar fortemente a quem o contemple [...] Não esqueço o terror que os *íremes*, com seus brancos olhos de ciclopes, infundiram em Federico García Lorca, nem a descrição delirante de poesia que me fez um dia depois de ter presenciado um *plante* [...] Se um Diaghilev tivesse nascido nesta ilha, certamente teria feito desfilar esses *diablitos* pelos cenários da Europa". Não tivemos *abakuás* no Brasil, nem os *diablitos* que fascinaram e atordoaram García Lorca. Mas partilhamos muitas outras coisas com o povo negromestiço de Cuba.

O *palo monte* cubano e o culto brasileiro dos inquices têm suas origens na África Central Atlântica. Nas regiões de Angola e do Congo. Vêm para o centro da cena, neste caso, os negros bantos. Levas e levas de bantos — como os ambundos da área de Luanda, os bakongos da foz do Rio Congo, do Baixo Zaire e do sul da República do Congo e os ovimbundos da zona de Benguela, no sul de Angola — vieram parar nas Américas. Boa parte deles, no Brasil e em Cuba. Eram povos que trabalhavam em cerâmica, praticavam a agricultura, criavam animais domésticos e gado bovino. Haviam domesticado diversas plantas. Dedicavam-se à fabricação de cestos, à tecelagem em ráfia, à tanoaria, à extração de sal do mar. Conheciam a escravidão, o comércio e a moeda. Dominavam a tecnologia do ferro. Mas, quando se fala de um *estilo de vida* banto, o que vem à luz é um *modus vivendi* fundado na agricultura e na utilização intensiva do ferro. E a difusão da metalurgia teve repercussões na vida social, econômica e política dos bantos, contribuindo para a formação de reinos e aparelhos estatais, antes da chegada de exploradores europeus àquelas terras. Pois bem. O sagrado impregnava toda a vida desses bantos agricultores, metalúrgicos e escravistas. "Toda a vida individual, familiar e sociopolítica", como escreveu Gwa Cikala, em "O Homem Africano e o Sagrado", texto incluído no *Tratado de Antropologia do Sagrado*, coordenado por Julien Ries. Ainda nos termos de Cikala, pode-se definir "religião banto" como "o conjunto cultural de ideias, sentimentos e ritos" que se articula a partir de quatro crenças basilares: crença na existência de dois mundos, o visível e o invisível; crença no caráter comunal e hierárquico desses dois mundos; crença na interação mundo visível-mundo invisível; crença em Deus, visto como criador e pai de tudo o que existe. Neste quadro geral é que devemos situar o culto banto dos antepassados. O seu elenco de divindades, chamadas "inquices" no Brasil e *inkisa* ou *mpúngus*, em Cuba. A sua crença num ser supremo, num deus todo-poderoso, Nzambi Mpungu ou Ampungu. Numa divindade superpotente, Kalunga. Este Deus, origem de toda a sacralidade, criador de toda criação, não pertence ao mundo dos seres, das "criaturas": é o princípio — sem princípio — de todo princípio. Entre os nomes que lhe são dados, em meio aos diversos grupos bantos, surge com frequência a ideia de união, de ligação, laço ou vínculo maior. É o Nzambi Ampungu dos bakongos, o Kalunga dos ambundos. Kalunga — "aquele-que-por-excelência-une", na tradução literal de Cikala. Encontram-se, aliás, superposições, quando certos bantos se referem a Nzambi-Kalunga ou Kalunga-Nzambi. A propósito, Clémentine Madiya (em "O *Homo Religiosus* Africano e seus Símbolos", também incluído no *Tratado de Antropologia do Sagrado*) fala de -*dungu* ("uma forma reconstruída do banto comum") como "a realidade manifestada pelos símbolos". Para então observar que a raiz *dung* cobre um largo campo semântico, apontando para o extranatural. Vamos encontrá-la em denominações bantas de Deus que vieram para o Brasil e para Cuba. Escreve Clémentine: "Etimologicamente, o verbo *dung*- compreende várias acepções: ligar, atar, enlaçar, articular, alargar, prolongar [...] Seus derivados (*kalunga, mulungu, nyamurungu, mpungu*...) têm, por conseguinte, o sentido geral de 'o que liga', 'o que ata', 'o que alarga' etc.". Ainda Clémentine: Kalunga = "Aquele-que-por-excelência-une, ou Aquele-que-por-excelência-religa". O que nos leva a uma co-incidência reveladora de algo básico na visão humana do extranatural. Este sentido do ligar/religar está presente, também, na etimologia do vocábulo "religião", do latim *religio*, procedente de *religare*. Religião: aquilo que por excelência une — que, por excelência, religa.

Negros e mais negros bantos fizeram a travessia atlântica com destino a Cuba e ao Brasil. Levaram para essas terras do Novo Mundo formas e elementos de seus sistemas religiosos originais. E estes sistemas, inserindo-se nas novas realidades sociais e culturais dos trópicos americanos, experimentaram influências e transformações inéditas, que acabaram desembocando no *palo monte* cubano e no candomblé congo-angola (e em uma variante sua, o candomblé de caboclo) do Brasil. Entre os influxos mais diretamente religiosos, devemos mencionar o católico e o iorubano. López Valdés fala da influência das crenças e práticas lucumís, iorubás, sobre o *palo monte*, sobre os *paleros* de Cuba. Também na Bahia esta influência se fez sentir. Mas é claro que o culto banto mantém a sua diferença, da língua aos cantos rituais, dos nomes dos deuses às denominações de postos e funções em sua hierarquia sacerdotal. É por esta razão que encontramos uma zona lexical comum ao *palo monte* e ao candomblé congo-angolano, em expressões como *tata* ou *(n)ganga*, por exemplo. Que sabemos muito bem do que se trata quando ouvimos um cubano dizer *Sambianpungo*. Mas há, ainda, uma outra coisa. Entidades novas, cubanas, foram surgindo no âmbito do *palo monte*. Entidades que não existiam na África. E que, por isso mesmo, são nomeadas em espanhol: Siete Rayos, Mareagua. Coisa semelhante se deu no Brasil. Não só com o abrasileiramento de designações bantas. Com uma aclimatação fonética de resultados surpreendentes, transformando, por exemplo, Mabyala Mpaadinzila (o grande inquice dos caminhos) em Maria Padilha — e Tembu (deus do vento) em Tempo, nome sob o qual o deus ganhou uma canção de Caetano Veloso, "Oração ao Tempo". Mas, também, com a aparição de novas entidades tropicais, dos "encantados" nascidos e batizados em terras brasileiras. Como Sultão das Matas, por exemplo.

Grupos de língua fon e iorubá — vale dizer, negros daomeanos e de diversos subgrupos iorubanos (egbá, ekiti, ondô, ijebu, ijexá, ketu, etc.) — chegaram ao Brasil e a Cuba pela mesma época: entre a segunda metade do século XVIII e a primeira do século seguinte. O negro daomeano (ewe) foi chamado *arará* em Cuba e *jeje*, no Brasil. O iorubano, de *lucumí* lá e de *nagô*, aqui. Os jejes chegaram trazendo seus voduns — trazendo Dã, a serpente sagrada do Daomé, que ainda hoje podemos reverenciar nas ilhas de Cuba e de São Luís do Maranhão. Os iorubás, trazendo seus oris, borís, obis, orixás e orikis. E é sobre os iorubanos que vamos concentrar agora a nossa atenção. Antes de qualquer coisa, porém, chamando a atenção para uma prática persistente nos estudos etnodemográficos brasileiros. Em plano geral e de modo excessivamente genérico, com o artigo definido no singular, costuma-se estabelecer uma grande distinção. De uma parte, fica o tripé formativo básico de nossa constituição genética e sociocultural: "o" índio, "o" português, "o" negro. De outra, as assim chamadas "migrações secundárias" (suíços, alemães, italianos, chineses, árabes, poloneses, judeus, japoneses, etc.), que teriam o seu ponto de partida no ato joanino da "abertura dos portos", em 1808. Desta perspectiva, que circunscreve as novas correntes migratórias desconsiderando deslocamentos africanos, não há como situar a migração massiva e compulsória de iorubás para o nosso país. E tudo por conta de uma postura etnocentrista que fantasia a existência de um tipo genérico, "o" africano. Por esse raciocínio, aliás, não teríamos razão para falar de fluxos migratórios de alemães e italianos, já que ambos são europeus — e "o" europeu estava no Brasil desde o início mesmo da conquista e da colonização de nossos trópicos. Alemães são diferentes de portugueses? São. Mas não mais do que iorubás são diferentes de bakongos. De certa forma, é como se a etnodemografia brasileira se orientasse pela máxima racista de que "preto é tudo igual". Sabemos, no entanto, que o negro e a cultura negra não passam de ficções. O que existe são negros e culturas negras. No plural. Confundir ndembo com achante é o mesmo que não distinguir um sueco de um francês. Na verdade, esse nivelamento, típico da mentalidade colonialista, já vem de muito antes, entranhado na visão europeia da África. Mas a África-em-geral inexiste. A África é um continente habitado por povos diferentes, que falam línguas diferentes e cultivam diferentes maneiras de viver. Os nagô-iorubás, ao passarem de um lado para o outro do Atlântico Sul, aqui desembarcaram com toda a sua especificidade. Com os traços singulares de suas criações culturais. Com os seus padrões de sociabilidade e o seu estilo gestual. Com deuses até então desconhecidos entre nós — e falando uma língua que ninguém entendia. Eram a descendência mítica do antigo reino de Ifé, centro produtor pré-cristão da refinada arte da estatuária africana, trazendo a sua visão peculiar do cosmo, o seu modo de relacionamento com o mundo natural, os seus princípios morais, os seus provérbios, os seus jogos divinatórios, os seus temperos culinários e sexuais, o brilho próprio de seus ritmos e de sua poesia, como a que podemos ouvir e admirar nos inventivos, hiperbólicos e surpreendentes orikis de orixá. E assim, como povo claramente distinto dos demais agrupamentos negroafricanos que haviam feito antes a travessia atlântica, deve ser incluído, portanto, com a sua particularidade, no rol dos novos movimentos migratórios que o Brasil principiou a abrigar na passagem do século XVIII para o XIX.

Tanto no Brasil quanto em Cuba, a migração nagô-lucumí gerou referenciais regionais particularizantes. No caso cubano, bipartindo a ilha em duas áreas antropológicas: a ocidental e a oriental. Na ocidental, centralizada na cidade de Havana, tivemos uma alta concentração de iorubanos — e, logo, uma forte presença da religião dos orixás, da *santería* ou *regla de ocha*. Na zona oriental, ao contrário, o panorama etnodemográfico, no período em questão, apresenta uma predominância de carabalís e bantos, o que explica a fraca incidência da *santería* na região, pelo menos até meados do século XIX. No caso do Brasil, definiu-se igualmente uma área de influência iorubá. Havia uma ostensiva presença nagô na Cidade da Bahia, em contraste com a predominância cultural quase exclusivamente banta em outros rincões do país — Recife era, nesse aspecto, a cidade brasileira que mais se aproximava de Salvador. Em *O Fumo da Bahia e o Tráfico dos Escravos do Golfo de Benin*, Verger esclareceu a base econômica responsável por isso. A Bahia praticamente detinha o monopólio da produção brasileira de tabaco, produto que era o mais cotado nas trocas do comércio escravista naquela região africana. Autoridades colonialistas na África chegaram a afirmar que o fumo baiano tinha preferência, entre os negros, sobre o ouro. Assim, enquanto a Bahia enviava seus navios ao Benin, traficantes de outras áreas brasileiras permaneciam nas rotas do Congo e de Angola. Daí que o Rio de Janeiro tenha sido tão fundamente marcado pela presença congo-angolana. Do mesmo modo — e inclusive pela distância geográfica —, os mercadores baianos não se interessaram tanto pelos "moçambiques", gente de língua macua ou maconde, que parecem se ter concentrado mais em São Paulo e Minas Gerais. Note-se, ainda, que o ciclo do tráfico Bahia-Benin prosseguiu intenso até pelo menos 1851, apesar das proibições e da vigilância repressiva da armada real inglesa. E o fato é que a *santería* lucumí-arará e o candomblé jeje-nagô se impuseram na Ilha de Cuba e, a partir da Bahia de Todos os Santos, no Brasil. Lydia Cabrera: "a sub-religião ou religião extraoficial de Cuba, à margem da católica e em boa amizade com ela, solidamente estabelecida e constituindo um conjunto bastante homogêneo nas províncias de Pinar del Río, Havana, Matanzas e Santa Clara, é a de Ocha [orixá], a *lucumí* — incluindo neste grupo os sectários da regra *arará* [do culto jeje] —, que por sua vez não admite ser confundida com o Mayombe ou a magia originária do Congo". Do mesmo modo, os nagôs fizeram de seu candomblé (também sincretizado com o jeje, o arará cubano), da sua cultura, o código hegemônico das manifestações culturais de raiz negroafricana no Brasil — e marcaram a configuração cultural brasileira. Mas não vamos falar disso sem levar em conta certas advertências. O fato de o ser humano se achar imerso numa ambiência sagrada dilui as linhas divisórias entre o domínio da matéria e o reino do espírito, tal como o Ocidente se habituou a concebê-los. "Onde o africano está, aí está a sua religião", escreveu Mbiti. Para um africano, "viver é ser colhido num drama religioso". Por isso mesmo, um iorubá não falaria de sua "religião", mas da *vida* iorubana. E logo entrariam em cena os orixás. Pois, como diz Bolaji Idowu, em *Olódùmarè: God in Yoruba Belief*, a chave da vida iorubana está na religião. Está nela o fundamento e a argamassa da vida grupal.

É evidente que, ao falar de religiões africanas de um modo geral, estamos pressupondo uma unidade subjacente a uma vasta gama de manifestações religiosas, como se aí existisse uma espécie qualquer de infraestrutura ideoemocional. É o que pensam os *experts*. A extrema diversidade dos grupos étnicos não deve ofuscar o observador, impedindo-o de ver a unidade fundamental que se acha por trás das variações de superfície. Para Dominique Zahan (*The Religion, Spirituality and Thought of Traditional Africa*), por exemplo, as flexões e inflexões religiosas dizem menos respeito a um solo conceitual comum do que aos modos dissimilares através dos quais elas se expressam. A variação está vinculada não às ideias básicas, mas às ocupações, ao trabalho comunitário e ao meio ambiente em que cada grupo vive, desde que parte daquelas ideias ganha expressão concreta por meio de elementos presentes nesta ou naquela moldura ambiental. Numa visão de conjunto das diversas configurações religiosas africanas, é possível destacar alguns aspectos partilhados genericamente: a relação com o meio ambiente; o vínculo religião-comunidade; a ausência de corpos doutrinários sistemáticos; a coexistência de monoteísmo e politeísmo; o antropocentrismo; o caráter pragmático da fé. Pode ser que esses traços não sejam comuns a *todas* as religiões africanas, mas estão presentes no campo iorubá, que é o que nos interessa. O vínculo religião-natureza — a sacralização ambiental — gera uma série de traços típicos das religiões africanas. Os africanos possuem múltiplos templos e uma conduta religiosa multifária. O próprio iniciado na esfera do sagrado é um templo vivo do divino. Como podem ser templos coisas como lagos, cachoeiras, riachos, montanhas, árvores, pedras, grutas. Tudo, no ambiente, é passível de sacralização. O mundo invisível se manifesta nos visíveis do mundo. O que não implica panteísmo. A sacralização iorubana da natureza não traz consigo a crença de que Deus é tudo e de que tudo é Deus. Já o nexo religião-comunidade nos situa numa ambiência étnica precisa. Em *A Lógica da Escrita e a Organização da Sociedade*, Goody observa que, ao nos referirmos a uma religião africana, tentamos não só esboçar as suas características distintivas, mas, sobretudo, a definimos como crenças e práticas de um grupo específico, territorialmente circunscrito. Falamos da religião achante, da religião bambara, da religião iorubá, etc. São formas étnicas de rotular. As religiões alfabéticas é que possuem fronteiras autônomas. Estão onde o Livro está: *katholikós* significa "universal". Para usar a distinção de Goody, os sistemas africanos se definem como religiões "de origem" e não "de conversão". Daí que não sejam proselitistas. O que pode haver é uma política do mito. Uma região conquistada pode assistir a uma reelaboração de seus mitos, a uma subversão hierárquica de seu panteão, em função dos propósitos do dominador. A ordenação do sistema religioso iorubano, tal como hoje o conhecemos, é um produto do imperialismo de Oió, reino colocado sob o signo de Xangô.

Quanto às relações entre monoteísmo e politeísmo, estes não são vistos, no espaço iorubano, como termos antitéticos. Ocorre a conjunção do um e dos muitos. Na comparação de Basil Davidson, em *The Africans: An Entry to Cultural History*, o deus supremo aparece como um "remoto cientista teórico" que compreende e controla as operações totais do universo — os deuses menores e espíritos, como "técnicos do dia a dia", que mantêm o mundo em movimento. Além disso, a formação religiosa iorubana nada tem de "salvacionista". Africanos antigos nunca viveram *ad majorem Dei gloriam*. E aqui chegamos a uma tríade que marca todo o pensamento religioso clássico da África: antropocentrismo, geocentrismo, pragmatismo. Mbiti fala que, para compreendermos as religiões africanas, é preciso compreender a ontologia africana — uma ontologia "extremamente antropocêntrica", onde o ser humano está numa posição-chave em relação a tudo o mais. Dominique Zahan não é menos categórica: o ser humano é o elemento central de um sistema ao qual ele mesmo impõe uma orientação centrípeta. A ideia de uma finalidade exterior à humanidade é estranha a tal pensamento. "O homem não foi feito para Deus ou para o universo; ele existe para ele mesmo e carrega dentro de si mesmo a justificativa de sua existência." Na verdade, as coisas parecem ser ainda mais extremas. *"Ibiti enià kò si, kò si imalè"*, ensina um ditado iorubano, registrado por Idowu: "onde não há ser humano, não há divindade". Os deuses são uma criação humana. Karin Barber abordou diretamente a questão: "O conceito de que os deuses são criados pelos homens e não os homens pelos deuses é um truísmo sociológico. Pertence obviamente a uma tradição distanciada e crítica, incompatível com a fé naqueles deuses. No entanto, a religião tradicional iorubá apresenta uma concepção muito semelhante que, longe de indicar ceticismo ou declínio de crença, parece constituir um impulso vigoroso em direção à devoção". Os iorubanos criam um segredo, investem uma entidade de poder, alimentam tal poder e glorificam tal entidade, beneficiando-se então da grandeza que forjaram. Passam a depender de um poder que depende deles. Uma relação de reciprocidade, portanto. Enfim, quando o que está em foco é a África, podemos dizer que, no sistema solar da religião, o ser humano é o sol.

No começo, *in illo tempore*, os deuses viviam na Terra. Entre os homens. Num oriki de Oiá-Iansã, ouvimos: *"egúngún l'ode òrun, oòsa l'ode àiyé"*. Aparecem aí os conceitos de "orum" e "aiê". E vemos que Iansã, Oiá-Oriri, está presente no orum, espaço dos deuses e dos ancestrais, tanto quanto no aiê, espaço dos humanos, das coisas concretas e perecíveis. Em tempos longínquos, não só os orixás habitavam o que hoje é o aiê, como os humanos podiam passear no orum. Mas veio a ruptura. Entre as narrativas míticas que a explicam, uma diz que a separação se deu quando um humano tocou o orum com mãos sujas. Olorum se enfureceu. Com seu hálito divino, criou a atmosfera divisória, o céu. E assim separou a existência em dois planos. Apesar da separação, contudo, orixás intervêm sem cessar no aiê. São deuses ativos. Entre os iorubanos, como entre os gregos, inexistem divindades ociosas. Seus deuses estão engajados até à medula na trama da vida humana. E a comparação pode ser detalhada. Também os *athanatoi* iorubanos têm o corpo vulnerável a ferimentos, estão sujeitos ao desejo, à cólera, à inveja, ao ciúme, etc., de modo que se pode falar de uma vida passional tanto entre os olímpicos quanto entre os integrantes do panteão iorubá. E assim como os olímpicos descem de sua morada altíssima para interferir no cotidiano humano, também os orixás se imiscuem com frequência em assuntos terrenos. Suas relações com o aiê são muitas e intensas. Penso até que os orixás estavam mais próximos dos iorubanos do que os olímpicos estiveram dos gregos. Afinal, os olímpicos falavam um idioma próprio, tinham uma dieta distinta e seu sangue era especial — não o *háima* que flui em veias mortais, mas o *ikhôr*. No caso dos orixás, não há dialeto apartado, nem culinária específica. Além disso, é comum que um deus seja um ser humano divinizado, como nos casos de Ogum, o deus de muitas faces, e Xangô, a fera faiscante. Ogum teria sido rei de Irê. Xangô, de Oió. Reza a lenda que, certo dia, tomado pela mais funda tristeza, depois de ter destruído o seu palácio e as suas riquezas, Xangô bateu os pés no chão com uma violência nunca vista — e se afundou terra adentro, convertendo-se em orixá. Na verdade, a percepção dessas relações greco-iorubanas não é nenhuma novidade. Tanto estudiosos da cultura helênica quanto os da cultura iorubá vêm indicando, há tempos, afinidades que aproximam os jardins politeístas da Grécia e da África; paralelos entre mitos gregos e mitos iorubanos. Nem mesmo o transe era estranho à antiga cultura grega. Em Delfos, usando o corpo da pítia, Apolo falava na primeira pessoa. Os gregos diziam então que a pítia se tornara *entheos*. Que o deus da loucura profética — estranhamente identificado por Nietzsche com o "racional" — a possuíra. E a religião iorubana é uma religião do "entusiasmo", no sentido original da expressão, *enthousiasmós* — religião da posse do "cavalo" pelo orixá. Mas a semelhança que mais sobressai diz respeito à humanidade das criações de ambos os sistemas mitológicos. Não há lugar aqui para a apatia, *apátheia*, ausência de paixões. Os deuses estão todos submetidos ao império do desejo.

O oposto desta vida divina tomada pelo prazer e pela paixão pode ser encontrado no puritanismo. Cristalizou-se neste, em sua extrema aridez, uma visão antagônica ao mundo mágico e às culturas sensuais. Mas podemos ir

Presença de Exu

mais longe, negritando um contraste fundamental entre o pensamento greco-
-iorubá e o paradigma judaico-cristão. Em *Anthropology and the Western Tradition*, Jacob Pandian lembra que os deuses gregos "representavam e legitimavam a complexidade da condição humana". O mesmo se pode dizer da religião iorubá, com deuses tão dessemelhantes entre si quanto Oxalá e Exu. E nem os gregos nem os iorubanos projetavam as suas religiões em escala universal. A religião grega era dos gregos — a iorubá, dos iorubanos. Mas, embora esses sistemas fossem particulares, o conjunto de suas divindades representava todo um arco de contradições, anomalias e paradoxos encontráveis no mundo humano. A orientação judaico-cristã introduziu no Ocidente uma outra estrutura intelectual. De uma parte, ao contrário do caráter regionalizado ou grupo-específico dos sistemas grego e iorubá, colocou-se em termos universais. De outra, promoveu um expurgo. Em vez de a representação divina espelhar a multiplicidade da experiência humana, estabeleceu-se um princípio "absolutista" (Pandian), definindo o ser supremo como a encarnação da perfeição (racional e assexuada) e expelindo para o espaço do não divino (o inferno, o "outro") tudo o que não correspondesse a este ideal restrito. Assim, o divino judaico-cristão reflete e conceitua apenas uma faixa da experiência humana. O resto é depositado na conta do Mal. É um paradoxo. Um paradigma que se apresenta ao mesmo tempo como universal — e maniqueísta. Que quer abraçar todo o humano, mas abolindo do humano boa parte do humano. Pandian: "Da rica cafeteria da vida, o Ocidente, principiando com o estabelecimento da cristandade como uma ordem político-religiosa, escolheu uma rígida dieta de bondade".

Esta diferença entre a representação judaico-cristã e a iorubá pode ser vista com nitidez se pensarmos num deus como Ogum. Sua característica central é a ambivalência. A presença simultânea dos extremos tensos da criação e da destruição. Ogum é aquele que protege e mata. O fundador e o destruidor de cidades. Não raro, um extremo se desdobra no outro — e então Ogum é o justiceiro que, no afã de fazer justiça, comete atrocidades. Apesar disso, Ogum funciona como árbitro das ações humanas. Facilita o intercâmbio entre os humanos e o sobrenatural. Está envolvido com a procriação. Mas a parelha fundamental é esta: criação/destruição. Uma tensão sem fim é mantida entre esses polos, faces de uma unidade que não deve ser partida em opostos. Para Sandra Barnes, Ogum é a metáfora de que nós criamos os meios de nossa própria destruição. "Responde pelas tentativas coletivas humanas de governar não o que está fora de controle na natureza, mas o que está fora de controle na cultura. Representa não tanto o que é inexplicável, não visto ou desconhecido, quanto o que é conhecido, mas não está sob controle. Ele é o reconhecimento simbólico das limitações humanas", diz a antropóloga. Mas para completar afirmando que Ogum também representa o triunfo humano sobre tais limitações. "Ogum ensinou os homens a usar o fogo, fazer ferro, construir cidades, centralizar o governo, conquistar vizinhos e criar impérios. A cada passo do caminho, nesse modelo popular da mudança social, Ogum é a representação metafórica de uma transformação realizada pelo esforço humano." Mas a distância entre o sistema iorubano e o judaico-cristão aparece de modo ainda mais radical quando quem entra em cena é Exu, Exu-Legbá. Em *The Trickster in West Africa: A Study of Mythic Irony and Sacred Delight*, Pelton escreve que o truquista divino — *o malandro sagrado* — é um ser que desafia "a seriedade mítica e a lógica social". Nada mais distante da mitologia judaico-cristã, que jamais admitiria, em seu paraíso, a existência espalhafatosa de uma figura tão francamente amoral, obscena, indomável, lasciva e subversora, capaz de incinerar no lixo, com sonoras gargalhadas, as célebres tábuas que Iavé revelou a Moisés no Monte Sinai. Dez mandamentos? Não: desmandamentos. Daí que missionários cristãos tenham associado Exu e Satã. Bobagem. O malandro divino, a mais alegre e divertida das entidades míticas, o habitante por excelência da zona de fronteira, "fala — e encarna — uma linguagem religiosa vívida e sutil, através da qual vincula animalidade e metamorfose ritual, modela a cultura por meio do sexo e da gargalhada, permite que a prática divinatória transforme limites em horizontes e revela as passagens para o sagrado que estão embutidas na vida cotidiana". Exu-Legbá, o dono do falo magnífico, o dono de *gbo* (o veneno e seu antídoto), é a encarnação da verdadeira e sagrada dialética da malandragem. É jovem e velho, alto e baixo, cordial e violento. Personificação da luxúria, da contradição, da oralidade insaciável. Sabe, como ninguém, semear a confusão e a discórdia — assim como é incomparável em sua habilidade para recompor a harmonia que fraturou. Tem a inocência da criança e a licença do ancião em suas rupturas da norma estabelecida. Induz ao erro e à maravilha. Rei da astúcia, soberano dos ardis, senhor das armadilhas.

Mas vamos finalmente falar de outras duas características do pensamento religioso iorubá: o geocentrismo e o pragmatismo. Mbiti enfatiza que a alma africana não espera por uma redenção espiritual, ou por um contato mais íntimo com Deus, no outro mundo. O que interessa é a vida presente no mundo presente — e os atos de adoração aos deuses são sobretudo pragmáticos. O que importa é não adoecer; é ter muitos filhos; são os bons resultados da caçada; é possuir beleza e riqueza; é que a chuva caia fertilizando os campos; é a vitória na guerra. O que ressalta é a concentração em assuntos mundanos, cotidianos, terrestres. Mas não é só. A religião iorubana não está somente voltada para temas terráqueos. Nela, é a própria superfície terrestre que aparece como o palco por excelência para as ações dos deuses. Coisas fundamentais se passam no orum, mas é no aiê que os deuses têm o seu dia a dia. A Terra, morada do ser humano, domina o *corpus* mitopoético. É aqui que Exu incendeia a savana, Iemanjá destrói pontes, Oxum coleciona joias, Oiá dança com seu corpo de fogo, Oxóssi caça, Xangô trova trovões. Em síntese, aí está. A religião iorubana, vertente do pensamento religioso clássico da África, deixa-se definir como um sistema ecológico, antropocêntrico, geocentrista e pragmático. E foi esta religião que os escravos lucumís e nagôs trouxeram para o Novo Mundo. Para afirmá-la, em especial, no Brasil e em Cuba. Escrevendo sobre a Cuba anterior à década de 1960, em *Yemayá y Ochún*, Lydia Cabrera nos diz que ficava em Guanabacoa o mais forte bastião da bruxaria banta. E, na cidadezinha de Regla, o da *santería* lucumí. Mas que bastava andar com alguma curiosidade, por recantos populares de Havana, para se ter a sensação de estar pisando em território africano. Algo de muito parecido disse da Cidade da Bahia o viajante Avé--Lallemant, um médico racista de Lübeck, Alemanha, em sua *Viagem pelo Norte do Brasil no Ano de 1859*: "Poucas cidades pode haver tão originalmente povoadas como a Bahia. Se não se soubesse que ela fica no Brasil, poder-se-ia sem muita imaginação tomá-la por uma capital africana, residência de poderoso príncipe negro, na qual passa inteiramente desapercebida uma população de forasteiros brancos puros. Tudo parece negro: negros na praia, negros na cidade, negros na parte baixa [comércio e cais], negros nos bairros altos. Tudo o que corre, grita, trabalha, tudo o que transporta e carrega é negro". De fato, se podemos tratar as populações da Bahia e de Cuba como neolatinas, também estamos no direito de classificá-las como neoafricanas. E foi em meio a esse povo mestiço que o candomblé se enraizou e se expandiu, com os seus segredos iniciáticos, os seus jogos divinatórios, os seus ritos lustrais, as suas festas comunitárias, as suas comemorações públicas. Descrevendo a festa da Virgem de Regla, Lydia Cabrera nos fala da grande procissão, dançando ao som dos batás (tambores litúrgicos iorubanos) e entoando orikis, para conduzir a imagem da Virgem à orla do mar. No curso da festividade, frisa Lydia, a Virgem se transmudava em Iemanjá. Enfim, como dizem os cubanos, aquele é um dia que tem *aché*. Qualquer semelhança com a festa de Iemanjá, no 2 de fevereiro, na Bahia, *não* é mera coincidência. E não nos esqueçamos de que baianos e cubanos acreditam que é possível ver Iemanjá — a Grande Mãe, com as suas contas de cristal e o seu axé assentado em conchas marinhas —, quando ela estende seus cabelos de prata à flor do mar, nadando em noites de lua cheia nas ondas mansas das baías de Havana e Salvador.

Estudiosos sublinham quatro aspectos, sempre que lidam com a presença iorubana na Bahia. Em primeiro lugar, salientando que, entre os séculos XVIII e XIX, a cultura iorubana estava em sua "época mais florescente" — e, por força do comércio escravista, vieram dar no Brasil, naquele período, representantes de sua nobreza e alto clero, a exemplo de Otampê Ojarô, da família real de Ketu, que foi sequestrada pelos daomeanos e veio a fundar na Bahia, mais tarde, um terreiro de candomblé, o Alaketu. Em segundo lugar, os nagôs não só chegaram em grupos constantes e sucessivos, como permaneceram compactados. Não experimentaram um dos piores rigores do pragmatismo escravista, ditado por motivo de segurança senhorial, que foi a política de pulverização das etnias. Os donos de escravos faziam com que estes fossem agrupados, nas cidades e nos campos brasileiros, de modo que não se entendessem entre si. Que, no mesmo barracão ou senzala, falassem línguas diversas, tivessem crenças distintas, projetos políticos dessemelhantes e códigos amorosos e familiares descoincidentes. Desse modo, seria mais difícil que tramassem fugas, assassinatos, quilombos e motins. Esta política senhorial vinha, há tempos, regendo o modo como os senhores distribuíam os escravos em suas propriedades. Mas não foi aplicada no caso dos nagôs. Eles permaneceram contactados — e souberam tirar proveito disso. Dentro e fora dos limites estabelecidos pelos senhores. Vale dizer, tanto participando de ordeiras irmandades religiosas (que também funcionaram como caixas de alforria), quanto se engajando na formação de quilombos rurais e em conspirações e rebeliões urbanas. Em terceiro e quarto lugares, além de terem sido os últimos a chegar ao Brasil, juntamente com jejes e haussás islamizados, os nagôs foram concentrados numa *cidade* excepcionalmente urbana para os padrões da época, como Salvador, que manteve, durante tempo considerável, *intercâmbio* com a costa ocidental africana. Esses quatro aspectos, entrelaçados, foram fundamentais para a reprodução física e cultural desses negros na diáspora atlântica. E explicam, em boa parte, o motivo pelo qual a cultura jeje-nagô se converteu em código central das manifestações de cultura que apresentam, no Brasil, traços africanoides nítidos. Em uma espécie de metalinguagem ou de ideologia geral, lugar geométrico no qual as demais formas e práticas culturais negroafricanas, para cá trazidas, se imantam e se tornam legíveis, traduzindo-se umas nas outras, transfiguradas.

Esses novos migrantes negros, como disse, não vieram para o Brasil para trabalhar principalmente nos campos, em engenhos ou plantações fumageiras, nem para arriar bateias ou escavar jazidas de ouro ou diamantes. Fi-

Presença de Exu

caram, basicamente, em dois dos principais polos urbanos do país — Salvador e Recife. Quando dizemos Salvador, com referência àquela época, estamos nos referindo, na verdade, à Cidade da Bahia e ao rosário das vilas barrocas do Recôncavo, hinterlândia mais imediata da capital baiana. Uma série de núcleos citadinos que aparecia, mesmo antes do século XIX, como uma trama notável e organicamente articulada. Em *Na Bahia, Contra o Império: História do Ensaio de Sedição de 1798*, István Jancsó chamou a atenção para o fato de que Salvador e essas vilas apresentavam um índice de urbanização superior, na época, aos da Escandinávia, da Suíça (cuja população urbanizada não passava, então, de 63 mil habitantes) e da Europa Centro-Oriental, onde Budapeste se destacava com seus 54 mil habitantes e Belgrado, na Sérvia, só em meados do século XIX chegaria a 17 mil moradores. Bem, no final do século XVIII, Salvador somava cerca de 60 mil habitantes (era maior, portanto, do que o Porto e Coimbra) e as duas maiores "freguesias" do Recôncavo — Nossa Senhora do Rosário do Porto da Cachoeira e Santo Amaro da Purificação —, juntas, ultrapassavam a casa dos 10 mil moradores. Os nagô-iorubás, por sua vez, já conheciam — e muito bem — a vida citadina. Neste sentido, eram pessoas treinadas. Em *Yoruba Culture: A Geographical Analysis*, Afolabi Ojo destaca que o alto grau de urbanização da assim chamada Iorubalândia não encontrava paralelo em toda a África Tropical. Em meados do século XIX, Lagos, Ibadã, Oió e Ilorin eram centros urbanos consideráveis. E Bascom generaliza: a tradição de vida urbana dá aos iorubanos um lugar único não só entre as sociedades africanas, mas também entre os povos iletrados do mundo inteiro. Na Bahia, em ambiente urbano, esses negros iorubanos se sentiram à vontade. Souberam se imiscuir e proliferar no aglomerado urbano. Circular por esquinas e praças de algazarra e vozearia, mas também de posturas panfletárias e tramas insinuantes da sobrevivência grupal.

Não surpreende, por isso mesmo, a intensa participação nagô nas rebeliões urbanas que ocorreram no Brasil na primeira metade do século XIX, período em que a elite local temeu sofrer um desbaratamento racial semelhante ao que ocorrera no Haiti. Esta forte agitação escrava que tumultuou a vida baiana, estendendo-se de 1807 a 1835, foi conduzida, em especial, pelos haussás, mas não raro (e em momentos decisivos) em aliança com jejes e nagôs. Os haussás, negros islamizados, eram, na África, vizinhos dos iorubanos. É provável que tenham sido um povo autóctone, coisa mais do que rara na história da humanidade. Muitos povos vizinhos, atraídos pela cultura que se formou naquele território, abandonaram as suas línguas e os seus costumes para integrar o mundo haussá. Os haussás, por sua vez, se viram envolvidos, ainda no século XIV, pela maré islâmica que se espraiara pelo continente africano. Vivendo em cidades-estados como Kano, aprenderam a ler e a escrever em árabe. Conheceram a guerra santa, a *jihad* muçulmana, como a que foi comandada por Usman dan Fodio. Em inícios do século XIX, chegaram ao Brasil, onde foram chamados "malês" — expressão talvez derivada do haussá *malam*, "mestre", ou do iorubá *imalê*, "muçulmano". E chegaram dispostos a incendiar a Cidade da Bahia — em parceria, repito, com os nagôs. Tudo indica, por exemplo, que a revolta que estourou no Recôncavo em 1809, nos arredores de Nazaré das Farinhas, foi liderada por iorubás. Àquela altura, aliás, muitos iorubanos de Salvador e do Recôncavo haviam se convertido ao islamismo (e africanos islamizados viveram, antes, no reino de Ketu), trocado Xangô por Maomé ou feito seus sincretismos (a exemplo do célebre Pacífico Licutã, iorubá que se tornou marabu maometano, ou "alufá", como se dizia na Bahia), o que facilitava acordos de guerra com os haussás. Em fevereiro de 1814, tivemos a Revolta de Itapoã, que deixou um saldo de armações pesqueiras incendiadas, mais de setenta pessoas mortas em combate, rebeldes enforcados, punidos com açoite, "suicidados", mortos nas prisões ou deportados para colônias penais portuguesas na África. E em 1826, destacando-se de outros levantes menores, a revolta do Quilombo do Urubu, majoritariamente nagô, articulada, ao que parece, a uma casa de candomblé, dirigida por um mulato de nome Antonio. Em *Rebeliões da Senzala*, Clóvis Moura relata o choque entre a tropa policial e cinquenta quilombolas armados, principalmente, de facas e facões: "A tropa abriu fogo sobre os negros que, depois de alguma resistência, abandonaram o campo da luta deixando quatro mortos — três homens e uma mulher — e, aproveitando-se da noite, internaram-se nas matas próximas, onde pretendiam se reorganizar. Nessa ocasião foi aprisionada a escrava Zeferina, de arco e flecha nas mãos, que lutou bravamente antes de ser submetida à prisão".

Veio a insurreição de 1830, também chefiada por nagôs. Pela primeira vez em nossa história, uma insurreição concentradamente urbana, explodindo no que é hoje o "centro histórico" de Salvador. Clóvis Moura: "As forças da polícia e mais alguns civis investem sobre eles [os insurrectos], obrigando-os, depois de sangrento choque em que morreram mais de cinquenta e ficaram prisioneiros quarenta e um, a se retirarem para as matas de São Gonçalo, onde tentam reagrupar as suas forças. A escolta militar, porém, não lhes dá descanso e, ali, são cercados e definitivamente batidos [...] A repressão — como de todas as outras vezes — não se fez esperar. Veio drástica e violenta. Os pretos eram espancados nas ruas, linchados, apedrejados. Os soldados prendiam todos os escravos que apareciam sob as suas vistas". Àquela altura, o temor de uma reviravolta racial espalhara-se já pelas Américas. Pelos EUA, inclusive, onde provocou a extinção legal do tráfico. Em *The Decline and Abolition of Negro Slavery in Venezuela*, John V. Lombardi observou que, ao tempo da *Patria Boba*, como é chamada a "primeira república" venezuelana, a aristocracia de Caracas começou a ter, diante de gestos negros mais radicais, "visões do Haiti". Era preferível renunciar à luta pela independência, chegando a um acordo com a Espanha, do que encarar a ira negra. A aristocracia brasileira também temia uma grande rebelião dos pretos escravizados, assim como, no Peru, a elite se arrepiava de medo à simples menção da ameaça indígena. Negros falavam do Haiti na Bahia, no Rio, em Sergipe. E o fato é que, em 1835, com a chamada Revolta dos Malês, a Bahia viveu dias ao longo dos quais poderia realmente ter presenciado cenas similares às da revolução haitiana. Depois de montar uma estrutura organizacional forte e de desenvolver uma bem-sucedida campanha proselitista, os filhos negros de Alá se sublevaram numa noite do Ramadã, janeiro, o mês sagrado dos muçulmanos, dando conteúdos de classe e cor à *jihad*. Foram os combates mais ousados e mais ferozes de que se tem notícia em toda a história das insurreições escravas do Brasil. Mas, também, os mais desesperados. Delações, ataques-relâmpago, escaramuças, grupos armados correndo por ladeiras e praças da cidade, tiroteios, assalto à cadeia municipal, mortes — e mais mortes. Uma corrida frenética e sanguinária pelo irregularíssimo desenho topográfico da Cidade da Bahia, desembocando em Água de Meninos, no quartel da cavalaria, onde se deu o confronto crucial. Setenta malês mortos. E o Islã Negro fracassou. Morreu ali, naquela noite, o sonho da implantação de um Califado da Bahia. Ou, ainda, o sonho radical de uma Bahia unicamente negra, onde os brancos seriam todos exterminados — e os mulatos, convertidos em escravos.

Mas não devemos nos concentrar excessivamente na guerra. A trama cotidiana da vida talvez tenha mais a nos dizer. Costumo distinguir, no caso, entre a estratégia do *quilombo* e a estratégia do *terreiro*, entendido, aqui, como sinônimo de modos associativos que criavam espaços culturais alternativos ou paralelos dentro da sociedade senhorial. Se os nagôs se engajaram em insurreições, foram também mestres na arte de recriar e desenvolver suas formas de associação e solidariedade no interior da ordem constituída, na qual haviam sido inseridos como seres subalternos. Foi assim que teceram laços comunitários dentro da rede urbana. Que fizeram viger aí um mundo institucional próprio, através de sociedades como a dos eguns ou como o Aramefá. Eguns são ancestrais históricos ilustres dos nagôs. E a sociedade egum ou egungum, cultuando-os, faz a ponte entre o mundo dos vivos e o mundo dos mortos. Trata-se de uma organização masculina, com seus princípios e seus ritos secretos, ainda hoje sobrevivendo em terreiros da Ilha de Itaparica. Na Bahia, o Aramefá foi uma espécie de conselho, congregando personalidades importantes do culto dos orixás. "Este Conselho pode ter exercido clandestinamente na Bahia uma forte liderança por algumas décadas, tendo sido inclusive o dispensador de uma justiça étnica paralela à justiça oficial do Império português. Sabemos de pelo menos um caso de uma alta personalidade do universo nagô baiano, Marcos-o-Velho, fundador do antigo terreiro de Babá Egum do Mocambo, o qual teria sido condenado à morte por um grupo de velhos africanos proeminentes", escreve Renato da Silveira, em *Iyá Nassô, Babá Axipá e Bamboxê Obitikô: Uma Narrativa sobre a Fundação do Candomblé da Barroquinha, o mais Antigo Terreiro Baiano de Ketu.* Além disso, não devemos nos esquecer das alforrias. O sistema cultural jeje-nagô se impôs, na Bahia de Todos os Santos, como ação criativa de uma gente de cor que era, em sua maioria, livre.

Nenhuma surpresa, portanto, no fato de que o iorubá, em função do prestígio cultural dos que o trouxeram e da atuação destes no espaço urbano de Salvador, tenha se convertido, em meio aos negromestiços baianos, numa espécie de "língua geral". Na *História Geral do Brasil*, publicada no século XIX, Varnhagen já observava que, na Bahia, muitos escravos "aprendiam menos o português, entendendo-se uns com os outros em nagô". Em início do século XX, Nina Rodrigues (*Os Africanos no Brasil*) anotaria: "A língua nagô é, de fato, muito falada na Bahia, seja por quase todos os velhos africanos das diferentes nacionalidades, seja por grande número de crioulos e mulatos [...] muitos negros que aprenderam a ler e a escrever esta língua em Lagos, nas escolas dos missionários, têm estado na Bahia e aqui a têm ensinado a negros baianos que já a falavam". O registro da existência desses cursos, por sua vez, nos leva a um outro tópico. Salvador manteve, de forma praticamente ininterrupta, contatos com a costa ocidental africana. E este relacionamento do estrato baiano socialmente dominante com a África foi plenamente utilizado pelos nagôs que aqui viviam. Em três direções principais, já que o tráfico negreiro permitia aos nossos pretos até que mandassem recados para (ou tivessem notícias de) amigos e parentes que moravam do outro lado do Atlântico. De uma parte, eles tinham sempre informações conjunturais sobre os seus locais de origem, mantendo-se informados sobre o que ia acontecendo pela Iorubalândia. De outra, não foram raros os que viajaram à "terra-mãe", de lá voltando "reciclados", sabe-se lá em quais e quantos sentidos. A história do candomblé jeje-nagô da Bahia registra, já em seus inícios, viagens político-culturais à África. Como a de Iyanassô Oká (título da sacerdotisa de Xangô, em Oió) e Marcelina Obatossí, mães de santo da Casa Branca, na primeira metade do século XIX. Consta, inclusive, que Marcelina trouxe do então chamado "continente negro" (oficialmente, como escravo seu) um sacerdote chamado Bamboxê, aqui por ela alforriado e que teria papel relevantíssimo no desenvolvimento e na consolidação do candomblé brasileiro. Por fim, o intercâmbio comercial com a África, mantido pela classe dirigente baiana, permitia que os pretos providenciassem a importação de produtos não encontráveis na margem de cá do "mar oceano" — incluindo-se, no rol, coisas do culto religioso. Por tudo isso, os nagô-iorubás não conheceram aquela profunda e radical *dessocialização* que Kátia Mattoso define como a traumática experiência do escravo desembarcado no Novo Mundo. Ao contrário, o que impressiona — e impressiona profundamente —, no caso iorubano, é a eficácia ressocializadora. Além disso, ainda que enfrentando processos desestruturantes, os nagôs sempre demonstraram uma extrema capacidade de adaptação e criação, reinventando, nos trópicos brasileiros, formas de vida, convívio e cultura. Como no caso da *invenção* do terreiro de candomblé, tal como o conhecemos hoje, a partir da célula-mãe da irmandade da Barroquinha, frequentada por jejes e nagôs. De acordo com Renato da Silveira, foi sob o "manto benevolente" de uma confraria católica de pessoas pretas — a Irmandade do Senhor Bom Jesus dos Martírios, instalada na Igreja de Nossa Senhora da Barroquinha, em Salvador — que surgiu o primeiro terreiro nagô-iorubá do Brasil, sintomaticamente implantado em área contígua ao templo cristão. A história é cheia de versões e meandros, incluindo uma viagem a Ketu com finalidade ritualística, necessária à implantação do axé da Barroquinha, que evoluiria para "um grande acordo político reunindo os nagô-iorubás da Bahia, sob a liderança dos partidários do Oxóssi de Ketu e do Xangô de Oió". Para o meu objetivo aqui, importam duas coisas. Primeiro, a criação do terreiro. Segundo, a presença de mulheres — Iyá Adetá, Iyanassô Oká e Iyá Akalá — à frente da iniciativa, auxiliadas por Babá Assiká (ou Axipá) e pelo já citado Bamboxê Obitikô. Desse terreiro original, chamado Ilê Omi Axé Airá Intilê, descendem os atuais grandes terreiros jeje-nagôs da Bahia, como a Casa Branca, o Ilê Axé Iyamassê (Gantois), o Centro Cruz Santa do Axé do Opô Afonjá e o Alaketu, criados no século XIX ou nos primórdios do século XX.

O terreiro de candomblé foi uma invenção brasileira, um produto do Brasil Tropical Atlântico, que a África não conheceu. Na Iorubalândia, os deuses eram cultuados em regiões distintas. Oxóssi em Ketu, Xangô em Oió, Oxum em Oxogbô e assim por diante. Em seus inícios, a paisagem cultural brasileira não era diferente. "Os calundus coloniais de que temos alguma descrição eram pequenos cultos de apenas uma divindade, com poucos sacerdotes, e eventualmente dois cultos menores anexos, não mais. Segundo as tradições orais da Casa Branca, antes da grande aliança da Barroquinha, os candomblés baianos eram cultos de uma só divindade", esclarece Silveira. Acontece que nagôs de diversos reinos e regiões da Iorubalândia, atirados de repente no tráfico escravista, viram-se compactados na Bahia. Em resposta, compactaram também os seus templos e deuses. E assim nasceu o terreiro. Se os iorubás de Oió vieram com os cultos de Xangô e Iansã e se os de Ketu enfatizaram Oxóssi, outros nagôs entraram no jogo. Os egbás trouxeram Iemanjá, a deusa de Abeokutá, que aqui se transformou na grande divindade marítima. Os ijexás trouxeram Oxum. Os nagôs de Ekiti e Ondô parecem ter trazido Ogum. Etc. Houve, também, deslocamentos. Deusas que eram independentes na África, como Iyá Massê e Ogunté, aqui se traduziram em "qualidades" (variações, manifestações, tipos) de Iemanjá. Além disso, como lembra Renato da Silveira, voduns jejes como Nana Buruku, Obaluaiê e Oxumarê foram incorporados "ao panteão baiano de Ketu, tornando-se orixás". Boa parte de nosso léxico candomblezeiro, aliás, é de origem jeje, da língua fon, em expressões que designam o altar dos santos, a camarinha iniciática, a hierarquia sacerdotal, instrumentos musicais, etc., a exemplo de dofona, gamo, rum, peji, ogã, roncó. É por isso que definimos esse candomblé como jeje-nagô. Para que isso pudesse acontecer, foi necessário o "acordo político" supramencionado. O acordo ou aliança, consolidando-se na década de 1830 — quando já havia crescido a corrente dos que tinham "desistido de voltar à África e se decidido por uma sólida implantação na Bahia" —, permitiu a configuração daquilo que hoje conhecemos como terreiro de candomblé. Ainda segundo Renato, "a considerar o número e a grande diversidade dos orixás cultuados pelos terreiros baianos de Ketu, a aliança deve ter reunido representantes de muitas 'nações' deportadas do golfo do Benin, e não apenas nagô-iorubás".

Em *Os Nagô e a Morte*, Juana Elbein dos Santos escreve: "O 'terreiro' concentra, num espaço geográfico limitado, os principais locais e as regiões onde se originaram e onde se praticam os cultos da religião tradicional africana. Os orixás cujos cultos estão disseminados nas diversas regiões da África Iorubá, adorados em vilas e cidades separadas e às vezes bastante distantes, são contidos no 'terreiro' nas diversas casas-templos, os ilê-orixá". Em decorrência disso, a fim de contemplar os diversos grupos aqui existentes, o terreiro jeje-nagô apresenta um desenho característico. Concebe-se como uma espécie de ícone miniaturizado do espaço original iorubano. Tem o espaço das casas, espaço "urbano", onde ficam os ilês dos orixás; a camarinha para a reclusão de noviços; o "barracão" das festas públicas; moradias para membros da comunidade. E o espaço "mato", frequentado predominantemente pelos sacerdotes de Ossânin (o deus da vegetação), onde se acham uma fonte e a reserva vegetal, simulacro da floresta africana, do qual são retirados os espécimes vegetais indispensáveis às práticas litúrgicas. "Entre as construções, no limite do espaço 'urbano' e debruçado sobre o 'mato', encontra-se o Ilê Ibó Aku, a casa onde são adorados os mortos e onde se encontram seus 'assentos' — lugares consagrados —, local de onde ninguém pode se aproximar, guardado por sacerdotes preparados para estes mistérios e separado do resto do 'terreiro' por uma cerca de arbustos rituais", escreve Elbein. Inscrito no corpo da terra, o terreiro é o espaço-lugar de uma potência sagrada, mas, também, marco tópico de uma *diferença*. É um espaço diferente do espaço da classe-etnia dominante. Um lugar que se fez imantar por outros signos. Que, por isso mesmo, possui uma identidade distinta da dos lugares comuns da cidade e de sua periferia. Ali está o ponto onde o escravo já não é escravo, mas filho de um deus ou de uma deusa, de uma entidade sagrada africana, de um orixá. Se a Cidade da Bahia fora pensada, de uma perspectiva lusitana, como uma Nova Lisboa, uma réplica tropical da metrópole banhada pelo Tejo, a criação de terreiros de candomblé, em seu centro e em sua periferia, significou a abertura de espaços relativamente públicos que apontavam para um outro horizonte. E que engendraram aqui um outro mundo simbólico, a partir dos paradoxos de Exu, do alá de Oxalá, do machado duplo de Xangô, da faca de Ogum, do ofá de Oxóssi, da labareda de Oiá-Iansã, das cores de Iemanjá, do ibiri de Nanã, do xaxará de Omulu, da espada de Obá e dos espelhos de Oxum. Nas palavras de Muniz Sodré, em *O Terreiro e a Cidade*, a criação desses templos jeje-nagôs, com as suas casas e as suas reservas vegetais, foi um movimento de "reterritorialização étnica dentro do espaço nacional brasileiro". As nossas cidades não eram feitas apenas pelos senhores latifundiários, as altas autoridades católicas, a burocracia estatal e os grandes comerciantes, a partir de modelos urbanístico-arquitetônicos europeus. Mas, ainda, pelos africanos que aqui desembarcavam e aqui ficavam. E que ficavam para também construir uma nova sociedade e uma nova cultura.

Quanto à presença de mulheres como Iyanassô Oká na origem de nosso candomblé jeje-nagô, não será demais insistir no seguinte: aquelas mulheres não foram treinadas para ser apêndices dos homens. Uma ialorixá não elege como objetivo supremo o casamento. Não é assimilável ao estereótipo da "rainha do lar". Ela é *mãe* de uma comunidade, não de uma família nuclear. Antes que esposa-de-fulano, é intermediária entre seres humanos e seres divinos. Seu território não é a casa, mas o terreiro, o *egbé*. E esse território se expande em várias direções. Em *Cidade das Mulheres*, Ruth Landes sublinhou que o mundo do candomblé era uma espécie de enclave matriarcal numa sociedade patriarcal. E esta projeção feminina se reflete sugestivamente em nossa linguagem religiosa: uma dona de casa *tem* filhos; uma mãe de santo *faz* "filhos". Em *Sobrados e Mucambos*, Freyre fala dos modos radicalmente distintos das mulheres negromestiças e das brancomestiças lidarem, no Brasil Colônia, com o espaço urbano. Na Bahia, especialmente, era sinal de fidalguia, de boa educação, evitar a rua e o ar livre. O espaço público citadino era estigmatizado no ambiente social branco. E se era assim para os senhores, mais ainda para as sinhás. Aqueles senhores patriarcais, passando dos engenhos para os sobrados, mantiveram mulheres e filhas enclausuradas, entregues aos cafunés afrodisíacos (e lesbianos, no entender de Bastide, em *Psicanálise do Cafuné*) das mucamas. Freyre lembra ainda que a dominação patriarcal gerou dois modelos femininos típicos: o da senhora gorda, prática e caseira; e o da moça franzina, romântica e neurótica, inspiradora de boa parte da literatura brasileira, com a sua celebração do "sexo frágil", que o escritor pernambucano flagra pelo avesso, identificando aí o culto narcisista do macho patriarcal. Bem, sinhás e sinhazinhas foram, na vida colonial e liberta do Brasil, mulheres quase sempre caladas, pálidas, omissas. "Nunca numa sociedade aparentemente europeia, os homens foram tão sós em seu esforço, como os nossos no tempo do Império", escreveu Gilberto Freyre. Mas a conclusão é aplicável somente às fêmeas que pertenciam à classe dirigente. Outra era a realidade das mulheres pobres e das escravizadas. Negras, mulatas, mestiças, eram todas elas mulheres da rua e da praça, com seus batuques, seus trabalhos, seus amores. Foi aí que elas mais se distinguiram de sinhás e sinhazinhas encafifadas, que nada ou quase nada fizeram de culturalmente importante. Vamos encontrá-las ao ar livre, em campo aberto, aqui e ali empenhadas em iniciativas de relevo. Como aquelas "mulheres enérgicas e voluntariosas, originárias de Ketu", de que nos fala Verger. Mulheres que participaram da fundação do primeiro terreiro do candomblé jeje-nagô, que viria a alterar em profundidade a vida religiosa e cultural do povo brasileiro. Este é um aspecto singular — e muito pouco estudado — da história da mulher no Brasil oitocentista.

Outro aspecto, mais sociológico, merece destaque. É que os iorubanos souberam se mover, rapidamente, nos trópicos brasileiros. Constituíram-se aqui, em pouco tempo, numa classe média de razoável poder aquisitivo, transmitindo patrimônios e ofícios aos seus. Em *Conversa de Branco: Ques-*

*tões e Não Questões da Literatura sobre Relações Raciais*, Maria de Azevedo Brandão assinalou que "do segundo quartel do século XIX ao momento que compreende *grosso modo* as primeiras décadas deste século [XX] [...] indivíduos e famílias de cor parecem ter-se firmado na estrutura econômico-social das velhas capitais do Nordeste e no Rio de Janeiro como detentoras de propriedades imobiliárias e bens de produção ou titulares de 'ofícios', a salvo da competição do imigrante e dentro de uma economia ainda em grande parte fundada num processo de acumulação em bases regionais". Em outras palavras, iorubanos e seus descendentes não só detiveram postos importantes em seus lugares de origem, em âmbito aristocrático, como participaram da formação da classe média negromestiça que principiava a se configurar, então, na Cidade da Bahia e seu Recôncavo. Escreve Muniz Sodré: "Dentro dessa perspectiva, foi benéfica para alguns negros a decadência dos senhores de engenho [...] Engenhos endividados, safras empenhadas, economia açucareira estagnada, nada disso prejudicou, muito pelo contrário, a expansão da estrutura de serviços urbanos e pequenas manufaturas, de que se beneficiariam setores mais bem colocados da população negra... O terreiro jeje-nagô consitui-se de elementos que participam ativamente desse processo ascensional". A configuração e a afirmação do candomblé jeje-nagô é indissociável desse processo de classemedianização negromestiça. Da existência de gente com a grana necessária para a aquisição de terrenos onde implantar terreiros, para o cumprimento de obrigações rituais, para o oferecimento de ebós. Na década de 1930, este processo candomblezeiro vai se consolidar — e se afirmar publicamente. No estudo "O Candomblé da Bahia na Década de 1930", Vivaldo da Costa Lima chamou a nossa atenção para o "crescente empenho do negro em sua luta pela identidade cultural e participação política" nessa época. Os terreiros de candomblé, em especial, se organizavam e se expandiam. "Os candomblés cresciam em número e afirmavam-se com a apropriação de valores da sociedade inclusiva. Capitalizavam-se. Compravam terrenos nos limites do centro urbano. Construíam terreiros que se tornariam centros comunitários, com organização hierárquica bem definida e rigorosa, em que a autoridade do líder e a solidariedade intergrupal eram a norma dominante e indiscutível. Criavam-se sociedades dentro dos terreiros, com diretorias executivas que se encarregavam das relações efetivas de cada grupo com o sistema de poder do Estado e, sobretudo, estendiam a rede do parentesco ritual para além das fronteiras étnicas e de classe. E as 'religiões africanas' do tempo de Nina, já eram, para Ramos e Carneiro, 'religiões negras'. Religiões do povo negro da Bahia." Adiante, Vivaldo — ele mesmo um mulato refinado, antropólogo que se tornaria professor universitário e obá de Xangô — sintetiza: "Respeito à tradição. Emergência de novas lideranças. Crescente afirmação social e política das comunidades dos terreiros, a par de recorrente repressão policial. Este, num amplo espectro, o quadro dos candomblés da Bahia na década de trinta". Na verdade, até mesmo a repressão policial parecia conspirar, a longo prazo, em favor dos terreiros: perseguidos pela polícia, esses templos do povo de santo foram se deslocando do centro da cidade para a periferia semirrural, o que acabaria favonecendo a preservação de princípios e práticas ancestrais, prontos ambos para reemergirem íntegros, ou quando nada menos corrompidos, em circunstâncias mais propícias. Claro: quanto mais longe do porrete da polícia, mais fácil preservar a forma básica das atividades rituais, com a desnecessidade de apelar para disfarces deformantes que vão submetendo os ritos a uma erosão contínua.

Dentre as personalidades fortes do candomblé, nessa época, sobressaem as figuras de Martiniano Eliseu do Bonfim, o babalaô Ojeladê, e de Eugênia Ana dos Santos, Mãe Aninha, a ialorixá Obá Biyi, que assumiram uma estatura mitológica entre a gente mestiça baiana, com Aninha se convertendo, inclusive, em referencial dos movimentos ambientalistas da Bahia. Ainda Vivaldo: "Martiniano e Aninha são atualmente nomes lembrados na tradição oral de todos os terreiros da Bahia, mitificados já, na lembrança da 'gente de santo', dos que os conheceram em vida e dos que ouviram contar histórias de seu poder, de seu conhecimento, de seu imenso prestígio. Nessas duas figuras singulares bem que se poderiam identificar as clássicas categorias weberianas da legitimação do poder, no caso, do poder teocrático exercido pelos pais e mães dos terreiros da Bahia: eram eles pessoas que conheciam suas origens étnicas e culturais. Dotados de um superior conhecimento das tradições e reconhecidos por toda a gente como detentores legítimos do saber religioso, dos 'fundamentos' como se diz na linguagem dos terreiros; formados nos rigorosos cânones do ritual, dos sacrifícios, do questionamento do destino, das cosmogonias, das teogonias e da ação corretora das normas — Martiniano e Aninha eram ainda dotados de uma aura carismática emanada de suas personalidades poderosas, plenas de sabedoria e de mistério. Viveram queridos, respeitados e temidos. E hoje são lembrados e reverenciados na memória dos terreiros como verdadeiros heróis culturais de sua gente". Ojeladê e Obá Biyi foram, juntamente com Jorge Amado e Édison Carneiro, peças fundamentais para o estabelecimento de conexões pioneiras entre os terreiros de candomblé e o mundo artístico-intelectual, com repercussões duradouras na vida sociocultural brasileira. Pode-se dizer, portanto, que a década de 1930 assentou as bases para a projeção da cultura negromestiça em nosso país, pelo fascínio que esta exerceu sobre artistas e intelectuais, pelo fortalecimento e expansão dos terreiros e também pelo jogo de cintura diante do poder. Quanto a este aspecto, esta é a época em que profissionais liberais, políticos e autoridades policiais começam a frequentar terreiros. Costa Lima observa, a propósito, que eram "marcantemente dialéticas" as relações de poder "entre os terreiros e a sociedade inclusiva dominante". Proteção e perseguição, amizade e violência, ocorriam simultaneamente. Mas os grandes terreiros já estavam livres da "agressão predatória" da polícia e da imprensa. A transformação da sensibilidade da sociedade envolvente, para a cultura negromestiça, já começara.

A referência a Édison Carneiro nos leva a um dos aspectos singulares da vida baiana no período em tela: a relação entre comunistas e candomblezeiros. As andanças dos jovens comunistas baianos, percorrendo à vontade as ruas de Salvador e vivendo intensamente a vida cultural popular da cidade, terminaram por conduzi-los ao dia a dia e às festas do candomblé, fazendo-os contrariar frontalmente a cartilha marxista. Na Assembleia Constituinte de 1946, foi justamente um deputado baiano, Jorge Amado, eleito pelo Partido Comunista Brasileiro, quem conseguiu a aprovação de um inciso que garantia a liberdade religiosa no país. Àquela altura, os comunistas baianos já eram íntimos dos terreiros, como registrou Maximiliano dos Santos, alto sacerdote do candomblé, em sua *História de um Terreiro Nagô*. Não passavam ao largo daquele mundo, como ao largo dele não passou o líder da esquerda armada brasileira, o mulato baiano Carlos Marighella, descendente de negros malês. Em 1937, dois militantes do PCB, Édison Carneiro e Áydano do Couto Ferraz (futuro editor de *A Voz Operária*, órgão oficial dos comunistas brasileiros), planejaram e promoveram, na Bahia, a realização do II Congresso Afro-Brasileiro (o primeiro fora organizado por Gilberto Freyre, em Recife). Intelectuais, cientistas sociais, candomblezeiros, capoeiristas e sambistas fizeram do evento um marco na história da afirmação da cultura negromestiça na Bahia. E assim como militantes de esquerda se empenharam em fortalecer e valorizar socialmente o candomblé — por meio de produções literárias e jornalísticas, criações plásticas, estudos antropológicos e iniciativas práticas —, também o candomblé abriu as suas portas para acolher e dar proteção a comunistas. É conhecido o caso de Édison Carneiro. Desde a repressão ao levante comunista de 1935, a vida se tornara pouco segura. Numa de suas cartas a Ramos (*Cartas de Édison Carneiro a Arthur Ramos*), de abril de 1936, ele escreveu: "Sei lá se vou morrer ou, pelo menos, apodrecer numa prisão!". No ano seguinte, um dia antes do golpe do Estado Novo, o comandante da 6ª Região Militar, encarregado de capturar comunistas, passou um telegrama ao ministro da Guerra, onde aparece o nome de Édison, dado como "foragido". O comunista estava simplesmente escondido no peji de Oxum, no Axé do Opô Afonjá, entregue aos cuidados de uma adolescente, que adiante viria a ser uma das grandes ialorixás do Brasil, a venerada Mãe Senhora.

Naquela época, Édison chegou a falar na criação de um Instituto Afro-Brasileiro da Bahia, que pode ser encarado, retrospectivamente, como uma visão antecipadora do Centro de Estudos Afro-Orientais, que o pensador luso-brasileiro Agostinho da Silva, fugindo da ditadura salazarista em Portugal, implantou, na década de 1950, no sistema universitário baiano. E este foi um outro momento importante do processo histórico-cultural que estamos examinando. Atendendo a uma demanda do povo de santo, o CEAO iniciou um curso sistemático de iorubá — mas sem exigir dos alunos comprovação alguma de escolarização, o que representou uma abertura inédita da universidade aos que, até então, estavam dela excluídos. De outra parte, deu-se o pontapé inicial do intercâmbio Brasil-África em esfera oficial. Tratava-se de conhecer a África no Brasil e de fazer o Brasil conhecido na África. Martiniano-Ojeladê, que tanto se esforçara para o incremento desses contatos, via agora não só a língua do candomblé ser ensinada na universidade, como estudantes, professores e pesquisadores fazendo a travessia atlântica não mais compulsoriamente, como no tempo do tráfico, mas para estreitar laços, aprofundar conhecimentos, trocar experiências e informações. Desse modo, o CEAO fortaleceu o movimento de projeção e consolidação de sistemas, formas, práticas e valores de origem negroafricana na Bahia. Com os nagôs, os descendentes de nagôs, no centro do palco, comandando a cena.

Por todos esses caminhos, o candomblé jeje-nagô seduziu e se impôs. E isto foi fundamental para a socialização — local e nacional — de seus signos. Claro. A legibilidade dos sistemas, das configurações e dos produtos culturais não é algo que seja dado de antemão, nem de forma definitiva. É necessário organizar socialmente a leitura — a decodificação — dessas estruturas e de suas mensagens. Um exemplo: Caymmi, na década de 1930, cantando uma canção para Iemanjá. Em muitos lugares do Brasil e para muitas plateias, naquela época, a canção soou de modo algo obscuro, não de todo compreensível. Havia ali uma estranheza, uma face não iluminada, misteriosa. Porque as pessoas, sem dominar por completo a dimensão referencial da mensagem, não tinham como decodificá-la por inteiro. Mas, com o tempo — com a crescente visibilidade da cultura negromestiça em nosso país; com a entronização dos orixás no mundo da assim chamada "cultura supe-

Presença de Exu

rior" —, tudo mudou. A canção se tornou universalmente clara para os brasileiros. Não há uma só pessoa hoje, no Brasil, que não saiba quem é Iemanjá. Aconteceu então um processo de organização da inteligibilidade das formas e das práticas do candomblé jeje-nagô no país. Criados nos ou seduzidos pelos terreiros de orixás, intelectuais e artistas tiveram um desempenho fundamental nesse processo. E tais signos se nacionalizaram não apenas pelo sucesso público de artistas ou por sua base e apelo popular. Mas, também, porque eram irradiados desde a Bahia, região que sempre ocupou um lugar especial no imaginário brasileiro, enquanto mito de origem da nação e centro por excelência das expressões culturais de raiz negroafricana no país. Se uma divindade negra vinha da Bahia, era genuína, verdadeira, pura. Mito que, vindo dos tempos coloniais, vai atravessar o século XX e invadir o século XXI.

Na passagem da década de 1960 para a de 1970, a contracultura, em sua manifestação brasileira, foi mais um movimento artístico-intelectual que trouxe lenha para a fogueira. O que aconteceu ali foi uma espécie de preamar neorromântica, orientando-se pela negação do *establishment* e pela disposição para contestar todos os signos do complexo cultural ocidental-europeu. Uma abertura teórica e prática para formas extraocidentais de cultura, acendendo-se em tópicos como o orientalismo, as drogas alucinógenas, o pacifismo, a reivindicação feminista, a ecologia, etc. Podemos dizer que apareceram naquele momento, na viagem contracultural, as primeiras florações contemporâneas de temas que hoje mobilizam energias sociais e políticas nos mais diversos cantos do planeta — e são burocrática e superficialmente assimiladas pelas estruturas sempre conservadoras do partidocratismo. E, na construção e expansão daquela nova sensibilidade antropológica, a que não faltaram mudanças comportamentais e a busca de um novo mundo amoroso e sexual, o candomblé acabou sendo objeto de uma atenção renovada, no contexto de mais uma onda de idealização da Bahia e de um *Bahian way of life*, ao som da Tropicália e dos Beatles, de Rolling Stones, Jimi Hendrix e Janis Joplin — com Jagger e Janis, aliás, visitando a Bahia justamente nesse período; e Janis bêbada, no meio da noite, pegando o microfone e cantando, para algumas putas pobres e seus poucos clientes, num velho e decadente bordel da "cidade baixa", em Salvador — o Sayonara.

Naquela época, os segmentos mais inquietos e criativos da juventude urbana brasileira de classe média haviam se distribuído ao longo de duas vertentes principais: a da luta armada e a da contracultura. Existiam pontos de contato entre ambas. E diziam respeito ao sentimento comum de que os caminhos "normais" ou "tradicionais" da transformação social estavam atravancados. De que as velhas lições, sistematizadas por um pensamento contestador já cristalizado, não tinham mais o que produzir, afora palavras, palavras, palavras, a maioria delas em desuso. Daí o anti-intelectualismo e o fascínio pelo lumpemproletariado encontráveis no ambiente contraculturalista e nas organizações da guerrilha urbana. Eram índices que apontavam, festiva e/ou desesperadamente, para a falência das fórmulas canonizadas. No caso específico da contracultura, o ânimo anti-intelectualista era alimentado ainda pela tradição pragmática norte-americana. Embora tenha produzido os seus próprios intelectuais, que citavam Reich e Lao-Tsé, a contracultura primou pelo antiteoricismo. Mas era uma jogada seletiva, já que Marcuse, Fanon e Norman O. Brown tinham passe livre entre os "desbundados" (ou curtidores ou *freaks*, como então se dizia), ao lado de filósofos e místicos do Oriente, representantes do esoterismo ocidental, porta-vozes de segmentos marginalizados da sociedade industrial, profetas de uma Nova Era, antipsiquiatras e toda uma legião nativa e alienígena de truquistas mais ou menos engenhosos, à Jorge Mautner. Enfim, pontificavam ali figuras extraocidentais e os párias e críticos do complexo civilizacional do Ocidente. O que não interessava era o pensamento acadêmico. A estrada sinalizada. No caso brasileiro, o movimento da Tropicália, abortado pela ditadura militar em 1968, abriu ou indicou caminhos que seriam percorridos com vivacidade pelas tribos contraculturalistas espalhadas de uma ponta a outra do país. Presos e exilados, os tropicalistas foram transformados em objetos de culto. Em deuses do panteão da contracultura tristetropical. E eram baianos.

A mitificação contracultural da Bahia é óbvia para quem quer que tenha vivido aqueles dias — e evidente para quem, hoje, examina o período. Parecia que o paraíso perdido havia sido enfim reencontrado. Desta vez, nas cintilações canábico-lisérgicas da praia de Arembepe. A Bahia era vista, então, como um lugar de vibrações mágicas, poderosas, onde tudo era mais livre, mais denso, mais forte, mais profundo, mais espontâneo, mais verdadeiro, mais etc. Jovens cabeludos do país inteiro tomavam o rumo da capital baiana, nos meses do verão, estirando-se nas praias cheias de sol, ou se deitando sob a transcendência natural das estrelas, à espera do grande êxtase dionisíaco do carnaval. Em sua volta do exílio londrino, os tropicalistas mostrariam uma postura mais utópico-antropológica do que político-sociológica. Graças, entre outras coisas, à própria contracultura, a leituras de Lévi-Strauss e a uma maior aproximação do candomblé jeje-nagô. Com os discos individuais desses ídolos de massa e sua performance grupal no espetáculo *Doces Bárbaros*, as cidades brasileiras como que foram invadidas em sua dimensão simbólica. Dentro do possível, naqueles últimos anos de dita-

Presença de Exu

dura militar, um horizonte utópico foi sugerido e novos valores apresentados. Com relação às manifestações culturais de origem negroafricana, o grupo voltou-se para o candomblé de Ketu, o terreiro jeje-nagô. Com isso, os olhos da moçada contracultural (ou formada sob influência imediata da contracultura) também se voltaram na mesma direção. Os orixás ingressaram em seu mundo estético-cultural. E não foram poucos os que se submeteram a aprendizados e mesmo a processos iniciáticos, tornando-se filhos de santo.

O discurso contracultural brasileiro não poderia deixar de olhar o candomblé com respeito, admiração e simpatia. Ali estava uma religião "alternativa", supostamente *underground*, distinta das formas do cristianismo, que se inscreviam no cerne da cultura branca, "ocidental-europeia". Ou do então muito combatido paradigma judaico-cristão. Opondo-se inteiramente a tal paradigma e inteiramente encantada pelo mundo dionisíaco dos tempos obscuros da Grécia Arcaica, a contracultura, em sua vertente brasileira, viu-se toda a favor do candomblé, dos toques dos atabaques e dos transes nos terreiros. Era o elogio de uma religião voltada para a exuberância humana em sua realização terrestre. *Paradise now*, de resto, era um dos *slogans* do movimento. Ao discurso repressivo do judeo-cristianismo, ao campo ideológico responsável pelo mal-estar-na-civilização, os filhos da contracultura podiam contrapor Iansã, a labareda erótica, divindade lasciva, rainha dos raios e dos prazeres do sexo, dona do fogo e do corpo perfeito. Ou Oxum, deusa narcisista e sensual, mãe dos pássaros e dos peixes, senhora da brisa e da água fresca, louca por joias, mestra em línguas. Enfim, deuses e deusas de uma religião que divinizava a natureza e não condenava o corpo.

Como se não bastasse, o candomblé não via a vida mundana como sinônimo de corrupção espiritual. E abrigava, em seus templos-comunidades, membros de "minorias" sexuais que então buscavam a sua afirmação, caminhando da difusa ideologia andrógina ou pansexual do contraculturalismo para o ativismo organizado (bichas e fichas) de *gays* e de lésbicas. De fato, o homossexualismo (masculino e feminino) é coisa antiga no candomblé — no Brasil e em Cuba. De uma parte, as senhoras e as mocinhas do "aló", do roça-roça, do rala-coco — para usar a gíria dos próprios terreiros da Bahia, onde "aló" vem do iorubá, do verbo "ralar". De outra, veados fazendo a festa. *"Desde muy atrás se registra el pecado nefando como algo muy frecuente en la Regla lucumí"*, informa Lydia Cabrera. Na Bahia, idem. Curiosamente, os antropólogos (que não ficam atrás em matéria de homossexualismo) raramente se concentram nesse tópico. Ou o fazem de modo preconceituoso, como Bastide, em *O Candomblé da Bahia*, considerando "patológicos" os "casos de pederastia passiva assaz numerosos em certos terreiros bantos", como se tais casos, que nada têm de "patológicos", não ocorressem também nos demais terreiros. Raras exceções, nesse panorama moralista, estão em trabalhos de Vivaldo da Costa Lima (*A família de santo nos candomblés jejes-nagôs da Bahia*) e Lorand Matory ("Homens Montados: Homossexualidade e Simbolismo da Possessão nas Religiões Afro-Brasileiras"). Mas há que atentar para uma distinção. Quando falamos de homossexuais masculinos, nos terreiros, estamos nos referindo a homossexuais passivos. A veados ou bichas. A maioria da população brasileira, seguindo a tradição dos índios tupis, não classifica como homossexuais os machos que penetram, os homens que comem outros homens — o que, de resto, faz com que o contingente de "entendidos", em nosso país, seja muitíssimo maior do que se supõe.

Na década de 1970, o candomblé jeje-nagô alcançou uma repercussão inédita nos *mass media*. Além dos desempenhos do então chamado "grupo baiano", na música popular, tivemos o *boom* da negritude brasileira. Foi um fenômeno basicamente jovem — de uma juventude experimentando então um processo quantitativamente inédito de escolarização, promovido pelo regime militar —, que se articulou sob influxos diversos. Da movimentação negromestiça norte-americana, em tempos de *black is beautiful*, *black power*, *black panther* e *soul music*. Da sucessão de revoluções anticolonialistas vitoriosas na África Negra, quando surgiram para o mundo novos países de língua portuguesa — Angola, Guiné-Bissau, Moçambique. De Abdias do Nascimento, que voltava dos EUA trazendo a sua pregação racialista. E tudo isso vindo ao encontro de jovens que estavam já abertos e preparados para tais informações, como que a confirmar a afirmação de Fanon, feita em *Os Condenados da Terra*, de que cada comunidade segrega a sua própria luz. E aqui, como na contracultura, a Bahia foi também privilegiada, com a valorização extrema do candomblé jeje-nagô — os terreiros mais "puros", os mais vistosos, do país. Bahia — polo central das culturas negras nas Américas. Com tudo isso, a Bahia se converteu em foco irradiador do candomblé mais "autêntico", não corrompido pelo kardecismo, como a umbanda carioca. E por esse caminho passou a remodelar, em sentido jeje-nagô, a paisagem das religiões "afro-brasileiras". Foi o que aconteceu com o batuque ou babaçuê do Pará, por exemplo. Depois de ter sofrido um processo de umbandização, entre as décadas de 1940 e 1950, o babaçuê se submeteu ao influxo nagô-ketu baiano na década de 1970. E o mesmo aconteceu em São Paulo. Candomblé, na capital paulista, é coisa dos anos de 1970. E se expandiu ali, basicamente, pela conquista de adeptos da umbanda, instalada na cidade uns trinta anos antes. Em *Os Candomblés de São Paulo*, Reginaldo Prandi sublinha a influência da contracultura e da música popular, chaman-

Presença de Exu

do a atenção para a Bahia, nesse movimento de "nagoização" da umbanda paulista. Porque, nesse particular, a Bahia continuava dando as cartas. E comandando a caminhada nas dimensões anímica e simbólica da existência brasileira. Laroiê.

# 7.
## SOB O SIGNO DO EXORCISMO

O candomblé experimenta hoje, simultaneamente, o forte sabor da vitória e o gosto amargo da derrota. Ao tempo em que é considerado e celebrado nacionalmente, em que ganhou inédita respeitabilidade social e cultural no país, acha-se também em grave crise, perdendo, em meio às camadas mais pobres da população, o que conquista em círculos remediados e ricos. Está encurralado no canto do ringue, sob uma saraivada de *jabs* evangélicos (ou neopentecostais) — e, entre o tonto e o atônito, atravessa um processo de esvaziamento. Bola inflada no campo da elite política e cultural; bola murchando na várzea popular.

Em *A Morte Branca do Feiticeiro Negro*, Renato Ortiz fez uma profecia sociológica. Profecias sociológicas, regra geral, não se realizam — por um motivo simples: sociólogos costumam se comportar como se as sociedades fossem compostas não por pessoas comuns, mas por indivíduos que conduzissem suas vidas em observância à lógica da sociologia. E é claro que não é assim. Pessoas podem agir até contra si próprias, sabotando-se e aos seus interesses. Mas a profecia de Ortiz foi a seguinte: como a umbanda se achava implicada na construção de uma sociedade urbano-industrial no Brasil — e a este contexto era a mais adaptada das nossas formas religiosas —, ela conheceria uma expansão constante nesse ambiente: "quanto mais as regiões são urbanizadas e industrializadas, tanto maior será o número de adeptos umbandistas". O que aconteceu foi diferente. Com o avanço do candomblé, a umbanda recuou. Em todo o país. O candomblé mais tradicional da Bahia, embora arcaico, complicado e artesanal, com exigências de vida aldeã na preparação e no cumprimento de suas obrigações rituais, revelou-se de uma vitalidade notável, especialmente em sua vertente nagô-ketu, conquistando inúmeros umbandistas e se firmando nas grandes cidades do país. Até que veio o rolo compressor evangélico. A grande e predatória ofensiva neopentecostalista, agredindo terreiros, atacando a feitiçaria, promovendo exorcismos *en masse* e para as massas, em grotescos espetáculos televisuais. Grotescos, mas eficazes. Sacerdotes do culto dos orixás apresentados como representantes de Satã. Um pastor desequilibrado que desfere pontapés na imagem da Senhora Aparecida. Pessoas urrando enquanto o demônio é supostamente expulso de seus corpos. Aleijões "curados" em série. Etc. E o que ninguém previu: o rápido e estrondoso sucesso desse teatro do absurdo. As igrejas evangélicas hipnotizando multidões. Operando como ímãs em meio à classe média e, sobretudo, às classes populares. Sugando devotos dos templos católicos, desviando adeptos das tendas dos pretos-velhos, drenando gente dos terreiros. Convertendo todos ao seu receituário bíblico-protestante, em versão de *shopping* de subúrbio. Nunca o panorama religioso brasileiro tinha sido tumultuado de tal forma. Nunca a cena tinha sido tomada, e com tanta rudeza, por uma gente que não faz ideia do que sejam coisas como tolerância e cordialidade. Por pastores que não foram educados para a convivência social. A tal ponto que precisamos de uma generosa dose de boa vontade para entender o que está acontecendo.

Um texto de Patrícia Birman e Márcia Pereira Leite traz, como título, a pergunta: "O que Aconteceu com o Antigo Maior País Católico do Mundo?". Depois de um exame da espantosa propagação do neopentecostalismo pelo país, as autoras hesitam. Concluem que não podem responder à pergunta de forma conclusiva. Mas observam que não existe, hoje, "uma marca única capaz de expressar um destino religioso comum para a totalidade deste país". O texto de Patrícia e Márcia é do ano 2000. Muito antes disso já era possível chegar a formulação semelhante. Ou, mesmo, mais extrema e categórica. Numa pastoral de 1938, o cardeal da Silva afirmou que considerar o Brasil o maior país católico do mundo era demagogia. Ao reunir em livro, *As Muitas Religiões do Brasileiro*, reportagens que redigira sobre o assunto, em inícios da década de 1970, Fausto Cupertino concordou com o cardeal: "o país absolutamente não merece o atributo de maior país católico do mundo, nem em sentido horizontal nem, muito menos, em profundidade". O Brasil sempre foi, em todo o mundo, o país com o mais alto número de católicos da-boca-para-fora. Aqui, é possível distinguir entre catolicismo oficial e nominal. Entre católicos efetivos e formais. Praticantes e apáticos. Comprometidos e aparentes. Participantes e acompanhantes. Ou, ainda, entre católicos convictos e católicos censitários. Vale dizer, os que se declaram católicos — por tradição, comodismo ou preguiça — sempre que topam com o perguntador do censo. Neste sentido, o Brasil é o maior país católico-censitário do planeta. O país dos católicos que seguem conselhos de ultratumba e acreditam em figas, despachos e bolas de cristal. Temos católicos macumbeiros, teosóficos, freudianos, espíritas, esotérico-orientais, marxistas e até ateus, que não acreditam em Deus, mas se benzem ao tomar um avião. É mínimo o número de brasileiros que levam as suas vidas em obediência aos princípios e às normas da Igreja Católica. Ou mesmo que conhecem tais

186         A utopia brasileira e os movimentos negros

normas e princípios. Em 1970, impressionadas com a romaria a Bom Jesus da Lapa, um grupo de freiras se deslocou para aquela região do Rio de São Francisco e, lá chegando, partiu para prestar esclarecimentos sobre a fé católica. Os romeiros, católicos genuinamente brasileiros, não entenderam nada. Acharam tão estranha a conversa que concluíram que as tais freiras só poderiam ser... protestantes. Aliás, quando era secretário-geral da Confederação Nacional dos Bispos do Brasil, Ivo Lorscheiter fazia uma distinção entre cultura católica e religião católica. A cultura católica permeia toda a vida brasileira. Já a religião católica é prática de poucos. Na comparação de Cupertino, "o católico brasileiro é mais ou menos como o branco brasileiro". Coisa realmente rara, entre nós, é um católico ou um branco de verdade.

Já em Portugal o catolicismo era mais uma força estruturante da cultura geral da nação do que uma genuína opção de fé do indivíduo. No Brasil, a coisa ficou ainda mais fluida. Não conseguimos sequer produzir católicos à portuguesa. Nosso catolicismo resultou muito menos profundo e muito mais sincrético. Além disso, não tivemos entre nós uma sólida intelectualidade católica, que conferisse alguma organicidade ao processo religioso. No século XX, no Brasil, os intelectuais católicos podiam ser contados nos dedos. Caberiam num elevador: Jackson de Figueiredo, Gustavo Corção, Tristão de Athayde, Thales de Azevedo... E muitos outros fatores convergiram para facilitar o bote evangélico sobre o rebanho supostamente apostólico-romano. Durante décadas, o número de sacerdotes católicos veio rareando em nosso meio, ao tempo em que a população do país não parou de crescer. Contamos hoje com 18 mil padres e cerca de 180 milhões de habitantes — um padre para cada 1 milhão e 800 mil brasileiros. É muita gente para muito pouco padre. Impossível dar assistência espiritual mais cotidiana e mais íntima às pessoas. E assim o terreno ficava livre para investidas de outras correntes religiosas. Investidas muitas vezes exitosas. Especialmente, no caso do incansável proselitismo das falanges pentecostalistas. Que encontrava pela frente, de resto, um catolicismo popular maleável e previamente convencido da veracidade de aspectos centrais do discurso e da prática dos evangélicos. Cupertino: "O caráter mágico do catolicismo popular brasileiro assimila com facilidade as concepções e práticas pentecostalistas de curas milagrosas, profecias e 'recebimento' do Espírito Santo, demonstrado quando os fiéis passam a falar em línguas estranhas". O católico tipicamente brasileiro, capaz de usar *água benta* para afugentar *mau olhado*, sempre acreditou em tudo isso. Não nos esqueçamos do lendário composto em torno de figuras como Padre Cícero e Frei Damião. Do crédito dado por nossos católicos a médiuns como Chico Xavier e às cirurgias astrais de Dr. Fritz. Dos baianos que atribuem milagres a Irmã Dulce. O catolicismo brasileiro sempre foi milagreiro, visagento, mediúnico e messiânico. Mas o que foi realmente decisivo, para que pentecostalistas conquistassem súditos brasileiros do papa, estava, ainda, em outro plano. Na conjunção de um movimento e de uma atitude. O movimento: a mudança de mentalidade e estilo que a Igreja Católica experimentou, a partir do Concílio Vaticano II, que foi desembocar na encíclica *Populorum Progressio* (1966) e na "teologia da libertação". A atitude: a postura de enfrentamento do poder católico que caracterizou as aguerridas agremiações de orientação pentecostal.

O Vaticano II foi o marco de uma nova práxis da Igreja Católica. Mas foi, também, o marco inicial do êxodo dos fiéis. Naquela época, a Igreja começou a se tornar mais sociológica e política. A ênfase na fé e na devoção se deslocou para temas de desigualdade e necessidade de transformações sociais. Do encontro episcopal de Medellín (1968) ao de Puebla (1979), a esquerda eclesiástica e os grupos leigos de defesa dos direitos humanos e de combate à injustiça social se fizeram hegemônicos, escanteando sacerdotes e fiéis conservadores. No Brasil, foram os tempos de oposição à ditadura militar; do protesto contra a tortura e o assassinato de presos políticos; do envolvimento de padres com organizações de esquerda — com comunistas que pregavam a luta armada, inclusive (quando, além de leigos, passamos a ter, também, sacerdotes marxistas); da aproximação com sindicatos, como os do ABC paulista, que projetaram a liderança de Lula, o metalúrgico; da "opção preferencial pelos pobres" e da organização das "comunidades eclesiais de base"; do sonho de revolucionar o país no campo do poder político. Enfim, a Igreja parecia ter trocado a trama sobrenatural pela intriga terrena. Parecia ter-se convencido de que o reino dos céus deixara de ser uma perspectiva milenar e espiritual, para tornar-se capaz de se materializar na superfície terrestre. E a hegemonia desse ideário "progressista" se prolongou ao final da década de 1980. Na década que se seguiu, veio o refluxo. O movimento girou no vazio. O Brasil retornou à "normalidade democrática", de modo que o combate à ditadura perdeu a sua razão de ser. As comunidades eclesiais de base se desmobilizaram. E Roma — sob o comando do cardeal Ratzinger, hoje Bento XVI — encarregou-se de enquadrar e silenciar ações e vozes da esquerda católica. Os "conservadores" retomaram as rédeas da instituição. Deixando de parte uma avaliação dos resultados político-sociais do movimento desencadeado pelo Vaticano II, o seu saldo, no domínio devocional, foi negativo. Da aposentadoria da batina e do latim à teologia da libertação e às comunidades eclesiais de base, da substituição do órgão e do canto gregoriano por violão e cantigas vulgares, a Igreja Católica se desritualizou.

Passou do velho catolicismo barroco, feito para a glória de Deus e o êxtase dos fiéis, ao antibarroquismo sensato, sem sal e sem vertigem, dos "progressistas". E, assim, foi-se despindo de sua aura. Foi-se dessacralizando. Afastando-se do milagre e do mistério. Apresentando-se como uma organização mais de política do que de fé. E perdendo adeptos. Os mais pobres, para a umbanda e o neopentecostalismo; os menos pobres, para os mesmos neopentecostalistas, o candomblé, as religiões "alternativas", dos "orientalistas" ao Santo Daime.

E o neopentecostalismo não perdeu tempo. Passou a oferecer, em doses transbordantes, o que a Igreja deixara de servir: conforto e esperança espirituais diante da dor e das adversidades. Exaltação da fé. Vivência religiosa. No caso, traduzida em milagres, presença do Espírito Santo, terapia de grupo, veemência mística. E tudo vinculado a soluções para problemas práticos e dramas banais do dia a dia da população, de traições conjugais a dívidas financeiras, passando pelo alcoolismo. E se é que a esquerda eclesiástica tentou falar para o povo, discursando em favor da justiça social, a verdade é que, nesse particular, os evangélicos foram mais longe — mesmo porque não sabiam fazer outra coisa. Patrícia e Márcia observaram bem: "Em contraste com a Igreja Católica, que sempre espelhou a hierarquia social e política do Brasil, as novas igrejas pentecostais nascem de baixo para cima: os pastores e seus convertidos pertencem aos segmentos mais pobres da população, falam a mesma língua e compartilham os mesmos valores básicos". Uma "religião populista", como disse Arnaldo Jabor, em *Sanduíches de Realidade*. Mas, acrescento, de um populismo feito não de ricos para pobres, ou de intelectuais para iletrados, como sempre aconteceu na história política brasileira — e, sim, de pobres para pobres e de ignorantes para ignorantes. Lembro-me, aliás, de um pastor evangélico que, num programa de televisão, repetiu quatro ou seis vezes, em brevíssimo espaço de tempo, a palavra *aspergir*, escandindo o vocábulo com o típico deleite do pernóstico que acaba de aprender uma expressão nova e não perde oportunidade de pronunciá-la, chamando a atenção para a sua própria fortuna lexical. Em tais condições, os evangélicos já se achavam em ótima posição para receber e acolher católicos pobres desiludidos, cansados de não encontrar, em suas paróquias, as palavras de ânimo religioso que tanto procuravam. Mas havia mais que isso. Os evangélicos nunca foram passivos. Estavam em cena para o confronto. Para desafiar o poder católico. Patrícia e Márcia: "As novas igrejas pentecostais se recusam a aceitar a condição de religião minoritária e sincrética sob a proteção de uma identidade católica ampla e poderosa, como os cultos de possessão fizeram no passado". Sua postura é a da disputa. Do combate. E elas têm cacife para topar a parada. Têm dinheiro, seguidores, bancadas políticas, representantes em todas as esferas do Poder Executivo, estações de rádio, canais de televisão.

Modismos não devem enganar. Assim como retratos de Guevara no biquíni de Gisele Bündchen não significam que a *top model* aderiu à tese do combate planetário ao imperialismo, tampouco a nova onda de efígies de santos em tatuagens, camisetas e peças íntimas do vestuário feminino implicam um retorno da juventude brasileira a bancos de igreja. Pelo contrário. Guevara é que virou personagem *pop*. E qualquer católico sério só pode considerar herética a impressão da imagem da Virgem numa calcinha *sexy*. Mas não é só a Igreja Católica que tem perdido fiéis. Também as religiões brasileiras de origem africana vêm assistindo à sangria de seus templos. Na verdade, antes que a disposição bélica do pentecostalismo ganhasse corpo e crescesse em fúria, a coexistência relativamente pacífica do candomblé e do catolicismo chegou a sofrer alguma ameaça. Já em inícios da década de 1960, um sacerdote rijo, inimigo de concessões teológicas, Boaventura Koppenburg, achava que o Brasil deveria replicar a experiência então em curso no Haiti, onde a Igreja estava obrigando seus seguidores a decidir se desejavam permanecer católicos ou se preferiam cultuar os voduns daomeanos. As duas coisas, ao mesmo tempo, não. Bem, o resultado não poderia ter sido outro. Os haitianos debandaram em massa dos templos católicos. Deixaram as igrejas do Haiti às moscas. Diante do quadro, as autoridades católicas locais viram que era melhor condescender. Aceitar o jogo. Fazer vistas grossas às luzes de uma vela acendida para São Tiago Maior e outra para Ogu, Gun ou Ogum. Com o tempo, a mistura voltou a reinar. Pois bem. Em 1981, sob a influência de Koppenburg, o cardeal Vilela, então primaz do Brasil, ensaiou reproduzir aqui a fracassada ruptura haitiana, camuflando-a numa cruzada pela depuração das festas religiosas populares da Bahia, com o seu trânsito entre o catolicismo e o candomblé e entre o sagrado e o profano. Sob protesto geral de figuras expressivas do mundo baiano, o cardeal se viu sozinho — e bateu em retirada. De qualquer modo, Brandão Vilela, na Bahia, era um estranho no ninho. Sua arrogância de missionário colonialista contrastava com a postura do abade do Mosteiro de São Bento, dom Timóteo de Amoroso Lima, que mantinha relações de amizade e respeito com o candomblé, chegando a fazer parte da comissão de defesa do terreiro da Casa Branca, quando este se viu ameaçado de perder parte do seu terreno, numa querela jurídica confusa. Em seguida, foi a vez de um grupo seleto de ialorixás — o estado-maior do candomblé brasileiro — dar o troco, recusando a mistura religiosa e prometendo empenho para apartar os cultos. Mas também nesse caso, como no da iniciativa do primaz, a repercussão e o efeito do gesto, no campo de nossa vida religiosa, foram insignificantes. A questão era complexa. Se o sincretismo começou como uma violência cultural, a história da vida religiosa de uma comunidade nada tem de estática. A imposição legal do catolicismo, no Brasil Colônia, não perdurou. Hoje, quando não é possível reconhecer a coação religiosa de uma classe ou cultura dominante, são inúmeras as pessoas que já nascem sincréticas, batizadas pelo bispo e abençoadas pela ialorixá. Pessoas que levam uma existência religiosa sincera, dedicada simultaneamente aos santos católicos e aos orixás — e que são capazes de, num mesmo dia, rezar para Nossa Senhora das Candeias e fazer uma oferenda a Oxum. Desse modo, parece condenada de antemão a não ser ouvida, em nosso meio, qualquer solicitação ao povo para que faça uma radical opção de fé. E as mães de santo tiveram de reconhecer, com o cardeal, que é preciso ir devagar com o andor. Pois não só o santo — mas também o orixá — é de barro.

Conciliação, todavia, era algo que não constava nos planos pentecostais. Veja-se a campanha contra a umbanda carioca. Em 1957, uma pesquisa do Ipeme chegava à seguinte conclusão: "A umbanda é a religião, confessada ou não, que mais adeptos praticantes tem nas favelas, embora as suas crenças e práticas se sobreponham frequentemente às do catolicismo. Os protestantes são os mais refratários à macumba, mas não escapam de todo à sua influência. O culto dos terreiros está em nítido progresso, como mostra o elevado número de jovens". Na década de 1960, o umbandismo prosseguia seu caminho como a religião que contava com o maior número de seguidores nas favelas do Rio. E, na década seguinte, seus adeptos eram ainda mais numerosos. Naquela época, umbandistas e pentecostalistas disputavam o predomínio no campo da religiosidade popular no Brasil. E ambos esbanjavam otimismo em suas previsões. Acreditavam que os seus credos em expansão desbancariam as religiões tradicionais, assumindo então a primazia na esfera da fé popular. Os umbandistas tinham fortes razões para serem otimistas. Signos da umbanda ultrapassavam de longe a presença de imagens univocamente católicas na decoração religiosa dos barracos das favelas cariocas. Veja-se, a propósito, a recriação dessa forte presença umbandista no romance *Cidade de Deus*, de Paulo Lins. E a umbanda se enramara pelo país, com exceção de lugares como a Cidade da Bahia, onde a hegemonia do candomblé parecia inexpugnável. Mas também os pentecostalistas da Assembleia de Deus e congregações similares vinham avançando. A diferença é que o candomblé não combatia a umbanda; os evangélicos, sim — sistematicamente e sem pudores: a umbanda era uma filial do Inferno no mundo humano. O resultado foi um só. A umbanda caiu — ironicamente, numa encruzilhada.

De uma parte, pela projeção do candomblé no espaço nacional, como a verdadeira e profunda religião de origem e base africanas no Brasil. Nesse caso, a umbanda se viu relegada, em certos círculos, ao estatuto de contrafação do candomblé, descaracterizada por sua distância das fontes originais e pela submissão ao kardecismo. De outra parte, pela militância catequética dos pentecostalistas, que já vinham absorvendo protestantes de outras hostes e agora destratavam a umbanda, por seu primitivismo e sua natureza de agência terrestre dos interesses demoníacos. Assim, duplamente acossada e esvaziada, a umbanda, antes tão florescente, começou a murchar. Mantém ainda a sua presença, mas bastante retraída.

Mas quem são mesmo os tais pentecostalistas? A expressão vem da narrativa bíblica. "Pentecostes" é o nome da festa judaica em memória do dia em que Moisés recebeu as Tábuas da Lei. Mas é, também, como se chama a festa católica em homenagem ao dia da *descida* do Espírito Santo sobre os apóstolos — *pentecoste*, o quinquagésimo dia depois da Páscoa. O dia em que o Espírito Santo "baixou" em Jerusalém. Naquele dia, achavam-se os apóstolos reunidos, quando um ruído veio de repente do céu, como sopro ou rajada de vento, enchendo a casa onde eles moravam. Apareceram-lhes, então, línguas como que de fogo — e cada uma delas pousou sobre cada um deles. E eles ficaram cheios do Espírito Santo e principiaram a falar em línguas que desconheciam. Acorrendo em função do ruído do vento, pessoas piedosas de diversas nações, que se achavam vivendo entre os judeus, cercaram então os apóstolos. E ficaram assombradas. Cada qual ouvia, em sua língua materna, o que eles pregavam — embora eles fossem galileus monoglotas. É o que lemos na Bíblia, "Atos dos Apóstolos". O fenômeno chamado *glossolalia*: a capacidade de falar línguas estranhas em estado extático. Daí tivemos a transformação do dia em ideologia. O desdobramento da palavra *pentecostes* na expressão *pentecostalismo*, forjada para designar uma variante pouco tradicional do protestantismo (não pertencente ao quadro de congregações do chamado "protestantismo histórico"), nascida em Los Angeles, nos EUA, em 1906 — e que depois se espalhou pela África, pela Europa e pelas Américas Central e do Sul. Nos EUA, suas igrejas incluem a *International Church of the Foursquare Gospel* (Igreja do Evangelho Quadrangular, no Brasil), a Assembleia de Deus e muitas outras — entre elas, algumas *black churches*. Sucintamente, esta corrente protestante acredita na cura espiritual milagrosa, no discurso extático glossolálico e busca a união do ser humano com o Espírito Santo. Em tese, ao menos — pois na sua prática o que prepondera é o utilitarismo terrestre. Neste plano, aliás, os pentecostalistas são de uma caretice insuperável. No final da década de 1960, arti-

192    A utopia brasileira e os movimentos negros

cularam o Movimento de Jesus, que teve alguma visibilidade na América do Norte e na Europa. Era uma reação à contracultura e às suas *trips* eróticas, místicas e alucinógenas. Mesmo porque, enquanto os jovens cabeludos da contracultura, em sua excitação religiosa, procuravam ignorar barreiras culturais e raciais, os pentecostalistas se fechavam em seu próprio credo. Com o Movimento de Jesus, pentecostalistas jovens, estreitos e higiênicos foram para as ruas, promovendo manifestações públicas, empunhando cartazes com a imagem do Cristo, exibindo camisetas e adesivos com frases do tipo "Jesus me ama". Eram os rebentos do puritanismo ianque contra os filhos do romantismo, de Marcuse e dos *beatniks* — todos, certamente, adidos culturais do Inferno. Porque, para fazer o que andava fazendo, aquela moçada contracultural só podia estar com o diabo no corpo, *le diable au corps*, Bakunin-Radiguet *dixit*.

Os primeiros missionários pentecostalistas começaram a chegar no Brasil nas primeiras décadas do século passado. A Congregação Cristã do Brasil, em 1910; a Assembleia de Deus, em 1911. Mas, ainda na década de 1930, esta variante do protestantismo era inexpressiva no ambiente brasileiro. Foi só no decênio seguinte que o seu número começou a crescer. Especialmente, depois da II Guerra Mundial. No início dos anos de 1950, as congregações brasileiras, financiadas por igrejas norte-americanas, lançaram uma primeira grande campanha popular — a Cruzada Nacional de Evangelização. Projetar-se-iam, daí, igrejas como a do Evangelho Quadrangular, a do Brasil em Cristo, a Deus é Amor, que fariam uma espécie de transição entre o protestantismo discreto do início do século e a exposição midiática que viria mais tarde. Praticando a "cura divina", servindo-se de transmissões radiofônicas, ocupando espaços urbanos públicos para veicular a mensagem evangélica e conquistar prosélitos e simpatizantes, estas igrejas tiveram êxito em seus esforços. Na década de 1960, ao tempo em que combatia a Pomba-Gira e seus pretos-velhos, a grande maioria dos protestantes brasileiros já se agrupava em igrejas de orientação pentecostal. Dez anos depois, São Paulo ultrapassava o Rio Grande do Sul, tradicional cidadela dos luteranos, para se tornar o estado brasileiro que concentrava o maior contingente de protestantes — e cerca de 90% deles eram pentecostalistas. O *boom* estava inteiramente armado. Faltava a guinada do bispo Edir Macedo, fundando a Igreja Universal do Reino de Deus, em 1976, e, assim, dando origem ao chamado *neopentecostalismo*. Com uma rapidez espantosa, o bispo Macedo ergueu um formidável império religioso, em cuja construção investiu rios de dinheiro. Império feito de emissoras de rádio e televisão e de uma vasta rede de templos cobrindo todo o país. Para, em seguida, avançar pela América do Sul. Estender-se em direção aos EUA. Firmar-se na África. Colocar um pé em Israel. Chegar à Europa. Alcançar o Japão. E Macedo não foi o único. Na pista aberta pela Universal, decolaram outras igrejas, como a Internacional da Graça e a Renascer em Cristo. E a velocidade com que estas potências econômico-religiosas foram construídas despertou suspeitas e gerou ataques.

A acusação de que a religião evangélica é um *negócio* não é uma simples acusação. É público e notório que seus pastores gostam de dinheiro. Correm, sem descanso, atrás do vil metal. E suas igrejas são administradas em bases empresariais, como unidades lucrativas do mercado mundial de bens simbólicos. Há tempos, na verdade. Bem antes da febre monetária do neopentecostalismo — e ainda que de modo muito diferente. Cupertino lembra que um dos maiores bancos do país — o Bradesco — nasceu como uma cooperativa de pentecostalistas. O problema é que a arrancada de Edir Macedo não só foi espetaculosa demais, como inexplicada na ponta do lápis. O bispo foi acusado de lavagem de dinheiro e sonegação de impostos. Na época, um pastor dissidente da Universal passou, à Rede Globo, vídeos que mostravam o bispo Macedo na intimidade, relaxado e sorridente, divertindo-se com outros pastores, aos quais ensinava como "arrancar dinheiro" dos fiéis. Assistindo à fita, não pude deixar de me lembrar de "An Answer to the Parson", de William Blake: "*Why of the sheep do you not learn peace?/ Because I don't want you to shear my fleece*". Mal traduzindo, fica mais ou menos assim. "Por que você não aprende paz com a ovelha?" — pergunta o pastor. "Porque não quero que você venha me tosquiar" — responde o poeta. Perfeito. E outras denúncias vieram, relativas à aquisição da TV Record pela Universal — conluios altamente suspeitos com o então presidente Collor (que os evangélicos tinham apoiado nas eleições de 1989) e seu tesoureiro, o gângster PC Farias; participação do narcotráfico colombiano no financiamento da dívida que o bispo contraíra na compra da emissora. Adiante, apontou-se o envolvimento da Universal com políticos malufistas e troca de favores com Sérgio Motta, ministro das Comunicações de Fernando Henrique. Os inquéritos, todavia, "terminaram em pizza". Mas os protestantes brasileiros mais tradicionais não gostaram do comportamento do bispo e procuraram se desidentificar da Universal. Basta lembrar que denúncias contra Macedo foram publicadas na *Revista Vinde*, ligada à Igreja Presbiteriana Independente e à Associação Evangélica Brasileira.

Em "As Figuras do Sagrado: Entre o Público e o Privado" (*História da Vida Privada no Brasil: Contrastes da Intimidade Contemporânea*, vol. 4), Maria Lúcia Montes escreveu que a Universal pauta "sua atuação em moldes empresariais, encarando a tarefa de ocupar o espaço público e granjear prestígio social em termos profissionais. Não só conta com um bispo para as funções de 'coordenador político' de sua atuação na vida pública como, na esfera civil, constitui uma verdadeira corporação, controlando uma série de empresas, que vão do ramo das telecomunicações ao turismo, do setor gráfico ao jornalismo, da movelaria ao setor bancário, além de ser proprietária de uma empresa de consultoria que funciona como uma *holding*, administrando os bens da igreja no Brasil e no exterior. O que é peculiar a essas empresas é que muitas delas têm como sócios-proprietários ou acionistas majoritários parlamentares do Congresso Nacional, de diversos estados e filiados a diferentes partidos. E com a mesma desenvoltura com que gerencia seus negócios terrenos, a Universal também governa seus negócios espirituais. O próprio recrutamento de seu clero também obedece a um modelo empresarial do tipo *franchising*, uma vez que os pastores 'adquirem' seus postos mediante contrato com a igreja, com cláusulas bem definidas de obrigações e direitos, e cuja rescisão pode até mesmo dar lugar a processos trabalhistas". *Franchising* que chegou a incluir, entre suas cláusulas contratuais, a obrigação de o pastor fechar determinado número de terreiros de candomblé ou centros de umbanda. Além disso, não nos esqueçamos da grande meta transcendental de "arrancar dinheiro" dos fiéis. O bispo Macedo foi criticado por oferecer ao povo saúde e prosperidade — em troca de doações financeiras à Universal. Esta igreja sugere, de fato, uma *jukebox* do sobrenatural. É só introduzir a moeda e apertar o botão, que a máquina fornece um milagre ao freguês. Sem moeda, nada feito. A moeda é a hóstia do neopentecostalismo. O sacramento da *jukebox* evangélica. Sua comunhão com o Cristo.

Mas vamos tentar caracterizar aqui o que se entende por "neopentecostalismo", expressão cunhada por Ricardo Mariano para definir a Universal e as igrejas que seguiram seu modelo. A opção preferencial pela empresa é um de seus traços mais marcantes. A racionalização profissional de suas ações e de seus atores. A jogada comercial no mercado de bens simbólicos de natureza religiosa. E esta opção se expressa, com astúcia e poder demoníacos, na constituição de uma *igreja eletrônica*. O neopentecostalismo é um protestantismo de massas, fundado no emprego intensivo, extensivo e agressivo dos meios de comunicação. O que temos, portanto, é uma igreja empresarial, midiática e mercadológica. Mas não só. O neopentecostalismo se distingue ainda, tanto da Igreja Católica quanto do protestantismo tradicional, no Brasil, por sua participação direta não simplesmente na cena pública, mas no sistema político-partidário do país, disputando posições de poder. Enquanto o protestantismo tradicional sempre foi avesso ao mundo formal da política e não vemos sacerdotes católicos empenhados em conquistar man-

Sob o signo do exorcismo

datos, o neopentecostalismo é francamente *partidocrata*, distribui-se por várias siglas políticas, lança seus líderes como candidatos e ocupa cargos públicos eletivos. O desempenho da "bancada evangélica" no Congresso, a eleição de Anthony Garotinho para governador do Rio e o apoio do Partido Liberal à candidatura de Lula em 2002, com a indicação de José Alencar para vice-presidente, são exemplos disso. Como se não bastasse, os evangélicos evangelizam seus cargos, como no caso de Rosinha Garotinho distribuindo exemplares da Bíblia, em pleno exercício de suas funções oficiais.

Esta disposição neopentecostalista para participar da vida pública brasileira, através dos *mass media* e da política partidária, tem a sua contrapartida urbanística e arquitetônica nos prédios das igrejas e em sua inserção estratégica no território de nossas cidades. Sempre que possível, os neopentecostalistas implantam os seus templos de modo a ter uma presença física ostensiva no espaço urbano. Como aconteceu com a Igreja Católica, até ao final do Império indissociável do Estado brasileiro, a predileção neopentecostalista recai sobre edificações de porte e mesmo prédios monumentais — sejam galpões abandonados ou antigas instalações de cinemas e supermercados, que reativam para fins religiosos, sejam construções erguidas pela própria congregação. Estes prédios devem estar situados, de preferência, em locais de relativa, boa ou grande visibilidade pública. É a retomada da velha prática dos católicos. O que cria um contraponto urbanístico sintomático, em cidades que, como Salvador, podem ser divididas em duas: a cidade colonial-barroca, delimitada como "centro histórico", e a cidade moderna, capitalista. No caso de Salvador, o centro histórico é visualmente dominado pelas torres das igrejas barrocas do catolicismo ibérico. Na cidade moderna, ao contrário, destacam-se espaventosos prédios de escritórios e o chamado "templo maior" da Universal. Templo que se impõe como um signo medonho de poder. Adjetivo que se justifica pelo fato de que, enquanto as igrejas barrocas da Bahia são arquitetonicamente admiráveis, o prédio pentecostal é um trambolho de rara feiura e leveza de rinoceronte. O avesso das mais elementares noções de beleza e elegância.

Mas, além de empresarial, midiático, mercadológico, politicômano e espalhafatoso, o neopentecostalismo apresenta uma particularidade em terreno doutrinal. E aqui podemos recorrer a Maria Lúcia Montes. A prática neopentecostal está assentada em dois princípios doutrinários: a "teologia da prosperidade" e a "guerra espiritual". De acordo com o princípio da prosperidade, todo aquele que se converte, nasce novamente em Cristo. Torna-se "filho de Deus". E este, senhor do universo, tudo coloca à disposição de seus filhos, de modo que eles venham a ter sucesso em seus empreendimentos terrestres. Aos "filhos de Deus" cumpre tomar posse do que lhes pertence. Mas por que nem todos conhecem a prosperidade, amargando, antes, o sofrimento e a pobreza? Como explicar a discrepância entre o princípio teórico e a vida real? Simples: a pobreza é obra do diabo. Entre a prosperidade (bem-estar no mundo material, na saúde, na família, no amor) a que se tem direito pela conversão e a vida que o converso realmente vive, interpõem-se as forças do Mal, interessadas em desacreditar Deus perante o fiel, desgraçando a sua existência, de modo a conduzi-lo à perdição final. E aqui entra em cena o segundo princípio doutrinário. Para tomar posse do que é seu e alcançar a prosperidade, o fiel está obrigado a levar adiante, sem descanso, a sua "guerra espiritual" contra Lúcifer e as suas forças. E o campo dessas batalhas incessantes é o templo. Trava-se a guerra espiritual através da participação nos cultos neopentecostais.

Maria Lúcia: "Colocada nesses termos simples, a teologia neopentecostal parece distante do catolicismo, muito mais próxima à doutrina canônica protestante da predestinação. Entretanto, quando melhor considerados os seus termos, essa aparência se desfaz. Como há muito nos fez compreender Max Weber, a teoria da predestinação sempre se associou à ética do trabalho, cujos bons frutos eram vistos como prova da eleição, por Deus, dos seus filhos, que, ao terem êxito em seus negócios terrenos, se certificavam de serem objeto de Sua graça e, assim, terem também assegurada a salvação na vida eterna. Ora, ao *democratizar*, por assim dizer, os desígnios divinos, fazendo Deus estender potencialmente a todos os homens Sua graça, traduzida na prosperidade forçosa de que todos devem gozar, mediante o simples ato da conversão, a teologia neopentecostal incorporou o *espírito do capitalismo*, mas fazendo a economia da *ética protestante* do trabalho [...] *Aposta-se* na salvação e na graça da prosperidade material, da saúde física ou da paz espiritual como em um jogo, em que ao lance maior corresponderá maior recompensa: é *dando-se* à igreja e ao seu pastor *que se recebe* de Deus essa graça que de todo modo já nos foi por Ele garantida. A mediação do trabalho desapareceu, tanto no plano material quanto no espiritual. Materialmente, ele deixou de ser o elemento fundamental por meio do qual se conquista a prosperidade, sendo a fé algo mais próximo à 'força do pensamento positivo', com o qual o homem enfrenta as adversidades do cotidiano, do que ao poder que o impulsiona a tocar adiante seus empreendimentos, apesar da incerteza de seus resultados. No plano espiritual, a mediação do trabalho também se torna irrelevante, dada a demonização hipostasiada do Mal. Não são obras que Deus requer de seus filhos, mas sua atenção e presteza no combate a uma força inteiramente exteriorizada, e por cuja ação, exceto por seu descuido, eles não são responsáveis". A autora percebeu muito bem a sagacidade diabólica dessa jogada neopentecostal, ao centralizar tudo na arena que é o templo, mas, sobretudo, em suas consequências irresponsabilizadoras no plano da existência individual. "Esvaziam-se assim o dilaceramento diante da tentação, a dúvida quanto ao caminho do Bem a ser trilhado, ou o sentimento de culpa por ser cúmplice na ação do Mal. Para a vida interior dos indivíduos, o impacto dessa operação não deixa de ser extraordinário. Os mais inconfessáveis sentimentos, os mais profundos temores ou as ações mais cuidadosamente encobertas — o ódio aos pais ou a um irmão, a incerteza quanto à identidade sexual, uma relação incestuosa ou perversa, por exemplo — são proclamadas diante de um público que, graças à mídia, se multiplica em miríades de olhos e ouvidos que veem e não se escandalizam, escutam e não condenam, porque não se encontram perante algo pelo qual o indivíduo é responsável, mas apenas diante de mais um espetáculo em que o Maligno revela suas múltiplas faces. Lavado de todo mal e de toda culpa, como em seguida à confissão e à penitência no catolicismo, o homem de fato *renasce*, pela graça do Cristo que ele agora reconhece como Senhor e Salvador".

Por fim, devemos negritar um aspecto fundamental na configuração desse novo ramo pentecostal. É que as suas igrejas são autóctones. Brasileiras. E, inclusive, produtos de exportação, assim como as telenovelas da Rede Globo. Neste sentido, Edir Macedo é a Janete Clair do campo religioso brasileiro — equivalem-se mais ou menos no nível intelectual, na visão maniqueísta do mundo, na exploração de melodramas existenciais e no apelo popular de seus discursos. Assim como as telenovelas "globais" são uma recriação brasileira do chamado "dramalhão mexicano", o neopentecostalismo é a recriação tropical de uma formulação teológica que nos chegou através dos EUA. E é na conjugação deste aspecto recriador local e do investimento na mídia que está a chave do sucesso da Universal e das igrejas que adotaram seu modelo. Maria Lúcia viu lucidamente: "E se é certo que os princípios doutrinários segundo os quais se organiza sua teologia são 'importados' [...] é preciso reconhecer, contudo, que eles sofreram no Brasil um processo de reelaboração profunda, em especial na Igreja Universal do Reino de Deus. Na verdade, ao fazer da 'guerra espiritual' uma agressiva arma de combate às demais religiões, ao catolicismo e em especial ao universo religioso afro-brasileiro, identificando neles a obra do Demônio que impede os homens de gozar de todos os benefícios que Deus lhes concede no momento em que o aceitam como Senhor, segundo ensina a 'teologia da prosperidade', a Igreja Universal conseguiu reapropriar em seu benefício, mas pelo avesso, um rico filão da fé já dado na tradição das religiosidades populares no Brasil. E é nessa *retradução* doutrinária em termos das linguagens espirituais mais imediatamente próximas, no contexto brasileiro, que reside um dos fatores fundamentais do seu êxito".

É por esse caminho que Maria Lúcia vai fazer a sua formulação mais original, definindo a liturgia neopentecostal como uma espécie de *ecumenismo popular às avessas*: "Onde essas igrejas inovam é na operação de apropriação reversa que fazem das religiões afro-brasileiras. Se a forma do culto é a do exorcismo, velho conhecido da Igreja Católica, o que se exorciza é sobretudo o conjunto das entidades do panteão afro-ameríndio incorporado às religiosidades populares, das devoções e práticas mágico-rituais do catolicismo ainda conservadas pelos pobres às religiões de negros perseguidos só recentemente apropriadas pelos estratos médios das populações urbanas. Assim o que a nova liturgia evangélica realiza é um ecumenismo popular negativo, ou às avessas, incorporando todas as figuras do sagrado das religiosidades populares sob a mesma designação comum das múltiplas identidades do Tinhoso. O que os ritos neopentecostais supõem, e põem em ação, é um profundo conhecimento dessas outras cosmologias que sustentam tais religiosidades, assim como as técnicas de produção e manipulação do transe das religiões de possessão. Sob a mesma forma ritual geralmente já conhecida pelo fiel nos terreiros de candomblé e de umbanda, as entidades do panteão afro-brasileiro são chamadas a incorporar-se no *cavalo* para, depois de 'desmascaradas' como figuras demoníacas enviadas por alguém conhecido para fazer um *trabalho* contra a pessoa, ser devidamente 'exorcizadas' e submetidas à injunção de não mais voltar a atormentar aquele espírito, pelo poder de Deus [...] Da Bíblia e seus versículos recitados com ardor pelos pastores, pouco sobrou nesse processo. A teologia protestante foi, de fato, substituída por esse ecumenismo popular negativo, única cosmologia em operação ao longo de todo o rito francamente mágico que é ali executado".

É importante sublinhar que o exorcismo ocupa um lugar especialíssimo no culto neopentecostal. De modo revelador, seus pastores não empregam a palavra "exorcismo" — usam o vocábulo corrente no candomblé e na umbanda: *descarrego*. Não se nega a realidade do transe. Não se nega o poder de práticas populares de origem africana ou raiz ameríndia. Não se nega a existência dos deuses do candomblé e das entidades da umbanda. Tais figuras são chamadas, aos templos pentecostais, para dali serem escorraçadas. E estes ritos mágicos de descarrego se tornaram tão triviais nesse ambiente que, Maria Lúcia informa, "já se fala de exus e pombagiras específicos aos cultos neopentecostais, versão própria, produzidas nessas igrejas, das entidades dos terreiros de candomblé e centros de umbanda, de que elas são uma imagem distorcida e quase caricatural". Foi a proximidade ritual dessas igrejas evangélicas e das tendas umbandistas que levou um membro do protestantismo tradicional, o pastor Araújo Filho, a dar a seguinte definição de neopentecostalismo: "é a versão cristã da macumba". Só não se trata exatamente disso porque, para o neopentecostalismo, a macumba é uma espécie de fachada sob a qual se disfarçam as identidades de Satã. Para levar adiante sua prática exorcista, todavia, "os cultos da Igreja Universal, mas também de outras igrejas neopentecostais, se povoam de feitiços e *macumbarias*, de exus e pombagiras, de *trabalhos* da direita ou da esquerda, de orixás malévolos e falsos santos, de benzimentos, rezas, pajelanças e operações espirituais abortadas, além de falsas promessas de pais de santo de umbanda e candomblé ou beatos milagreiros que enganam um povo crédulo e ignorante" (Maria Lúcia). Para o neopentecostalismo populista, as formas populares de religião estão a serviço do Mal. Em *Orixás, Caboclos e Guias: Deuses ou Demônios?*, Edir Macedo define o sincretismo religioso brasileiro como "uma mistura curiosa e diabólica de mitologia africana, indígena brasileira, espiritismo e cristianismo". E parte para o ataque: "quando temos problemas, Satanás se apresenta imediatamente e, supostamente, se coloca à nossa disposição para resolvê-los. É aí que entram a umbanda, quimbanda, candomblé e práticas espíritas de um modo geral, que são os principais canais de atuação dos demônios, principalmente em nossa pátria". Diabólico é o próprio Edir. Citei Jabor falando de "religião populista". A frase inteira é: "Edir Macedo e Von Helde [o pastor que pontapeou a imagem da Senhora Aparecida] são a religião populista contra as religiões populares".

O alvo principal dos insultos neopentecostalistas vinha sendo a umbanda. O candomblé não sugeria uma ameaça, em termos nacionais. Não parecia um adversário perigoso: seu número de adeptos não era significativo e a sua área de influência era geograficamente restrita, limitada, basicamente, aos terreiros da Bahia de Todos os Santos, aos xangôs do Recife e às casas do culto jeje do Maranhão. Em síntese, o candomblé não arrastava multidões. Nem tinha a dimensão nacional do umbandismo, que ia da região amazônica ao litoral gaúcho. O grande problema era a Bahia. É certo que, ali, o protestantismo sempre olhara enviesado para a religião dos orixás. Mas é também certo que não só a sua disposição não era tão agressiva, como ele nunca chegou a ter força suficiente para desencadear um ataque geral aos terreiros baianos. Entre as décadas de 1980 e 1990, o panorama mudou. De um lado, tivemos o avanço avassalador da Universal e dos neopentecostalistas que vieram no seu rastro. De outro, o candomblé jeje-nagô da Bahia alcançou uma projeção nacional inédita em sua história. Para completar o quadro, soldados e funcionários de Edir Macedo e de outras empresas neopentecostais se implantaram de forma acachapante em Salvador. Assim, o neopentecostalismo partiu para cima do candomblé, decidido a detoná-lo em sua cidade sagrada. Desenhou-se, então, um novo cenário. O neopentecostalismo se dispôs a afrontar um quarteto de envergadura colossal — a Igreja Católica, o espiritismo, a umbanda e o candomblé. Com sucesso. Em *Os Evangélicos em Casa, na Igreja e na Política*, Rubem César Fernandes fez um cálculo que impressiona. "Supondo que os evangélicos sejam 15% da população da área metropolitana do Rio de Janeiro, que 70% deles se converteram para a Igreja e que destes 28% se converteram nos últimos três anos, pode-se estimar que entre 1992 e 1994 cerca de 300 mil se tornaram evangélicos nesta região, ou uma média de 100 mil por ano. A maioria (65%) veio do catolicismo, 16% da umbanda ou do candomblé e 6% do espiritismo kardecista. Os batistas foram os mais bem-sucedidos na conversão de católicos, enquanto a Universal tem mais sucesso na conversão de umbandistas". Um tremendo estrago nas hostes do que os neopentecostalistas consideram o Quarteto do Mal.

O grande lance dos neopentecostalistas foi o modo como eles conduziram o seu combate às forças do Mal. Para eles, o Mal não se manifesta apenas na vida do indivíduo. Satanás, além de provocar desajustes no âmbito da existência individual, perturba, também, a ordem na sociedade. Mal individual e mal social se entrelaçam. Para que a sociedade seja próspera, cumpre convertê-la e abrir fogo na guerra espiritual contra o mal social. E tais influências nefastas das forças demoníacas no mundo se dão através de falsos deuses — santos e outras entidades do catolicismo, da umbanda, do espiritismo, do candomblé. Entidades que se apossam do corpo das pessoas — por extensão, do corpo social — e que, por isso, devem ser exorcizadas. Patrícia Birman e Márcia Pereira Leite: "A harmonia e a paz não estão dadas na ordem do mundo, devem ser construídas por intermédio de um combate contínuo às forças disruptivas do Mal. Do ponto de vista dos pentecostais, os padecimentos e atribulações dos homens decorrem da desordem imposta pela ação contínua do demônio. A linguagem do pentecostalismo tornou-se um dos instrumentos virtualmente mais potentes para explicar e enfrentar o caráter pernicioso de inúmeras relações sociais. A batalha contra seres espirituais das religiões afro-brasileiras passou a se associar a uma luta mais secular contra o mal social e, em particular, às várias formas de violência urbana". Não é coincidência, portanto, que o aumento da violência e do tráfico de drogas, no Rio, tenha sido acompanhado de um aumento de conversões e de rituais de descarrego. Nem é por outro motivo que negromestiços formam a maioria dos neopentecostalistas do Rio. A umbanda e o candomblé simplesmente não podem concorrer com a Igreja Universal num combate genérico ao mal ou num combate específico à violência. A umbanda e o candomblé não são chapadamente maniqueístas. Não traçam uma linha divisória nítida, separando o bem e o mal. Mas o que era uma vantagem, com relação ao âmbito intelectualmente mais sofisticado da contracultura, transformou-se em pecado imperdoável para a população pobre e desprotegida de metrópoles que, como São Paulo e o Rio, vivem sob o signo do terror, seja ele promovido por bandidos ou policiais, categorias rotineiramente permutáveis. Além disso, não há quem ignore que, na quimbanda, aviaram-se desde sempre feitiços para favorecer — ou prejudicar — pessoas. Patrícia e Márcia frisam o fato: "Os cultos de possessão não definem bem e mal em termos absolutos. Os espíritos são valorizados por seu poder de resolver problemas específicos e não por alguma virtude moral que porventura possuam; são reverenciados para que os vivos obtenham seu apoio. Supõe-se que seja assim que membros do comércio de drogas consigam proteção sobrenatural contra a polícia e membros de organizações rivais. Os pentecostais acusam os líderes dos cultos de possessão, bem como aqueles que pertencem 'ao mundo', de cumplicidade com as faces imorais e criminosas da sociedade". Posso remeter o eventual leitor, uma vez mais, a *Cidade de Deus*. Na narrativa de Paulo Lins, não há bandido ou policial que não consulte macumbeiro. A situação é delicada. E desfavorável a umbandistas e candomblezeiros, que, independentemente do que pensem ou façam, acabam vistos como farinha do mesmo saco. E não há lugar para nada de parecido entre os neopentecostalistas. Os crimes de que a Universal é acusada são de outra natureza. São crimes de "colarinho branco". Mas, com relação a estes, o povo não parece andar muito preocupado.

Não é só por isso, claro, que o neopentecostalismo arrasta para os seus templos seguidores do candomblé e da umbanda. Parentescos rituais e a "teologia da prosperidade" parecem arrelvar o caminho da conversão. Ou macumbeiros pretos e pobres não se converteriam ao pentecostalismo em cidades que não vivem tão dramaticamente a questão da violência. Lembre-se que a adesão de pretos macumbeiros à umbanda kardecista foi facilitada por coisas dessa natureza. Pelo fato de o espiritismo ser um culto de possessão. E, ainda, um culto vinculado aos mortos. As religiões de origem africana são extáticas. E cultuam os ancestrais. É como uma ialorixá cubana disse a Lydia Cabrera: "A gente não entra [em transe] tanto com santo como com morto? Em religião, tudo é coisa de mortos [...] O espiritismo [...] Bah! Na África, os mortos também falavam. Isso não é novidade". Pode-se ouvir a mesma coisa no Brasil. No neopentecostalismo, os ritos mágicos de um ecumenismo popular às avessas fazem as pontes, revelam nexos, estabelecem conexões. Tudo se passa como se a Universal estivesse usando o feitiço contra o feiticeiro. Por outro lado, a "teologia da prosperidade" não é estranha às religiões tradicionais africanas — nem às suas recriações americanas, no Brasil ou em Cuba. O pensamento religioso clássico, na África, é antropocêntrico e pragmático. E estas suas características se mantiveram no Novo Mundo — na *regla* arará, no *palo monte* e na *santería* do povo negromestiço de Cuba; nos candomblés jeje-nagô e congo-angolano do povo negromestiço do Brasil. São religiões que procuram, através de expedientes extraempíricos, a realização das coisas boas *na* vida. Consultando búzios, cumprindo obrigações, fazendo oferendas, o que o fiel busca é evitar sofrimentos, solucionar casos e coisas do amor, superar dificuldades, arranjar emprego, ter saúde, criar os filhos, ser bem-sucedido profissionalmente. Não é outro o elenco de dádivas que o neopentecostalismo abarca sob a etiqueta "prosperidade". Ela envolve sucesso material, sexo-amor-casamento, saúde, relações familiares. Com uma ênfase sintomática na violência, no desemprego e na ruptura com a dependência do álcool e de drogas. A diferença é que o candomblé não só não se resume a isto, como trata tais temas numa ciranda elegante, mística e esteticamente encantadora. O neopentecostalismo, ao contrário, não é apenas estreita e obsessivamente utilitarista: a própria falação evangélica é desagradável, pouco acolhedora e mal-apanhada — imbatível, em matéria de subliteratura.

De qualquer modo, o fato é que candomblezeiros estão se convertendo ao neopentecostalismo. Movem-se à vontade no novo ambiente — inclusive, recorrendo a sucedâneos de ebós e patuás, como o "martelo de fogo" (para destruir dívidas) e o "*spray* do amor", que o fiel deve *as-per-gir* em sua casa, a fim de afugentar a morte e respirar o aroma da vida. Lamentavelmente, ao deixar o candomblé, deixam para trás algo que é infinitamente superior a isso. O neopentecostalismo é de um materialismo crasso. De um ardor monetário doentio. Neste sentido, Jabor tem razão. A Universal é uma igreja de mercado. Macedo criou o Deus Executivo. O pastor pentecostal típico é um despachante da fé. "[Os evangélicos] são contra as místicas do milênio, contra a beleza da loucura. Só lhes interessa o comércio da loucura [...] Querem acabar com a luz e sombra dos templos, querem acender a luz néon dos supermercados. Toda a beleza das religiões é exterminada. Odeiam as religiões afro-brasileiras. Nossa Senhora Aparecida é Oxum no candomblé. Edir e Helde odeiam o candomblé porque ele condensa o amor negro do povo e celebra-o em lindos rituais de cachoeiras e florestas [...] Diferentemente dos babalaôs, dos bonzos, dos monges, os bispos da Igreja Universal odeiam os

Sob o signo do exorcismo

mistérios [...] Edir quer uma religião de resultados. Não promete nada no Além, como os católicos. Trata-se de pagar para não sofrer mais aqui [...] 'Se você, desgraçado, aleijado, pagar o dízimo, você deixará de ser um excluído!' [...] Por isso, o mercado-alvo da Universal é o lúmpen, o subcão, o pó de mico. Não propõem o paraíso, nem a floresta africana: prometem o *shopping center*. Daí seu sucesso". De fato, muitos se convertem com a esperança de "melhorar de vida" e ter acesso ao *shopping center*. E a maioria dos convertidos acha que "melhorou de vida", em termos materiais, depois da conversão. Trata-se de uma percepção ao mesmo tempo falsa e verdadeira. Faltam pesquisas sobre o assunto, dirão os sociólogos. Podem fazê-las. Para confirmar o seguinte. A percepção é falsa porque, na situação atual do país, conversão não é mecanismo de ascensão social. O neopentecostalismo contribui para frear a anomia que vai tomando conta da sociedade brasileira — reduzindo a violência doméstica, por exemplo —, mas conversão não é sinônimo de geração de recursos materiais, a menos que o sujeito vire pastor. Mas a percepção é também verdadeira porque o bicho-solto que se converte vai cortar gastos com birita, baseado e boceta. Arrumar a casa direitinho. Os "irmãos" podem até arranjar um emprego para ele, que terá outra motivação para o trabalho. Nada de farras, boates, bordéis. Agora é a vez do cotidiano, no "seio da família". Uma boa economia, com a merreca de sempre. Afinal, o estilo pentecostal de vida só é caro na hora do otário morrer no dízimo.

Seja como for, é difícil escapar à sensação de que o candomblé se encontra sob ameaça. De que o seu futuro é uma incógnita. A situação da *santería*, hoje, é mais tranquila do que a dos terreiros baianos. A campanha neopentecostalista contra a umbanda e o candomblé não é simplesmente hostil. É agressiva. E o candomblé se acha encurralado. Deveremos nos preparar para o axexê do axé? Não sei. Não arriscaria uma profecia. Ameaçada em sua hegemonia brasileira, a Igreja Católica reage com a Renovação Carismática, os padres cantores, espetáculos que lotam espaços públicos — o Maracanã, inclusive. E o candomblé? Nenhuma reação digna de nota. É verdade que o simples fato de que, para combater as religiões brasileiras de raiz africana, o neopentecostalismo seja obrigado a assumir aspectos de suas formas rituais, ainda que com sinal negativo, é uma prova do enraizamento dessas religiões na vida do país. Mas isto não é suficiente para reverter a direção atual do processo. A repressão não é capaz, por si só, de destruir uma religião — a não ser pela eliminação física de seus sacerdotes, como aconteceu no século XIII, na Provença, quando a Igreja Católica promoveu uma cruzada que liquidou a heresia albigense, a viagem mística dos cátaros, que haviam traduzido o Novo Testamento para o provençal e dado alguma base ideológica para as transas extraconjugais do Languedócio. Afora isso, o poder da religião tem sido sempre maior que o da repressão. Mas o que temo, no caso brasileiro, é uma outra coisa. E é aí que está o ponto crucial — uma religião pode destronar outra. Exterminar concorrentes. Apagar rivais. É claro que, quando penso numa perspectiva de futuro para o candomblé do Brasil, não me esqueço de seu enraizamento popular. É prova de vitalidade o simples fato de ser alvo de uma campanha agressiva e poderosa. Penso, ainda, que os aliados da Igreja Universal podem ser vistos como elementos apenas conjunturais da vida brasileira: a violência e a pobreza. São realidades passíveis de serem atenuadas, caso o país se volte para encarar o escândalo social em que se converteu. É possível, ainda, que muita gente se sensibilize, ao pensar no que vamos perder, se perdermos o candomblé. Porque o candomblé significa politeísmo, entusiasmo, ritos atualizando mitos, visão aberta da complexidade do fenômeno humano, sacralização da natureza, riqueza estética, tolerância. De todo modo, existe já, em favor do candomblé, o peso da elite artística e intelectual do país. De uns tempos para cá, cresceu também o apoio em meio à elite política. Apoio claro, em alguns casos — mas também com segundas intenções, como se vê na classe dirigente baiana, que hoje alimenta o mito de uma "Bahia Negra". Conspiram a favor do candomblé mudanças públicas na moral sexual brasileira, com uma aceitação maior de condutas antes reprovadas, que continuam inaceitáveis para pentecostalistas. Do lado da religião dos orixás podem ficar, também, segmentos significativos das classes médias. Segmentos que já se encontram nos terreiros, que redescobrem religiões orientais, que levam para as cidades cultos amazônicos da ayahuasca. O que significa dizer que as classes médias não se oferecem como presas tão fáceis para catequeses pentecostais. Que o seu horizonte é mais aberto. E a sua inquietude mental, mais intensa.

Por essas e outras coisas, não será fácil destruir a religião dos orixás. O que podemos dizer é que ela se encontra num momento complicado. Que poderá hibernar. Assim como se ir transfigurando numa coisa nova, em uma espécie de neocandomblé. Além disso, religiões são imprevisíveis em suas trajetórias, ou não existiriam hinduístas, neste momento, no Brasil. Melhor pensar, portanto, na possibilidade de exorcizar o sectarismo, a intolerância e o cometimento de crimes culturais no campo religioso brasileiro. Melhor não decretar um *fim*, ainda que provisório, para o candomblé. Mesmo porque Exu é capaz de, atirando uma pedra hoje, acertar um pássaro ontem.

Sob o signo do exorcismo

# 8.
# SINCRETISMO E MULTICULTURALISMO

Na maioria dos debates a que somos arrastados, no Brasil dos dias que correm, equívocos se multiplicam numa proporção desgastante e paralisadora, fazendo-nos gastar energias políticas e intelectuais para nada. Ficamos girando em círculos, com a sensação de estar em busca de respostas para perguntas que fazem pouco ou nenhum sentido, à procura de perguntas para respostas que já existem, tentando adivinhar se há mesmo alguma pergunta e se esta de fato já não traz uma resposta embutida em si mesma ou se supostas respostas dispensam categoricamente a existência de perguntas, não se aplicando, umas e outras, ao que vemos à nossa volta. Podem ser sintomas de um estilhaçamento mental, de uma falência político-ideológica, de impasses indevidamente equacionados, da adesão a modismos supérfluos, da tentativa de nos moldar em função de conceituações e projetos inadequados para as realidades que pretendemos conhecer. É o que vejo nas conversas em torno de uma nossa suposta natureza de país "multicultural" — e não exatamente "sincrético". Tudo isso poderia ser evitado se tratássemos de verificar a consistência histórica e sociológica de certas formulações — e de dar um mínimo de precisão às palavras que invocamos, delimitando, com a clareza possível, o que queremos dizer quando empregamos cada uma delas. Vamos partir, portanto, de um mínimo de clareza semântica. A começar pelo vocábulo *cultura*, do qual derivam as significações de "sincretismo" e "multiculturalismo". Os abusos, as variações ideológico-dialetais e as idiossincrasias em torno dessas expressões não permitem, realmente, que a conversa seja conduzida em dia claro, com visibilidade boa.

O conceito de "cultura" oscilou historicamente, nos últimos tempos, entre dois extremos. O extremo "humanista", com o seu sentido de educação superior, de culto ou cultivo do intelecto, de refinamento pessoal tecido em teias artístico-intelectuais canonizadas ou clássicas. E o extremo "antropológico", que se foi progressivamente definindo em plano amplo e antielitista, para abarcar e abraçar desde realizações materiais até qualquer quadro de práticas desenvolvidas por não importa que grupos ou grupelhos sociais, de turmas de caçadores africanos a turbas de periferias de nossas cidades de grande e médio porte. Haveria, nesse último sentido, uma "cultura" dos botecos do Rio de Janeiro, dos *"motoboys"*, dos marqueteiros, dos motoristas de táxi, dos maconheiros, dos peões do mundo caipira, das jovens prostitutas de Brasília. Mas nenhum desses extremos será útil para nós, no momento. A definição "humanista" é muito restritiva. A "antropológica", por sua vez, tornou-se complacente. Se a primeira diz que quase nada é cultura, a não ser o que foi canonizado como tal em meio a elites passadas da velha Europa, a segunda defende que tudo é cultura. E, se tudo é cultura, nada é cultura. Em *A Interpretação das Culturas*, Geertz já reclamava desse desbordamento conceitual, preocupando-se então em "limitar, especificar, enfocar e conter". Melhor adotar aqui, portanto, uma postura ao mesmo tempo mais ampla do que a "humanista" e mais modesta do que a "antropológica". Isto é: sem hierarquização, mas sem eliminação de margens. Primeiro, restringindo taticamente a noção de cultura à dimensão simbólica da existência social. Ao *"homo semioticus"*. Ainda Geertz, no rastro de Weber: "O conceito de cultura que eu defendo [...] é essencialmente semiótico. Acreditando, como Max Weber, que o homem é um animal amarrado a teias de significados que ele mesmo teceu, assumo a cultura como sendo essas teias e a sua análise". Segundo, aplicando a noção de cultura apenas a um elenco significativo (no horizonte da visibilidade geral interna de uma sociedade) e bem definido de crenças, costumes, falares, valores e práticas que possuam caráter distintivo em relação a outros conjuntos. A discrepâncias e descoincidências menores, no interior desses conjuntos, chamemos "subculturas" ou subconjuntos culturais — ou, ainda mais simplesmente, "diferenças". Dessa forma, no interior de culturas como a norte-americana, a irlandesa ou a cubana será possível distinguir "subculturas" etárias, religiosas, musicais, sexuais, etc. Assim como, no vasto conjunto da cultura brasileira, podemos distinguir "subculturas" regionais, zonas antropológicas específicas, diferenças culturais.

De modo sucinto, definamos "sincretismo" e "multiculturalismo". No primeiro caso, o que temos é aproximação ou mescla, a hibridização, a mistura, ou o cruzar e entrecruzar de sistemas ou elementos originários de matrizes culturais distintas, muitas vezes resultando em produtos novos ou inovadores, que tornam quase irreconhecíveis as suas respectivas certidões de nascimento. Assim, numa determinada sociedade, uma santa católica e uma entidade extranatural ameríndia podem se fundir numa coisa nova, sem perder os seus traços de origem. Elementos de procedências e linhagens distintas e que permanecem distintos podem também habitar sob o mesmo teto, coexistindo sob um guarda-chuva comum, que não deixa de afetá-los. Investimentos densos podem resultar em algo que já se coloca para além das identificações histórico-culturais mais imediatas. Casos há, ainda, em que produtos e práticas nos solicitam a falar não de metamorfoses, mas de mutações culturais. Enfim, quando dizemos "sincretismo", estamos apontando para um espaço (mais raramente harmônico que conflituado) de fusões, transfusões e confusões. Espaço de convergências, justaposições, amálgamas, padês. O "multiculturalismo", ao contrário, aparece como construto teórico recente e distinguidor, guiando-se, ao mesmo tempo, por uma visão excessivamente elástica de cultura. Além disso, coloca-se como uma ideologia e uma práxis. Apresenta-se, simultaneamente, como descrição, ideologia e proposta. Tem tanto um caráter narrativo quanto uma intenção pragmática. Num plano geral, podemos dizer que o "multiculturalismo" se opõe às misturas, aos atritos criativos e às interpenetrações culturais, sustentando o ponto de vista de que é preciso valorizar e defender o desenvolvimento separado de cada "comunidade" étnica, de modo que esta, fechando-se a influxos e mesclas, permaneça presa em si mesma, numa espécie qualquer de autismo antropológico. Na definição de Laplantine e Nouss, em *Métissages: de Arcimboldo à Zombi*, o multiculturalismo defende e prega "a coabitação e a coexistência de grupos separados e justapostos, decididamente voltados para o passado, que convém proteger do encontro com os outros". Trata-se, obviamente, não do que vemos acontecer no mundo, mas de uma típica iniciativa político-acadêmica. Como Serge Gruzinski aponta certeiramente, em *O Pensamento Mestiço*, "ninguém ignora que os turiferários do *political correctness* e dos *cultural studies* desenvolvem a concepção de um mundo rígido formado por comunidades estanques e autoprotegidas, ao abrigo das cidadelas universitárias do Império norte-americano". Podemos dizer que o multiculturalismo está para o *apartheid*, assim como o sincretismo está para o *padê*. Nem erra quem observa que o multiculturalismo é um *apartheid* "de esquerda". Kabengele Munanga faz a conexão, falando do *apartheid* "clássico" da África do Sul como um caso extremo, "a versão mais degradante e intolerável" do multiculturalismo, "ao defender a coexistência no mesmo território, em espaços segregados, de povos e culturas que não deviam se comunicar e se tocar, obrigados a viver separados do berço ao túmulo". No caso do Brasil, quando alguém fala de multiculturalismo, o que temos é a "radicalização" irrazoável do conceito antropológico de cultura. Pretende-se que cada traço diferencial, no interior de nosso conjunto cultural, seja visto, em si mesmo, como uma "cultura". E assim, ao acreditar que vê em cada esquina uma "cultura", nosso multiculturalista assume ares justiceiros para defender que ela seja preservada e possa seguir os seus dias de forma circunscrita, voltada sempre para si mesma, numa eterna reprodução do idêntico, como se o resto do mundo não existisse.

Sincretismo e multiculturalismo

Não se pode negar que sejam multiétnicas e multiculturais (embora não multiculturalistas, no sentido museológico-segregacionista dessa ideologia) algumas sociedades europeias (ou asiáticas ou africanas ou americanas) que conhecemos, seja de um ponto de vista histórico, seja de uma perspectiva sincrônica. Os bascos da velha Espanha estão aí para comprová-lo. O bilinguismo paraguaio, com tantos falantes do guarani (atualmente, cerca de 83% da população), também; não por acaso, o título de um dos livros de Bartolomeu Melià é *Uma Nação, Duas Culturas: o Bilinguismo no Paraguai*. A União Soviética, por seu turno, submetida desde Lênin a um intenso e compulsório processo de "russificação", desintegrou-se de vez: um ucraniano nunca foi um russo, nem um georgiano. Outro exemplo é o da antiga Iugoslávia, que se fraturou sanguinariamente em função de suas divisões internas. Croácia, Bósnia, Kosovo, Sarajevo nos dizem de uma toponímia da guerra entre próximos que jamais se amaram uns aos outros. A Tchecoslováquia divorciou-se em República Tcheca e em Eslováquia. A Bélgica tem três línguas oficiais: ao norte, fala-se flamengo; ao sul, francês; ao leste, alemão — pluralismo etnolinguístico que traz o país em permanente estado de tensão. E temos, bem mais recentemente, os fluxos migratórios para a Europa, com ondas de muçulmanos indisfarçados fazendo com que os franceses levantem a guarda diante de uma simples menção à sua presença no metrô, nas ruas e cafés de Paris, sejam eles ricos ou, o que é mais comum, mendigos. Migrantes do Magreb se converteram num pesadelo para os velhos gauleses, atualizando ao extremo o grito dissidente de Rimbaud, barco bêbado, em *Une Saison en Enfer*: "sou um bicho, um negro [...] sou de raça inferior por toda a eternidade".

Não é este o caso do Brasil. Não temos conjuntos culturais fechados, ensimesmados, confinados em miniplanetas irredutíveis. Nem levas sucessivas de adventícios insólitos. O que predomina, entre nós, é o sentimento de pertencimento. É evidente que este sentimento não é nem pode ser idêntico a si mesmo, em cada centímetro da extensão territorial brasileira. Mas ele é real. É certo que, para lembrar o Geertz de *Available Light: Anthropological Reflections on Philosophical Topics*, temos também aqui "uma progressão interminável de diferenças dentro de diferenças" (deste ângulo, de resto, seria incorreto falar no singular, como o fazem "pluriétnicos" e "multiculturalistas", de "religião afro-brasileira", já que o tambor de mina maranhense é totalmente diferente da macumba carioca e esta, por sua vez, do rito "congo-angolano" da Bahia). Mas se a precisão conceitual não impuser um limite à perspectiva minimalista de ênfases infinitesimais, acabaremos sendo forçados a concluir que cada sujeito é um grupo, cada pessoa é uma cultura, cada indivíduo é um gueto. A verdade é que não devemos confundir diferenças culturais com culturas diferentes. Compare-se o Brasil com o Canadá, dividido entre falantes do inglês e do francês, para não mencionar seus algonquinos e esquimós; com o Sri Lanka, fragmentado em cingaleses e tâmeis; ou com o Burundi, onde se apartam hutus e tutsis. Com a paisagem étnica, cultural e linguisticamente múltipla da Indonésia, as divisões da Índia ou da Nigéria. Ou mesmo com o Peru, o Equador, a Bolívia — todos com as suas marcas incaicas imediatamente visíveis e bem delineadas — e os EUA. Ao contrário do que imagina Geertz, todavia, o Brasil, país que ele conhece muito mal e de segunda ou terceira mão, tem pouco ou nada a ver com isso. O que temos não são culturas diferentes, mas diferenças culturais. Posso pensar em orixás onde um habitante da região do Rio Negro vê "encantados" e um empresário de Santa Catarina sorri com alguma condescendência. Mas não precisamos de "tradução simultânea" para nos comunicar, nem nos vemos uns aos outros como "estrangeiros", ou como representantes de culturas diferentes. Não somos um país multilinguístico. Nem multicultural.

Em "A Isoglossa de Tordesillas" (*Revista de Filología Románica*, Madri, 1994), Ivo Castro, coordenador da edição crítica da obra de Fernando Pessoa e autor de um *Curso de História da Língua Portuguesa*, foi claríssimo a este respeito, ao sublinhar que o Brasil, apesar de toda a sua extensão territorial, constitui-se em "um dos mais extremos casos de monolinguismo que se conhecem". Escreve Castro: "Nem o hindi, nem o mandarim, nem o russo ocupam de um modo tão absoluto os respectivos territórios, que devem compartilhar com minorias linguísticas mais expressivas que as sobreviventes línguas indígenas brasileiras. O Brasil é o país de menor percentagem de população índia [entre os que a possuem, nas Américas de língua espanhola e portuguesa], apenas 0,2 por cento (o que talvez corresponda a 350 mil índios), em contraste com a Bolívia e a Guatemala, ambas com cerca de 60 por cento (o que equivale a 4 e a 5,5 milhões de índios, respectivamente). A incidência do bilinguismo não é, por isso, grande e a variação dialetal, apesar de não estar exaustivamente estudada, também não provoca rupturas no tecido nacional". Para efeitos de comparação, é suficiente assinalar que as Américas de língua espanhola têm, hoje, 4 milhões de falantes do quéchua e 2 milhões de falantes do guarani — ou que o México conta com mais de 800 mil falantes do náhuatl. No total, há nada menos do que 20 milhões de falantes de idiomas ameríndios, em meio aos nossos irmãos americanos de língua espanhola. No Brasil, ao contrário, nada de bilinguismo, nada de multiculturalismo. Antes de carregar consigo comunidades calafetadas, a configuração cultural brasileira é absorvente, porosa. O que se vê

Sincretismo e multiculturalismo

por aqui não é de modo algum uma "coletânea de povos". Nem o "não assimilacionismo" norte-americano pode ser simplesmente "justaposto" ao que acontece entre nós. Nossas disparidades e dessemelhanças internas não anulam nossa integridade global. Quando falamos de "cultura brasileira", estamos nos referindo a um conjunto de estilos e padrões de comportamento, produção e criação embasados em sistemas semióticos que predominam de uma ponta a outra do país.

A singularidade do Brasil, no horizonte cultural do planeta, parece ser um desses fatos que se impõem naturalmente, dispensando maiores comentários e arguições, como se, para comprová-la, não houvesse qualquer necessidade de apelo ao esforço analítico. Antes, é uma realidade sublinhada, com alta frequência, não apenas pelos próprios brasileiros, mas por toda uma legião de curiosos, observadores, cronistas e *scholars* nascidos nos mais diversos cantos do globo terrestre. "Roman Jakobson insistia em que havia uma cultura brasileira, com traços distintivos bastante nítidos, embora nunca tivesse explicitado a sua crença, por escrito ou pelo que eu me recorde", registrou Décio Pignatari em seu *Cultura Pós-Nacionalista*. E os exemplos nesta direção, explicitando ou não as suas "crenças", podem ser multiplicados. Mas o interessante é que esta singularidade cultural brasileira, tão fácil e imediatamente perceptível, deveria decorrer, em princípio, de uma homogeneidade antropológica patente e forte, que não admitisse a existência de maiores diferenças internas e, muito menos, fissuras. O paradoxal, no caso, é que o Brasil é um mosaico antropológico. Um mundo feito de muitos mundos — cada qual com a sua fisionomia própria, os seus traços anímicos distintivos. É isto que nos permite falar de uma realidade brasileira e, ao mesmo tempo, de realidades brasileiras. No singular e no plural. Simultaneamente. Porque o que construímos, neste segmento do planeta, foi um país de focos, polos ou espaços culturais de matizes próprios e de populações relativamente diferenciadas, em consequência de — e em resposta a — processos histórico-sociais diversos e circunstâncias ecológicas dessemelhantes. Assim como o nosso clima, a nossa vegetação e o nosso relevo são variados, variadas são, também, as nossas formações genéticas e as nossas configurações simbólicas. Nem é por outra razão que os estudiosos parecem condenados a não tomar pé, sempre que se aventuram pelos terrenos instáveis e as águas enganosas do velho problema do que seria a nossa "identidade cultural". É que a nossa singularidade se faz de muitas singularidades, visíveis nas variantes internas de nossa cultura. Mas esta rica diversidade interna, ao contrário do que talvez se devesse esperar, levando-se em conta a própria dimensão territorial do país, não resultou num arranjo disparatado, numa colagem bizarra de elementos estranhos entre si. Por isso é que está fadado ao fracasso qualquer exercício teórico-ideológico multiculturalista que pretenda pulverizar intelectualmente o país. Não há como promover isto. O Brasil não é uma montagem amalucada de fragmentos heteróclitos. A diversidade brasileira tem a sua argamassa. A sua base e a sua teia. É o que faz com que, embora diferentes, sejamos os mesmos, das praias do Amapá aos campos do Rio Grande do Sul. Com que sejam brasileiros mesmo os que escolheram sê-lo, como os habitantes do Acre, há não muito tempo atrás. Se uma foi a formação do vale amazônico, com os seus botos e xerimbabos, e outro o processo histórico-social que se desenvolveu na larga solidão dos pampas, esta distância humana e geográfica não impede que o caboclo amazonense e o peão gaúcho possam se integrar numa situação dialógica, sabendo-se, ambos, igualmente brasileiros. E este é somente um, entre os muitos exemplos disponíveis. Falemos, então, de uma *unidade* tecida nas marés do vário. Os brasileiros alcançaram realizar, ao longo dos séculos de sua existência histórica, a construção de um país ao mesmo tempo singular e plural, uno e caleidoscópico, tecendo a sua trama biossemiótica ao abrigo e à luz de uma língua portuguesa que se transfigurou, sincreticamente, para delimitar um novo espaço linguístico, o do português do Brasil. Cultura una e múltipla, portanto — assim como um verbo que é conjugado em diferentes pessoas, modos, tempos e vozes.

O Brasil é sincrético. Foi e continua sendo. Dos primeiros tempos coloniais ao exibicionismo tecnológico dos dias que correm. Basta pensar no que aconteceu, séculos atrás, nas serras de Piratininga, nos campos da Nova Lusitânia de Duarte Coelho, nas praias seiscentistas do Rio de Janeiro. Na aldeia eurotupinambá de Diogo Caramuru, jovem português nascido em Viana do Castelo, e Catarina Paraguaçu, meiga flor do canibalismo tupi. Com as suas casas espalhadas pelo arvoredo à beira-mar, no trecho que atualmente vai do Farol ao Porto da Barra, em Salvador, aquela aldeia da primeira metade do século XVI reunia portugueses, espanhóis, tupinambás e seus filhos mestiços. Já não era a típica aldeia tupi, com as suas casas vegetais, dispostas no terreno de modo a definir uma praça central. Nem se aproximava do desenho quinhentista de Viana do Castelo, retângulo formado por seis ruas paralelas, no interior de muralhas de traçado ovoide. Oviedo y Valdés, em sua *Historia General y Natural de las Indias*, escrita no próprio século XVI, fala, a propósito da aldeia de Caramuru e Catarina, de "casarios espalhados mas muitos deles à vista uns dos outros". Era já uma outra coisa o que ali estava, sincretismo apontando para futuros assentamentos brasileiros. Foi ali que o luso Caramuru assimilou crenças e costumes indígenas (inclusive, a poligamia) — e a índia Catarina se converteu ao cristianismo. Foi ali que

Sincretismo e multiculturalismo

frades franciscanos, embarcados na armada guarda-costa de Martim Afonso de Sousa, realizaram o casamento de Felipa e Paulo Dias Adorno — da filha mameluca de um náufrago lusitano tupinizado e de uma índia tupinambá europeizada com um foragido ítalo-português acusado de assassinato em terras de São Vicente. Uma aldeia tão sincrética que, ao português que a comandava, podemos chamar pelo nome indígena de Caramuru — e, à sua esposa tupinambá (eles casaram em Saint-Malo, na Bretanha), por um nome europeu, Catarina. Anos mais tarde, nasceu a Cidade da Bahia. Thomé de Sousa e o jovem que ele levara consigo para se engajar na construção da primeira capital do Brasil, Garcia d'Ávila, futuro patriarca da pecuária brasileira, devem se ter congratulado com alegria. Uma cidade mestiça, sincrética, luso-ameríndia, filha do urbanismo medieval lusitano e de técnicas e materiais indígenas de construção. Tudo muito à maneira lusitana, tudo muito ao modo ameríndio. Em vez da sólida igreja medieval portuguesa, uma Sé de palha. Índios para lá e para cá — tentação extrema para os padres, aliás: belas tupinambás se estendendo nuas, coxas e peitos à mostra, entre o púlpito e o altar. E as feiras, que o governador instituíra, já não eram as de Portugal. Destoavam — por suas cores, sua gente, seus produtos — da tradição medieval das feiras da Península Ibérica. Era uma nova realidade o que o jovem Garcia d'Ávila tinha pela frente. Em vez de figos, uvas ou pêssegos, ele encontrava cajus, cajás, maracujás. Em vez de couve-flor, ervilhas, lentilhas, rabanetes e brócolis — a mandioca, o aipim, as batatas, o amendoim. Em vez de sardinha, salmonetes e atuns — o beijupirá, o carapitanga ("vermelho"), a carapiaçaba, as arraias, ubaranas e baiacus. A caça já não era de coelhos, perdizes ou gamos, mas de pacas, tatus e cotias. Vendiam-se animais vivos, estimados pelos europeus, como saguins, papagaios e sabiás. Até o vinho do Reino, de que tanto faziam questão os portugueses aqui residentes, já começava a sofrer a concorrência do vinho de mel, ou água-ardente, a nossa popular cachaça, que era consumida apesar das proibições oficiais. Para acentuar ainda mais a diferença, agora em dimensão mais propriamente antropológica, chegavam as cunhãs e os seus curumins, mercando produtos de sua cerâmica, panos de algodão, raízes medicinais, cachimbo e tabaco. Garcia não resistiu. Uniu-se a uma delas, em casamento extraeclesial (e não em "lei de graça", como diziam os padres). E dela ganhou uma filha: a mestiça brasileira Isabel d'Ávila, natural dos campos de Itapoã, cujos descendentes mamelucos reinariam na Casa da Torre de Tatuapara, atual Praia do Forte.

Percorrer os litorais da Cidade da Bahia e seu Recôncavo, entre o final do século XVI e princípios do século XVII, era ver misturas e mais misturas — zoológicas, botânicas, antropológicas —, em meio a igrejas, fazendas, roças, engenhos, currais, olarias. Vacas e pacas, tamanduás e porcos, galinhas e tatus. O maracujá brasílico e o coco da Índia. A mangaba e a laranja, o caju e o limão, o araçá e a cana-de-açúcar. Póvoas brotando próximas a aldeias indígenas, quilombos anoitecendo nas matas vizinhas. E ninguém pairava acima de tantas misturas. Os casos do índio Antonio — examinado por Vainfas em *A Heresia dos Índios: Catolicismo e Rebeldia no Brasil Colonial* — e do jesuíta Anchieta são exemplares, nesse sentido. Antonio é o sincretismo cultural em alta intensidade. Fora submetido à catequese no aldeamento missionário da Ilha de Tinharé. Mas fugiu de lá, na década de 1580, para liderar um movimento herético, a Santidade de Jaguaripe, que pode ser definida nos termos de um catolicismo tupinambá, em cujo rito batismal entravam a água benta dos cristãos e o tabaco, a "erva santa" dos índios. Antonio afirmava deter poderes típicos do caraíba, do grande feiticeiro tupi. Rejuvenescer as velhas, por exemplo. Ao mesmo tempo, declarava-se o verdadeiro papa da verdadeira igreja, que viera para escravizar os brancos e libertar negros e índios. Anchieta, por sua vez, nascera em San Cristóbal de la Laguna, cidade de Tenerife, uma das Ilhas Canárias. Seu pai era um basco subversivo que fora expulso da Espanha. "O próprio nome *Anchieta* é basco e significa *laguna*, naquela língua. É curioso observar que José de Anchieta nunca afirmou ser espanhol nem brasileiro, mas sempre disse ser basco", informa Almeida Navarro, na introdução que escreveu para o volume *José de Anchieta — Poemas: Lírica Portuguesa e Tupi*. "José de Anchieta, Biscainho" — é como o próprio jesuíta se define na *Informação do Brasil e de suas Capitanias*, que escreveu em 1584. Além de basco, judeu. Anchieta descendia, pelo lado materno, de "cristãos novos", judeus supostamente convertidos ao cristianismo. Ingressou na Companhia de Jesus — fundada por um outro descendente de judeus, Ignacio de Loyola — e veio para o Brasil a fim de recrutar almas para o paraíso cristão. Resultado: um judeu basco, que falava latim, escrevendo em tupi.

Negros também se imiscuíram nesses processos, gerando novas hibridizações. Novos cruzamentos de culturas e culturemas. Na língua, na religião, na música, na festa, no vestuário, no mundo afetivo-sexual, na dança, na culinária, na poesia. Mas vamos permanecer, aqui, em terreno religioso. Lembrando, por exemplo, cerimônias fúnebres de ialorixás que tanto contaram com o ritual nagô do axexê quanto com o ritual católico da missa (pouco antes do enterro de Cleusa Millet, por sinal, um sacerdote católico negromestiço, Gílio Felício, rezou o *Padre Nosso* junto ao caixão da ialorixá, no centro mesmo do salão de festas do terreiro do Gantois). São exemplos de práticas separadas — de "bilinguismo", desempenho de dois discursos

Sincretismo e multiculturalismo                                               215 rituais inconfundíveis e que não se misturam — coexistindo numa mesma comunidade. Não se trata de equivalência ou mescla. São ritos distintos. Na missa, elevação do cálice, incenso, sermão e hóstias consagradas. No axexê, conjunto de ritos mortuários estudados por Juana Elbein em *Os Nagô e a Morte*, padê ao pôr do sol, torços brancos, cantos, danças, sacrifício animal, obis. Não há fusão de elementos. Vemos apenas, aqui, que candomblezeiros são também católicos. Separação e coexistência já inscritas nos próprios nomes de algumas das mais altas personalidades do candomblé, que carregam uma dupla nominação: o nome "de santo" ou iniciático e o "de batismo". O primeiro, africano, remetendo ao orixá; o segundo, gravado em horizonte cristão. Como podemos ver no caso da ialorixá Senhora (nome de orixá: Oxum Muiuá; nome de batismo: Maria Bibiana do Espírito Santo). O nome de batismo de Menininha do Gantois era Escolástica Maria da Conceição Nazaré. O próprio Didi, sacerdote do culto dos ancestrais, foi batizado num templo católico com o nome de Deoscóredes Maximiliano dos Santos, onde comparecem os vocábulos "deus" e "coração". Mas é evidente que não é só "separação" o que encontramos na vida dos terreiros. "Podemos dizer que existe *convergência* entre ideias africanas e de outras religiões sobre a concepção de Deus ou sobre o conceito de reencarnação; que existe *paralelismo* nas relações entre orixás e santos católicos; que existe *mistura* na observação de certos rituais pelo povo de santo, como o batismo e a missa de sétimo dia; e que existe *separação* em rituais específicos de terreiros, como no tambor-de-choro ou axexê, no arrambam ou no lorogum, que são diferentes dos rituais das outras religiões. Nem todas estas dimensões ou sentidos de sincretismo estão sempre presentes, sendo necessário identificá-los em cada circunstância. Numa mesma casa e em diferentes momentos rituais, podemos encontrar assim separações, misturas, paralelismos e convergências", observa Ferretti, em *Repensando o Sincretismo*.

Quando suas filhas — Cleusa e Carmem, ex e atual ialorixás do Gantois, respectivamente — chegaram à idade escolar, Menininha as matriculou no colégio das freiras sacramentinas, em Salvador. À noite, ensinava ambas a rezar a *Ave Maria* — em nagô. Além de despachar as suas iniciadas para missas na Igreja do Bonfim ou na de São Lázaro. Fora da Bahia, sabemos que festas em honra do Divino Espírito Santo são celebradas em terreiros do tambor-de-mina, entre os voduns do Maranhão, desde fins do século XIX. "Geralmente é uma obrigação em homenagem a uma entidade sobrenatural, que é nobre ou o dono da casa. Esta entidade tem devoção pelo Divino e pede que se organize a festa em sua homenagem. Na Casa das Minas é devoção de nochê Sepazim, princesa real, filha do rei Dadarro, casada com o príncipe Daco-Donu, que adora o Divino Espírito Santo", esclarece Ferretti. Prefaciando o estudo de Ferretti, Reginaldo Prandi relata comemorações a São Sebastião, a que assistiu em São Luís: "Na primeira noite, rezou-se ladainha católica, cantada em latim por velhas rezadeiras especialmente convidadas, acompanhadas por uma pequena orquestra de saxofone, pistom, banjo e tuba. Os voduns, já incorporados em suas vodúnsis, acompanhavam, em respeitoso silêncio, de pé diante do presépio. Terminada esta oração, foi a vez de os próprios voduns cantarem para a Sagrada Família, agora na língua deles ["jeje arcaico e intraduzível"]. Depois queimou-se a murta seca com que o presépio fora enfeitado [...] recolhendo os voduns e as imagens para dentro e encerrando o ciclo da Natividade, com a cantiga de despedida para o Menino Jesus [...] Depois os tambores, o ferro e as cabaças começaram a soar, e os voduns cantaram e dançaram até o início da madrugada". Ainda Prandi: "Neste contexto, não é nada estranho o fato de o Papa João Paulo II [que Menininha achava que era filho de Oxalá], em sua visita a São Luís [...] ter recebido [...] uma pomba de prata do Divino, das mãos de Dona Celeste, vodúnsi da Casa das Minas [...] ou quem sabe das mãos de Averequete, o 'senhor' dela. Diante da sutileza do estado de transe deste grupo religioso, eu não teria nenhuma certeza a respeito de quem ritualmente 'estava lá'. Mas não creio que Averequete perderia tal oportunidade. Afinal, Dona Celeste é apenas o seu cavalo, e o Papa é um objeto de sua devoção". Voltando à Bahia, pense-se no Senhor do Bonfim. Afinal, Senhor do Bonfim é um Cristo de Ilê Ifé ou um Oxalá da Palestina?

Em "Religiões Africanas no Brasil e Catolicismo: Um Questionamento" (publicado em *África*, revista do Centro de Estudos Africanos da USP, em 1978), Cartaxo Rolim faz a pergunta fundamental: "o catolicismo catolicizou o africano através dos símbolos que estes assumiram, ou o catolicismo se africanizou no africano, aparentemente católico? Africanização ou catolização?". Para responder à pergunta, cumpre, em primeiro lugar, esclarecer o princípio do processo seletivo, o modo e a razão pelos quais determinados signos católicos foram entronizados nos sistemas banto ou jeje-nagô, e o caráter da reinterpretação a que foram submetidos os signos selecionados, isto é, se Olorum foi traduzido nos termos do Deus cristão ou se o Deus cristão foi traduzido nos termos de Olorum, em sua natureza de "deus urânio", como o definiu Mircea Eliade em *O Sagrado e o Profano*, ser supremo "altíssimo" que se afasta infinitamente dos humanos, deixando as questões terrestres em mãos de um filho, um demiurgo, antepassados míticos, etc. Em segundo, cumpre mostrar "não apenas a identificação entre santos tais e tais orixás [...] para a qual poderiam ter concorrido fatores locais, mas também a identificação entre a visão africana do mundo e o simbolismo mítico dos santos católicos". Para isso, adverte Rolim, cumpre não se deter naquilo "que oficialmente se ensina no catolicismo", mas ir, também, a "fatos conhecidos ao nível do catolicismo vivido", que não raro dispensa intermediações sacerdotais no trato com o divino e no qual os escravos se moveram com mais desenvoltura e intimidade. Embora não consiga concordar com todas as afirmações e suposições de Rolim, penso que a sua conclusão é correta. A cosmovisão africana se manteve. E quem comandou o processo seletivo não foram os padres católicos, mas os sacerdotes africanos. Coube a estes estabelecer equivalências entre Santa Bárbara e Oiá-Iansã (a quem, de resto, os padres nem conheciam), por exemplo. Além do mais, costumamos nos esquecer de um aspecto fundamental de nossa vida religiosa colonial: "a catequese dada ao africano, se alguma vez foi de fato dada, foi praticamente inexistente [...] quando se observa que os padres estavam muito mais preocupados com os índios do que com os negros". Realmente, em comparação com o esforço missionário desenvolvido entre os ameríndios, podemos dizer que o investimento catequético em meio aos negros escravizados foi insignificante. Os africanos, em busca de sua sobrevivência cultural, tomaram a iniciativa. Reinterpretaram santos católicos escolhidos a dedo, trazendo-os para o universo das forças vitais onipresentes, estruturadoras da vida e do cosmo. Assim, mais do que uma cristianização de Oxóssi, o que tivemos foi uma oxossização de São Jorge. Uma africanização do catolicismo.

De qualquer sorte, há coisas que pedem comentário. A primeira é a tese de que o sincretismo nunca passou de máscara ou disfarce, fachada católica sob a qual os negros escravizados puderam cultuar os seus deuses. A segunda é o "mito da pureza" que envolve e alimenta alguns templos candomblezeiros, cultivado, basicamente, por sacerdotes dessas casas, militantes do Movimento Negro e alguns intelectuais. A tese do sincretismo como disfarce me parece esquemática, redutora. Quando nada, por sua incapacidade para explicar como, com o tempo, a máscara se confundiu com o rosto. Sinto-me mais próximo, nesse particular, de posições como as de Roberto Motta, no texto "Bandeira de Alairá: a Festa de Xangô-São Jorge e Problemas do Sincretismo", incluído na antologia *Bandeira de Alairá: Outros Escritos sobre a Religião dos Orixás*, organizada por Marcondes de Moura. Para Motta, cabe perguntar, diante dos fenômenos sincréticos que envolveram o catolicismo e terreiros jeje-nagôs na história cultural do Brasil, como um "simples disfarce" poderia durar nada menos que dois séculos. Depois de observar que "o povo de santo do Recife vive o sincretismo com todas as suas contradições" (e é bom lembrar que o povo, ao contrário de intelectuais e acadêmicos, que veem na contradição o pecado supremo do discurso, vive as suas crenças sem se preocupar com a hipótese de que elas sejam ou não contraditórias), Motta conclui: "O sincretismo não representa apenas concessões de escravos a senhores ou de senhores a escravos, disfarce de negros amedrontados. Ao contrário, possui um aspecto de legítima apropriação dos bens do opressor pelo oprimido". Parece não estar distante da de Roberto Motta uma leitura como a de Anaíza Henry, "A Semana Santa nos Terreiros: um Estudo do Sincretismo Religioso em Belém do Pará", onde a estudiosa considera "anacrônica e superficial" a tese do sincretismo como máscara ou disfarce — tese que recebeu, mais recentemente, exaltada coloração político-ideológica. Anaíza acredita que o sincretismo, muito mais do que máscara deturpadora de uma tradição candomblezeira supostamente "pura", é um "fenômeno fundamental". E Ferreti assinala que, a partir da década de 1980, ganhou corpo uma nova tendência nos estudos brasileiros sobre o tema, colocando sob suspeita a defesa político-intelectual da "ortodoxia" e da "pureza" de determinadas casas de santo. Mais: "A ideia muito difundida de sincretismo como máscara colonial para escapar à dominação é um dos elementos que têm sido mais criticados, descartando-se também a hipótese do sincretismo como estratégia de resistência". Francamente, acho que essas coisas não se excluem de modo assim tão drástico. O sincretismo pode ter tido algo de "máscara" e algo de "resistência" — especialmente, em seus inícios, quando de fato era preciso ocultar as práticas religiosas africanas do olhar vigilante de senhores e sacerdotes, e impedir que um mundo cultural se desintegrasse, estilhaçando seus agentes. Mas não penso que esta seja a sua dimensão mais profunda e essencial. A não ser que falemos de *máscara antropofágica*, no sentido em que Oswald de Andrade tomou o canibalismo ritual dos índios tupis: "devoração" do estrangeiro ou do inimigo, com o intuito de incorporar suas forças. Porque o sincretismo não foi coisa de uma gente passiva, mas iniciativa de atores vitais de nossa história e de nossos processos culturais. Concluo, por tudo, que é mais correto pensá-lo no campo de forças ou no jogo semiótico das apropriações simbólicas.

De outra parte, o que chamamos religião nagô-iorubá apresenta, desde a África, uma abertura maior do que a que encontramos nas chamadas religiões alfabéticas. Goody generaliza, sublinhando que a flexibilidade é "uma característica das crenças e práticas religiosas africanas, tornando-as abertas a mudanças internas bem como a importações externas". Recordemos que alguns estudiosos chamam a nossa atenção para a realidade, já em terras africanas, de um sincretismo envolvendo jejes e nagôs. Vivaldo da Costa Lima, por exemplo, acentua o fato de que, sendo povos vizinhos, vivendo basicamente entre a Nigéria e o Daomé, mantendo relações comerciais entre si ou se engalfinhando em guerras, fazendo prisioneiros e os vendendo no mercado de escravos, tecendo alianças e promovendo casamentos interétnicos, jejes e nagôs não poderiam deixar de se influenciar mútua e fortemente. Uma influência que, segundo o antropólogo, foi da dimensão religiosa aos empréstimos tecnológicos, passando pelo âmbito dos sistemas familiares. E Costa Lima acredita que esse processo aculturativo se intensificou na Bahia, "com a participação de líderes religiosos das duas culturas em movimentos de resistência antiescravista". Sobre o candomblé, Vivaldo fala de trocas, fixando-se na fórmula *jeje-nagô* "como significativa do tipo de cultos religiosos organizados na Bahia, principalmente sobre os padrões culturais originários dos grupos nagô-iorubá e jeje-fon". O sincretismo religioso africano não se deu originalmente com relação ao catolicismo. Nem parou aí. Avançou para incorporar elementos ameríndios. E, mais tarde, espíritas, como se pode ver na macumba carioca e no batuque do Pará.

Daí que a defesa de uma suposta "ortodoxia nagô", que seria encontrável nos terreiros da Bahia, irresista a exame mais sério. O que há é um "mito da pureza". Deoscóredes dos Santos, em sua *História de um Terreiro Nagô*, é definitivo a esse respeito (pouco importando que, hoje, possa querer se apresentar como representante da mencionada "ortodoxia", por motivos de política cultural e/ou de posicionamento na economia das trocas simbólicas, como diria Bourdieu): "Para que atualmente, mesmo em Salvador-Bahia, um terreiro de orixá seja 'puro', cultuando exclusivamente os orixás, é preciso que ele seja fechado e reaberto novamente [...] Mesmo aqueles que se consideram de nação Nagô ou Ketu, estão permeados por Obaluayê, Nanã, Oxumaré, e mesmo Legbá ou Elegbará, todos fortemente associados à nação jeje, sem falar de assentamentos da nação Grunci [a própria fundadora do Axé do Opô Afonjá, Eugênia Ana dos Santos, Obá Biyi, não era nagô, mas grunci] e de tradicionais terreiros que cultuam caboclos — donos da terra —, nos quais muitos de seus filhos e filhas, independentemente de seu orixá, têm um caboclo que se manifesta". A referência de Didi, à figura do "caboclo", é preciosa. Porque, de uns tempos para cá, alguns terreiros, no afã de afirmar a sua "pureza" africana, passaram a tentar ocultar a existência do "caboclo" em seu meio. O caboclo se tornou mácula brasílica comprometedora, "uma pedra no caminho da legitimidade africana dos candomblés", na observação de Jocélio Teles dos Santos, em *O Dono da Terra: o Caboclo nos Candomblés da Bahia*. No entanto, ele está presente não só em terreiros congo-angola e jeje-nagô (mesmo uma ialorixá como Olga de Alaketu tinha o seu caboclo, Jundiara, que festejava no mês de janeiro), como também na sociedade dos eguns, onde, em meio aos grandes ancestrais do povo iorubaiano, volta e meia aparece um antepassado caboclo, Babá Iaô, cantando em português e exibindo um diadema de penas em suas danças coloridas. A decantada preservação de uma pureza africana resiste apenas em estudadas posturas de líderes religiosos e em ficções ideológicas, materializem-se estas em manifestos políticos ou em teses universitárias. Militantes de movimentos negros acham que é importante insistir nessa tecla, em função da afirmação da "identidade" e da luta pela projeção dos negros na sociedade brasileira. Mas o que é politicamente "útil" nem sempre é historicamente correto, socialmente saudável ou intelectualmente verdadeiro. O "mito da pureza" é indissociável da questão do poder, da afirmação de uma legitimidade, da construção ou da consolidação do prestígio, da luta por uma hegemonia, da busca da autopromoção no mercado de bens simbólicos. Desse ponto de vista interessado, o sincretismo se converteu numa espécie de demônio que precisa ser exorcizado do corpo dos terreiros. Ou algo que só merece o desprezo da parte daqueles que se julgam e se afirmam "puros", ainda que na intimidade sejam sincréticos, assim como o professor universitário que exige razão lógica e rigor metodológico na sala de aula, mas que, fora do recinto acadêmico, não hesita em compulsar horóscopos, consultar cartas ou jogar búzios. Mas nada aboliu nem abole as misturas. A própria língua que falamos e que nos dá coesão — o português do Brasil — é idioma altamente sincrético.

Há, ainda, um aspecto mais teórico. Goody insiste que os praticantes das religiões alfabéticas se entregam mais comumente a uma só forma religiosa e podem ser definidos por seu apego a um Livro Sagrado: "nas igrejas letradas, o dogma e o serviço são rígidos [...] o credo é recitado palavra por palavra, as Tábuas do Senhor aprendidas de cor, o ritual repetido textualmente. Se tem lugar uma mudança, ela toma com frequência a forma de um movimento de cisão [...] o processo é deliberadamente reformista, revolucionário mesmo, ao contrário do processo de incorporação que tende a marcar a situação oral". A ausência de um credo fixado pela escrita marca uma diferença fundamental. Mbiti enfatiza este ponto. Sublinha que as crenças africanas não se acham rigidamente formalizadas em conjuntos sistemáticos de dogmas, que sacerdotes e *credenti* devessem recitar ao pé da letra. As pessoas simplesmente vão assimilando ideias e práticas religiosas observadas no círculo familiar ou no circuito comunitário. E há uma certa margem de variação nesses princípios e práticas. Mitos e ritos não se reproduzem de modo igual de uma comunidade a outra. Mas essas variações não são vistas como anomalias, nem como iniciativas voluntárias no sentido da construção de dissidências. A postura não é cismática. A ausência de escrituras sagradas implica, portanto, a ausência da uniformidade total. E como as religiões africanas não são escriturais é outra a sua capacidade incorporativa. Nesse sentido, o sincretismo também pode ser encarado como uma negação do exclusivismo religioso letrado, onde o dualismo ou a pluralidade de cultos é visto como irregularidade grave. A disposição antissincretista é, no Brasil como em outros lugares, muito mais uma atitude intelectualista do que uma postura popular. Não foi por acaso que a investida recente contra o sincretismo se deu no momento em que a religião dos orixás se firmou no mundo da escrita, em textos de antropólogos, ialorixás e babalaôs. Não devemos subestimar, aliás, a importância crescente que os livros vêm adquirindo no ambiente candomblezeiro do Brasil. A definição do que é puro ou ortodoxo passa hoje, em não poucos terreiros do país, pelo aval de textos de autoridades como Verger. Em todo caso, o sincretismo dos brasileiros não parece se deixar afetar pelos discursos da pureza e da ortodoxia.

A verdade é que nada, do que chegou ao Brasil, conseguiu manter aqui uma pureza original, pré-brasileira. Por isso mesmo, não existe uma divergência incontornável separando culturalmente pretos e brancos no Brasil. E não adianta dar murro em ponta de fato. O Brasil não conhece, em escala significativa, situações, experiências ou sistemas hermeticamente isolados. Em nossos atuais discursos — à exceção das pregações catedráticas e/ou panfletárias de militantes dos movimentos negros —, não predomina o absolutismo étnico ou cultural. Nem deveria. Falamos todos a mesma língua e vemos os mesmos programas de televisão. Temos basicamente os mesmos estilos de vida, os mesmos cuidados vestuais, as mesmas expectativas de êxito, os mesmos planos discursivos, as mesmas identificações supragrupais, os mesmos desejos de consumo. Os nossos gestos e discursos se deixam ler, em tela inteligível, da Amazônia ao Rio Grande do Sul. Para usar livremente uma distinção da teoria da linguagem, temos dialetos, mas não idioletos. E até para dar um exemplo extremo, posso conversar tranquilamente em português com Kotok, chefe dos kamaiurás da lagoa de Ipavu. Na verdade, as línguas ameríndias que hoje são faladas em terras brasileiras devem ser preservadas não só em respeito a esta ou àquela cultura indígena, como também em favor da *semiodiversidade*, quando sabemos que cada língua que desaparece leva, com ela, uma cosmovisão. Mas estas línguas não constituem um fenômeno socialmente amplo, no sentido de que apareçam como enclaves atalhando a unidade linguística brasileira. E é por tudo isso, ainda, que Kabengele Munanga sustenta a impossibilidade de os negromestiços brasileiros "recuperarem", hoje, uma identidade exclusivamente própria. A história não é um jogo de armar, que se possa recomeçar do zero, em condições ideais e com as mesmas peças. Kabengele: "Não devemos deixar de constatar que, atualmente, brancos e negros brasileiros compartilham, mais do que imaginam, modelos comuns de comportamento e de ideias. Os primeiros são mais africanizados e os segundos mais ocidentalizados do que imaginam". Mais: "Na sua retórica contra as desigualdades raciais, os movimentos negros enfatizam [...] a reconstrução de sua identidade racial e cultural como plataforma mobilizadora no caminho da conquista de sua plena cidadania. Eles preconizam que cada grupo respeite sua imagem coletiva, que a cultive e dela se alimente, respeitando ao mesmo tempo a imagem dos outros [...] Ora, uma tal proposta esbarra na mestiçagem cultural, pois o espaço do jogo de todas as identidades não é nitidamente delimitado. Como cultivar independentemente seu jardim se não é separado dos jardins dos outros? No Brasil atual, as cercas e as fronteiras entre as identidades vacilam, as imagens e os deuses se tocam, se assimilam. Por isso, tem-se certa dificuldade em construir uma identidade racial e/ou cultural 'pura', que não possa se misturar com a identidade dos outros". E ainda: "Uma questão muitas vezes levantada: afinal, o que distingue profundamente a sociedade brasileira das outras sociedades da América Latina, todas herdeiras da colonização ibérica? É principalmente sua formação ternária com forte reapropriação do componente negro. Com efeito, na cidade de São Paulo, onde o número de terreiros de candomblé é cada vez mais crescente, se multiplicam particularmente as casas chamadas de 'africanização', essencialmente frequentadas por descendentes de italianos, espanhóis e alemães que afirmam, nessa busca pelas origens da África, não uma africanidade fictícia, mas uma brasilidade real".

Além do conceito complacente de cultura, vemos ainda a tendência de muitos estudiosos para tratar cada grupo eleito em "objeto de estudo" como um fato isolado do fluxo da vida social envolvente. Em *Os Nagô e a Morte*, Juana Elbein se conduz, apesar de ressalvas introdutórias formais, como se aquela comunidade baiana de Amoreiras, na Ilha de Itaparica, não fosse realmente uma comunidade baiana de Itaparica, mas uma aldeia demarcada em terras da África. Como se aquelas pessoas não trabalhassem nos bares, boates e mercados da ilha, indo com frequência a Salvador ou a outros pontos distantes do país e mesmo do exterior. Como se não vestissem *jeans* e *t-shirts*, não fossem fãs de Vera Fischer e Antonio Fagundes, não soubessem o que é *surf* ou *skate*, não ouvissem bandas de rock e de reggae, não bebessem "brahma", não frequentassem motéis, não comessem *pizza*, não falassem *ciao* e *ok*. Como se Itaparica não fosse servida por um sistema de *ferry boat*. Mas, sim, como se aquela pequena comunidade existisse a vácuo, numa espécie qualquer de laboratório, tendo como referência íntima e constante a mais sagrada e arcaica textualidade iorubana. Ou fosse uma unidade separada, integral e circunscrita, como um grupo numa reserva indígena, como os "argonautas" de Malinowski ou os nueres de Evans-Pritchard. E isto é falso. Falsificador. E é claro que, a partir daí, fica fácil demais vir supostamente fundamentado para o elogio e a defesa do "multiculturalismo". Que este não encontre correspondência na vida das pessoas e na realidade do grupo, é coisa secundária, detalhe sem maior importância. Regra quase geral, intelectuais, ideólogos, professores universitários, militantes e jornalistas deslumbrados estão muito mais preocupados consigo mesmos e com o que pensam do que com o que porventura se passa nas vidas daqueles que simplesmente vivem as suas vidas, sem pretensões midiáticas ou acadêmicas.

É por esse desvio intelectualista que Jacques D'Adesky fala da vigência, no Brasil atual, de uma "negação da identidade baseada na radical desvalorização da identidade cultural dos negros". Mas onde é mesmo que ele veria essa "radical desvalorização"? Na música popular do Brasil? No apoio dado por nós, já na época de Geisel, à independência das colônias portuguesas na África? Na festa do Ano Novo na praia de Copacabana, milhares e milhares de pessoas celebrando Iemanjá, com ampla cobertura dos *mass media*? Em mães de santo ganhando condecorações oficiais, como a ordem do mérito cultural, no governo de Fernando Henrique? Em terreiros de candomblé que, como a Casa Branca e o Bate Folha, foram tombados como monumentos preciosos de nosso povo, de nossa história e de nossa cultura pelo Instituto do Patrimônio Histórico e Artístico Nacional? No vasto rol de livros publicados (exibidos nas vitrines das livrarias e fartamente vendidos) sobre temas culturais negromestiços? Nos opúsculos escritos pela ialorixá Stella de Oxóssi? Na produção cinematográfica nacional assinada por diretores como Nelson Pereira dos Santos, Walter Lima Jr. e Cacá Diegues? Nos diversos documentários produzidos sobre o assunto, com recursos obtidos através da política governamental de incentivo à cultura ou bancados pela iniciativa privada, como no caso da construtora Odebrecht financiando a fita de Orlando Senna sobre o Ilê Aiyê? Em seriados televisuais como *Tenda dos Milagres*? Na existência de centros de estudos africanos no sistema universitário brasileiro? Na construção do "sambódromo" e nos afoxés da Bahia? Na nomeação de negromestiços para a equipe ministerial de Lula? Não sei. D'Adesky, como muitos outros, parece não entender que estes fatos não implicam a inexistência de racismo no Brasil. Parece não entender (ou não querer entender, o que é mais plausível) que a sociedade brasileira é altamente contraditória. Não é "lógica", silogística, aristotélica. É complexa — e, se a sua complexidade não cartesiana é inassimilável pela teoria acadêmica, pior para a teoria, não para o país. Este segue a sua vida, à espera de leituras mais centradas nele do que em si mesmas. Sejamos, portanto, menos acadêmicos e mais sensatos.

Isto não quer dizer, insisto, que as heranças da escravidão tenham sido abolidas entre nós, nem que hoje vivamos numa "democracia racial". Quer dizer que não só os negromestiços tiveram como preservar os seus signos, impregnando a vida social brasileira num jogo de muitas faces, como, para dizer de um modo simples, as coisas mudam. Os extremistas (recuso-me a usar, no caso, a expressão *radical*, pelo seu próprio sentido de grandeza e profundidade) parecem incapazes de perceber isso. Parecem definitivamente presos ao passado, congelados em seus mundos e em seus *freezers* mentais. Mas o fato é que muita coisa mudou entre nós ao longo do século XX, de Oswald de Andrade a Elza Soares e Pelé, de Gilberto Freyre a Benedita da Silva, de Milton Santos a Djavan. Não podemos fechar os olhos para as conquistas das lutas e dos movimentos antirracistas que se deram no Brasil, em especial, da década de 1970 para cá. Demos passos significativos nesse campo, levando um número historicamente inédito de brasileiros a tomar consciência de aspectos cruciais de nossa realidade sociorracial. E o nosso discurso tem de se articular a partir dos avanços que se deram. Não podemos ficar para trás, repetindo coisas que não fazem sentido. Para dar um só exemplo, não faz sentido algum falar, atualmente, de "religiões negras", entre nós, em termos de "focos de resistência cultural". É anacronismo. Terreiros são, entre outras coisas, tesouros de ritos, ritmos e mitos, templos socialmente reconhecidos e respeitados — "focos de resistência", como se ainda vivêssemos em tempos de repressão colonial ou de perseguições policiais republicanas às casas de culto, não. Reconhece-se hoje, como nunca, o "valor intrínseco" dos sistemas e das práticas culturais de origem africana no Brasil. É cada vez maior o número de brancos iniciados em terreiros de candomblé. "Agora não é mais perigoso entrar para o candomblé — é chique", escreve Peter Fry em *Para Inglês Ver: Identidade e Política na Cultura Brasileira*. Indo além, no livro *Os Candomblés de São Paulo*, Prandi observa que os terreiros paulistas não podem ser vistos como focos de preservação da identidade étnica ou de resguardo hospitalar do patrimônio cultural negro. Lá, como na Bahia, o candomblé se transformou em religião universal.

Devemos apontar ainda para uma inesperada confusão entre o plano antropológico e o político-sociológico, em se tratando de acadêmicos bem treinados. A reconstrução dos currículos escolares, de modo a incorporar as diversas histórias e matrizes culturais que nos formaram, dos tupinambás

Sincretismo e multiculturalismo

aos bantos, dos "tapuias" aos nagôs, para não falar das migrações europeias e asiáticas mais recentes, é sem dúvida uma luta cultural. Mas não é exatamente cultural (e muito menos "multiculturalista") uma luta por poder e dinheiro, por melhores empregos e postos de prestígio na burocracia governamental ou acadêmica. É claro que nem todos participam de modo igual da riqueza gerada em nosso país. A maioria está fora do círculo dos beneficiados. Temos direitos civis e políticos, mas, em matéria de direitos sociais, estamos vergonhosamente atrasados no mundo. Mas, como bem lembra Russell Jacoby, em *O Fim da Utopia*, "os que são excluídos por injustiças raciais ou étnicas não constituem necessariamente uma cultura diferente. O sofrimento não gera uma cultura". Queremos o equilíbrio salarial entre homens e mulheres, empregos e cargos dignos para a massa negromestiça, mas isso nada tem a ver com "multiculturalismo". Trata-se de uma reivindicação curiosa, aliás, pois, embora feita aqui e ali em nome do "multiculturalismo", nega, evidentemente, os mais caros devaneios deste. Óbvio. Se luto por melhores empregos na estrutura social brasileira, estou aderindo ao "estado de coisas" reinante e lutando por minha integração exitosa em sua rede — mas, jamais, pela afirmação ou expansão de "culturas diferentes". Jacoby fez uma leitura lúcida da situação norte-americana que, mudando detalhes, vale também para nós: "Multiculturalismo significa receber de braços abertos tudo que venha passando pelo pedágio da história; cada caminhão é considerado uma cultura, e alguns até são promovidos a 'nações', como a 'Nação das Bichas'. A questão é saber como o gênero ou a 'pan-etnicidade' vêm a constituir uma nova cultura [...] Com base no igualitarismo, é possível exigir mais mulheres na caserna, mais afro-americanos no governo ou mais policiais hispânicos, mas o que tem tudo isto a ver com o multiculturalismo? [...] Supostamente, o policial negro, como o professor negro de Direito, representa uma cultura diferente da do colega não negro [...] O objetivo principal é o poder, ou a distribuição do poder, de empregos ou recursos [...] Também aqui, uma maior representatividade das mulheres e dos afro-americanos em diferentes terrenos pode ser francamente defendida em nome da igualdade. Por mais desejável que isto seja, pouco tem a ver com multiculturalismo — e nada com subversão. Será que os prefeitos negros representam uma cultura diferente? Ou as juízas da Corte Suprema? E acaso deveriam representar? [...] Deixando para trás todo o blablablá sobre hegemonia, diferença e dominação, esta política define-se por cargos e empregos, a exigência nem tão revolucionária de integração à burocracia universitária ou ao mundo das corporações. Simplificando, os multiculturalistas radicais querem estar mais representados na organização. O que é perfeitamente compreensível [...] os pobres e excluídos querem ser ricos e incluídos, mas em que isto seria multicultural ou subversivo?".

Preservar a diversidade cultural é uma coisa. Propor o "multiculturalismo" é outra. No final das contas, para quem escolhe o último, desenham-se, pelo menos, dois grandes problemas. Primeiro, a ingenuidade ou a ignorância histórica, no caso da leitura cirúrgica, livre das impurezas do real histórico, de sociedades como a brasileira. Segundo, um problema mais geral: o da guetização de grupos sociais, aqui ou na Europa, em consequência do tratamento de cada comunidade como algo estanque, mergulhado em si mesma. Como se cada comunidade fosse um convento, impedida de se expor ao ar livre, rodopiando em meio ao circuito de signos do mundo. Como se devesse permanecer aprisionada em suas "referências étnicas específicas": um francês não deveria se aproximar do candomblé, nem "afrodescendentes" do *I Ching*. Ou até se reger por leis próprias, num "comunitarismo étnico explícito". O que significa que o "multiculturalismo" é um *apartheid* de esquerda. No Brasil, impossível tentar implantá-lo, a não ser por algum "decreto-lei". A mestiçagem (praticada e reconhecida) e o sincretismo (praticado e reconhecido) não deixam lugares para tanto. O que temos, em nosso espaço geográfico, são diferenças culturais — e não culturas diferentes. É certo que não devemos extrair, das realidades objetivas da mestiçagem e do sincretismo, uma ideologia uniformizadora, apontando para a dissolução última dessas mesmas diferenças. Mas daí a travestir diferença cultural de cultura distinta vai uma enorme distância.

E é apenas pitoresco, hoje, ver teóricos "pós-modernos" fazendo gato e sapato da história das ideias, ao contrapor ao conceito de "sincretismo" — que seria característico da "modernidade" — os conceitos de "transculturação" e "antropofagia", formulados, respectivamente, por Fernando Ortiz e Oswald de Andrade, que circulariam na "pós-modernidade". No primeiro caso, dizem os professores, escrevendo numa língua vagamente aparentada com o português, teríamos a homogeneização, a pasteurização do "outro". No segundo, a "astúcia" que valoriza o heterogêneo. É de uma tolice desconcertante. Primeiro, porque os conceitos de Ortiz (o fundador da *moderna* antropologia cubana) e Oswald (um dos líderes do *modernismo* brasileiro) pertencem à "modernidade". Não se pode fazer uma operação seletiva, no repertório da modernidade, para separar o que consideramos correto do que consideramos falso — e, depois, atribuir o "falso" à modernidade e o "correto", ao pós-moderno. O academicismo "pós-moderno" prima não só pelo desrespeito à inteligência, mas, também, à cronologia e ao movimento histórico das ideias. Segundo, porque "antropofagia" não é um conceito para o campo total das trocas simbólicas. É uma crítica da sociedade de classes e da cultura repressiva — e, dado que, no terreno dos sincretismos, inclui-se o influxo cultural dos países centrais para os periféricos, uma proposta ideológica para lidar com elementos e sistemas que vêm de experiências estrangeiras. Num dia de irresponsabilidade mental difusa, quem sabe, Oswald até gostasse de ser tratado como "pós-moderno". Em dias de inteligência aguerrida, ao contrário, seria mais fácil ele concordar com a definição de Gellner, em *Postmodernism, Reason and Religion*: o pós-modernismo é uma histeria da subjetividade. Terceiro, porque, quando falamos de sincretismo, não apontamos para "o outro" somente em âmbito de dominação. Ocorrem, igualmente, sincretismos entre iguais.

# 9.
## TRILHOS URBANOS

Para melhor entender os nossos processos de hibridizações culturais é recomendável uma breve reflexão sobre a cidade no Brasil. Sobre como se constituiu a realidade citadina e como se configurou o fenômeno urbano em terras brasileiras, porque ambos favoreceram a mestiçagem e o sincretismo em nosso país.

Ficou célebre a distinção feita por Pirenne entre os núcleos urbanos que se formaram na Europa medieval e os que surgiram nas Américas. A cidade europeia teria sido centrípeta, ao passo que as cidades americanas se deixariam caracterizar por sua natureza centrífuga. Trata-se de uma inversão. Na Europa, é o campo que cria a cidade. Nas Américas, a cidade cria o campo. Não é o desenvolvimento agrícola que vai aos poucos dando nascimento ao núcleo urbano, onde se organiza o mercado. É a póvoa que, implantada, irradia plantações. Exatamente em tal inversão está o caráter diferencial das cidades que brotaram às primeiras luzes do processo de colonização ultramarina, tanto na América Espanhola quanto na Portuguesa. As cidades americanas surgiram para o mundo como o avesso da cidade medieval europeia. Antes que se ir configurando no tempo, deixando a sua fisionomia se desenhar progressivamente por sucessivas levas de gentes e de intromissões sociotécnicas, as nossas cidades nasceram de um projeto. Veja-se o caso de Salvador, erguida a cavaleiro do Atlântico Sul, num despenhadeiro a pique sobre o mar, em 1549. A sua criação foi um gesto voluntário de planejamento e não o arranjo espontâneo de pessoas se agregando gradualmente em determinado sítio. Cidade concebida intelectualmente para responder às exigências da colonização, planejada para direcionar o processo colonizador, ela não foi produto de um passado, mas plano de um futuro. O seu nascimento se inscreve assim no campo geral da história das cidades do Novo Mundo. "Desde a remodelação de Tenochtitlán, depois de sua destruição por Cortés em 1521, até a inauguração, em 1960, do mais fabuloso sonho de urbe de que foram capazes os americanos, a Brasília, de Lúcio Costa e Niemeyer, a cidade latino-americana veio sendo basicamente um parto da inteligência", disse Ángel Rama, em *A Cidade das Letras*.

Apesar do parentesco, contudo, há diferenças internas, características que distinguem as cidades da América Espanhola das cidades da América Portuguesa. Sérgio Buarque foi dos primeiros a examinar o assunto, em *Raízes do Brasil*. Para ele, a colonização espanhola caracterizou-se "por uma aplicação insistente em assegurar o predomínio militar, econômico e político da metrópole sobre as terras conquistadas, mediante a criação de grandes núcleos de povoação estáveis e bem ordenados". A lusitana, ao contrário, "cuidou menos em construir, planejar ou plantar alicerces, do que em feitorizar uma riqueza fácil e quase ao alcance da mão". No afã de pôr em contraste, Sérgio não apenas avança o sinal — derrapa. E, a partir daí, sublinha a vontade de racionalidade, a disposição antinatural das cidades hispânicas no Novo Mundo, tão diversa da irregularidade, da indisciplina e da imprecisão com que as cidades portuguesas se implantavam nestas mesmas terras. "Já à primeira vista, o próprio traçado dos centros urbanos na América Espanhola denuncia o esforço determinado de vencer e retificar a fantasia caprichosa da paisagem agreste: é um ato definido da vontade humana. As ruas não se deixam modelar pela sinuosidade e pelas asperezas do solo; impõem-lhes antes o acento voluntário da linha reta. O plano regular [...] foi um triunfo da aspiração de ordenar e dominar o mundo conquistado. O traço retilíneo, em que se exprime a direção da vontade a um fim previsto e eleito, manifesta bem essa deliberação. E não é por acaso que ele impera decididamente em todas essas cidades espanholas, as primeiras cidades 'abstratas' que edificaram europeus em nosso continente". Bem outra é a visão que ele tem dos assentamentos lusos. Vigoram, aqui, a fantasia, a extravagância, o desalinho. O desapreço pela nitidez geométrica — "pelas formas fixas e estabelecidas, que exprimem uma enérgica vontade construtora". Sérgio: "A cidade que os portugueses construíram na América não é produto mental, não chega a contradizer o quadro da natureza, e sua silhueta se enlaça na linha da paisagem. Nenhum rigor, nenhum método, nenhuma previdência, sempre esse significativo abandono que exprime a palavra 'desleixo'". No caso espanhol, teríamos, portanto, a ordem do ladrilhador. No português, as assimetrias do semeador. Para demonstrar que, no âmbito lusitano, a rotina e as "experiências sucessivas" predominaram sobre o planejamento e a razão, Sérgio escreve, entre outras coisas, que "raros são os estabelecimentos fundados por eles [os portugueses] no Brasil, que não tenham mudado uma, duas ou mais vezes de sítio, e a presença da clássica vila velha ao lado de certos centros urbanos de origem colonial é persistente testemunho dessa atitude tateante e perdulária".

Culto, brilhante, sedutor, Sérgio Buarque, como Freyre, tem o dom de enfeitiçar. Mas há momentos em que é impossível não contrariar um e outro. E este é um deles. De saída, porque as mesmíssimas "tateantes e perdulárias" mudanças de sítio aconteceram em toda a América Espanhola. Na Venezuela, na Guatemala, no Panamá. Quito, no Equador, também mudou de lugar. Assim como, na Argentina, Tucumán e a própria Buenos Aires. Além disso, e principalmente, não é que as cidades brasileiras não sejam sinuosas, meândricas, menos afeitas ao quadrilátero do que ao arabesco. É que a sua fantasia, a sua acomodação coleante aos caprichos topográficos, as suas concessões à natureza não decorrem, como quer Sérgio, de uma postura mais de feitorização da riqueza fácil do que de decidida colonização das terras de ultramar. O problema está em que Sérgio Buarque se esquece de uma coisa e passa ao largo de outra. Esquece-se do norteamento político-militar, do interesse comercial e, sobretudo, da matriz urbanística que se conjugam para determinar o caráter e informar a fisionomia de nossos primeiros assentamentos coloniais. E passa ao largo da vontade e da prática construtivas do barroco, muito embora citando uma passagem do sermonário de Vieira, que pode muito bem ser acionada em sentido contrário ao da sua argumentação. A passagem em que Vieira, ao dizer que Deus não dispôs o céu em "xadrez de estrelas", dissimula a sua própria prática textual, os sermões que compõe como grande e insuperável enxadrista de signos, como "imperador da língua portuguesa", para lembrar o poema de Pessoa, em *Mensagem*. Mas, como a discussão deste segundo item — que se centraria na racionalidade e na elegância formal de conjuntos urbanos barrocos da Cidade da Bahia e do Rio de Janeiro, como o do Cais das Amarras — nos levaria longe demais, vamos nos concentrar aqui no "esquecimento" do mestre paulista.

Citei Rama, parágrafos atrás, pois queria sublinhar o fato de que a Cidade da Bahia nasceu de um gesto racional — de um projeto colonizador que ingressava em novo estágio, com a política de João III estabelecendo o Governo Geral do Brasil e, assim, um "modelo misto" de colonização, com a combinação do sistema estatal e do regime de capitanias. Mas, a partir daí, Salvador, como Olinda, nada tem a ver com as cidades hispânicas. O próprio Rama diz que os conquistadores ibéricos, que fundaram estas cidades, foram percebendo, no transcurso do século XVI, "que se haviam afastado da *cidade orgânica* medieval em que haviam nascido e crescido". E "tiveram que se adaptar dura e gradualmente a um projeto que, como tal, não escondia sua consciência racionalizadora, não lhe sendo suficiente organizar os homens dentro de uma repetida paisagem urbana, pois também requeria que fossem moldados com destino a um futuro, do mesmo modo sonhado de forma planificada, em obediência às exigências colonizadoras, administrativas, militares, comerciais, religiosas, que se iriam impondo com crescente

Trilhos urbanos

rigidez". Os colonizadores espanhóis não irão reproduzir, no Novo Mundo, o modelo das cidades existentes nas terras de que haviam partido. Não irão construir réplicas americanas das cidades da Espanha. Mas cidades "abstratas" (Buarque) ou "ideais" (Rama), cidades regidas, na definição do escritor uruguaio, "por uma razão ordenadora que se revela em uma ordem social hierárquica transposta para uma ordem distributiva geométrica". E o que resultou foram cidades alinhadas segundo a típica planta hispano-renascentista. Cidades retilíneas, ortogonais, desenhadas como um tabuleiro de xadrez. Cidades onde a curva do real foi submetida à régua do espírito.

Não foi isto o que aconteceu no Brasil. Salvador e Olinda não se afastaram da cidade orgânica medieval. Antes que a lógica geométrica, renascentista, a cidade brasileira prolonga, no Novo Mundo, o urbanismo medieval lusitano. Foi concebida e implantada como uma réplica ultramarina da cidade portuguesa. Assim é que a Cidade da Bahia, com os seus dois andares e as suas ruas ondeadas, de traçado flexuoso, é uma cópia de Lisboa, a Olisipona ou Felicitas Iulia dos romanos, depois da dominação árabe. É o projeto de uma Nova Lisboa. E a Lisboa medieval foi, mais que tudo, uma cidade islâmica. Quando os cristãos a reconquistaram, no início do século XII, era o que se via. "A planta obedecia a um dos típicos modelos das cidades islâmicas: no cimo do monte situava-se a pequena cidade fortificada, a *qasaba* (alcáçova), onde viviam o governador com os seus assessores e alguns dos 'notáveis' da terra. Mais ou menos no centro geográfico achava-se a mesquita e o mercado", escreve Oliveira Marques, em seus *Novos Ensaios de História Medieval Portuguesa*. Afora a conversão da mesquita em catedral e de uma que outra coisa, como no caso da distribuição interna da população, quase nada mudou com a Reconquista Cristã. Não surgiram diferenças dignas de nota entre a Lisboa dos muçulmanos e a dos cristãos. "Ambas mostravam a mesma irregularidade, a mesma rede complexa de ruas estreitas, becos sem saída e falta de espaços abertos", assinala Marques. A cidade foi apenas crescendo, expandindo-se para a Baixa, a Ribeira, o Rossio. E foi esta Lisboa que se quis reproduzir no Brasil. Com a escolha da marinha, para acolher embarcações; do acidente geográfico, como expediente militar. Remanso e defesa. A questão não é, portanto, como quer Sérgio Buarque, de mentalidade feitorial ou de desleixo. Não é isto o que nos dizem Salvador e Olinda. A questão é de matriz urbanística. Salvador até que ensaiou um centro reticulado, em briga com o relevo. Mas o que se impôs foi o modelo peninsular. A cidade brasileira é medieval. A cidade hispano-americana, renascentista.

"As características da cidade portuguesa na América se opõem às da fundação espanhola no continente e nas Filipinas. Um desenho urbano especial foi trazido pelos castelhanos para atender a vasto projeto de colonização. Apreendido nos tratados de arquitetura dos teóricos renascentistas, definido em lei, implantado em lugares apropriados às imposições de um império em construção. O estabelecimento colonial espanhol contrasta com as cidades de cunho medieval na Península Ibérica e no ultramar português. É, com poucas exceções, regular, em grelha, mononuclear e tem certa nitidez de limites", esclarece Murillo Marx, em *A Cidade Brasileira*. Irregular, polinuclear e de limites indefinidos, a cidade brasileira aponta, com os seus vícios e virtudes, para a paternidade portuguesa, islâmico-medieval. No dizer de Murillo, "o típico aglomerado medieval lusitano foi transplantado para a banda oriental americana da linha de Tordesilhas". Ainda Murillo: "Como as cidades medievais, acomodando-se em terrenos acidentados e à imagem das portuguesas, as povoações brasileiras mais antigas são marcadas pela irregularidade. Há casos extremos, como o denunciado em Ouro Preto, e outros menos evidentes, como o de Goiana em Pernambuco. É constante a presença das ruas tortas, das esquinas em ângulo diferente, da variação de largura nos logradouros de todo o tipo, do sobe e desce das ladeiras. O sítio urbano, geralmente, decide e justifica esses traçados irregulares. E, na verdade, uma determinada ideia e imagem de cidade o escolheu para assento".

Feita esta limpeza de terreno, estamos desimpedidos para avançar em nossa conversa. Murillo Marx sinaliza, de forma correta, que o desenho urbanístico da cidade brasileira expressava — "viva e claramente" — "uma maneira de conviver indisciplinada e condescendente". Nas cidades da América Espanhola, em vez do convívio indisciplinado, do trato social mais íntimo e aleatório, o que se procurava estabelecer era uma distância ordenada com rigor. "A palavra-chave de todo esse sistema é a palavra *ordem*", acentua Ángel Rama — a "colocação das coisas no lugar que lhes corresponde". Havia uma obsessão a este respeito. A cidade hispano-americana deveria ser uma rigorosa transladação da ordem social a uma ordem urbana. A constituição física da cidade, a organização formal do espaço urbano, estava destinada a espelhar, manifestar e assegurar a conservação da forma social. E isto já em sua concepção, em seu desenho gráfico. Em todo o encadeamento sígnico anterior à sua materialização. "A *ordem* deve ficar estabelecida antes que a cidade exista, para impedir toda futura *desordem*", salienta, ainda, Rama. O próprio Sérgio Buarque chama a atenção para as *Ordenanzas de Descubrimiento Nuevo y Población*, recomendando que, só depois da construção dos edifícios e de concluída a povoação, é que se deveria "tratar de trazer, pacificamente, ao grêmio da Santa Igreja e à obediência das autoridades civis, todos os naturais da terra". Neste sentido, a cidade hispano-

Trilhos urbanos

-americana ideal seria aquela que começasse do nada e se implantasse no vazio. É claro que isto não é possível, historicamente. Mas é esta "irrealidade" que faz com que Rama fale, dos polos urbanos implantados pela colonização espanhola, como de naves extraterrestres subitamente fixadas em solo americano. O que nos interessa, todavia, é a ordem urbana pensada e executada, na medida do possível, como ícone diagramático da ordem social.

O objetivo da política espanhola era impedir que a nova realidade, provocada nas Américas pela ação colonizadora, tivesse um desenvolvimento imprevisto. Tudo tinha de estar sob controle. Daí o empenho codificador dos castelhanos. "Minuciosamente especificada, traduzida em prescrições que pretendiam prever todas as circunstâncias possíveis, a política social e cultural espanhola parecia descartar por completo a possibilidade de qualquer contingência inesperada, como se a sociedade que se constituísse sob os auspícios de um desígnio do poder estivesse protegida de qualquer mudança, de qualquer processo de diferenciação", escreve o historiador argentino José Luis Romero, em *América Latina: as Cidades e as Ideias*. E aqui Romero vai ao grão da questão. As imposições legais da Espanha, no sentido de definir e determinar o desenho de suas cidades americanas, o plano em grade com uma *plaza* no meio, nascem da percepção do que era encarado como um perigo. Da percepção de um risco "notório demais na experiência espanhola", depois de séculos de contágio com árabes e a cultura muçulmana. Nas palavras do próprio Romero, *o risco da mestiçagem e da aculturação*. "E para prevenir tal risco, como também o de possíveis rebeliões, pareceu eficaz constituir a rede de cidades, de sociedades urbanas compactas, homogêneas e militantes, enquadradas dentro de um rigoroso sistema político rigidamente hierárquico e apoiado na sólida estrutura ideológica da monarquia cristã", conclui o historiador. Havia uma fantasia monolítica, gerada pelo medo de que a América Hispânica viesse a viver desastrosos processos de mestiçagem e sincretismo. Esta foi a intenção original e a direção primeira do projeto espanhol de colonização. Foi o seu móvel básico e central. Mas tal fantasia totalitária não resistiria inteira, ao baixar dos paraísos artificiais da racionalidade para o chão de barro do real. Para o acidentado âmbito das ocupações humanas. "Tratava-se de uma ideologia, mas de uma ideologia extremada — quase uma espécie de delírio — que, a princípio, aspirava a ajustar plenamente a realidade. Entretanto, a realidade — a realidade social e cultural — da América Latina já era caótica. A audácia do experimento social e cultural desencadeou desde o primeiro momento processos que se tornaram incontroláveis, e o desígnio foi-se frustrando", escreve, ainda, Romero. Para fazer a distinção: "Esse não foi o propósito de

Portugal e, por isso, no âmbito da colonização portuguesa, o processo foi mais pragmático".

Os portugueses também pensaram em termos de transplantação social e cultural. Buscaram reproduzir Portugal nos trópicos. Enquadrar as novas realidades tropicais americanas, adaptando-as ao modelo peninsular. E foram em larga medida bem-sucedidos, já que vivemos hoje, no Brasil, numa sociedade estruturalmente "ocidental" e profundamente lusitana. Ao mesmo tempo, o mundo brasileiro não se confunde com o português. O projeto de transplantação não se realizou em sua inteireza. Nem poderia se ter realizado. O programa foi subvertido pela própria contextura ecológica, pela existência de antigas culturas ameríndias e porque os portugueses importaram negros, trazendo para cá densas configurações culturais africanas. A mestiçagem genética e o sincretismo cultural mandaram pelos ares o projeto de transplantação. Mas os portugueses não nadaram frontalmente contra a maré. E não há dúvida de que o pragmatismo luso baixou a guarda e abriu o flanco. Já em 1570, em carta a dom Sebastião, Mem de Sá advertia: "esta terra não se deve nem pode regular pelas leis e estilos do Reino". E a advertência parece ter assumido validade geral em matéria de assuntos coloniais. Os portugueses não construíram, como os espanhóis, uma fantasia ideológica delirante, inflexível diante do contato cultural, asséptica ante a perspectiva de misturas. Foram menos abstratos e mais assistemáticos. Menos absolutistas e mais pragmáticos. Menos dramáticos e mais permissivos. Ao planejar e erguer a Cidade da Bahia, foram logo engatilhando a intermediação do Caramuru, com vistas ao engajamento dos índios na obra construtiva. E, ao permanecer no horizonte e no campo do urbanismo medieval lusitano, com a propensão labiríntica tão característica de sua base islâmica, construíram núcleos citadinos que tendiam muito mais a agregar do que a dissociar, a aglomerar do que a desunir, a apinhar do que a dividir, a confundir do que a delimitar, a misturar do que a distinguir. Cidades realmente gregárias e não apenas anexadoras ou somatórias. Cidades cujos desenhos urbanísticos expressavam um estilo indisciplinado e promíscuo de viver. Estilo que de fato se impôs e se aprofundou entre nós, talvez até porque tais focos urbanos tenham sido precedidos por póvoas mestiças, como as de Caramuru e João Ramalho, formadas nas décadas em que o Brasil conhecia apenas uma espécie fragmentária e extraestatal de colonização. Como quer que tenha sido, lembro-me, a propósito, de umas palavras de Pero Lopes, quando seu irmão, Martim Afonso, fez uma vila em São Vicente, no litoral de São Paulo, em 1532. Ao ver que as pessoas dali passaram "a ter leis e sacrifícios, e celebrar matrimônios, e viverem em comunicação das artes, e ser cada um senhor do seu", Pero Lopes observou que Martim assentara as bases de uma *vida conversável*. Eis aí uma boa definição para o tipo de vida que se poderia levar na Salvador seiscentista — "uma babel de casas, igrejas, conventos; um caos de vielas, praças, recantos, becos e travessas", como a veria Avé-Lallemant.

Falamos, hoje, da segregação socioespacial em vigor nas cidades brasileiras. A expansão urbana do país, ao longo do século XX, foi marcada pela segregação territorial: espaços delineados para ricos, espaços determinados para pobres. A massa proletária da população não só não tinha acesso aos serviços públicos mais básicos, como se ia concentrando nos morros, nas periferias, nas franjas das cidades. Algumas comunidades mais antigas resistiram à expansão urbana e à especulação imobiliária, convertendo-se em enclaves incrustados em segmentos economicamente privilegiados da extensão citadina. Configurou-se, assim, a atual tragédia urbana brasileira. Esta segregação territorial permitia, inclusive, que estudiosos pudessem fazer facilmente leituras socioantropológicas das geografias de nossos maiores aglomerados urbanos. Às distribuições sociais da população correspondiam diferenciações culturais. Linguísticas, inclusive. Veja-se a antiga divisão de modos de vida existente entre as zonas sul e norte do Rio de Janeiro. Ou a projeção distinta do morro na paisagem geocultural carioca. Os sambistas sabiam disso muito bem. O samba encarnou *a voz do morro*. Firmou-se como a estetização do discurso das favelas. Como a expressão poética daquele *sermo vulgaris*. É bem verdade que, dos tempos da contracultura à explosão brasileira dos *mass media*, muita coisa mudou. Diferenças ficaram esmaecidas. Mas as segmentações sociogeográficas do espaço urbano se acentuaram. Escandalosamente. Não devemos nos esquecer, contudo, de que a segregação territorial montada sobre a estratificação social não existiu desde sempre em nosso país. É fenômeno recente na história da cidade no Brasil. Uma característica da *cidade moderna*, tal como esta se implantou entre nós. Mas não era assim que as pessoas viviam nas cidades coloniais. E mesmo durante boa parte do período imperial. Em termos de arquitetura e urbanismo, costumamos falar, historicamente, de nossas cidades barrocas ou coloniais e de nossas cidades modernas. Seria melhor empregar expressão mais precisa. E falar da existência de uma *cidade barroco-escravista* na história do país. O sobrado brasileiro não funcionaria sem a escravidão doméstica. Mas não é isto o mais importante, no que aqui me interessa negritar. Relevante é observar que a cidade barroco-escravista não separava as pessoas, em termos socioespaciais. Não era uma cidade de cantões, desquites, apartamentos. Não retalhava o seu tecido de modo a dispor separadamente classes de moradores. Em comparação com a cidade capitalista moderna, podemos dizer que a velha cidade não segregava o seu espaço. Quase não segregava. Paradoxalmente, aliás. O regime da escravidão é o que mais distingue os indivíduos. A democracia capitalista, ao contrário, estabelece direitos iguais para todos, definindo-nos como cidadãos. Mas enquanto a cidade moderna é segregacionista, distribuindo espacialmente as pessoas com base em critério socioeconômico, a cidade barroco-escravista agregava. Na cidade capitalista moderna, os limites sociais entre os indivíduos praticamente coincidem com as fronteiras espaciais que os separam. Na cidade barroco-escravista, não. Os limites sociais estavam fixados com clareza, mas não havia, propriamente, fronteiras espaciais. Senhores e escravos conviviam em quase todo o espaço urbano. Em especial, a zona central da cidade barroco-escravista era local de trabalho e moradia tanto para senhores quanto para escravos. Tanto para brancos quanto para negros e mestiços.

Quando o acampamento militar de Thomé de Sousa ganhou ares de cidade, exibindo prédios de pedra e cal, índios e africanos enxameavam por todos os cantos, com padres correndo para vestir os "bárbaros". De sua vida embaralhada, cidade de sobrados e igrejas barrocas, bem nos diz a poesia de Gregório de Mattos. E nada mudou muito no século seguinte. A Cidade da Bahia era um lugar onde a vida esfervilhava em ruas e praças coloridas, numa paisagem de senhores enfatiotados, cadeirinhas de arruar, tanger de sinos, jogadas financeiras, candeias de azeite, tavernas tumultuadas, discursos bacharelescos, soldados insolentes, batuques de negros, batinas apressadas e mulatas seminuas. Naquela cidade imponente, o professor de grego Luiz Vilhena, autor de *A Bahia no Século XVIII*, reclamava de o governo "tolerar que, pelas ruas e terreiros da cidade, façam multidões, de um e outro sexo, os seus batuques bárbaros, a toque de muitos e horrorosos atabaques, dançando desonestamente e cantando canções gentílicas". Ainda que não muito enfaticamente e descontando a ausência de qualquer grandeza barroca, coisas parecidas podem ser ditas de São Paulo, a partir do momento em que os negros passaram a figurar de modo mais significativo na vida da cidade, em inícios do século XVIII. Lembre-se que, na década de 1730, São Paulo já contava com igreja e irmandade de Nossa Senhora do Rosário dos Pretos, nas imediações da Sé. Pessoas de classes e cores diversas misturavam-se no centro urbano, onde uma negra abria o seu tabuleiro ao lado do armazém de um comerciante branco. Quitandas se agrupavam numa feira no Pátio do Colégio. E assim por diante. Semelhantemente, do ponto de vista do planejamento geométrico-racionalista, a cidade do Rio de Janeiro, descendo dos outeiros para as praias, começou tão bagunçada quanto a Cidade da Bahia. Tão pouco "vitruviana" ou "renascentista" quanto Lisboa, Salvador

Trilhos urbanos

e Luanda. Ainda na segunda metade do século XVIII, bandos de negros nus, desembarcados da África, eram levados à venda nos pontos principais do Rio. Na Rua Direita, por exemplo. Negros que, de resto, não hesitavam em se lavar na Fonte da Carioca, provocando protestos de vereadores e queixas de moradores, até o Marquês do Lavradio estabelecer o mercado de escravos na praia do Valongo. A verdade é que, em matéria de localização geográfica e morfologia urbana, o Brasil irá se aproximar do modelo hispânico-renascentista somente ao longo do século XVIII, na implantação de cidades amazônicas como Belém do Pará, onde se definirá o "estilo pombalino", mais tarde empregado na reconstrução de Lisboa. Nessa época, o Rio era ainda cidade suja, de ruas estreitas e casinholas mesquinhas. Tanto é que chocou João VI e a corte portuguesa, para lá corridos pelas tropas napoleônicas que cercaram Lisboa. Em *Arquitetura Brasileira*, Carlos Lemos anota: "Toda a parte velha do Rio, principalmente, desagradou enormemente aos fidalgos recém-chegados, tão acostumados à lindeza de Lisboa recém-reconstruída. Aqui encontraram foi uma enorme Alfama plana de águas servidas empoçadas. Dever-se-ia varrer com toda a urgência os balcões de madeira, os muxarabis de treliças, as rótulas, as urupemas e os toldos das fachadas de pedra. Deveria ser banido aquele ar orientalizante e grotesco da cidade escolhida para ser a capital do Reino". Pois João VI e sua corte, agora afrancesados, envergonhavam-se da herança islâmico-medieval de Portugal, que passara a ser vista, por eles, como sinônimo de atraso.

E aqui chegamos onde eu queria chegar. A cidade barroco-escravista brasileira, filha do urbanismo islâmico-medieval, com a sua sugestão ou indicação de convívio permissivo, propiciou uma vida citadina onde a quase completa ausência de segregação socioespacial favoreceu a visão e a vivência do "outro". Criou proximidades e vínculos. Favoneou os contatos interpessoais. Os encontros amorosos, as seduções, as violências sexuais. As trocas técnicas. Os câmbios simbólicos. Os hibridismos. As mutações. Vale dizer, favoreceu, estimulou e auspiciou a miscigenação — o seu desdobramento social na *mestiçagem* — e a riqueza e multiplicidade de nossos processos de sincretismo cultural. E, quando a cidade brasileira começou a se tornar moderna, quando principiou a apartar, a tender mais para o *apartheid* que para o padê, já era tarde. O sincretismo avançara além do ponto de se tornar irreversível. Africanos escravizados continuaram a chegar ao Brasil até meados do século XIX. E seus descendentes já haviam marcado o país, na constituição de nosso corpo e na definição de nossa alma. Participando intensamente, portanto, do processo que transformou o projeto luso de transplantação cultural numa nação latino-africana.

Teste extremo foi a trasladação da corte portuguesa para o Rio. Pode-se falar, a propósito, da transmigração de um aparato estatal e seu entorno. Cerca de 15 mil pessoas fizeram a travessia oceânica. E assim chegou às nossas praias, como disse o Oliveira Vianna de *Populações Meridionais do Brasil*, um imenso "cardume de lusos adventícios". Deu-se, então, um encontro de culturas que já haviam se distanciado, em consequência da progressiva individuação do mundo cultural brasileiro, projetando-se para fora e para além do *corpus* peninsular de cultura. Dessa perspectiva, a cultura trazida pelos migrantes lusos não poderia deixar de aparecer, no Rio, como uma cultura *emboaba*. Não na acepção de radicalmente estrangeira. Mas no sentido de que tinha a estranheza ultramarina de seus ritmos internos, de suas linhas específicas de desenvolvimento, de seus constrangimentos mais recentes, da pressão modeladora de influxos de outras configurações europeias, de seus modos particulares de expressão. O que significa que aquele mundo cultural lusitano e aquele mundo cultural carioca apareciam agora, um diante do outro, como organismos próximos e parecidos, mas também distantes e distintos. Se os lusos figuravam como grupo homogêneo, os habitantes do Brasil não eram compactos. Havia a elite, os setores médios, os escravos — e, sobre as linhas de classe, os brancos, a mulataria, os negros. Vamos distinguir as coisas, portanto. A começar pelas elites. Os reinóis não desembarcaram aqui de bem com a vida. Não tinham viajado de moto próprio, mas por constrangimento alheio. Muitos, na afobação do embarque, com soldados invasores mordendo seus calcanhares, atravessaram o Atlântico com a roupa do corpo e saltaram aqui sem um tostão no bolso. Conta-se, aliás, que ao pôr os pés no Rio, onde continuaria corneando João VI, a princesa Carlota Joaquina caiu em choro convulso. Achava que os trópicos eram um castigo cruel. Mas a atitude brasileira foi de júbilo, extravasado em música e foguetório. O que irritou ainda mais os lusos. Eles viam a presença do príncipe, aqui, como um pouso forçado. Os brasileiros, ao contrário, desejavam a sua permanência, numa corte tropicalizada. Para agravar as coisas, a nobreza transplantada olhava a mais rica e poderosa camada social nativa com desdém. Movia-se, como disse Vianna, "com a prosápia das suas linhagens fidalgas e o entono impertinente de civilizados passeando em terra de bárbaros". Jactância e preconceito que se expressavam de forma ferina, em virtude do ressentimento que os lusos remoíam. E havia o preconceito de cor: a nobreza lusa orgulhava-se de sua brancura, depreciando a pele morena da elite nativa — que, por sua vez, se sentia inferiorizada, despreparada para circular em esfera cortesã. Sentia-se ferida, também, pela "condescendência escarninha e arrogante" com que a tratavam os portugueses. Mas desejava fazer parte daquele mundo.

Trilhos urbanos

Pagaria caro por isso. Empréstimos que fazia ao real erário eram saldados com títulos de nobreza. João VI concedeu mais crachás de nobreza do que todos os seus antecessores no posto. Com isso, desprestigiou a realeza e abrasileirou a corte. Brasileiros bancavam os seus brilhos, passando na frente de lusos de algibeiras vazias. De outra parte, como a hostilidade popular aos lusos nunca arrefeceu, temos aí uma base social para o separatismo, que se manifestaria com a chegada da década de 1820. Brasileiros e reinóis fizeram seus desejos coincidir apenas a respeito dos projetos de reforma urbana do Rio. A elite nativa desejava que o Rio assumisse uma outra estrutura urbanística, ganhasse prédios de relevo arquitetônico. Coisas que apontassem para a superação da rusticidade, agora fator de depreciação do ajuntamento urbano que se vira elevado à condição de sede ultramarina da monarquia lusitana. Imigrantes lusos, por sua vez, raciocinavam de modo prático. Ao contrário do que acontecera com a Cidade da Bahia, que encantou João VI, o Rio não tinha sido bem tratado pelas autoridades coloniais. Era uma cidade chinfrim. E se eles estavam condenados a viver naquele fim de mundo, melhor transformar *aquilo* em algo o mais parecido possível com a Lisboa pós-pombalina. E o Rio deu um salto. Urbanístico-arquitetônico e populacional. Além de ter assumido outros ares, com o velho patriarcalismo colonial perdendo espaço para o novo estilo de vida burguês-europeu que se impôs. Razão tem o Gilberto Freyre de *Sobrados e Mucambos*, ao falar de uma *reeuropeização* do Brasil, com a chegada de João VI. O uso do prefixo "re" se justifica porque o Brasil experimentara um processo de europeização entre os séculos XVI e XVII, quando ganhou intensidade o projeto lusitano para a colônia ultramarina. Neste sentido, o século XVIII não deixou de ser um *intermezzo*. Segura de ter cumprido o seu objetivo, a metrópole lusitana deixou que o barco brasileiro corresse mais ou menos solto. Mal inaugurado o século XIX, contudo, fomos submetidos a uma nova compressão europeizante. A uma reeuropeização, portanto. Com uma diferença: Portugal deixara de ser o modelo a seguir. Passara a ser exemplo de atraso e impolidez. O que contavam agora eram as "francesias e ingresias", da contratação de criadas brancas ao consumo de morangos na sobremesa, passando pela importação de carruagens londrinas, que eventualmente funcionavam como "alcovas ambulantes", como no caso de certa marquesa carioca "que se entregava até aos seus cocheiros". Em resumo, havíamos passado da europeização seiscentista à reeuropeização oitocentista. Dos templos e sobrados barrocos aos chalés e palacetes neoclássicos. E este "impulso novo da influência europeia", no dizer de Freyre, "invadiu triunfalmente vários aspectos da nossa vida, mesmo a mais íntima". Uma preferência estilística que se desdobraria em escolha política, com o encorpar dos movimentos a favor do divórcio entre Brasil e Portugal, que se consumaria no ano seguinte ao do regresso da corte a Lisboa.

A elite brasileira se deixou afrancesar e anglicizar, de requintes de *toilette* a coisas do intelecto. Era de esperar. Não somente pelo grande número de brancos portugueses (e, em seu rastro, outros imigrantes europeus) que desembarcaram num único dia no Rio de Janeiro — quando, pela primeira vez, um monarca europeu pôs os pés no hemisfério sul —, o que, por si só, seria fato de forte repercussão. Mas, sobretudo, porque aquela foi uma migração insólita. Migração não de desfavorecidos em sua terra natal, que se deslocam para outras partes do mundo à procura de uma vida melhor. Mas migração da metrópole para a colônia. Migração de uma classe dominante. Do poder. No dizer de Oliveira Lima, o desembarque da corte produziu, no Rio, "um acréscimo repentino e avultado de população das classes superiores". Em *Nasce um Povo: Estudo Antropológico da População Brasileira*, Michel Bergman assinala: "Vinda tão maciça modificou imediatamente a composição da sociedade carioca, já que, na época, o Rio de Janeiro tinha apenas 50 mil habitantes, na maioria mulatos e africanos". Impacto racial e cultural. E, como a migração era de modelos metropolitanos a serem seguidos pelos súditos brasileiros, tanto mais fácil alterar a vida da cidade que a recebia. A tal ponto que a elite carioca foi-se tornando estrangeira em sua própria terra. Por esta razão, será necessário sair do âmbito elitista nativo, com as suas práticas miméticas, e centrar o foco na vida negra e mestiça de escravos e pessoas pobres em geral, para poder entender como o Rio pôde chegar a ser, no século XX, a cidade da umbanda e das escolas de samba. Deste ângulo, deveremos falar da chegada da corte não mais em termos de atualização cultural ou de europeização da elite carioca, mas sim no sentido de seu *impacto desafricanizador*. Impacto que teve a sua contrapartida em meio às classes dominadas. Sim. Há lugar para crer que, não fossem os negros que aqui estavam e os que chegavam cada vez em mais crescido número, sem abrir mão de suas formas de sociabilidade e cultura, o Rio se poderia ter transformado numa cidade diferente da que hoje conhecemos. Se, apesar de tudo, ela é o que atualmente é, devemos isto à criatividade cultural de seus negros e mestiços oitocentistas.

O "impacto desafricanizador" pode ser considerado em dois planos, didaticamente dissociáveis: o numérico e o simbólico. Não é difícil imaginar o que o Rio experimentou no 8 de março de 1808. Quinze mil portugueses foram despejados de uma só vez numa cidade de 50 mil habitantes. Foi uma massa branca clareando invasivamente aquele espaço urbano. Choque demográfico — mas, principalmente, uma injeção racial branqueadora na corrente sanguínea de uma cidade predominantemente negromestiça. E a imigração de brancos europeus não estancou naquele dia. Em *Viagem pelo Brasil*, Spix e Martius calculam que, de 1808 a 1817, cerca de 24 mil portugueses desceram de mala e cuia no Rio — movimento acompanhado pelo fluxo de ingleses, franceses, italianos. Não é de admirar que Oliveira Lima concluísse, em *D. João VI no Brasil*, que a cidade tendia a *embranquecer-se*. Mas tal "embranquecimento" não passava de *wishful thinking* do historiador. Pois é ele mesmo quem diz: "Era sobretudo a população de cor que emprestava à capital do Reino Unido de Portugal, Brasil e Algarves o seu aspecto estranho e único na monarquia, compartilhado é claro pelas outras cidades do litoral brasileiro. Em Lisboa, não obstante o forte contingente africano, predominavam os brancos; nas possessões d'África os negros estavam quase sós; no Rio de Janeiro era que se equilibravam em número descendentes de europeus e africanos, avolumando-se constante e simultaneamente ambas as correntes com a enxurrada de reinóis atraídos pela corte e as levas de escravos arrebanhados pelos negreiros". O Rio não branqueava em decorrência da importação de escravos, fluxo negroafricano que mais do que compensava a corrente migratória europeia. Para cada pastel produzido numa confeitaria europeia, um punhado de pimentas pesava no outro prato da balança. "Em 1808, a chegada da corte portuguesa [...] transformou o tranquilo posto avançado colonial no centro de um império. O porto abriu-se para os navios do mundo, a cidade prosperou e cresceu em população. A fim de dar seguimento à nova situação, o príncipe regente João VI, os nobres e comerciantes portugueses e europeus atraíram para a corte do Brasil toda a mão de obra necessária. A demanda por escravos estimulou a renovação do tráfico [...] com o próprio soberano participando do negócio", expõe Mary Karasch, em *A Vida dos Escravos no Rio de Janeiro (1808-1850)*. A escravidão carioca atingiu seu ponto culminante nessa primeira metade do século XIX. Lembra a mesma Mary Karasch que, em 1849, o Rio alcançou a marca dos 80 mil escravos — "nenhuma outra cidade das Américas nem sequer se aproximou da população escrava do Rio nesse mesmo ano. Nova Orleans, por exemplo, tinha apenas 14.484 escravos em 1860. Portanto, os anos de 1808 a 1850 foram os mais importantes da história da escravidão no Rio, e a cidade teve a maior população escrava urbana das Américas". A matriz da reeuropeização providenciava o seu antídoto, incrementando as forças de africanização da capital. Podemos então dizer que, do ponto de vista biológico, o Rio se reeuropeizava e se africanizava. Ao mesmo tempo — e diariamente.

Quanto à reeuropeização cultural, também ela foi contrabalançada pela ação negromestiça. Pela tensão africanizadora nos domínios do simbólico. Não só pelo peso demográfico do contigente africano ou de ascendência africana na cidade, mas também porque as formas e práticas culturais, que aqueles negros e mestiços conservavam e promoviam, tinham a sua densidade. O mesmo Oliveira Lima, que não hesitou em falar de "grotescas e terríveis superstições negras", conferia lugar central à presença negromestiça naquilo que denominou de "o espetáculo das ruas". É assim que ele vai apreciar a cidade "no seu ar pronunciadamente africano". Para falar, ainda que de modo preconceituoso, da capoeiragem. Das cerimônias fúnebres de nobres negros escravizados. Dos "bandos de negros ganhadores transportando fardos e entoando cantigas, que só interrompiam para se persignarem diante de cada retábulo de santo ou das almas do purgatório". Do "papel muito considerável" que pretos, pretas, mulatos e mulatas desempenhavam na vida cotidiana da cidade, num espectro que se alargava dos serviços domésticos à prostituição, com as carruagens de que se utilizavam "mulatas da vida airada" e os palanquins em que se pavoneavam "sacerdotisas do amor fusco" — putinhas e fidalgas que se encontravam, enfeitadíssimas, no beija-pé da quaresma. Era, em resumo, o Rio, cidade atravessada pelo "incessante movimento popular de negra algazarra e negra alegria". Assim, era possível e até comum ver nas ruas do Rio um negro de saias azuis ao meio das coxas, cabeleira cuidadosamente desenhada, colar de contas, dentes limados, brincos de ouro, braçadeiras, cicatrizes faciais identificadoras de filiação étnica, falando ou cantando numa língua africana, tocando sua marimba. Mais invulgar, mas não de todo extraordinária, a aparição de um negro islamizado, mina muçulmano de abadá branco, levando fragmentos do Corão, escritos em árabe, dentro de um saquinho pendurado no pescoço. No caso das religiões de origem negroafricana, tal como elas se configuravam e eram praticadas então, a paisagem é enevoada. Não temos informações precisas sobre como se apresentavam as formas religiosas de raiz congo-angolana, por exemplo. Sabemos que os bantos e seus descendentes somavam a maioria da população negromestiça da cidade. Mas bantos recém-chegados não encontrariam, ali, estruturas político-religiosas iguais às que existiam em seus territórios africanos de origem, e sim organismos já inseridos no universo carioca em movimento e a este se adaptando de modo permanente. O Rio contava com muitos sacerdotes, curandeiros que mesclavam ervas medicinais e fórmulas mágicas, adivinhos. Com gente que se atribuía o dom de afastar o mal e antecipar o futuro. O nome de Zambi ali se ouvia e ainda hoje é pronunciado. Também os nagô-iorubás assentavam os seus pejis, que se torna-

Trilhos urbanos

riam mais nítidos com a migração de negromestiços baianos para o Rio, a partir da década de 1830 — migração que teria fortes repercussões na vida carioca, da dimensão religiosa à musical, no caminho para a criação do samba "raiado" e das escolas de samba.

Foi com seus lineamentos particulares, seus traços originais de cultura, que a gente negromestiça se engajou na construção da sociedade e na tessitura da vida cariocas, não apenas impedindo que o Rio se rendesse à onda reeuropeizante, mas contribuindo para que a cidade caminhasse incorporando signos e tradições diversas, em direção a uma configuração cultural realmente nova e essencialmente sincrética. Sincretismo que foi à língua e aos discursos ali em andamento, com palavras e torneios africanos enriquecendo a fala lusitana (ao tempo em que a corte imprimiu o "s" lisboeta no encantador sotaque carioca). Com escravos se expressando quase num afro-português, ou em português sintaticamente simplificado, lexicalmente reduzido e foneticamente alterado. Uma cidade onde a encenação do coroamento de "reis congos" se dava em templos católicos. Onde o funeral de um nobre africano escravizado somava cantos do continente negro e missa na igreja. Onde conviviam o batuque e o batismo, o despacho e a ladainha — com moças brancas procurando amuletos para se proteger e moças pretas fazendo pedidos à Virgem Maria; com negros escravizados festejando São Benedito e brancos escravistas recorrendo a adivinhos e se entregando a curandeiros. Cidade de brancos assimilando ritmos pretos, cidade de pretos dominando instrumentos europeus de sopro, como a flauta e o clarinete — e desses encontros nascendo já criações mestiças tropicais como o lundu (e, mais tarde, o chorinho), forma que, enraizada na umbigada angolana, chegaria a salas senhoriais, enquanto escravos ensaiavam passos de polca. Cidade que vira o mulato Valentim criar esculturas de madeira e bronze para igrejas e chafarizes (para o Jardim Botânico, inclusive) — e agora acompanhava o fazer visual de outros mulatos. Enfim, sincretismos marcaram de uma ponta a outra a paisagem da Guanabara e seu recôncavo, lugar de muitas mesclas, que chegou a transformar, em *trademark* sua, uma palavra quéchua: *copacabana*.

Se signos de extração africana se impuseram no mundo carioca foi porque negros e negromestiços souberam ser *sujeitos* das tramas que desenharam a sua história. A propósito dos EUA, Rawick disse que os africanos e seus descendentes imediatos não foram "vítimas totais" da escravidão — como seres que não possuíssem história ou cultura —, mas agentes ativos na construção, no posicionamento e na semantização de suas vidas. Ecoando Rawick (e Genovese), Mary Karasch traz, para o ambiente carioca, esta visão do negro numa sociedade escravista: "Embora alguns cativos se voltassem para as tradições africanas em sua vida separada dos senhores, outros recorriam à herança luso-brasileira [...] Os africanos não viviam na cidade sem sofrer influências dos que estavam à sua volta, mas, por outro lado, seus donos não ditavam todos os aspectos de sua vida cotidiana. Mesmo dentro dos constrangimentos da vida urbana e apesar de seu labor constante, os escravos eram participantes ativos da evolução de uma nova cultura, com linguagem, etiqueta, comidas, roupas, artes, recreação, religião, vida em comum e estrutura familiar próprias. É essa cultura afro-carioca, forjada a partir das muitas tradições culturais da primeira metade do século XIX, que continua a dar forma cultural ao Rio contemporâneo".

Por caminhos que não deixam de ser parecidos, apesar de seus descompassos históricos e descoincidências etnodemográficas, o Rio de Janeiro e a Cidade da Bahia se constituíram em poderosas centrais elétricas da práxis negromestiça no Brasil. Da mais alta importância, para os destinos do universo cultural brasileiro, que isto tenha acontecido não somente na Cidade da Bahia, mas também — naquele momento-chave e naquelas circunstâncias — no Rio de Janeiro. Porque, a partir da arribada de João VI e da transferência da sede da monarquia para lá, o Rio veio assumindo um novo papel e uma nova função na vida brasileira. Como disse Oliveira Lima, resumindo uma tese de Handelmann (o alemão que escreveu uma *História do Brasil*, em 1860), "até então representava o Brasil nada mais do que uma unidade geográfica formada por províncias no fundo estranhas umas às outras; agora porém iam essas províncias fundir-se numa real unidade política, encontrando o seu centro natural na própria capital, o Rio de Janeiro, onde passavam a residir o rei, a corte e o gabinete". Apesar de algum exagero — desde a guerra contra os holandeses, nem todas as províncias eram assim tão "estranhas umas às outras" —, a tese é correta. "Foi mediante a constituição dessa entidade administrativa que a enorme possessão transatlântica [...] entrou a oferecer no seu conjunto uma personalidade de sentimento", prossegue Lima, para finalizar: "a trasladação veio emprestar ao país aquilo que lhe faltava [...] uma capital convergente e propulsora que enfeixasse as aspirações e as tornasse harmônicas". Capital administrativa e centro político, o Rio se converteu não só em foco de atração, mas em polo irradiador. Neste sentido, que foi fundamental, repito: a Cidade da Bahia e o Rio de Janeiro, tendo na forte presença negromestiça o seu *trait d'union*, puderam dar substância, sentido e direcionamento *afrolatinos* à existência social brasileira.

Aqui chegando, vamos atar algumas pontas. Quando falo de sociedade urbana convivial, não estou me referindo a uma sociedade harmônica, sossegada, entregue à sua própria placidez. Não me refiro sequer a um espaço

Trilhos urbanos

social onde os conflitos se apresentassem de forma atenuada. Em outras circunstâncias, estes esclarecimentos seriam dispensáveis, mas o ambiente brasileiro não se encontra hoje, mentalmente, em condições normais de temperatura e pressão. Parece até que as pessoas estão fazendo questão de parecer burras. Daí o didatismo e a redundância a que somos obrigados. Convívio não é sinônimo de harmonia, mansidão ou paz. Convívio é coabitação. É o coexistir no interior de um mesmo universo físico-social. É contato, familiaridade, relação. É o trato permeável, a vizinhança invasiva, a proximidade que enseja influências mútuas e multidirecionais. É o avesso da distância, do isolamento, da soledade. O contrário do apartamento. Convívio é comunicação. É abolição do "exótico", no sentido etimológico do vocábulo: o que está fora do campo de visão. Mas, como disse, não implica tranquilidade, entendimento, comunhão. A convivência pode ser agitada, exasperante, litigiosa e mesmo violenta até entre marido e mulher. No caso que estamos examinando — num mundo em que escravos foram açoitados; em que pretos ainda experimentam discriminações criminosas —, talvez alguns preferissem falar de sociedade urbana não isolante. Mas não vejo problema com a expressão *convivial*, desde que tenhamos em vista o fato de que o convívio não elimina a contradição, a pendenga, o racismo. O que importa é que o convívio não insulariza. Não segrega. Não ilha. Mantém as pessoas na mesma praia, num círculo de visibilidade e trato mútuos. Num jogo de efeitos recíprocos. Foi esta disposição convivial que fez com que nos fizéssemos sincréticos.

Podemos ver o quadro em plano de conjunto, recorrendo a uma distinção de José Murilo de Carvalho, em *Nação Imaginária: Memória, Mitos e Heróis*. O historiador observa que o "mito edênico" — examinado por Sérgio Buarque em *Visão do Paraíso* —, a crença na existência e na possibilidade de encontrar o paraíso terrestre, não foi exclusiva de lusos e espanhóis. Os puritanos alimentavam esta convicção. Murilo cita Charles Sanford: o mito edênico foi a força organizadora mais poderosa e abrangente da cultura norte-americana. No rastro de Colombo (que chegou a ter uma antecipação lírico-sensual do sítio edênico, numa ondulação que o fez lembrar do bico de um peito de mulher), espanhóis e portugueses imaginaram que o paraíso terreal estaria no Novo Mundo, onde os puritanos, por sua vez, se decidiram a erguer um Novo Éden. Com uma diferença fundamental. Para os puritanos, era necessário construir a estância paradísica, concebida como um *jardim fechado*, feito por — e para — eles mesmos. Na concepção luso-brasileira, o espaço edênico não requeria obras. Era uma dádiva divina. E aparecia como um *jardim aberto*, ao qual todos teriam acesso. Em suma, o jardim norte-americano era excludente. O luso-brasileiro, inclusivo. Comenta

Murilo: "A implicação dessa diferença é muito significativa. Nos Estados Unidos, muitos (índios, negros, católicos) foram excluídos do jardim fechado; no Brasil, todos foram admitidos ao jardim aberto". Prosseguindo, Murilo aponta para consequências disso em nossas realidades presentes. "Pode-se dizer que esta diferença afeta recentes desdobramentos em ambos os países. No primeiro, os esforços para abrir o jardim branco-anglo-saxônico-protestante, iniciados por ação afirmativa, resultaram não em sua abertura, mas na criação de vários jardins fechados em uma sociedade partilhada por múltiplos grupos étnicos. No Brasil, a abertura do jardim tem sido desviante ao longo de toda a sua história, no sentido de ter evitado o aparecimento de dissensão".

Mas Murilo acha, também, que é por isso que "nossos dissidentes tiveram de abandonar o jardim aberto e fugir para a selva ('sertão'), para tentar construir sociedades alternativas". Palmares e Canudos são seus exemplos. Esta última afirmação é insustentável. Por um lado, comunidades de negros fugidos existiram em todos os tempos e lugares da história do escravismo nas Américas. Não é uma particularidade brasileira. Além disso, os quilombos, em sua maioria, se pensavam como focos de liberdade, mas, de preferência, mantendo relações pacíficas e até comerciais com a sociedade envolvente. Seu objetivo primeiro não era a guerra. Por outro lado, foram muitos os movimentos, armados ou não, que tentaram transformar (e provocaram transformações) por dentro o nosso "jardim aberto", da revolta dos malês às lutas político-sociais do século XX, passando pela Conspiração dos Búzios. Quanto a Canudos, o que aconteceu ali, sob a regência de Antonio Conselheiro, enquadra-se na tipologia das criações utópicas proposta pelo filósofo polonês Jerzy Szachi, em *As Utopias ou a Felicidade Imaginada*. Canudos foi uma "utopia monástica". Explicando o conceito, Szachi escreve: "Um certo ideal é produzido; aparece um pequeno grupo de pessoas que se entregam a ele; não acreditam que a sociedade seja capaz de ser transformada e não acreditam tampouco que seja possível preservar a fidelidade ao ideal vivendo-se no interior desta sociedade civil. Decidem então fechar-se desta ou daquela forma junto aos seus pares a fim de proteger os valores que julgam supremos. Um convento ou uma colônia de sectários religiosos que se isola do exterior são exemplos deste tipo de alternativa". Na verdade, como aconteceu em Canudos, este isolamento acaba sendo mais ideológico do que espacial. Szachi dá exemplos de "utopias monásticas" que vão dos gregos estoicos aos *hippies* norte-americanos, sem deixar de lado a Europa medieval. "Este tipo de utopia é um fenômeno durável e importante na história da Europa e, certamente, não só da Europa. Chamo-a de utopia monástica porque a vida nos primeiros monastérios parece-me ser o exemplo mais notável e conhecido. Mas incluem-se nesta categoria inúmeras seitas religiosas dos tempos posteriores, assim como algumas organizações seculares que têm por fim a criação de ilhotas de perfeição no oceano do mal, como é considerada a sociedade ao redor". Canudos integra um longo rol de utopias monásticas. Não foram poucas, ademais, as tentativas utópicas nesta direção, dentro do "jardim fechado" dos EUA, durante o século XIX. "Lá estabeleceram as suas colônias os seguidores de Cabet, lá os fourieristas tentaram realizar a ideia do falanstério [...] Para lá foi também Robert Owen a fim de continuar as suas experiências que na Inglaterra estavam condenadas ao dilema da filantropia ou da ação política."

O deslocamento espacial da dissidência, em função da constituição de um polo social alternativo, não é uma especificidade brasileira. Mas isto não anula a distinção entre "jardim fechado" e "jardim aberto", formulada por Murilo de Carvalho. E ele está correto quando sublinha o fato de que, ao forçar a sua entrada no éden puritano estadunidense, os grupos excluídos acabaram forjando um mundo multicultural. Ficou faltando dizer uma outra coisa. É que o "jardim aberto" brasileiro, ao contrário do espaço circunscrito que se definiu nos EUA, revelou-se um campo por excelência para as mestiçagens e os sincretismos. Minou e corroeu divisórias, impedindo que aqui se constituísse uma sociedade multiétnica e multicultural. Nosso problema, como frisa o historiador, foi e é que, ao conceber tal "jardim" como uma dádiva franqueada a todos, não mobilizamos a nossa energia social em sentido construtivo, executando esforços para realizar o sonho. Deixamos as coisas acontecerem. Não entramos em campo para concretizar, por exemplo, as reformas agrária e educacional defendidas por Nabuco, Rebouças e outros abolicionistas. Foi por isso que nunca chegamos a conhecer a democracia racial. Ou que não vivemos — *ainda*, pode-se conjecturar — em tal democracia. Mas é possível realizá-la. Desde que nos engajemos na materialização de tal projeto, superando barreiras étnicas e sociais.

Não será excessivo sublinhar que os nossos processos sincréticos tiveram os seus dias inaugurais em pleno império da cultura e da sensibilidade barrocas, que, atravessando como linha de fogo o arco dos séculos, marcariam para sempre as criações brasileiras. Na arquitetura, nas artes plásticas, na música, na literatura, na culinária, no carnaval, no cinema, no futebol. Chamo a atenção para isto porque o barroco histórico — que, entre nós, floresceu em esplendor nos séculos XVII e XVIII, de Antonio Vieira às igrejas e aos profetas do Aleijadinho —, em que pese o seu etnocentrismo contrarreformista, apresentou também, como que para confirmar em profundi-

248             A utopia brasileira e os movimentos negros

dade a tensão de contrários que presidia à sua mentalidade, uma certa abertura antropológica, uma atração pelo *outro*. Não se trata de uma característica que singularize o barroco brasileiro, mas que gerou consequências singularizantes para nós. É, na verdade, uma característica daquela *forma mentis*, daquela estética. Em *Sor Juana Inés de la Cruz o las Trampas de la Fe*, Octavio Paz ensina: "Os estilos artísticos são sempre transnacionais e o barroco o foi acentuadamente. Seus domínios se estenderam de Viena a Goa, de Praga a Quito. A estética barroca aceita todos os particularismos e todas as exceções — entre elas, 'o vestido de plumas mexicano' de Góngora — precisamente por ser a estética da estranheza. Sua meta era assombrar e maravilhar; por isso buscava e recolhia todos os extremos, especialmente os híbridos e os monstros". Mas é certo também que o barroco percebia de forma diferenciada os diversos *environments* terrestres — e se manifestava de modo distinto em cada universo ecossocial em que se via inserido. Paz observa que, para a sensibilidade barroca, o mundo americano representava o maravilhoso, com as fantasias extravagantes de sua natureza, "sua fauna fantástica e sua flora delirante", suas culturas milenares, seus índios nômades e canibais. De outra parte, continua o ensaísta, é justamente naquele amor à estranheza que "estão tanto o segredo da afinidade da arte barroca com a sensibilidade crioula como a razão de sua fecundidade estética". Afinidade, coincidência, conjunção. Paz emprega, de fato, a sua expressão favorita: "há uma conjunção entre a sensibilidade crioula e o estilo barroco". Aqueles que nasciam na América "respiravam com naturalidade no mundo da estranheza porque eles mesmos eram e se sabiam seres estranhos". Assim, "de uma maneira natural — a própria estética do barroco o exigia — a poesia culta aceitou os elementos nativos. Não por nacionalismo, mas por fidelidade à estética do estranho, do singular, do exótico". Mas realizando-se de forma particular em cada contexto. No México, Juana Inés de la Cruz vai empregar a fala mulata e a língua náhuatl. Entre nós, a antropologia barroca de Vieira, brotando no cruzamento da razão católica universal e da novidade humana e social dos trópicos brasílicos, vai se ocupar de questões relativas à escravidão e à diversidade das raças e culturas. A poesia de Gregório de Mattos, por sua vez, vai recriar a nossa fisionomia antropológica, tematizando práticas e incorporando palavras bantas e tupis.

Particularismos culturais africanos se projetaram então em nosso horizonte. Além do mais, nossas manifestações barrocas, desde o início, envolveram — e foram afetadas e enriquecidas por — africanos e mulatos. De processões religiosas a obras de arte visual. Mas isto foi facilitado, também, pelas próprias tradições estéticas africanas. Podemos estabelecer uma analo-

Trilhos urbanos

gia com o que ocorreu no campo da linguagem. A interação entre línguas africanas e a língua portuguesa foi favorecida por semelhanças de sistemas linguísticos. Yeda Castro destacou duas correspondências de modelo estrutural entre as línguas em questão. Seus sistemas vocálicos são praticamente coincidentes. E, com exceção da nasal silábica /n/ para as línguas africanas, a vogal é sempre centro de sílaba. Ressalte-se, ainda, a proximidade dos espectros fonéticos do português e do iorubá. Compare-se a pronúncia dos nomes dos deuses iorubanos no Brasil e em Cuba. Os cubanos dizem *Yemayá* e *Changó* porque não existem, no espanhol do Caribe, os fonemas /j/ e /sh/. Em campo estético, as coisas foram ainda mais fáceis. A tradição visual africana não se choca com as formas barrocas. Prima pelo excesso e a extravagância. Por floreios e volutas. É uma festa de movimentos, cores, detalhes. Um mundo de procissões sacro-carnavalescas e danças multicoloridas — de máscaras e brilhos e insígnias e artifícios, todos capazes de seduzir de chofre um temperamento barroco. Apesar das diferenças culturais, um homem barroco se sentiria à vontade diante da plástica em movimento de orixás e eguns. Assim, a conjunção e o parentesco formais facilitaram a articulação de sincretismos entre nós.

Mas vamos finalizar. O que temos, na vastidão continental do Brasil, é um compartilhamento dos códigos fundamentais de cultura. As diferenças, que existem, se dão no plano dos repertórios. Não dizem respeito ao código central. Não faz sentido superdimensionar diferenças e, ao mesmo tempo, subestimar semelhanças. E o fenômeno urbano, tal como se configurou no Brasil Colônia, foi fundamental para que aqui se construísse um mundo essencialmente sincrético. Apesar de todas as nossas diferenças e variações internas, sejam elas de caráter histórico, geográfico ou sociológico, o Brasil é conjuntamente considerável, conjuntamente definível, conjuntamente real. Não há notícia de solilóquios na vida brasileira.

# 10.
## PALAVRAS, PALAVRAS, PALAVRAS

"As principais qualidades apontadas no inglês dos Estados Unidos, por todos que o estudam, são: a sua homogeneidade em todo o país, o desrespeito impaciente às regras gramaticais, sintáticas e fonológicas e aos precedentes, além da grande capacidade (incomparavelmente maior do que a do inglês da Inglaterra de nossos dias) de assimilar palavras e expressões estrangeiras, bem como de criá-las com recursos próprios", escreve Mencken, em *The American Language*. Dito de modo sucinto, homogeneidade linguística (que Mencken considera caso único, inencontrável em qualquer outro país, quando pode ser comparado à solidariedade verbal brasileira), capacidade incorporativa e disposição inovadora no linguajar. Penso que Mencken está correto. Mas, em tal plano genérico, os traços que enfeixa não são em si mesmos distinguidores, numa comparação entre o inglês norte-americano e o português brasileiro. Podemos notar, lá e aqui, a vigorosa e transformadora intervenção da grande personagem de Maiakóvski: "o povo — o inventa-línguas". Mas homogeneidade linguística, capacidade incorporativa e disposição inovadora não separam as nossas práticas verbais. O que as diferencia é a experiência histórica da linguagem. São as descoincidências de nossas vivências linguísticas.

Falamos da facilidade com que o inglês norte-americano assimila expressões de outros idiomas. Esta capacidade é espantosa. Parecem inexistir, nos EUA, barreiras a empréstimos linguísticos. É notável o número de vocábulos espanhóis adotados. São muitas, também, embora não tantas, as palavras de origem holandesa (*yankee*, inclusive) e alemã. E expressões francesas chegam a ser preservadas fonologicamente, como "*bourgeoisie*". Até palavras chinesas e tupis ingressaram no inglês dos EUA. E não é pequeno o elenco, que ali figura, de palavras norte-ameríndias. Como *caucus* ou *tomahawk*, a machadinha que aparece no *Moby Dick* de Melville — palavra algonquina que gerou uma expressão idiomática, *bury the tomahawk*, "fazer as pazes", e deu nome a um míssil, muito usado na primeira guerra dos EUA contra o Iraque de Saddam Hussein. Mas a grande contribuição indígena ao inglês dos EUA, como ao português do Brasil, vai aparecer na toponímia e nos campos da botânica e da zoologia. A minha pergunta, porém, é precisa. E o influxo linguístico negroafricano? As palavras bantas? As iorubanas? Mencken não tem quase nada a nos dizer acerca de tais influências linguajeiras. Nem poderia ter. A influência de línguas africanas, na conformação de um inglês dos EUA, é praticamente nula. Podemos encontrar uma palavra como *yam*, "inhame", embora não seja improvável que ela tenha ingressado no inglês norte-americano através da língua portuguesa, como indica o *Webster*. Ou palavras como *buckra* ("branco"), de origem efik-nigeriana, quase circunscrita às extensões sulistas dos EUA, e *goober* (o que chamamos "amendoim", usando uma expressão tupi), que vem do banto *nguba*. Mas é muito pouco. Nos EUA, os negros se distinguem, linguisticamente, pelo jeito de falar. Pela entonação, pela fluência fonética, pela gíria. Por *speech patterns*. No Brasil, diversamente, eles impregnaram, africanizaram o vocabulário, a língua geral da nação. Os negros africanos, que chegaram nos EUA cultuando os seus deuses e falando uma razoável variedade de línguas, foram arquivando (ou obrigados a arquivar e esquecer), a cada passo de sua história, não só as suas divindades, mas discursos e palavras ancestrais. Podem as políticas das classes dominantes ter sido ideologicamente glotocidas nas Américas. Mas, no Brasil, o léxico de origem africana sobreviveu e se impôs em escala incontornável.

As línguas litúrgicas se mantiveram, com todos os seus arcaísmos, nos templos de raízes bantas, jejes e nagôs, apesar das inevitáveis corrupções temporais. Sintagmas como axé, orixá, iá kekerê; como vodúnsi, querebentam, tobossi; como inquice, makota, tata lubito, Dandalunda, Mutalambô. E, mais que isso, é significativo o vocabulário de origem africana no português do Brasil, como nos ensinam os estudos de Yeda Castro. Empregamos hoje, rotineiramente, diversas expressões que nos vieram de povos bantos litorâneos, como os bakongos, ambundos e ovimbundos — falantes, respectivamente, das línguas kikongo, kimbundo e umbundo. Em todas as camadas sociais. Qualquer brasileiro, de qualquer região, sexo, idade, classe social ou coloração epidérmica, chama ao filho mais novo *caçula*, e não "benjamim", expressão lusa de origem latina. Assim como todos dizemos samba, cachaça, cacimba, bagunça, bunda, dendê, fuxico, berimbau, cuíca, cangaço, maconha, mambembe, curinga, forró, candango, catimba, quitanda, quiabo, moleque, sacana, cabaço, dengo, quitute, senzala, quilombo, corcunda, lengalenga, cafundó, fubá, macaco, batucada, titica, zabumba, xoxota — todas palavras de origem banta. Do mesmo modo, muitas das palavras que utilizamos diariamente, em conversas pelas diversas regiões do país, nos vieram da família linguística *kwa*, das línguas fon e iorubá, para cá trazidas por jejes e nagôs. Palavras como acarajé, afoxé, jagunço, bobó, babalaô, ebó, creca, bafafá, fifó, xinxim, gogó, agogô, jabá. Isto para não falar de sintagmas híbridos, de formação luso-africana ou afro-europeia, como encabulado, maconheiro, xaxado, sacanagem, samba-canção, barco-das-iaôs. De sintagmas traduzidos, como mãe de santo (tradução literal de "ialorixá", expressão iorubana). De vocábulos portugueses ressemantizados em função de práticas de origem africana, como banho-de-folha, assentamento, língua-de-santo, obrigação, fundamento. Em resumo, é inconcebível uma reflexão sobre o português brasileiro que não trate dos influxos linguísticos ameríndios e negroafricanos em nossos falares. E, mais especificamente, que deixe de negritar a presença de línguas africanas na configuração de nossos vocabulários culinário, musical, afetivo, religioso e sexual.

A palavra *bunda*, por exemplo, com a qual línguas bantas enriqueceram o português do Brasil. *Mbunda* é a sua forma original. Difícil pensar a alegria brasileira sem recorrer à palavra e mentalizar seu objeto. Bunda — e não "cu" (do latim *culus*), o célebre orifício, ou "nádegas", que é uma expressão plural. Bunda é o conjunto, a inteireza inteira. É o "milagre de ser duas em uma", como dizia Drummond, acrescentando: "A bunda é a bunda, redunda". E é com ela que o Brasil requebra em suas festas. Nada de nádegas, da *fesse* ("fenda") dos franceses ou de *buttocks* norte-americanos. A bunda brasileira, formada graças à herança genética — designada graças à herança linguística — dos africanos, é massa carnal rebolante. Não é bipartição, fenda, vazio. E, se temos uma estética da bunda, cânones dessa ondulação carnal sedutora, a bunda também remete a uma estética. E esta, como viu Hennig, em sua *Breve História das Nádegas*, é barroca. Sim: a bunda é barroca. É curva e plenitude. A nossa alegria mestiça, em algumas de suas manifestações mais originais, é de base negroafricana. E nasce de um corpo preciso. Daí a importância de atentar para a sua constituição, o seu desenho, as suas possibilidades motoras. O corpo em "violão" de nossas mestiças tropicais não é o corpo quadrado de índias e nórdicas. Nossas índias nunca foram tão gostosas quanto Ana Maria Magalhães, em *Como Era Gostoso o Meu Francês*. Mas, além do corpo, existe a visão desse mesmo corpo. O nosso modo de lidar com ele. Daí que a nossa alegria, manifestando-se em nosso corpo e em sua bunda, seja inseparável da informalidade e do gregarismo brasileiros. Ainda está por fazer uma história ou antropologia da bunda no Brasil.

Neste sentido, alguém poderia compor, também, uma leitura sociolinguística da expressão *fazer a cabeça*. Este sintagma integrava o repertório linguístico dos terreiros de candomblé, que o transmitiram aos rituais da umbanda. Em *Falares Africanos na Bahia: Um Vocabulário Afro-Brasileiro*, de Yeda Castro, encontramos, no verbete *fazer a cabeça*, a explicação: "iniciar-se nos segredos do culto, onde a cabeça (*ori*) é o centro da *feitura* de todos os rituais". Yeda observa que, por extensão, *fazer a cabeça* significa "convencer, induzir alguém a fazer alguma coisa, alterando procedimentos ou convicções". *Cabeça-feita* é como se chama "o iniciado já submetido aos processos rituais para receber o transe de possessão". Com estes mesmos sentidos, as expressões entraram no vocabulário umbandista, subsidiário do léxico candomblezeiro. Bem. Tanto na Bahia quanto no Rio, a malandragem sempre foi ligada na macumba. Sempre foi ligada, também, no consumo de drogas como a maconha — palavra de origem banta: *makonya, makanya*. E levou o sintagma para o mundo da malandragem e das drogas, provocando deslizamentos de sentido. Fazer a cabeça: iniciar-se no segredo das drogas; fumar maconha. "Fazer a cabeça de fulano" passou a significar convencer alguém a queimar um charo, a dar um tapa num baseado. "Cabeça-feita", por sua vez, ampliou seu raio de alcance semântico — passou a designar a pessoa barra limpa, "gente boa", que não é "sujeira" e "sabe das coisas". Acontece que, na passagem da década de 1960 para a de 1970, o movimento contracultural promoveu um encontro direto, nas principais cidades brasileiras, entre setores jovens marginalizados e setores jovens economicamente privilegiados. Uma juventude predominantemente brancomestiça foi buscar, entre jovens pretos e pobres, fragmentos discursivos e algumas práticas, com o objetivo de se contrapor à ordem vigente, no vácuo deixado pela falência das estratégias esquerdistas. Houve, então, uma caótica troca de vivências e linguagens, que teve o seu papel no processo de superação da couraça branca no Brasil. As juventudes de ambas as faixas econômicas tiveram acesso a experiências e informações até então inéditas para elas, devido às suas próprias localizações na hierarquia social. Darcy Ribeiro (*El Dilema de América Latina*) foi o único pensador social brasileiro a ter, na época, uma percepção do fenômeno, escrevendo que o uso de drogas — especialmente, a maconha —, por parte da juventude privilegiada, permitiu que acontecesse, pela primeira vez, "uma comunicação direta e simétrica" entre esta camada jovem e os segmentos mais proletários da juventude, num encontro de consequências imprevisíveis. Curiosamente, Darcy, antropólogo, deixou de parte consequências mais propriamente culturais desse encontro. E é para uma delas que chamo a atenção aqui. No terreno da linguagem.

Em boa parte, a gíria brasileira era, até então, de extração argentina, termos trazidos através de letras de tango, como *bacana* e *otário*. Mas, a partir daí, passou a vir, principalmente, das favelas e de outros meios pobres e periféricos, originárias dos terreiros de candomblé, como *fazer a cabeça*, e o próprio termo *desbunde* (junção do português *des* com o africano *bunda*, dando no verbo *desbundar*), que acabou servindo de designação para o "*drop out*" em nossos alegres tristes trópicos. "Esse nome que a contracultura ganhou entre nós — a bunda tornada ação, com o prefixo *des* a indicar antes soltura e desgoverno do que carência", na definição de Caetano Veloso, em *Verdade Tropical*. Ocorre que a juventude classemediana e rica se encarregou de disseminar tais expressões. No livro *Ernesto Geisel*, de Maria Celina d'Araújo e Celso Castro, temos uma longuíssima entrevista do ditador que iniciou a abertura democrática brasileira. Lá pelas tantas, ao falar da investida direitista de Silvio Frota no processo de sua sucessão, referindo-se ao coronel Ênio Pinheiro, o sisudo e luterano general comenta (grifos meus): "Ênio Pinheiro foi, na minha opinião, um dos principais entre os que *fizeram a cabeça* do Frota". Será que Geisel, exemplo de disciplina militar, seriedade política e discrição pessoal, sabia que estava falando como um maconheiro do morro, usando um sintagma nascido no meio da macumba? Provavelmente, não. Mas assim é a vida da linguagem. E é sobre a sua existência em dimensão estética que vamos falar um pouco aqui.

Num livro de meados do século passado, *Image and Idea*, Philip Rahv fez uma distinção interessante, agrupando os escritores norte-americanos em dois extremos. De uma parte, teríamos a vertente *paleface*, "cara-pálida". De outro, a *redskin*, "pele-vermelha". Na primeira, encontraríamos as obras que são, sem dúvida, as mais sofisticadas da literatura produzida nos EUA. É a linhagem de Hawthorne, Melville, Henry James, Emily Dickinson, T. S. Eliot. Na segunda, reinariam obras menos intelectualizadas e mais "espontâneas", sugerindo irrupções de alguma força da natureza, sem maiores vínculos explícitos ou cultivados com a "série literária", como diriam os formalistas russos. Obras de Mark Twain, Whitman, Hemingway, Steinbeck. Rahv distingue com clareza as duas linhas. O escritor "cara-pálida" é culto, chique, cosmopolita, tendendo para o simbolismo e alegoria. O criador "pele-vermelha" se jacta de sua autenticidade, de seu anti-intelectualismo, de seu norte-americanismo. É o grosseirão do uísque de milho, do pontapé na porta do *saloon*, da contração da gonorreia, da "experiência de vida", cultivando uma atitude de hostilidade diante do mundo das ideias, pouco ou nada rigoroso com relação a critérios e padrões estéticos. É evidente que a classificação de Rahv é necessariamente esquemática e excessivamente "nativa", estadunidense, mas, em todo caso, reveladora. E ele acaba nos apresentando, como exemplo consumado de "cara-pálida", o admirável Henry James. De "pele-vermelha", Whitman. Chama a nossa atenção para o imenso contraste existente entre as "ficções de salão" do cosmopolita James e os "poemas ao ar livre" do nativo e patriótico Whitman, que dominaram a cena literária norte-americana do século XIX. E, juntos, aprofundaram uma "literatura nacional que se ressente das deficiências de uma personalidade dividida". Dividida ou não, esta literatura vai apresentar uma unidade no tratamento do negro. "Cara-pálida" ou "pele-vermelha", o escritor norte-americano será obrigado a um silêncio, que vai se impor para além dos seus preconceitos de sempre. Não por uma questão de temperamento, ideário estético, cultura ou incultura pessoal. Mas por uma imposição sociológica superior. Esta literatura poderá ser política, psicológica, etc., mas nunca será antropológica, com relação aos seus negros. Nem em Mark Twain e Norman Mailer, nem em Edgar Poe, Melville e Scott Fitzgerald.

Negros, na verdade, não ocupam lugar de destaque nos textos de Poe e Melville. Aparecem aqui ou ali, como o cozinheiro Seymour, no *Gordon Pym* de Poe: um assassino implacável, *bloodthirsty*, definido, no texto, como um "perfeito demônio". Ou o também cozinheiro Mungo, em *Taipi* (Melville) — a diferença é que sentimos em Poe o prazer mórbido da descrição perversa, enquanto Melville se move em terreno rousseauniano clássico. Mas negros vão tomar conta das páginas de um livro publicado no mesmo ano de *Moby Dick* — o grande *best-seller* do século XIX nos EUA: *A Cabana do Pai Tomás*, de Harriet Beecher Stowe. Sucesso espetacular de público; de crítica, nem tanto. Além disso, com o tempo, vieram porretadas políticas, ideológicas. O livro foi acusado de racista. De pôr em cena estereótipos pouco enobrecedores e mesmo aviltantes do negro norte-americano. O próprio personagem-título do livro converteu-se em expressão da língua inglesa: "*uncle tom*", o negro dócil, conformista, submisso; um preto "pai-tomás". Em terreno literário, é difícil não concordar com boa parte do que dizem os detratores de Stowe. Ela jamais poderia dizer, como Pound, que a sua "*true Penelope*" era Flaubert. Mas *A Cabana do Pai Tomás* é um romance realista que recria, poderosamente, toda uma sociedade. Eu não assinaria embaixo da acusação de racismo. Stowe transformou, em grande tema nacional, o que até então não passava de uma preocupação de pequenos grupos abolicionistas. É um mérito e tanto, especialmente, naquela época, para uma mulher. E não considero que ela lide apenas com estereótipos ou que tenha falsificado a realidade da vida escrava nos EUA. Aquele foi um país sem terreiros e sem quilombos. E é o que vemos no *Pai Tomás*. Não há disposição para o enfrentamento armado do sistema. Na cabana do "tio", encontramos resignação e salmos. Mas não há espaço para nenhum axé, nem para armas. Histórica e sociologicamente, foi o que aconteceu.

Mas vamos adiante. *As Aventuras de Huckleberry Finn*, de Mark Twain, tematiza, entre outras coisas, a dimensão sociorracial da vida na região do Mississippi, no sul dos EUA. E aqui devemos concordar com o Lionel Trilling de *The Liberal Imagination*, quando ele diz que *Huckleberry Finn* (e Joyce brincaria com este *Finn* no *Finnegans*) é um dos documentos centrais da cultura norte-americana. Deste ângulo, três coisas chamam a atenção do leitor. Primeiro, o próprio fato de que o livro apresenta uma relação de companheirismo, de amizade, entre um jovem branco, Huck, e um velho escravo negro, Jim. Segundo, a escravidão aparece, nas páginas de Twain, como a ordem natural das coisas, assim como estabelecida é a ideologia da inferioridade do negro — inferioridade mental, afetiva e moral. Terceiro, a construção do mundo espiritual do escravo como um mero rol de crendices, de uma pobreza símia. Huck é um vagabundo, marginal por opção, que escolheu viver nas frestas sociais, curtindo ilhas desabitadas. Mas, mesmo lutando por viver à margem, reproduz a ideologia racista dos brancos sulistas. Vê a escravidão como algo perfeitamente normal. E é claro que não alimenta dúvidas acerca da incapacidade dos negros, coisa que fica bem visível, sintomaticamente, nos elogios que tem para Jim. Quando diz que este possui *"an uncommon level head for a nigger"* (um nível mental raro para um negro). Ou quando sintetiza o seu juízo sobre o companheiro: *"I knowed he was white inside"* — "eu sabia que ele era branco por dentro". Por fim, como disse, o mundo extranatural não cristão dos negros escravizados, tal como aflora no *Huckleberry Finn*, não passa de um rosário de superstições. De crendices de pretos e crianças. Acredita-se na existência de bruxas e fantasmas. Crê-se que não se deve tocar com as mãos em pele de cobra, sacudir a toalha da mesa depois do pôr do sol, olhar para a lua nova por cima do ombro esquerdo. Tudo isso traz azar. Mas azar mesmo, na minha opinião, é que, ao longo das dezenas e dezenas de páginas do *Huckleberry Finn*, em nenhum momento um deus africano venha para imantar aquele mundo de águas, aquele rio imenso, conferindo um outro brilho e uma outra grandeza à alma do escravo negro que viajava em busca da liberdade.

Henry James, por sua vez, não se interessou pelos pretos. Mas por mulheres. Brancas. Veja-se *Washington Square*. É a recriação clara e delicada de um certo mundo feminino, de uma determinada classe social, numa sociedade organizada, hipócrita e repressiva. Seis anos depois de *Washington Square*, James publicou *Os Bostonianos*. Pela amplitude sugerida no título, espera-se o retrato estético de uma sociedade urbana. Não é o que acontece. James, mais uma vez, está à volta com mulheres. E firmemente preso ao seu meio social. Depois dele, para voltar a Philip Rahv, os "peles-vermelhas" passaram a dar as cartas no espaço literário estadunidense. Mas as coisas não demorariam a se embaralhar. Sintomático, na minha opinião, que Rahv, ao desenhar o *Idealtypus* do "cara-pálida" e o *Idealtypus* do "pele-vermelha", não faça qualquer referência a Ezra Pound. Eliot podia ser imediatamente rotulado de *paleface*. Pound, não. Ia de um extremo a outro. Mesmo a sua relação com o passado era abertamente tumultuada e subvertora. Para lembrar uma distinção de Octavio Paz, Eliot se aproximava do passado como se estivesse salvando relíquias de um naufrágio. Pound, como um saqueador de túmulos. Fitzgerald descendia em linha direta da prosa elegante de James. Mas não renunciara à vida. Vemos isto no *Grande Gatsby* e no *Último Magnata*, sua obra-prima. Negros afloram, eventualmente. Como em "Babilônia Revisitada", por exemplo. Mas existem à distância. São seres de um outro reino. Algo temidos. Como ele mesmo confessa, com uma franqueza fascinante, ao falar, no *Crack-Up*, de um seu sentimento vagamente racista. Em contrapartida, Hemingway — acima de tudo, um *redskin* — soube se desprender do solo meramente "nativista", do horizonte intelectualmente limitado de Mark Twain. A linha divisória de Rahv se emaranhou. Mas a tematização da herança negroafricana não sofreu alteração alguma.

Faulkner, por exemplo, nos apresenta um contraste entre a velha ordem social sulista, construída sobre a escravidão, e o novo mundo competitivo do capitalismo. É neste quadro geral que se movem os seus negros. O romancista os recria em seu falar característico, como na cena de *O Som e a Fúria* em que lavadeiras trabalham, cantam e conversam na beira de um riacho. São pretos que têm algo de passivos e comoventes. Algo de *sambo*. Mas também algo de virtude, resistência, integridade. Dilsey, a velha criada negra, é o que resiste de essencialmente humano em *O Som e a Fúria*. Faulkner vai recriar ainda o drama mulato, o dilaceramento do indivíduo de sangue mesclado, na figura do Christmas de *Luz em Agosto*. Assim como vai retratar o racismo, condenar os linchamentos e prever o fim do segregacionismo, do sistema Jim Crow, em *O Intruso*, com um advogado anunciando o dia em que o preto terá os mesmos direitos do branco. Temas que, naquela mesma época, irão frequentar o romance *Strange Fruit*, de Lilian Smith, novela cujo título vem de uma canção de Billie Holiday, tematizando um linchamento: a "fruta estranha" é o corpo de um negro pendendo de uma árvore. Coisa que não fará com que novelistas norte-americanos se apressem a estetizar um axexê. Salmos são suficientes. O universo negromestiço norte-americano é outro, sem visões do orum. Sem qualquer "primitivismo africano". A Dilsey de Faulkner é íntegra em seu próprio mundo. Mas uma parte cultural dela foi amputada. Ela não sabe dos ritos ancestrais.

Em 1952, Steinbeck nos deu uma obra estranha e fascinante — *A Leste do Éden*. Saímos de sua leitura com a sensação de que acabamos de atravessar um livro planejado, mas brutalista, feito a facão, terrivelmente poderoso. Com uma enxurrada de banalidades e surpresas, ele deixa que os filhos de Caim (Abel não teve filhos) se agridam, se humilhem, se amem, se esfrangalhem. A Bíblia é uma presença quase asfixiante, ainda que relida de uma perspectiva redentora. E o livro nos fala do pecado e da culpa. De uma culpa imensa, latejando nas estrelas. A ação se estende da Guerra de Secessão à I Guerra Mundial. Steinbeck quer nos mostrar uma boa parte da história da construção dos EUA. Da Califórnia, ao menos. E o que nos diz dos pretos? De passagem, sabemos de uma convidativa garota negra que transmite gonorreia a um oficial branco. E de uma senhora distante e altiva: "a Negra" (nomeada assim mesmo), "uma mulher bonita e austera", dona de um dos puteiros da cidade, administrando sua casa "como uma catedral dedicada ao triste, mas ereto, Príapo". Puteiros que, aliás, "eram discretos, ordeiros e circunspectos". Quando a Negra morre, Steinbeck anota: "o sombrio mistério dos laços que eram como uma oferenda de vodum se fora para sempre". E mais não diz.

Três anos depois de *A Leste do Éden*, aparece *On the Road*, de Kerouac, um filhote do *Huckleberry Finn*. A ação se passa no pós-guerra, últimos anos da década de 1940, época ao mesmo tempo complicada e próspera na história dos EUA. Época de mal-estar e medo. De contestação anárquica do modo de vida dominante. De abertura para mundos extraocidentais de cultura. Dos inícios de uma nova sensibilidade para a questão racial. Época da chamada *beat generation*. Para lembrar o Norman Mailer de *Advertisements for Myself*, os *beatniks* ("um bando de árabes chegando para explodir Nova York" — Kerouac) eram uma espécie de versão norte-americana do existencialismo francês. E o livro de Kerouac foi uma expressão desse movimento, que se desdobraria, adiante, na contracultura. É nesse horizonte que devemos entender a presença negra em *On the Road*. O *beat* era, quase sempre, um jovem classemédia branco nadando contra a maré materialista que tomara conta dos EUA. E queria ser o *outro*. O outro *dentro*, o outro *fora*. O outro *fora* aparece, não raro, na imaginação *beatnik*, como o México, espaço dos descendentes de uma civilização anterior à chegada dos brancos nas Américas. Os mexicanos que vivem nos EUA providenciam uma espécie de transição entre o outro externo e o outro interno. O outro interno é o negro. Ouçamos Sal, personagem de Kerouac: "Ao entardecer lilás eu andei com cada músculo doendo no bairro negro de Denver, desejando que eu fosse um negro, sentindo que o melhor que o mundo branco oferecia não era êxtase suficiente para mim, nem vida suficiente, nem alegria, excitação, escuridão, música, nem noite suficiente [...] Desejava ser um mexicano de Denver ou mesmo um japonês sobrecarregado de trabalho, qualquer coisa, menos o que eu tão tristemente era, um 'branco' desiludido [...] Eu era apenas eu, Sal Paradise, triste, errando na escuridão violeta, desejando poder trocar meu mundo pelo mundo dos alegres, verdadeiros e extáticos negros da América". O negro, aqui, é uma utopia branca. Mas aí se vê que germinavam condições para uma profunda transformação no campo das relações raciais nos EUA. A contracultura levaria o barco adiante.

Publicado em 1964, *An American Dream*, de Mailer, é bem um filho de sua época. Pertence aos dias da luta pelos *civil rights*. E reflete isso. A barra pesada do racismo é registrada. Os meios de comunicação, diante do novo panorama político do país, querem cooptar negros. O professor Rojack, personagem de Mailer, não deixa de pensar "nos estudantes que combatem o preconceito de cor e nos negros mortos a tiros à noite". A aparição do cantor preto Shago Martin — flagrando Cherry, a sua gata loura, com um novo amante, o branco Rojack — cria um momento de alta tensão racial. Shago é um vulcão de ambiguidades e contradições. Não quer ser usado pela mídia; não quer virar fetiche de *socialites* novaiorquinas; dispara farpas racistas contra brancos e contra pretos. Chega a tratar a sua loura como negra. Ao mesmo tempo, diz que a fez abortar porque não desejava que ela tivesse um filho preto — "preto como eu, e eu agora sou um homem branco". É bem o retrato do dilaceramento pessoal do negro numa sociedade racista como a norte-americana. Mas há ainda um outro aspecto muito revelador no romance de Mailer. É que, em seus trabalhos universitários, Rojack se aproxima do *voodoo*. Ocorre que acaba assassinando sua mulher. A versão oficial é a do suicídio. Mas, para muitos, não há dúvida de que ele a matou. Entre os que pensam assim, está um dos alunos de seu seminário sobre vodum. Acha ele que Rojack vinha há tempos "praticando ritos de vodum" na mulher. E que aí deveria estar a *causa mortis*. Mailer não se demora no assunto. Nem poderia. Ele não tinha mais do que uma visão longínqua e estereotipada, "hollywoodiana", do vodum. Usa-o como uma espécie de adereço arcano para compor a imagem de sua personagem. A expressão, para ele, significa mistério, feitiçaria, coisa de pretos. Como em Steinbeck. Mas nenhum dos dois sabe realmente do que está falando. De todo modo, nos EUA, o *voodoo* não sobreviveu a não ser como um repertório de feitiços. Neste sentido, Steinbeck e Mailer são tipicamente norte-americanos. E este é o ponto principal.

Assim como deuses e vocábulos africanos não sobreviveram na vida social norte-americana, também não sobreviveram na literatura que esta mesma vida produziu. Não chegaram a ter existência literária nos EUA. Podem procurar à vontade. Não há presença alguma, sequer rastros ou vestígios, de deuses e cultos de origem africana na criação textual dos EUA. Nem na vertente *redskin*, nem na *paleface*. Podem passear pelas páginas "africanas" de Edgar Rice Burroughs, o autor de *Tarzã dos Macacos* (onde, aliás, em momento algum encontramos as célebres palavras: "*me Tarzan, you Jane*"), publicado em 1914. O caso deste livro é mais do que ilustrativo. A África de Burroughs — a costa angolana — é um imenso jardim zoológico armado para a encenação do espetáculo da supremacia branca. Um belo, branco, forte e inteligente Tarzan, infinitamente distante da "*bestial brutishness*" dos guerreiros negros da África, que um dia despontam em *sua* floresta: Tarzan, "o matador de feras e de muitos homens negros", premiado com o "divino poder da razão". E podem passear além. Por Ezra Pound, com seus *troubadours* e seus ofuscantes ideogramas chineses, extraídos das reflexões asiáticas de Francisco Fenollosa. Para Pound, que via os EUA como um "*half-savage country*" (um país semisselvagem), como ele mesmo nos diz em *Mauberley*, a África quase se resume a Frobenius e seu conceito de *paideuma*, em meio a referências aos *talking drums*, aos "tambores falantes" com que os negros tratavam de recriar a fala humana, despachando mensagens por milhas de floresta densa. Vejam, ainda, a *Waste Land* e os salões sofisticados e reprimidos de Eliot, que via a luz da civilização em Roma e para quem a África era sinônimo de barbárie, de horror. Vejam as narrativas hipnóticas de Gertrude Stein. *Melanctha*, inclusive, onde a referência à "promiscuidade" dos negros foi objeto de uma crítica puritana de Angela Davis. Ou os delírios sexuais de Miller. As gesticulações gráficas de Cummings. Os *enjambements* de Marianne Moore. Os desencontros drogueiros de William Burroughs. O *Emperor Jones*, de O'Neill. As exasperações de Ginsberg. Nada — e isto, advirto, é uma constatação de base sociológica; jamais, um juízo de valor. Mesmo textos mais recentes, ou das décadas de 1950/60 para cá, não modificam a paisagem que estamos visitando. Uma exceção poderia estar em *Human Stain*, onde Philip Roth nos fala do carreirismo no mundo universitário norte-americano. Da decadência do ensino (ou da ignorância) superior. Mas, sobretudo, do *passing*. A personagem é um jovem negro de pele branca e olhos verdes, que corta os laços com a família e passa a viver como branco. Roth tematiza em profundidade a trama e o drama do *passing*, a arbitrariedade da classificação racial norte-americana, o absurdo da *one drop rule*. Envereda pela genealogia verdadeira de seu personagem, chegando à vida de escravos antes da declaração da independência dos EUA. Como não há informações históricas sobre a vida religiosa dos escravos antes do século

XVIII, Roth teria de imaginá-la. Não o faz. Talvez até mesmo porque não ocorra a ninguém que o negro norte-americano tenha sido algum dia outra coisa que não um batista ou um metodista. Desse ponto de vista, podemos resumir a literatura norte-americana numa frase: nunca ninguém fez nenhum despacho na cabana de Pai Tomás.

Escritores negros não alteram o quadro. Bem cedo, os negros nos EUA foram obrigados a deixar de lado, e deixaram, sistemas e práticas africanos de cultura. E isto se manifestou na criação literária. Vejam os exemplos de escravos como Jupiter Hammon e Phillis Wheatley (não considerarei, aqui, Olaudah Ekwano, mais um afro-britânico do que qualquer outra coisa, falando com distanciamento etnográfico de práticas religiosas de sua aldeia nigeriana). Hammon nasceu por volta de 1720. Nasceu escravo e escravo permaneceu, durante toda a sua vida, em Long Island. Em 1761, seu texto *An Evening Thought: Salvation by Christ with Penitential Cries* tornou-se o primeiro poema publicado por um negro nos EUA. Sublinhe-se, então: o primeiro poema de um *black man*, publicado nos EUA, não nos fala de coisas africanas — é, antes, uma prédica metodista. E, quando aborda o tema da escravidão, em *Address to the Negroes of the State of New York*, o escravo Hammon escolhe, em meio às possíveis perspectivas do cristianismo, justamente a mais conformista. A escravidão é um fardo suportável. Melhor aceitá-la na terra — e ser coroado no reino dos céus — do que perder a alma em revoltas antissenhoriais. Hammon ilustraria à perfeição (quase caricaturalmente, não fosse a realidade da sua dor) a fuzilaria nietzschiana contra o cristianismo. O caso de Phillis Wheatley não é muito diverso. Nascida no Senegal *circa* 1750, foi capturada aos cinco ou seis anos de idade, vendida a traficantes e incomodamente acomodada em algum navio, que a deixou nos EUA, onde a comprou John Wheatley, abastado comerciante de Boston. Phillis não demorou a aprender a ler e escrever, encantando a família Wheatley, que passou a investir em sua educação. Na base, a Bíblia e clássicos da literatura ocidental. Logo, a mocinha começou a escrever poemas. Fisicamente frágil, ganhou a sua alforria e foi enviada para Londres, a fim de receber a atenção médica de que carecia. *Protégée* da condessa de Huntingdon, conheceu a nata da "sociedade" londrina e, saudada como a *Sable Muse*, publicou, adolescente ainda, seu primeiro livro — *Poems on Various Subjects, Religious and Moral, by Phillis Wheatley, Negro Servant to Mr. Wheatley of Boston*. No início de 1774, Phillis retornou aos EUA. Os membros da família Wheatley foram morrendo um após o outro, ao longo daquela década. Foi só então que a nossa trovadora "neoclássica" se viu de fato solta no mundo, entrando em contato, pela primeira vez, com negros livres de Boston. Período em que conheceu a pobreza, o preconceito, a opressão conjugal, a maternidade (seus três filhos faleceram na infância). Mas a escravidão, os problemas raciais e os mundos culturais africanos nunca foram tematizados em sua poesia. Phillis fora criada para ser culturalmente branca — e cumpriu o projeto, celebrando a misericórdia divina que a retirou de sua "terra pagã", a África, para lhe ensinar a doutrina e os princípios do cristianismo.

Se quisermos negros bem diferentes de Hammon e Wheatley, basta pensar em Frederick Douglass. Mas Douglass não contraria o que está sendo exposto. Ele não acreditava em orixás, mas no deus dos cristãos. É certo que distinguia entre o cristianismo em si e a sua institucionalização em igrejas e congregações, das quais desconfiava. Mas também abominava os feitiços e superstições que grassavam entre os negros escravizados nas plantações sulistas dos EUA. E nunca chegou a conhecer uma forma africana genuína de religião. Douglass morreu no final do século XIX. Em inícios do século XX, configurou-se a chamada Renascença do Harlem, ponto de partida para a configuração do *new negro*, do novo negro norte-americano. Na verdade, o que ocorreu, naquele período, foi uma impressionante movimentação negra, de caráter político, estético e social. Fundamental, para que isto acontecesse, foi a chamada Grande Migração, iniciada por volta de 1915. Milhares e milhares de negros se deslocando de campos sulistas para cidades nortistas — Nova York e Chicago, em especial. Por essa época, os negros de Nova York já estavam se agrupando no Harlem. Migrantes tomaram a mesma direção. O Harlem passou a exibir, então, uma altíssima concentração de negros, convertendo-se, como se passou a dizer, numa espécie de "*race capital*". Líderes negros agitavam o pedaço. E foi nessa conjuntura que surgiram os artistas da *Harlem Renaissance*. Num balanço geral, esta movimentação foi sociologicamente significativa e politicamente relevante. Literariamente, todavia, o movimento não apresentou nada de especial. Na década de 1920, tivemos a "*lost generation*" em Paris e a *Harlem Renaissance* nos EUA. E esta não produziu nada de comparável àquela. Muito mais do que Paris, o Harlem era uma festa, *a moveable feast*, para lembrar Hemingway. Mas, parafraseando Mallarmé, um poema não se faz com festas — e, sim, com palavras.

Aqueles jovens escritores da *Harlem Renaissance* tematizavam questões raciais e partiram para recriar a vida negra que viam à sua volta. Nisto, aliás, foram censurados por intelectuais negros mais conservadores, que não queriam ouvir falar da alegria, da irresponsabilidade e da sensualidade negras, pois isto passava uma péssima imagem deles para os brancos, confirmando estereótipos. Queriam pretos puritanos — sérios, trabalhadores, reprimidos, condenando hipocritamente a gargalhada e o prazer sexual —, numa censura reacionária que seria repetida por Angela Davis, como disse, a propósito de *Melanctha*. Na época, Langston Hughes protestou. Nada de censura ideológica, puritana. Disse que os jovens artistas pretos estavam em cena para expressar a vida negra *"without fear or shame"* — "sem medo ou vergonha". E Hughes foi um dos nomes expressivos da *Harlem Renaissance*. Cantou a história negra, vindo do Nilo ao Mississippi. Tematizou a música popular negromestiça, num poema como "The Weary Blues". Criou textos de protesto racial. Para ele, todavia, o passado africano era só um passado — e genérico. Outro escritor do movimento, Countee Cullen, vai além disso, no poema "Heritage", mas em sentido algo inesperado, ao concluir que é melhor esquecer memórias africanas e os grandes tambores que ficaram para trás, pulsando no ar. Cullen se refere aos deuses bárbaros ou pagãos — *heathen gods* — da África. E declara: *"I belong to Jesus Christ"*.

Anos depois, viriam Baldwin e LeRoi Jones. Mas o panorama não sofreria modificações, no campo desta discussão. Não vamos encontrar, em Baldwin, as formas e figuras culturais africanas a que venho me referindo com insistência, a fim de sublinhar a diversidade das experiências históricas da diáspora negra no Brasil e nos EUA. Baldwin foi pentecostalista — e, durante anos, pregador religioso, prática verbal que, de resto, impregnou fundamente o seu estilo. Nada também poderia ser solicitado, neste sentido, a LeRoi Jones. Quando LeRoi rompeu com a esposa e o mundo brancos, converteu-se ao islamismo. Fora atraído para as revelações do arcanjo Gabriel ao profeta Maomé. Mas o que importa sublinhar é que o que aconteceu a LeRoi Jones — assim como o que aconteceu a Malcolm X — foi uma conversão adulta, intelectual. Sintomaticamente, ambos se converteram a uma religião dos povos da assim chamada "África Culta". As culturas tradicionais da África Negra não foram a referência. Malcolm não era um macumbeiro norte-americano que tivesse ido completar sua formação iniciática no Daomé, por exemplo. Por fim, citemos o Alex Haley de *Roots*. É a mais clara confirmação do que venho dizendo. Haley levou anos para recompor a saga de sua família, retraçando sua genealogia ao ano de 1750, num vilarejo mandinga do interior da Gâmbia. Dispunha de uma pequena pista para a sua empreitada, fragmento da tradição oral de seu círculo de parentes. Mas *Roots* é, sobretudo, obra de pesquisa, de consulta a bibliotecas e documentos, de esforço arquivológico. O que nos apresenta não é a narrativa oral-factual da história de uma família. Mas a reconstituição histórico-literária *possível* de uma peripécia familiar. Uma obra livresca, onde a cultura tradicional africana jamais aparece como experiência viva, vinculada ao cotidiano do autor. Bem. Não nos esqueçamos de que os antropólogos que aparecem em *On the Road* estudam índios. Objetos pré-históricos de índios norte-americanos e códices maias. Não teriam como estudar heranças africanas explícitas e estruturadas nos EUA. Nem os escritores negros poderiam forjar realidades inexistentes.

Neste sentido, o Hemingway de *O Velho e o Mar* nos aparece como um caso exemplar. Hemingway se encontra, nesse texto, em terras tropicais. Em Cuba. Seu personagem — Santiago — é membro de uma aldeia de pescadores. E uma das principais vertentes formadoras da sociedade e da cultura cubanas esteve no povo nagô-iorubá. Santiago pesca no período da festa da Virgem de Regla, padroeira do porto de Havana, sincretizada, pelos *habaneros*, com Iemanjá, a deusa dos egbás da Nigéria. Mas Hemingway não faz qualquer referência à santa ou à sua festa, concentrando-se exclusivamente na aventura solitária de Santiago. Seu olhar norte-americano etnocentrista é incapaz de perceber o significado popular da devoção cubana a Nuestra Señora de la Caridad del Cobre. Santiago não tem lá "grande religião", escreve Hemingway. Mas sabemos que o sincretismo religioso, em sua envolvência, não nos solicita em termos sacerdotais ou de fidelidade assídua a um culto. Santiago faz uma promessa à Virgem do Cobre. Hemingway não tem a mínima ideia do fato de que ela é sincretizada com Oxum. Na verdade, Hemingway nunca percebe o jogo constante, o permanente entrecruzar de signos dos imaginários católico e lucumí. Curiosamente, incorrigível *redskin*, ele foi um propagandista extremado da experiência vivida como condição indispensável à produção de uma boa literatura. Mas nada indica que tenha vivido Cuba de modo mundano e integral. Ou, mais precisamente, como branco norte-americano, ele simplesmente não tinha olhos para ver o que se passava à sua frente. Não tinha olhos para a *santería*, os lucumís, os orixás. Não tinha olhos para a cultura popular mestiça daquela ilha tropical do Caribe, com seus santos africanos pulsando em mambos e rumbas. Ele vinha do rasuramento brutal de marcas africanas no horizonte de sua terra de origem. De uma estranheza essencial para signos de origem africana. De uma cegueira ideológica.

Coisa totalmente diversa vamos encontrar nas criações poético-literárias do Brasil e de Cuba. Podemos sentir a diferença já em narrativas de escravos fugidos. Comparando, por exemplo, a *Narrative of the Life of Frederick Douglass* e o relato autobiográfico do escravo cubano Esteban Montejo, organizado em livro — *Biografía de un Cimarrón* — por Miguel Barnet. Já falamos do texto de Douglass, carente de deuses e de coisas da África. Não é isto o que vemos no relato de Montejo, descendente de iorubanos, que passou anos e anos escondido nos matos, sem falar com ninguém, desnovelando a sua vida. Montejo nos fala do jogo de *mayombe*; de bozós feitos com terra de cemitério; dos *ñañigos*; do cultivo da cana destruindo a beleza vegetal do país; da adivinhação; do culto banto; das sereias; da transmissão oral de signos ancestrais; dos *carabalís*; das rumbas; da festa de São João usada como fachada para celebrar Ogum; da comida de Oxum; de Obatalá, Xangô, Iemanjá. "Os velhos lucumís — diz ele — tiravam da gente até o mal que a gente fazia."

A diferença assinalada persiste e mesmo se acentua no campo da criação poética e da produção de contos, novelas, romances. Mas, para evitar qualquer mal-entendido, devo deixar registrada, aqui, a minha intenção. Não vou enveredar por meandros sociológicos ou psicológicos. Não vou examinar modos representacionais do negro, como personagem, na literatura brasileira. Nem vou investigar estereótipos — racistas ou não. É claro que há coisas muito importantes — relevantes e reveladoras — a mapear por esses caminhos. E muito já foi feito nessa direção. Mas meu objetivo é mais modesto: dar ressalte à diferença. Enquanto formas e elementos culturais de origem negroafricana não aparecem no horizonte do texto criativo norte-americano, eles, ao contrário, comparecem em cheio, ostensivamente, na tradição textual criativa do Brasil. Já no século XVII, Gregório de Mattos registrava poeticamente a presença de quilombos e calundus na vida brasileira. Falava, ainda que preconceituosamente, das "tias" e dos "tios" do Congo. De um certo "pai" Cazumbá, nome de sonoridade tipicamente banta. Das negras de Angola. E usava palavras bantas em seus versos — versos que, de resto, jamais aflorariam na poesia praticada nos EUA, país puritano que levou Henry Miller a publicar *Trópico de Câncer*, primeiramente, em francês (feito repetido, em meados da década de 1950, por Nabokov, com a sua *Lolita*). Este é um aspecto importante: mesmo quando é preconceituosa — e até racista — a criação poética brasileira traz elementos culturais inequivocamente africanos, de mistura com coisas lusas. Esta é a diferença. Radical e essencial. Insultando ou celebrando negras e mulatas, o que Gregório escreve é inimaginável na produção literária norte-americana. Não só documenta, como confessa, anuncia, torna públicos o tesão, o amor, o desejo. Basta ler os seus poemas para a mulata Anica. Ou este quarteto: "Minha rica Mulatinha/ Desvelo e cuidado meu,/ Eu já fora todo teu,/ E tu foras toda minha". Ou, ainda, suas declarações de amor à mulata Custódia, que podem ter uma delicadeza provençal:

*Ai, Custódia! Sonhei, não sei se o diga:*
*Sonhei que entre os meus braços vos gozava.*
*Oh, se verdade fosse o que sonhava!*
*Mas não permite Amor que eu tal consiga.*

Gregório de Mattos falava — e muito — de mulatos. Regra geral, deixava-se fascinar pelas mestiças e distribuía bordoadas entre os mestiços. Queria comer as primeiras e não ser desfeiteado pelos segundos. Frei Jaboatão vai ser talvez o primeiro a elogiá-los por escrito, já entrado o século XVIII, num sermão em homenagem a São Gonçalo Garcia, tomado como "crédito, honra e glória de todos os que pela cor se chamam pardos". Não sou especialista no assunto. Jaboatão junta provas para mostrar que São Gonçalo Garcia era pardo. E que, por isso, era o padroeiro dos mulatos. Indo além, assegura que a cor parda é superior à branca e à negra, razão pela qual nossos mulatos devem ser superiores a africanos e europeus. Antes de nos preocuparmos com exatidões ou fraudes do frei, o que importa é constatar que, no Brasil, a mestiçagem, a existência de seres racialmente misturados, não apenas era reconhecida pela sociedade, como podia ser louvada. No lance extremo, a mulatice — física e cultural — vai ser tomada como a encarnação mesma da brasilidade, real ou imaginária. É o que vemos em *O Cortiço* de Aluízio Azevedo, retrato da "exuberância brutal de vida" entre as camadas populares do Rio de Janeiro, na segunda metade do século XIX, últimos dias do Império. Em meio às festas do romance, resplandece Rita Baiana, "mulata assanhada", saracoteando, em rodas de samba, o seu "atrevido e rijo quadril baiano". De um lado, Azevedo coloca a seriedade, a compostura e a tristeza lusitanas, com seus fados saudosos, melancólicos. De outro, a claridade solar, a folia e a sensualidade brasileiras, coisas de um mundo mestiço, com seus sambas rítmicos, ruidosos, animados e coloridos. De um lado, o português Jerônimo. De outro, Rita. Jerônimo aos poucos vai abandonar os lamentos chorosos, que dedilha em sua viola, para aderir fascinado ao Brasil. E o Brasil, para ele, é Rita Baiana, mulher "feita toda de pecado, toda de paraíso". Ela parece carregar em si toda a paisagem tropical brasileira. Como se fosse "a turbulenta luz, selvagem e alegre, do Brasil". Como se fosse a cachaça, o samba, os sabores da culinária baiana. Enfim, tudo o que, no Brasil, não é europeu. Não é branco.

Mas, bem antes da publicação de *O Cortiço*, algo começara a mudar. Já no século XVIII se pode notar o início dessa mudança, que vai se mostrar claramente na centúria seguinte. É que a relação direta entre indivíduos de classes e cores diferentes parece começar a se tornar menos intensa e mais rara, no espaço literário. Até então, para os escritores brasileiros, o negro era uma figura concreta, real, movendo-se objetivamente entre outras pessoas, com seus traços característicos, numa determinada teia de relações sociais. Não era uma figura livresca. Um ser literariamente idealizável, romantizável. O século XVIII, no entanto, insinua o princípio de um afastamento entre o literato (mesmo mestiço, mesmo escuro) e o preto real, tal como existente ao alcance dos olhos e das mãos. Ainda teremos, aí, as *Cartas Chilenas*, de Gonzaga, referindo-se ao quilombo de Pai Ambrósio, ao "quente lundu", ao "vil batuque", às danças negromestiças que haviam chegado à casa do "grande chefe", ao palácio do governador. A sátira geralmente tende a ser mais realista do que a lírica, ainda que a raiva, a inveja ou o amor nos deem lentes igualmente deformadoras. Mas as coisas tomam já uma outra direção. Neste sentido, um poeta muito distante da musa barroco-popular de Gregório pode ser encontrado na literatura setecentista de Minas Gerais, ao tempo dos brilhos das jazidas de ouro. Refiro-me a Silva Alvarenga, mulato encerrado em arcadismos lusitanos. E dos poetas neoclássicos do século XVIII podemos passar ao século seguinte — aos negros de nosso romantismo literário.

A criação literária brasileira, no século XIX, vai nos oferecer um aspecto verdadeiramente paradoxal: ao tempo em que há um engajamento político em favor do negro e contra a escravidão, ocorre um distanciamento do escritor com relação aos pretos e às culturas pretas. Os literatos — Castro Alves à frente — defendem ardorosamente os negros. Mas não se misturam culturalmente com eles. É o contrário do que acontecia no século barroco. Gregório não combateu a escravidão, mas sabia o que era um calundu. Castro Alves é o avesso disso. Costuma ser chamado, entre nós, "o poeta dos escravos". Nunca foi. O poeta dos escravos, naquela época, devia andar por alguma senzala, terreiro ou quilombo. Castro Alves foi o poeta do liberal-abolicionismo. Poeta nabuquiano. Entre ele e o negro, todavia, desceu o denso véu do romantismo literário europeu. Daí que os seus negros e as suas negras sejam tão irreais. Castro Alves nunca teve ideia do que fosse um inquice, uma obrigação religiosa negra, uma oferenda de galos e sangue. Era um garoto inflamado e generoso, sufocado por modelos literários. Uma exceção, neste quadro, esteve na poesia e na figura de Luiz Gama (contemporâneo de Douglass), filho de Luiza Mahin (a negra envolvida em conspirações malês), vendido como escravo pelo pai. Não que a sua poesia esteja isenta de literatismo e clichês. Mas estamos longe, aqui, dos negros de Gonçalves Dias. E há beleza em sua celebração da beleza negra:

> *Quando a brisa veloz, por entre anáguas*
> *Espaneja as cambraias escondidas,*
> *Deixando ver aos olhos cobiçosos*
> *As lisas pernas de ébano luzidas...*

Ou quando, à "Musa da Guiné, cor de azeviche,/ Estátua de granito denegrido", faz um pedido, entre palavras bantas, uma invocação feiticeira e a capoeira:

> *Empresta-me o cabaço d'urucungo,*
> *Ensina-me a brandir tua marimba,*
> *Inspira-me a ciência da candimba,*
> *Às vias me conduz d'alta grandeza.*

É realmente estranho não poder contar, no elenco de escritores que avivaram a presença da África em nosso país, com a grande estrela literária do Brasil — Machado de Assis. Machado era mulato. Mulato escuro, descendente de escravos. Detestava o fato. Detestava ouvir qualquer comentário sobre o assunto. E evitava o emprego da palavra *mulato* em seus romances. Quando morreu, Sílvio Romero fez uma observação com intenção elogiosa: "mulato, foi, na realidade, um grego dos tempos de ouro". Joaquim Nabuco reagiu: "Machado para mim era um branco, e creio que como tal ele se julgava". Gago, epiléptico, pobre, negro, Machado sentia-se terrivelmente inferiorizado diante do mundo, que de alguma forma raivosa ele invejava e odiava, tendo de construir uma couraça de ferro para não se desintegrar e, em contrapartida, humilhar a humanidade em sua literatura. "Um dos mais singulares paradoxos da literatura é que o maior romancista brasileiro [...] era um mulato que escreveu muito pouco sobre seus corraciais negros e suas vidas, mas ao contrário hauriu a matéria-prima de seus romances das gentes das classes superiores da sociedade carioca, que era predominantemente branca. Contudo, nos seus anos de formação, deve ter sido rodeado quase exclusivamente de negros e de mulatos. Era filho de um pintor de paredes mulato. Sua mãe portuguesa morreu quando ele era ainda uma criança e seu pai tornou a casar, e com uma mulata, Maria Inês. Mulher inteligente e generosa, exerceu sobre Joaquim Maria uma influência que a mãe dificilmente poderia ter igualado, sendo em verdade mãe adotiva e não madrasta. Fez de sua infância algo de agradável, com ser sua primeira professora, e, quando o garoto se revelou inadaptado ao primeiro emprego que o pai lhe arranjara, persuade a este de retirá-lo. Com a morte do pai, leva o enteado consigo para um emprego que conseguira como cozinheira de uma escola. Quando o rapaz tinha dezesseis anos, outro mulato, Paula Brito, que fora o protetor intelectual de toda uma geração de *literati*, tomou-o sob sua proteção, publicando seus primeiros versos e depois empregando-o como revisor na sua editora. Essa função foi talvez decisiva para a sua carreira, pois o introduzia na sociedade literária que se reunia na livraria de Paula Brito, no Largo do Rossio. Com isso conseguia mais seguro acesso às colunas da *Marmota*, famoso jornal de Paula Brito. Durante seus primeiros vinte anos, por conseguinte, Machado de Assis deveu quase toda a afeição que recebeu, quase todas as oportunidades que teve à gente de sua própria raça, a outros mulatos. Era de esperar que, em troca, emprestasse seu talento à causa do negro, à luta contra a escravidão, como o fizeram outros mulatos bem dotados, tais como José do Patrocínio e Luiz Gama", escreve, a propósito, Raymond S. Sayers, em *O Negro na Literatura Brasileira*.

Mas Machado não o fez. Passou praticamente ao largo do grande tema nacional de sua época. Da grande revolução social brasileira, que daria cabo da escravidão, sob a qual haviam penado antepassados seus. Não é que fosse insensível à sorte dos escravos. Ou que não considerasse a escravidão injusta. O que Machado não desejava era estar próximo de — e ser confundido com — negros. Queria ser branco. E de certa forma não deixou de sê-lo, ao tempo em que lhe era obviamente impossível deixar de ser negro. A partir de 1855, aos dezesseis anos de idade, tempo de sua estreia literária, ele principiou a se distanciar dos seus. Depois de seu casamento com uma portuguesa aristocrática (jamais teria casado com uma preta), afastou-se inteiramente de Maria Inês — a menos que, como a Helena de seu romance, que via às escondidas o pai humilde, fizesse visitas clandestinas à velha senhora. Apareceu apenas, ao que se diz, no dia do seu sepultamento. Tudo foi acontecendo como se estivesse empreendendo uma espécie de *passing*. Nos EUA, não o faria. Seus traços negroides eram evidentes demais. Em compensação, lá jamais teria chegado, naquela época, a fazer parte de (e muito menos a presidir) uma instituição equivalente à Academia Brasileira de Letras. Mas Machado seria tema para um estudo dedicado especialmente a ele, mulatinho pobre que se tornou medalhão literário, membro da "alta sociedade" e do alto escalão da burocracia pública imperial e republicana. Um homem dilacerado — retrato vivo do que é capaz o racismo brasileiro. Diante de tudo isso, como bem viu Luciana Stegagno Picchio, em sua *História da Literatura Brasileira*, a vingança de Machado — "desforra de negro-branco, de epiléptico, de gago, de homem de bem, monógamo fiel e sem filhos" — foi a psicologia. É com ela que Machado julga e ironiza o mundo em que vive.

Sublinha a hipocrisia, a ingratidão, a canalhice. E em tudo há ódio social. Ódio de raça e classe. Profundo, reprimido, subterrâneo. Mas poderosamente presente nas páginas de seus romances. Ocorre que, para lembrar Freud, nem só a anatomia é destino. A cor e a situação histórico-social, assim como a classe e a cultura, também. Ninguém escapa à própria vida. E daí esta observação final, em concordância com o que já dizia Freyre. A escrita de Machado é mulata. Por incrível que pareça. Uma escrita linguisticamente mestiça. E, estilisticamente, sob a aparente fachada "inglesa", uma escrita cheia de dribles, jogadas e surpresas malandras. Uma escrita a que não faltam os movimentos em falso da capoeiragem.

Mas algo ainda estava por vir. Mais ou menos na época em que, nos EUA, articulava-se a Renascença do Harlem. É estranho, aliás, que Gregory Rabassa, em *O Negro na Ficção Brasileira*, não cite o nome nem o romance de Xavier Marques. Dele, leitor atento e sensível de Gregório, descendem Jorge Amado e João Ubaldo — por implicação, o filme *Barravento*, dirigido por Glauber Rocha, filia-se, em última análise, ao seu romance. Enquanto Langston Hughes não sabia do que se lembrar e Countee Cullen nos aconselhava a esquecer o que nem bem conhecia, o brasileiro Xavier Marques colocava em cena deuses e tambores nagôs. Em 1899, publicou *Jana e Joel*. Logo adiante, *O Feiticeiro*. *Jana e Joel* é uma novela praieira. Um "idílio piscatório", como a definiu seu autor. *O Feiticeiro*, por sua vez, nos conta do terreiro de Tio Elesbão. A "feitiçaria nagô" atravessa o romance. É o despacho de Exu, a pedra de raio de Xangô, o culto da gameleira sagrada, o circuito de babalaôs e orixás, de gente mascando obi e aviando ebós. *O Feiticeiro* é um marco inaugural. Marca o ingresso do mundo dos orixás — da "alma nagô", como diz Xavier — no romance brasileiro. Amado e Ubaldo, cruzando a novela marinha e a novela candomblezeira, fizeram-nas parir seus filhos.

Dessa cruza descende, em linha direta, boa parte dos romances de Jorge Amado. De *Jubiabá* a *O Sumiço da Santa*, passando por *Mar Morto* e *Tenda dos Milagres*. Publicado em 1935, muito antes dos dramas de Kerouac e da *beat generation*, com suas ânsias de se identificar com o preto e de se aproximar do mundo negro, *Jubiabá* é um retrato da vida negromestiça, recriada pelos meandros e malandros da Cidade da Bahia e seu Recôncavo. *Mar Morto* é a história de Guma, criança criada no cais da Bahia, e de seu amor por Lívia, que, depois da morte do amado, torna-se ela mesma mestra de saveiro, deslizando à flor do mar. Logo na abertura do livro, Amado avisa aos navegantes: "Agora eu quero contar as histórias da beira do cais da Bahia. Os velhos marinheiros que remendam velas, os mestres de saveiros,

Palavras, palavras, palavras

271

os pretos tatuados, os malandros sabem essas histórias e essas canções. Eu as ouvi nas noites de lua no cais do Mercado, nas feiras, nos pequenos portos do Recôncavo, junto aos enormes navios suecos nas pontes de Ilhéus. O povo de Iemanjá tem muito que contar". *Capitães de Areia* retrata peripécias de um bando de menores que perambula pelas ruas e pelo cais de Salvador, cidade "negra e religiosa", onde se respeita a personalidade da ialorixá Aninha, mãe de santo do Axé do Opô Afonjá. *Os Pastores da Noite* se compõe pela justaposição de três narrativas, que, embora entrelaçadas e brotando de um mesmo universo, podem ser degustadas separadamente. Em tela, aspectos fundamentais da existência negromestiça na Cidade da Bahia e seu Recôncavo, existência quase sempre proletária, evoluindo entre o cais, a cachaça e o "castelo" (denominação regional do bordel), sob o axé dos orixás. *Tenda dos Milagres* é a narrativa das proezas e dos amores de Pedro Arcanjo, negromestiço pobre — "pobre, pardo e paisano" —, bedel da Faculdade de Medicina da Bahia, que se converte em estudioso apaixonado de sua gente (seu modelo foi o mulato Manuel Querino, autor de *A Raça Africana*), publicando livros sobre a mestiçagem genética e os sincretismos simbólicos do povo brasileiro. E isto para não falar de *Quincas Berro D'Água*, a narrativa rara e clara de Jorge Amado, entre putas, santinhos católicos e deuses nagôs.

Com seus romances, Jorge se tornou um escritor de sucesso internacional. Graças ao poder da máquina publicitária internacional do comunismo, sim — como o Claude McKay da *Harlem Renaissance*, Jorge filiou-se a Moscou. Mas também, claro, graças ao forte fascínio que a sua obra exerce, como se pode ver, por exemplo, pelo impacto de *Jubiabá* sobre o escritor francês Albert Camus. Uma fama que se consolidou com a publicação de livros como *Gabriela, Cravo e Canela* e *Dona Flor e seus Dois Maridos*. Ao tremendo sucesso popular, romances traduzidos em dezenas de idiomas, vão corresponder, como é bastante comum, as inúmeras restrições da crítica literária brasileira à sua obra. Na verdade, em suas adolescências, alguns escritores baianos, nascidos da década de 1940 para cá, criticaram e combateram Jorge Amado — e confesso que não fugi a esta regra. Diversas coisas me levavam a discursar contra o autor de *Mar Morto*: as suas ligações com o que eu achava que era o que havia de pior na esquerda brasileira, sua defesa do stalinismo, seu gosto pela política literária, sua facilidade para fazer concessões, seus elogios indiscriminados, seus excessos de baianismo, sua literatura pouco ou nada rigorosa para um leitor educado em Lorca, Joyce, Pound, Guimarães Rosa e poesia concreta. Mantenho ainda hoje, no essencial, essas restrições — e, em vida, Jorge sempre soube disso. Mas fui aprendendo a admirá-lo, no plano pessoal. A ouvir conselhos seus. E a me abrir para a sedução de sua narrativa. Havia motivos. E muitos. Jorge, aliás, era um bom crítico de si mesmo. Boa parte das críticas feitas à sua obra coincide com (ou repete) o que ele mesmo pensava e dizia. Jorge sabia (e declarava publicamente) que não era um intelectual, um escritor culto, um artífice da prosa estética, um homem que tivesse um domínio rosiano ou cabralino da palavra. Pelo contrário, era um narrador à solta, muitas vezes desleixado, escrevendo de um modo oleoso e esparramado como as ondas gordas da Bahia de Todos os Santos. Era um contador de histórias, como gostava de dizer, deixando o texto escorrer à vontade, alheio às exigências de um verdadeiro artesanato linguístico.

Ainda assim, alguns de seus livros estão, sem dúvida, entre os que a literatura brasileira produziu de melhor. *Mar Morto*, por exemplo. Ou *Gabriela* e *Tocaia Grande*. Mas, sobretudo, *A Morte e a Morte de Quincas Berro d'Água* — neste caso, uma prosa ao mesmo tempo limpa e deliciosa, concisa e fluente. Por outro lado, é também verdade que a obra amadiana raramente é examinada com um olhar crítico digno desse nome. A enxurrada de elogios banais tem a sua contrapartida em ataques estapafúrdios e mesmo ridículos. Ora Jorge é exaltado por sua inigualável "força" (e o Álvaro Lins de *Os Mortos de Sobrecasaca* já dizia que esta é uma questão de atletismo, não de literatura), ora é desancado pelo jesuitismo acadêmico-uspiano por um suposto "uso imotivado" do palavrão, como se o nosso povo não fosse o que é, emitindo um puta que pariu a cada esquina — ou como se o romancista não fosse filho de antigas cantigas de maldizer e do verbo destabocado de Gregório de Mattos. Mas, enfim, penso que a virtude central de Jorge (ainda que também esta virtude traga vícios e defeitos) foi mergulhar fundo na vida de sua gente. Por esse caminho, ele chegou à questão sociorracial brasileira e às manifestações culturais populares de extração negroafricanas — em especial, ao candomblé, no qual se tornou "ministro" de Xangô, ostentando o título de Obá Arolu. Aqui, os orixás escreveram certo por linhas tortas: transformaram, em adepto e glorificador, o comunista que viera pretendendo se utilizar deles para fazer pregações marxistas. Jorge foi, assim, fundamental para que a questão negra se firmasse no imaginário brasileiro. Um "cavalo de santo", como se diz. Mas não da perspectiva da guetificação ou do *apartheid* multiculturalista, e sim procurando encarar o padê, a riqueza da realidade de nossas mestiçagens genéticas e simbólicas. É claro que nada disso abole os seus grandes equívocos políticos e culturais, nem as suas limitações intelectuais e artísticas. A sua complacência final diante de muitos absurdos. Talvez tenha razão Rachel de Queiroz — e em termos mais amplos do que imaginou — quando disse que Jorge se tornou um escravo do êxito que conquistou. Mas também não devemos deixar de reconhecer que há uma alta dose de verdade no que dele disse o cubano Severo Sarduy: "Sua obra tem um aspecto irrefutável, incontornável: sua extrema transparência em face da linguagem popular de sua cidade e de seu país. Não conheço nenhum caso de identificação maior entre um homem e uma cidade, um homem e uma língua. Amado conseguiu compreender, falar e rezar na língua de seus ancestrais. Isso vale mais que tudo".

Também à linhagem de *O Feiticeiro*, de Xavier Marques, pertence um romance como *Viva o Povo Brasileiro*, obra-prima neobarroca de João Ubaldo Ribeiro, com seus candomblés e despachos. O que encontramos, em João Ubaldo, é o sagrado das senzalas. O sagrado negro de procedência africana. O sagrado do ori, do ofá, do ajerê. Ubaldo é um homem impregnado por seu mundo — e sua escrita, por culta que seja, não se descola do campo da intervocalidade baiana. Mesclando registros discursivos diversos, ele vai do português lusitano a uma brilhante recriação dos falares negromestiços de escravos e libertos. Mas não à maneira de um Gregório de Mattos ou de uma Juana Inés de la Cruz. Em *Viva o Povo Brasileiro*, o que encontramos não é apenas a peculiaridade linguística negromestiça — mas o discurso de um mundo cultural paralelo. O discurso da capoeira do Tuntum. Ou de mulheres como Vevé-Naê-Daê. E Ubaldo pôde fazer isso porque, diferentemente de João Cabral, desceu do alpendre para o canavial. Não se trata de um juízo de valor, volto a insistir — Cabral é um poeta extraordinário —, mas de uma constatação sociológica. E cujo alcance não fica restrito à esfera da produção literária. Vale também, e com igual ou maior intensidade, para outras zonas do fazer e do pensar em nosso país. Para a própria sociologia. Mesmo Gilberto Freyre, com toda a intensidade tátil do seu olhar, praticamente não tirou os pés do alpendre. E se é possível falar assim de Freyre, o que não se pode dizer da chamada "escola paulista" de sociologia? Florestan Fernandes e seus discípulos — como Fernando Henrique, por exemplo — jamais tiveram olhos para os sistemas culturais e as tramas semióticas da vida negromestiça no Brasil. Interessavam-se pelas condições sociais da produção de um defumador, por exemplo, mas nunca pelos usos rituais do mesmo. Em *Viva o Povo Brasileiro*, ao contrário, a armação e o engenho não são descortinados somente da perspectiva distante e distanciada da casa-grande. Do alpendre. Também a senzala é vista desde dentro. E também de lá se vê o solar senhorial. Esta é uma virtude nada insignificante.

É possível falar, ainda, de orikis ficcionais dispersos pela produção literária brasileira. Confirmando, aliás, uma observação que me fez o linguista nigeriano (nagô) Olabiyi Babalola Yai, ao notar que o oriki se moveu, na diáspora africana, como uma espécie de "poética subterrânea". Chamamos *oriki*, gênero poético iorubano, não somente ao texto completo, ideogramicamente configurado, mas também à frase (ou às frases) mais marcante(s), mais saliente(s), elaborada(s) para delinear incisivamente um objeto, um animal, uma cidade, uma pessoa ou um deus. Nesse sentido estrito, podemos aproximar o oriki nagô-iorubá do epíteto homérico. Assim como, no texto grego, Odisseu é o artificioso e Palas Atena é a deusa dos olhos verde-mar, no texto iorubano Xangô é *àkàtà yeriyeri*, a "fera faiscante", e Oiá-Iansã é a deusa que dorme na forja, ou a deusa que possui fogo — e com fogo se cobre. É nesse sentido de construção epitética, repito, que falo de nossos orikis ficcionais. Como os que encontramos em *O Sumiço da Santa*, de Jorge Amado. Sabemos que Iansã, entre outras coisas, é capaz de cuidar das crianças e de rejuvenescer os mais velhos. Jorge, no *Sumiço*: "Oyá, doce brisa que afaga a face das crianças e a dos velhos". Trata-se de uma construção verbal que se filia à poesia mais tradicional dos nagôs. E o mesmo se pode dizer de uma frase como "Oyá, ventania que arranca as árvores e as joga longe". Diversos textos tradicionais africanos nos falam de Oiá-Iansã como o vendaval que corta a copa das árvores. Oiá — *efúfu lèlè*: a Grande Ventania. Assim, o texto nagô irrompe no texto do romancista baiano. E isso a ponto de podermos falar de Jorge, em alguns momentos de sua prática textual criativa, como de um recriador brasileiro de epítetos africanos. João Ubaldo vai pelo mesmo caminho. Em *Viva o Povo Brasileiro*, ele recria a Guerra do Paraguai nos termos de uma Ilíada Negra. Sua referência de base é o texto homérico, mas ele substitui os olímpicos pelos orixás e os epítetos gregos por fórmulas verbais que vêm diretamente dos orikis iorubanos: "Ogum-ê, ferreiro sem par, senhor da ferramenta, cujo nome é a própria guerra". Não vamos encontrar nada de parecido com isso na literatura norte-americana. Em Cuba, sim. Basta ler *Ecué-Yamba-O* (um título *ñañigo*, remetendo ao rei e ao tambor que ecoa a voz do peixe tanze), de Carpentier, em cujas páginas dei de cara com um canto a Exu que ouvira no Ilê Axé Yamassê, o Terreiro do Gantois, na Bahia. Construções epitéticas que remetem aos orikis aparecem no romance de Carpentier, no avesso mesmo da cegueira de Hemingway: "*Y tú, Virgen de la Caridad del Cobre, suave Ochum, madre de nadie, esposa de Changó*".

E o que é importante. Nenhuma das narrativas de Xavier Marques, Jorge Amado e João Ubaldo é coisa livresca. Teia de dados colhidos em fontes históricas ou etnográficas, à maneira do Haley de *Roots*. Mas produto imediato e concreto da vivência pessoal de cada um dos autores citados. E é claro que isto não acontece somente em nossos romances, mas, também, em nossa poesia literária. Num texto de Jorge de Lima, com seus orixás e suas molecas nagôs; num haicai de Pedro Xisto, abrasileirando e até carnavalizando o gênero poético japonês; numa alusão de Manuel Bandeira; num canto de Leminski para Ogum; num arroubo do baianárabe Waly Salomão, filho de Xangô, celebrando Iemanjá. Na verdade, candomblés e orixás comparecem com alta frequência — ou com frequência cada vez maior, o que é significativo, já que elementos culturais de origem africana foram se tornando progressivamente mais visíveis entre nós, ocupando mais tempo e mais espaço em nossas formas de comunicação social — na criação poética brasileira. E os nossos parentes, nesse caso, estão na ilha de Cuba. Não nos esqueçamos do mulato cubano Nicolás Guillén — *"todo mezclado"* — declarando: *"Yoruba soy, soy lucumí/ mandinga, congo, carabalí"*. Enfim, uma antropologia das formas textuais do Novo Mundo vai sempre revelar que a criação poético-literária brasileira está muito mais próxima da cubana do que da norte-americana. É o que nos mostram, com clareza e vigor, os nossos patrimônios textuais.

# 11.
## IMAGENS, TAMBORES E MELODIAS

Os orixás ou signos de orixás, recriados por Carybé e Rubem Valentim, não encontram paralelo nas artes plásticas dos EUA. É certo que não teríamos como esperar signos de explícita extração africana na *action painting* de Pollock, reino da gestualidade não figurativa, onde, nas palavras do Harold Rosenberg de *The Tradition of the New*, "o pintor não se aproximava do cavalete com uma imagem em mente, dirigia-se a ele com o material na mão, na intenção de fazer alguma coisa àquele outro pedaço de material à sua frente". Mas o fato é que também não vamos achá-los no velho figurativismo, nem na produção *pop*. Nesta, em vez do machado de Xangô, do arco e flecha de Oxóssi, da espada de Iansã ou dos elementos que estruturam as estilizações artesanais de Didi, o que temos é a cama de Rauschenberg, as baganas e batatas fritas de Claes Oldenburg, a bandeira de Jasper Johns, a *drowning girl* de Lichtenstein e a lata de sopa de Warhol. Em vez de Nanã e Obá, Mae West e Marilyn Monroe. Dizer que a arte *pop*, por sua própria natureza, não poderia representar signos explicitamente africanos, antes que invalidar, confirma o que digo. A vanguarda pode representar tais signos, a exemplo do que se dá na criação geometrimágica do supracitado Valentim, espécie de Mondrian tropical do mundo dos candomblés — e o geometrismo ou abstracionismo não está ausente da linguagem *pop*, como vemos em trabalhos do próprio Lichtenstein (*Brushstroke*, por exemplo), de Joe Tilson e Patrick Caulfield. De outra parte, os artistas da *pop art*, em sua passividade consumista, mostram que os tais signos de origem africana haviam sido eliminados da visualidade norte-americana, não chegando sequer à soleira do mundo da cultura de massas.

Mas é importante negritar uma obviedade. As representações e/ou recriações brasileiras de signos africanos não está restrita ao espaço da produção plástica "erudita" — a produção exposta por autores conhecidos, no circuito dos museus e das galerias de arte. Nossos artistas modernos filiam-se a uma longa tradição. Negromestiços, muitos deles — a exemplo de Valentim, Didi e Emanoel Araújo —, trabalham criativamente numa linhagem plástica que vem dos tempos da escravidão. Que surge, nos trópicos brasileiros, com escravos artesãos e escultores, cujos nomes se perderam no tempo. De início, obviamente, as peças produzidas ainda eram africanas. Com o tempo, suas formas vão sofrer o influxo do meio. É interessante acompanhar essas transformações em representações esculturais de Iemanjá. Na África, Iemanjá é uma senhora negra de formas plenas e seios volumosos. E não é peixe da cintura para baixo. No Brasil, em terreno popular (embora não nos mais tradicionais terreiros de candomblé), houve uma aproximação entre a orixá nigeriana e a sereia branca da Europa, dedicada ao canto e ao sexo — e já confundida, aqui, com a mãe-d'água. Na Bahia, no século XIX, podemos encontrar representações de Iemanjá como senhora e não sereia, ostentando frondosas tetas — veja-se a peça que é estampada em *A Mão Afro--Brasileira: Significado da Contribuição Artística e Histórica*, organizado por Emanoel Araújo. Naquele mesmo século XIX, no entanto, já encontramos a justaposição orixá/sereia, como na peça de madeira pintada que se vê no Museu Afro Brasil, em São Paulo. Dessas coisas descendem os orixás de Carybé e Cravo Júnior — embora o Carybé que mais interesse, em termos estéticos, seja o desenhista, o senhor do nanquim, conciso e elegante, tendendo a uma espécie de figurativismo quase abstracionista. De outra parte, também o geometrismo trazido pelos escravos — as formas abstratas ligadas direta ou indiretamente aos cultos religiosos — permanece vivo na criação plástica brasileira. Em *Rubem Valentim: Artista da Luz*, volume organizado por Fonteles e Barja, o próprio Valentim se define: "Minha linguagem plástico-visual--signográfica está ligada aos valores míticos profundos de uma cultura afro--brasileira [...] Com o peso da Bahia sobre mim — a cultura vivenciada; com o sangue negro nas veias — o atavismo; com os olhos abertos para o que se faz no mundo — a contemporaneidade".

Do mesmo modo, não há lugar, na filmografia norte-americana, para os deuses negros que habitam o cinema brasileiro. Nada que se assemelhe ao *Barravento* de Glauber ou a *O Amuleto de Ogum*, de Nelson Pereira dos Santos — para citar apenas dois exemplos: um ligado ao candomblé; outro, à umbanda. Podem passar em revista décadas e décadas da história do cinema nos EUA que nada será encontrado. Dos primeiros exercícios de Griffith ao *underground* de John Mekas e a *Guerra nas Estrelas* e *Matrix* — passando por *Gilda*, *Suplício de uma Saudade*, *Gaily, Gaily* de Norman Jewison, por John Ford e Howard Hawks e as obras-primas do *western*, por *Shane*, pelos musicais de Hollywood, pelas performances de Marlon Brando e James Dean, pela *House of Bamboo* ou por *Dead Pigeon in Beethoven Street* de Fuller, pela violência em câmera lenta (bala/balé) de Peckinpah, pelas curtições de Corman, por *Mississippi em Chamas*, por *Bonnie and Clyde* de Arthur Penn ou *Dog Day Afternoon* de Sidney Lumet, pelas peças raras de

Kubrick, pelas chatices de Woody Allen, por Spike Lee, O *Máscara*, *Ray*. E nada. O máximo que o cinema norte-americano fez, nesta direção, foi nos dar uma visão caricatural e essencialmente falsa de um culto não estadunidense: o culto haitiano do vodum, de origem daomeana, praticado também no Brasil, em terras da Bahia e do Maranhão. Mesmo bem recentemente, em *Spider-Man*, máscaras africanas foram associadas ao mal — sem que nenhum militante ou acadêmico negromestiço norte-americano pareça ter se incomodado com o fato.

Fiz referência a Griffith. Não posso deixar de falar do cinema norte-americano sem um breve comentário acerca de *Birth of a Nation*. Assistir a este filme é uma experiência ao mesmo tempo fascinante e terrível. Fascinante porque, como sabem os que se interessam pelo assunto, vemos nascer ali a linguagem do cinema — com o papel fundamental conferido à montagem, o jogo de planos, a variação de ângulos, a nova concepção de tempo narrativo. Como escreveu Jean Mitry, em sua *História do Cinema Experimental*, com *Birth of a Nation*, "obra-prima primitiva, mas obra de arte autêntica, o cinema nasceu *como arte*. Foi sua primeira 'canção de gesta', a primeira unificação de sua sintaxe elementar, o primeiro esboço de uma *linguagem visual*". Ao mesmo tempo, como disse, uma experiência terrível. Basta recordar a sequência da cavalgada da Ku Klux Klan. Porque esta nova linguagem visual vai nascer, ideologicamente, sob o signo do racismo e da Ku Klux Klan. *Birth of a Nation* é um filme do sistema Jim Crow, numa época em que a Klan cometia assassinatos e outras barbaridades. Um filme segregacionista, contra a mistura racial e a participação política dos pretos na vida estadunidense. Mas é claro que o cinema norte-americano não se resume às fitas de Griffith. Deixa-se caracterizar por uma considerável gama de temas e pontos de vista. No que aqui nos interessa, abordou os mais diversos aspectos da vida negra nos EUA: a segregação racial, a delinquência juvenil, o cotidiano nos guetos, a miséria, os obstáculos à ascensão social, a violência da polícia, a música, o drama do *passing*, a luta pelos direitos civis, as vitórias jurídicas e políticas, a fé religiosa. E isso até chegar aos filmes de Spike Lee. Em síntese, o cinema abordou a questão negra norte-americana em terreno histórico, político, psicológico e sociológico. O que não vemos, nos EUA, é um cinema que apresente traços ou marcas classicamente antropológicos, focalizando formas extraocidentais de cultura, em sua vertente africana. Tais formas desapareceram da vida norte-americana.

Não apenas para exibir movimentos mais plásticos e flexíveis, no filme *Mulher-Gato*, Halle Berry foi estudar capoeira numa academia de Los Angeles. A bonita mestiça adota posturas da capoeiragem e de fato joga o jogo

Imagens, tambores e melodias

em sequências da película, numa estilização da "capoeira regional", variante mais recente da luta, criada na Bahia já no século XX. Em artigo para o jornal *Folha de S. Paulo* ("Alguma Coisa entre Pelé e a Mulher-Gato"), Fernando Gabeira aproveitou-se do fato para discutir um tema que lhe é caro: a mestiçagem. "Para melhorar a qualidade de seu produto, Hollywood não hesitou em beber nas fontes da cultura afro-brasileira. Um pouco mais que isso. O avanço da cultura cinematográfica norte-americana passa pelo uso de uma atitude decisiva na história das ideias no Brasil: a mestiçagem", escreveu Gabeira. Para, então, abrir o foco: "Neste momento de globalização, a mestiçagem brasileira é a resposta mais complexa e mais bem-sucedida de resistência ao domínio cultural de um só país ou região do planeta". E, enfim, se lamentar: "Embora a mestiçagem seja hoje um tema na agenda do debate cultural do mundo, o país que a realizou com tanto êxito fica um pouco de fora". E fica de fora, como sabemos, em decorrência não só do combate à mestiçagem e ao conceito de mestiçagem movido pela alienação pós-moderna e pelo neonegrismo político-acadêmico, mas também por uma covardia de nossos intelectuais, temerosos de que, ao tocar no assunto, atraiam a fúria de militantes neonegros e sejam acusados de racistas. Mas não é este o meu tema, agora. Lembro apenas que, recentemente, a capoeira se manifestou em Hollywood não só através da beleza gostosa de Halle Berry. No filme *Entrando Numa Fria Ainda Maior*, Dustin Hoffman, tirando onda de malandro, anuncia que aprendeu a jogar capoeira no Brasil. Foi à fonte, à raiz — logo, sabe muito mais do que quem aprendeu a luta nos EUA. É como alguém que tivesse aprendido karatê ou outra luta marcial asiática no Oriente, com algum descendente de Bruce Lee. De fato, a capoeira se espalhou pelos EUA. E não só por lá. A capoeira é, hoje, uma prática de extensão universal. Academias dessa luta de escravos brasileiros são encontradas em países de todos os continentes. No total, em 165 países — com destaque para os EUA, Israel, Holanda, Itália, Alemanha, Bélgica, Suíça, Portugal, Espanha, França e Japão. Diversos livros e teses universitárias foram escritos sobre esta arte marcial dos trópicos. Mas se esta luta tem raízes entre os bantos de Angola e se os bantos cruzaram o Atlântico também com destino às plantações norte-americanas, por que nada de parecido com a capoeira se produziu nos EUA? Não foram somente os deuses da África que foram reprimidos e mortos nos Estados Unidos. Outras formas culturais africanas, também. É por isso que Berry e Hoffman se veem compelidos a tomar como referência uma luta negrobrasileira. Uma luta — uma dança — mestiça.

Hollywood quase chegou a contar com uma vera macumba — e com rodas de capoeira — em seu repertório. Seria com *It's All True*, em 1942. O filme brasileiro de Orson Welles. Mas o filme não chegou a ser finalizado. Esbarrou no racismo brasileiro e no racismo norte-americano, tão diversos entre si, como, aliás, se pode facilmente verificar acompanhando esta peripécia de Welles no Brasil. De todo modo, *It's All True*, projeto inacabado, resultou numa experiência interessante e reveladora. Robert Stam examinou o assunto em "Orson Welles, Brazil, and the Power of Blackness". Welles veio para cá numa conjuntura política precisa. A da II Guerra Mundial. Veio como embaixador do pan-americanismo, os EUA fazendo a sua política de boa vizinhança. O Brasil, por sua vez, atravessava os anos da ditadura do Estado Novo, sob Vargas. Welles faria um filme sobre o país — e o país estava encantado com a ideia. Mas o filme tomou um rumo que fez autoridades e empresários fecharem a cara — e cortarem a verba, suspendendo as filmagens. Welles vinha de um mundo marcado por forte segregação racial, ainda na vigência do sistema Jim Crow, com negros e brancos vivendo vidas apartadas. Entre *Birth of a Nation* e *It's All True*, a casa dos pais de Malcolm X foi incendiada, no Michigan, por conta de eles estarem morando numa vizinhança branca. No Brasil, Welles encontrou uma sociedade que, apesar das diferenças de classe e do preconceito racial, não era segregacionista. Onde pessoas de todas as classes e de todas as cores se misturavam em espaços e rituais públicos. Welles se encantou com o povo, a informalidade, a criatividade popular brasileira, acentuadamente negromestiça. Sua postura diante do Brasil pode ser definida como um misto de sensibilidade estética e disposição antropológica. No avesso das falsificações boçais de Hollywood. Welles muniu-se de informações sobre o país. Quis saber de Antônio Conselheiro, dos jangadeiros do Ceará, da cultura negromestiça da Bahia. Frequentou favelas cariocas, em companhia de Grande Otelo e um bando de mulatos e malandros. Aprendeu sobre samba com Herivelto Martins. Aproximou-se dos mundos da capoeira e da macumba. Decidiu fazer um filme centrado no carnaval do Rio e na música popular. Vêm, então, as reações racistas — a norte-americana e a brasileira, cada uma partindo de seu próprio terreno. Duas são as preocupações norte-americanas. A miscigenação e o convívio cotidiano de brancos e negros. Os estadunidenses não querem saber de mistura, de intercurso cordial entre raças. Stam informa que um memorando de autoridades em negócios interamericanos recomenda que o filme "evite qualquer referência à miscigenação" e que sejam cortadas cenas onde "mulatos ou mestiços" apareçam de modo muito visível. No Brasil, membros do governo e da elite também reagem. Mas suas preocupações são outras. Não dizem respeito a obsessões do racismo segregacionista, como a miscigenação e a convivência inter-racial. O que não querem é um filme on-

Imagens, tambores e melodias

de o Brasil apareça para o mundo, via Hollywood, como o país do carnaval, do samba e da macumba. Um país de pretos, excessivamente próximo de seu passado africano. Ou um país de mulatos e malandros, num momento, inclusive, em que a censura estadonovista proibia sambas que fizessem o elogio da malandragem, já que todos estavam convocados para o projeto trabalhista de Vargas. Hollywood corta então o dinheiro de Welles, já sob ataque da imprensa brasileira. Ele tenta tocar o projeto com seus próprios recursos. Não consegue. Assim, o que poderia ter sido um grande filme sobre a gente e a cultura brasileiras, não acontece. Stam acha que, pelo projeto do filme e pelo material filmado que sobreviveu, *It's All True* significaria uma guinada estética na obra de Welles, antecipando *F for Fake*. E o filme não acontece porque o racismo bloqueia o seu caminho, puxando o tapete do diretor.

Vinte anos depois da experiência frustrada de Welles, cenas e cantos do candomblé irão povoar o *Barravento*, de Glauber. Estamos aqui já no terreno do movimento cinemanovista, que veio se configurando na passagem da década de 1950 para a de 1960. O objetivo era criar uma indústria cinematográfica nacional, com filmes que focalizassem o mundo cultural popular brasileiro, a partir de uma perspectiva socialista ou "revolucionária" de transformação da sociedade. Era a esquerda universitária em ação, investindo contra a "dependência cultural" do país, que estaria sendo "colonizado" não só econômica, mas também simbolicamente. *Barravento* surgiu nessa conjuntura, acendendo discussões sobre o assunto. E foi nesse filme que o candomblé irrompeu com seus cânticos e tambores. O exemplo é interessante, ainda, porque nos permite apreciar a matéria num contexto fílmico em que o culto jeje-nagô é apresentado em termos desfavoráveis. O enredo é conhecido. A ação se passa numa aldeia de pescadores do litoral baiano, que vivem da pesca do xaréu e se acham sob a proteção de Iemanjá. Uma comunidade explorada economicamente, já que é um elemento externo a ela, o dono da rede utilizada na faina marinha, que fica com a maior parte do pescado. É este o cotidiano da aldeia, com seus coqueiros, seus rituais, suas pescarias. Até que chega Firmino, um filho da comunidade, mas que há tempos não vive lá. Glauber o destaca semioticamente do conjunto da aldeia. Firmino é diferente na fala, no traje, no jeito de andar, no gestual — visualidade diversa que materializa, desde já, uma outra diferença: a das suas ideias sobre o mundo e a vida. E esta intromissão sonoro-gestual-vestual vem para perturbar o ramerrame comunitário. Para atacar a exploração econômica, responsável pela miséria dos pescadores. E a passividade destes diante desta mesma exploração. Neste passo, a resignação aldeã é atribuída ao candomblé.

É a ideologia religiosa que aliena o povo, mantendo-o apático, incapaz de unir suas forças para lutar contra a rapinagem do seu trabalho e por uma vida melhor. Trata-se então, para Firmino/Glauber, de denunciar o candomblé. De rasgar a fantasia conformista encarnada no mundo dos orixás. Pois só através da dissolução do véu de ilusões do candomblé, os pescadores irão tomar consciência de sua realidade — e, assim, abrir caminho para a superação da ignorância e da miséria em que vivem. *Barravento* é, portanto, um manifesto contra o candomblé.

Algumas coisas devem ser observadas aqui. A primeira delas é que Glauber nunca teve uma relação íntima e profunda com a cultura tradicional da Bahia de Todos os Santos e seu Recôncavo. Com os seus deuses de origem africana. Glauber é filho do sertão — e não do litoral. Nasceu em Vitória da Conquista, cidade de clima temperado, a mais de 500 quilômetros de Salvador. Uma realidade muito diversa daquela em que nasceu Caymmi. Diversa na moral, na religião, nos costumes, na economia e até na culinária — reino da carne de sol e não da moqueca de dendê. Terra de procissões e penitências de base católica e não de cânticos e atabaques politeístas. Enfim, Glauber trazia em si a cultura da Serra Geral do sertão baiano. Um mundo muito mais próximo do de Antônio Conselheiro do que do de Oxóssi e Iansã. Uma outra distância, com relação ao candomblé, acrescenta-se a esta. Glauber teve uma formação protestante. Luterana. Muito curioso, a propósito, que o seu nome venha do alemão. Do substantivo *Glaube* — "fé, religião, culto"; do verbo *glauben* — "crer, acreditar". Mas com referência ao protestantismo alemão, não ao candomblé. Como se fosse pouco, Glauber, além de sertanejo e luterano, achava-se então na órbita do pensamento de esquerda, sob influxo da mitologia comunista. Sertanejo, luterano, marxista... "Ainda em 1962, o cinema político tem ideias simples e claras: o bem é a razão, a solidariedade, a consciência de classe; o mal é o irracional, a religião, a tradição, a resignação. *Barravento* termina com a imagem de um farol erigido como símbolo político: luz, poder e justiça prometidos aos trabalhadores se eles se conscientizarem de sua força e de sua unidade", escreveu Barthélémy Amengual, em "Glauber Rocha e os Caminhos da Liberdade", incluído na coletânea *Glauber Rocha*, prefaciada por Paulo Emílio Salles Gomes. Estamos, mais uma vez, às voltas com a lenda de que a religião é o ópio do povo. *Barravento* descende do *Jubiabá* de Jorge Amado, que retrata o candomblé mas convocando os negros ao jogo de forças da política, pois só assim ele deixaria de ser explorado.

Mas podemos cortar estas águas de torna-viagem. Em primeiro lugar, notando que a escolha do candomblé e não de uma outra forma de culto,

Imagens, tambores e melodias

para denunciar a alienação religiosa, é em si mesma significativa. O candomblé não teria sido escolhido, não fosse o seu enraizamento e a sua força em meio à massa negromestiça. Em segundo, ao retratar a vida popular baiana e o culto candomblezeiro — apesar das inexatidões históricas e antropológicas, de que Glauber também não escapará —, Jorge Amado acaba seduzindo o leitor muito mais nesta direção do que no sentido da denúncia ideológica marxista, que poderia ser feita em qualquer lugar do mundo. Entre trabalhadores poloneses, por exemplo. Foi a leitura de *Jubiabá* que atraiu, para a Bahia, o argentino Carybé e o francês Verger. E eles não foram para lá em nome de qualquer interesse pela cartilha marxista, mas, sim, seduzidos pela narrativa do mundo candomblezeiro. Do mesmo modo, foi este mundo popular-candomblezeiro que fascinou Camus. Coisa parecida pode ser dita de *Barravento*. Também aqui, a sedução plástico-sonora se impõe à mensagem ideológica. E o candomblé acaba sobreluzindo. Irônica e divertidamente, Ismail Xavier comparou o desempenho de Firmino, aprontando na aldeia de pescadores, a uma performance de Exu. Está certo. É um bom modo de ver o filme. Depois de *Barravento*, de resto, inúmeros filmes e vídeos, documentais e fictícios, trataram a macumba brasileira sem a restrição marxista. Me refiri, antes, a *O Amuleto de Ogum*, de Nelson Pereira dos Santos, com seus ritos e suas águas. Um filme onde a umbanda carioca não é objeto de julgamento. Recria-se ali uma vitalidade popular brasileira. Mais do que sobre a umbanda, o que se tem é um filme quase umbandista. O próprio Nelson adaptou para o cinema *Tenda dos Milagres*, de Amado. Mas não vou enfileirar exemplos.

Passemos a um outro ponto. À floresta encantada da música. Vejamos o *blues*, que foi ganhando forma a partir dos cantos de trabalho de negros escravizados nas terras sulistas dos EUA e das cantigas e baladas brancas que eles também cantavam. Sua primeira manifestação foi rural. O *folk-blues* de Leadbelly e Robert Johnson. Os especialistas sempre apontam, na sua formação, a mistura de elementos musicais africanos e europeus. Como sua contrapartida religiosa, o *spiritual*, que conheceria um desdobramento moderno mais rítmico na *gospel song*. Bem, o *blues* caminhou para a cidade. A década de 1920 é o período do chamado *blues* clássico. Na década seguinte, assistiríamos ao aparecimento de uma cantora extraordinária: Billie Holiday — dona de um canto conciso, *cool*, veraz, refinado, pleno de pequenas e preciosas surpresas. Aos poucos, aí pela década de 1940, começa a se impor o *rhythm and blues*, rock preto e primevo, do qual irá nascer o rock'n'roll. Mas é interessante lembrar que, durante alguns anos, o *rhythm and blues* mais não foi do que *negro music*, no sentido pejorativo com que a expressão era empregada. Suas gravações pertenciam ao domínio dos chamados *race records*, "discos raciais" — gravações de artistas pretos destinadas ao consumo de ouvintes pretos. Era a música da juventude negra dos guetos. Discriminada pelos brancos e pela classe média negra, que procurava então se desidentificar da grossura dos pretos mais pobres. Mas vem daí o rock'n'roll, explodindo com artistas brancos como Bill Haley e Elvis Presley. Logo, os pretos entrariam em cena. Chuck Berry e Little Richard, por exemplo. E o *rhythm and blues* tomaria conta da cena. Na base, o *blues*. Ainda no decênio de 1950, Ray Charles veio de *blues*, *spiritual* e *gospel*, para comandar a onda *soul*, que teria forte influência na produção musical das décadas seguintes, onde iremos encontrar James Brown, jogando com *gospel* e *rhythm and blues*. Uma observação: antes que os músicos brancos norte-americanos se voltassem para o *blues* clássico, os ingleses o fizeram. Foi assim que o *blues* marcou os Rolling Stones — e, só depois do sucesso dos ingleses, voltou como um bumerangue para os EUA. Estamos já na década de 1960. Enquanto os Beatles se alimentam de *rhythm and blues*, do som de Chuck Berry, Bob Dylan se vincula ao *folk* e ao *country blues*, à linhagem de Robert Johnson e Woody Guthrie. Daí que os críticos digam que Dylan e os Beatles seriam inconcebíveis sem o *blues* (embora a banda inglesa tenha bebido em múltiplas fontes, a começar pelo madrigalismo elizabetano, o belo barroquismo inglês). Como inconcebíveis sem o *blues* seriam, igualmente, Jimi Hendrix e Janis Joplin — rasgarganta ébria, com fome de amor.

É uma trajetória fascinante. A música que os escravos das plantações norte-americanas começaram a nutrir no berço vai marcar a história da música popular no planeta. E a base dessa música é certamente africana. O *blues* é um produto sincrético do Novo Mundo. Um produto do encontro da linguagem musical africana e da linguagem musical europeia. *Experts* falam da justaposição do sistema pentatônico (cinco notas) africano e do sistema temperado europeu (cinco notas, mais o mi e o si), gerando a *blue note*, que Janheinz Jahn, por sua vez, remonta aos fonemas que soam em altura intermediária nas línguas tonais da África Ocidental. Da estruturação chamado/resposta. Do modo africano de cantar alterando a melodia europeia, africanizando salmos e canções brancas. Etc. E por aí vai. Em todo caso, é evidente a marca africana no *blues*. O seu caráter afro-americano. A poesia do *blues*, de sua parte, concentra-se tematicamente, com alta frequência, no amor (satisfeito, perdido, frustrado, traído, esperado, impossível, etc.). O que não significa que não focalize os mais diversos aspectos da vida negra nos EUA. Inclusive, é claro, a discriminação racial. A poesia do *blues*, no entanto, é lacunar. Para não cansar o eventual leitor com meras repetições, apro-

Imagens, tambores e melodias

veito para colocar o tópico na moldura de uma reflexão geral de Janheinz Jahn, em *Muntu*: "A evolução peculiar da cultura africana nos Estados Unidos se inicia com a perda dos tambores. Os senhores escravistas — protestantes e, amiúde, puritanos — interferiram em medida muito maior na esfera pessoal de seus escravos do que seus colegas católicos das Antilhas e da América do Sul. Não se reconhecia a dignidade humana dos escravos e se fazia caso omisso de seu passado cultural — ou se convertia, em missão humanitária, a tarefa de educá-los para transformá-los em homens 'melhores'. Educação que começou por fazê-los se envergonhar de sua herança africana. Com bom instinto, atacou-se na raiz a religião africana, com a proibição do uso de tambores. Sem estes, era impossível invocar os orixás. Os antepassados se calaram. E os missionários ficaram com o campo livre". Com isso, a poesia da palavra cantada, no *blues*, não teve como invocar os orixás. Daí que, em *God Bless the Child*, Billie Holiday cante: "*So the Bible says/ And it still is new*". A referência não é Ifá. É a Bíblia.

Esta ausência de deuses e cultos africanos está presente na poesia de toda a música popular estadunidense. Do *blues* de Bob Johnson às estridências guitarrelétricas do cafuso Jimi Hendrix. Na poesia da canção norte-americana, a "negritude" pode estar na escolha temática, na perspectiva e no modo como o tema é abordado, na construção frásica peculiar, na seleção vocabular, quiçá na própria estruturação textual da matéria. Mas não vemos traços inconfundivelmente africanos nas *lyrics*, no discurso verbal. As palavras e divindades africanas pereceram também nesse campo. Hendrix chegou a gravar um disco chamado *Voodoo Child*. Puro lance de *marketing*. A palavra *voodoo* significava, para ele, o que antes significou para Steinbeck e Mailer. Nesse plano, o que se impõe, nas *lyrics* da canção estadunidense, é a cultura estético-religiosa protestante, por mais que esta tenha sido reinventada. Nem é por outra razão que críticos musicais podem definir Ray Charles e James Brown como *church-based stylists*. Grandes cantoras de jazz — Sarah Vaughan, Aretha Franklin — iniciaram suas trajetórias cantando em igrejas. Na verdade, já perdi a conta do número de entrevistas que li com cantores negromestiços norte-americanos contando que começaram a cantar em coros de templos batistas, metodistas e similares. Não é de admirar. Voduns e orixás só foram despontar (ou ressuscitar, depois de um expurgo de séculos), em lugares como Miami ou Nova York, com cubanos exilados, em função de perseguições ao candomblé movidas por Fidel Castro, e migrantes do Haiti, escapando ao regime de Duvalier. No texto "Systematic Remembering, Systematic Forgetting: Ogou in Haiti", Karen McCarthy Brown esclarece sobre a chegada de Ogum em Nova York. Para muitos haitianos, escreve a antropóloga, ter uma perspectiva de futuro significa deixar o Haiti para trás. Foi assim que levas de haitianos trocaram a ilha natal por centros urbanos da América do Norte, como Montreal, Nova York e Miami. Hoje, a maior comunidade se concentra em Nova York, tendo se formado principalmente a partir do final da década de 1950, depois que Duvalier empalmou o poder. Entre os bens simbólicos que estes migrantes levaram para Nova York estava Ogum. "Ogou desempenha um papel proeminente na vida religiosa dos haitianos de Nova York", informa Karen. Ou seja: Ogum, em Nova York, é coisa de migrantes mareados do Haiti — e não herança dos próprios pretos novaiorquinos.

Sob este aspecto, a poesia da canção popular norte-americana pode ser aproximada à que encontramos na música da Jamaica, onde, nas letras do reggae de Bob Marley e companheiros, a Bíblia é *the Book*, "o Livro". Como se sabe, o criador jamaicano de reggae, salvo exceções, é um *rastaman*. Um adepto do rastafarismo. E este é a essência daquele gênero poético-musical. Assim como nos EUA, o Livro do colonizador branco se enraizou na população negromestiça jamaicana, especialmente depois do fim do regime escravista. Só que, em meio à negrada local, foi subvertido de forma extrema, gerando uma inesperada "teologia da libertação". Deus (Jah, Jeová) é negro. Cristo, idem. Sua última encarnação foi Selassié, imperador da Etiópia, pátria dos negros, mesmo na diáspora. "*Back to Africa*" é o programa rasta, situando o paraíso celeste num lugar concreto. E se o preto é o bem e o branco é o mal, o Deus branco é o Demônio, representado pelo papa, cujo objetivo é dominar o planeta por meio de nações ou personalidades católicas, como tentou no Vietnã, através de Kennedy. Como a Bíblia é *opera aperta*, os rastas reciclam seu fabulário. Dizem-se judeus no "cativeiro da Babilônia", na sociedade tecno-consumista. A saída passa, então, pela destruição do sistema de Babilônia e pelo regresso à África, refazendo o êxodo bíblico. A Bíblia define, até, o lugar do mulato (e Bob Marley *era* mulato, independentemente do que dissesse de si mesmo), bastardo de Eva (a negra) e da serpente (o branco), num intercurso sexual que contaminou o paraíso. Daí, aliás, o antifeminismo rastafari, reforçado pela narrativa de Sansão (um rasta!) traído por Dalila e pelo fato de ainda hoje mulheres negras gerarem filhos impuros. É por isso que a mulher não é bem-vinda ao rito sagrado da maconha, planta do Rei Salomão. Esta versão da Bíblia é forma-conteúdo de toda uma literatura jamaicana. E do reggae. Veja-se a "Redemption Song" de Marley. Não foi por outra coisa que um jornalista inglês, comentando um *show* de Marley, sugeriu que o evento mais parecia um *revival* pentecostalista do que um espetáculo de rock.

Imagens, tambores e melodias

Também no Brasil e em Cuba, as origens da música popular devem ser retraçadas à vida escrava. Também no Brasil e em Cuba, esta música nasce de sincretismos afro-europeus. Mas as semelhanças param aí. Em Cuba, escravos cantavam e dançavam nos *barracones*, nos *palenques*, nos *cabildos*. Estes últimos, agrupando negros por etnia, converteram-se, como as irmandades religiosas no Brasil, não só em associações de auxílio mútuo, mas, também, em focos de preservação de tradições culturais africanas. "Foi principalmente no seio da atividade religiosa onde a arte musical e dançarina africana se expressou e se projetou em Cuba. Muito já se falou da religião como arma de conservação e defesa da identidade de uma cultura submetida à opressão. E como religião e liturgia africanas se manifestam através da música e da dança, compreende-se que é nesta linha que encontramos a maior e mais importante contribuição artística da África a Cuba", escreve Odilio Urfé, no estudo "La Música y la Danza en Cuba". Cuba contava assim com um riquíssimo acervo de cânticos e coreografias da *santería* lucumí (hoje, por sinal, esta música tradicional vem sendo gravada, como podemos ver em discos como *Elegguá, Oggún y Ochosi*, do grupo Abbilona; no Brasil, também, têm aparecido trabalhos desta natureza, a exemplo do disco *Candomblé de Ketu*, de Luís da Muriçoca, pai de santo do Ilê Axé Ibá Ogum). Os bantos também estavam lá, com seus instrumentos e seus ritmos. Diz Urfé que deles vem a *rumba guaguancó* e a *columbia* — expressões dançarinas que, enriquecidas com passos e meneios dos *"diablitos" ñañigos* ou *abakuás* que fascinaram Lorca, deram origem à rumba cubana, que se tornou conhecida no mundo inteiro. Ao mesmo tempo, negros e mulatos integravam as bandas militares mais antigas, assim como as orquestras populares cubanas do século XIX. Transitavam dos toques de orixás às marchas espanholas. Tecnicamente treinados, assimilaram formas espanholas e francesas e foram criando as suas próprias peças, sempre dançáveis, repassadas de africanismos. Peças que faziam referências aos orixás, ao mundo banto, ao *ñañiguismo*. Em seus desdobramentos, esta linhagem/linguagem vai dar no mambo e no chachachá. E é dela que nascem artistas como Bola de Nieve e Celia Cruz. Música negromestiça de um povo negromestiço.

Vamos nos deter brevemente numa composição poético-musical cubana — e sobre Cuba: "Mi Cocodrilo Verde", de José Dolores Quiñones:

> *Mi cocodrilo verde*
> *Carcajada mulata*
> *Canción de serenata*
> *Embrujo de maraca y bongó*

*Mi cocodrilo verde*
*En tu palmar se pierde*
*La clásica leyenda*
*De Yemayá y Changó*

*Mi cocodrilo verde*
*Son tus mares de espuma*
*Tu majestuosa luna*
*Y tu sol tropical*

*Mi cocodrilo verde*
*Terroncito de azúcar*
*Las gaviotas anidan*
*En tu litoral*

"Mi Cocodrilo Verde" é um retrato de Cuba — e uma declaração de amor à ilha. Uma *lyric* que nos encanta por sua simplicidade e refinamento. Linguagem limpa, textura fônica rica, leves assonâncias e aliterações, como se as palavras fossem nascendo naturalmente umas das outras — ou como se passassem umas pelas outras, nelas deixando seu perfume, para lembrar a bonita definição que o poeta Paulo Leminski nos deu do *kakekotoba*, técnica verbal japonesa. Ao ouvir a canção, percebemos que o que ela nos deu, com plasticidade e limpidez, na colagem suave de suas quadras, foi uma espécie de ideograma da Ilha de Cuba e de sua gente. O "cocodrilo verde" é a ilha. Basta olhar no mapa. Cuba aparece ao poeta como um crocodilo (a boca um pouco abaixo de Pinar Del Río; a cauda na região de Guantánamo), com a sua verde cobertura vegetal, boiando nas águas cálidas do Caribe, sob a lua majestosa e o sol tropical. Na primeira quadra, o povo e sua música. Na segunda, a magia da ilha. Na terceira, sua beleza natural. Na quarta, a ternura do cantor por aquela terra, ao chamá-la "torrãozinho de açúcar"; ternura da avifauna, representada pelas gaivotas que ali se aninham. Note-se, ainda, que as duas primeiras estrofes — falando do povo e de sua cultura — estão separadas das duas últimas, centradas na natureza. Separadas musical e verbalmente. A primeira estrofe rima com a segunda: bongô/Xangô — palavras africanas, que pertencem ao domínio da cultura. Já a terceira estrofe rima com a quarta: tropical/litoral, palavras espanholas, que dizem do reino ecológico.

Para o meu objetivo, aqui, são as duas primeiras quadras que interessam. Na primeira, definindo a sua ilha-crocodilo, Quiñones nos fala do povo alegre (*carcajada*), mestiço (*mulata*), romântico (*canción de serenata*) e musical que ali vive. Nos diz que a alegria, que ali reina, é uma alegria mestiça

Imagens, tambores e melodias

— *carcajada mulata*, "gargalhada mulata". E a música impregna a atmosfera do lugar. Música romântica, enamorada, canção de serenata. Mas também música rítmica (note-se a leve referência indígena, na maraca), dançável, cuja base africana é assinalada pela citação do bongô, instrumento percussivo que os bantos levaram para a ilha e que se tornou inseparável da música cubana. É uma quadra que se constrói inteiramente à base de metonímias: a gargalhada pela alegria, a canção pelo romantismo amoroso, etc. O último verso faz a transição para a quadra seguinte. "Feitiço de maraca e bongô". Não é só que bongô vai rimar com Xangô. É que a palavra *embrujo* (feitiço), iniciando o verso, induz em direção à magia — e a palavra *bongó*, que o encerra, nos previne para uma magia africana. A segunda estrofe começa com uma referência ao palmar. Ao palmeiral da ilha. Não é por acidente, nem por acaso. Quiñones não diz canavial, mas *palmar*, por um motivo preciso. Porque vai se referir à "clásica leyenda" de Iemanjá e Xangô. "O mais popular dos orixás [...] é inseparável da árvore mais bela e sugestiva de Cuba [...] à palmeira real, que imprime à paisagem da ilha sua graça altiva [...] cabe a honra de ser 'a verdadeira casa de Alafin [Xangô]', sua vivenda predileta", escreve Lydia Cabrera, em *El Monte*. É do alto da palmeira real que se eleva ao céu, seu trono e mirante, que Xangô dispara flechas para a terra. É também do alto das palmas que ele envia sinais para as mulheres com quem deseja ter, secretamente, relações sexuais. Estamos em plena *santería*. Quanto à *clásica leyenda*, seu âmbito é o do incesto. Mas há versões e variantes. No Brasil, Aganju é tido como um tipo de Xangô. Em Cuba, ele pode aparecer como pai ou irmão do orixá — e mesmo como o próprio Xangô. Conta-se então, numa das versões, que Aganju e Iemanjá se enamoraram. E que desse enlace nasceu Xangô. Em outra versão, não há conjunção carnal. Iemanjá teria sido atingida, na altura de sua cintura, por uma bola de fogo, precipitada de um céu tempestuoso — bólido que era, na verdade, uma criança envolta em chamas. E esta criança incandescente era Xangô. De qualquer sorte, nascendo de uma trepada divina ou atirado do céu como bola ígnea, o certo é que, ainda muito criança, Xangô foi abandonado por Iemanjá. Cresceu sem saber quem era a sua mãe. Certa vez, de passagem pela terra de Iemanjá, viu a deusa. E a desejou. Foram os dois, então, até a beira do mar. Mas, antes que o fato se consumasse, Iemanjá exclamou: *"omô mi!"* ("meu filho!"). E Xangô: "Não tenho mãe". Chamando-o então carinhosamente a si, Iemanjá lhe ofereceu o peito. Xangô, num raio, reconheceu aquele peito. E caiu em prantos. Numa outra versão, contudo, o que se conta é bem diferente. Iemanjá teria mantido uma relação incestuosa com o filho — e não por pouco tempo. Desejava-o tanto que o ensinou a dançar. Mas não queria que ele dançasse com nenhuma outra mulher. Abandonando-se ao desejo, ela mesma o iniciou na vida sexual. E foi a sua amante. Esta é a *"clásica leyenda"* que se espalha pelos palmares de Cuba, em meio a tambores sagrados, gargalhadas mulatas e canções de amor.

Como em Cuba, cantos e danças negros estão na base da música brasileira. A história do samba — da Bahia ao Rio de Janeiro — é bem conhecida. Em seu ponto de partida, os bantos. Vindos de Angola e do Congo, eles trouxeram para cá formas musicais, padrões rítmicos, instrumentos como a cuíca e o berimbau, estilos dançarinos. O ritmo e a dança do samba de roda do Recôncavo Baiano. Em *Contribuição Bantu na Música Popular Brasileira*, Kazadi wa Mukuna identificou a origem angolana dessas práticas. Viu semelhança entre a "umbigada" baiana e coreografias eróticas da bacia do Zaire. Observou que o "tradicional" angolano se convertia no "popular" brasileiro. Em suma, a África se fazia presente em cada roda de samba que se abria do lado de cá do Atlântico. Mas houve também a mestiçagem musical. Não eram só os batuques africanos ou de origem africana que soavam nas cidades, vilas e campos da Bahia. Também a música de origem europeia ressoava na região. Em serenatas, botecos, festividades ao ar livre, eventos celebrados nos sobrados, em casebres de barro e palha ou em imponentes templos religiosos. Por esses caminhos, negros tomavam conhecimento do mundo musical europeu. Exerciam funções musicais eruditas e semieruditas. Em inícios do século XVII, um senhor de engenho do Recôncavo possuía uma orquestra formada por trinta escravos negros. O regente era um francês nascido em terras provençais. Havia, assim, a figura do negro escravizado que tinha formação musical europeia erudita. Mas não só erudita. Os negros absorviam também criações populares (ou, ao menos, semieruditas) da velha Europa. A música das bandas militares. Ou as canções a que eram obrigados a aprender, já que seus senhores os utilizavam, como instrumentistas e cantores, para o galanteio noturno das serenatas. De outra parte, os batuques atraíam muitos brancos e mulatos, conhecedores de estruturações musicais europeias. Aqueles músicos da Bahia habitavam então, simultaneamente, dois universos. E nada mais natural que tais códigos musicais dessemelhantes fossem se afetando e se mesclando. Brancos fazendo batucadas, pretos tocando árias. Mas o fundamental, para a formação de nossa música popular, foi a mistura. A mescla de células sonoras de procedência variada. A mestiçagem dos sons. Daí é que se foi configurando um novo espaço estético musical, em que um dia viriam a nascer músicos como Caymmi e João Gilberto. Já o segundo grande capítulo da história do samba foi escrito no Rio de Janeiro. Em *O Cortiço*, Aluízio Azevedo fala das noites de samba do

Imagens, tambores e melodias

Rio, do "chorado baiano", da "música de fogo" endoidecendo a gente mais pobre da cidade, em rodas de violão, requebros e palmas. A menção à Bahia é precisa. Desde meados do século XIX, sambistas baianos agitavam no Rio de Janeiro. Foi da trama da vida negromestiça de baianos no Rio que se desenvolveu o samba carioca, o "samba raiado", de "partido alto". E este foi o som que se impôs no ambiente das classes populares, pois, como disse Azevedo, "à viva crepitação da música baiana calaram-se as melancólicas toadas de além-mar". De festivos encontros comunitários nos casarões das "tias" baianas, de pagodes povoados de malandros e mulatas, de "chinfrinadas ao relento", projetou-se, para o conjunto da sociedade, um samba remodelado, recriação da matriz baiana. Era o samba citadino do Rio. Samba que produziria compositores como Noel Rosa, Geraldo Pereira e Paulinho da Viola.

Desde que chegou ao disco e ao rádio, a música popular brasileira nunca deixou de veicular elementos culturais de manifesta extração negroafricana. Já numa composição do final da década de 1920, Candoca da Anunciação e Almirante cantavam: "Tem macumba, tem mandinga e candomblé". Na letra de "Yaô", composição de Gastão Vianna e Pixinguinha, ouviam-se palavras africanas, referências a orixás e ao preto-velho da macumba carioca. Caymmi celebrou Iemanjá mais de uma vez, assim como a ialorixá Menininha do Gantois — em "A Lenda do Abaité", de resto, o poeta-compositor baiano armou uma rima trilíngue, só possível no português mestiço do Brasil: Abaité (tupi) + quiser (português) + batucajé (africanismo de origem banta). A Orquestra Afro-Brasileira do maestro Abigail Moura executava peças como "Calunga", "Babalaô", "Agô Lonã", "Obaluayê" e "Palmares". Vinicius de Moraes, poeta carioca de formação literária erudita, recheou as suas letras de terreiros, cerimônias e deuses nagôs. "Salve as Folhas", de Gerônimo e Ildásio Tavares, é uma composição que só poderia ter sido feita por iniciados no candomblé. E um disco como *Brasileirinho*, de Maria Bethânia, traz signos de tudo isso, num retrato feliz de nossas muitas místicas mestiças. São alguns pouquíssimos exemplos, lembrados ao acaso, em meio à verdadeira montanha dos que poderiam ser citados. Podemos então dizer que, nessa música mestiça de um povo mestiço, a presença negroafricana aflora a cada passo, deixando-se flagrar do plano temático à seleção vocabular, do destino da mensagem ao jogo das rimas, do artesanato paronomásico à simplificação sintática, enfim, da estruturação semântica ao estrato sônico. Em vez de acumular exemplos, todavia, vamos prestar alguma atenção numa composição de Caetano Veloso: "Guá", uma das quase canções ou pós-canções do disco *Joia*.

"Guá" é um canto ao orixá Ibualama. Um neo-oriki, onde Caetano justapõe, na linha da poesia concreta brasileira, apenas quatro sintagmas. O substantivo "água" (português). Os topônimos Guamá e Iguape, ambos tupis, referentes ao Rio Guamá, que desagua na baía de Guajará, onde fica a cidade de Belém, e ao lagamar do Iguape, no Recôncavo Baiano — denominação redundante, de resto, já que *iguape*, em tupi, significa "lagamar". E o nome do orixá nagô, Ibualama (do iorubá, Ibùalámo), que é o dono-da-cabeça do próprio Caetano. Os três primeiros sintagmas vinculam-se pelo som *gua* (que dá título à composição) — áGUA, GUAmá, IGUApe. Som que vai ressoar no nome do orixá: iBUAlama, deus caçador, quase sempre visto como uma espécie de Oxóssi, o Oxóssi Ibualama. Conta Pierre Verger, em *Orixás: Deuses Iorubás na África e no Novo Mundo*, que em Ijexá, na Nigéria, o deus da caça Erinlé (no Brasil e em Cuba, Inlé) é cultuado nos lugares profundos — *ibù* — do rio do mesmo nome. Um desses lugares, especialmente profundo e misterioso, é chamado Ibualama. Verger nos reconta ainda, em *Lendas Africanas dos Orixás*, que o próprio Erinlé se transformou em rio, seguindo mata adentro, para enfim se encontrar com o rio-deusa Oxum, formando ambos um outro e calmo e caudaloso rio. Desse encontro de Erinlé e Oxum nasceu Logun-Edé. Tempos depois, num lugar chamado Ibualama — pela profundeza das águas — devotos ergueram um templo ao orixá. Por conta disso, o orixá caçador passou a ser conhecido como Ibualama. Outra narrativa mítica, ainda via Verger: "Havia um caçador chamado Erinlé, o grande caçador de elefantes. Um dia uma mulher passava perto de um rio e ali próximo, junto ao bosque, avistou o caçador. Ele pediu a ela que lhe desse água para beber. A mulher entrou no rio até a altura dos joelhos e, quando se inclinou para apanhar a água, ouviu de Erinlé a ordem para entrar mais fundo. Mais fundo entrou a mulher, mas, percebendo que o rio iria afogá-la, saiu da água, com medo de morrer. Ouviu então a voz do caçador, que era o próprio rio, reclamando que ela não lhe trazia oferenda alguma. Ela queria recolher sua água, mas nada lhe dava em troca. Ninguém pode entrar no rio profundo sem trazer presentes. Tempos depois, quando Erinlé passou a ser cultuado como orixá, seus seguidores o chamaram Ibualama, que quer dizer Água Profunda".

É este o deus que Caetano canta, em um neo-oriki *avant-garde*. Mas isto não é tudo — ou melhor: quase não é nada. O texto não existe fora de sua atualização no espaço-tempo da canção. E "Guá" não é uma canção tradicional. Começa com uma respiração. Presença de um ser vivo. Um animal-deus respirando, ao tempo em que soa a marimba, um instrumento africano. Ouve-se um *i*. É o que sinaliza que aquela presença é a do orixá. Este

Imagens, tambores e melodias

é o som que ele emite quando toma posse do corpo de uma iaô: *i*. Mas não se trata, aqui, do transe de uma iaô. O *i* presentifica o próprio orixá. Dupla metonímia. *Pars pro toto*: o som do orixá pelo orixá. *Pars pro toto*, na própria materialidade, no próprio tecido do vocábulo: *i* por *i*-bualama. O arranjo vai emoldurando o *i* — que remete, ainda, ao *y* ameríndio, partícula verbal da língua tupi para designar *água*. Sons de ambiência lacustre. O arranjo vai criando um meio ambiente sonoro para o texto. Note-se, além disso, que este *i* — *i* de orixá; *i* de água (cada poema cria, de fato, a sua própria lógica verbal) —, sempre que soa, na canção, está em lugar de destaque. É o ápice da melodia. E há uma espécie de diálogo entre o *i*, tal como emitido por Ibualama-Caetano, e o timbre da marimba. A percussão, por sua vez, remete ao ambiente sonoro do candomblé. Não é um samba. O violão toca apenas notas soltas, como se estivesse dançando, cortejando coreograficamente a marimba. "Indica um samba, mas realmente não é", observou-me, em conversa, o compositor Tuzé de Abreu. E o que é, então? — perguntei. E Tuzé: "As células rítmicas executadas pelas congas, duas bocas de congas, sugerem o agueré de Oxóssi". Sim — o agueré. Assim se poderia definir o gênero da composição. E esta referência ao agueré, à música dos terreiros, me conduz a uma outra comparação.

Em termos linguísticos, *black religious music* e *música religiosa negra* querem dizer a mesma coisa. Traduzem-se à perfeição. Culturalmente, porém, apontam para realidades distintas entre si. Quando falamos *black religious music*, estamos nos referindo ao *spiritual* e ao *gospel*. À trilha sonora do cristianismo negro norte-americano. Quando dizemos *música religiosa negra*, a dimensão referencial é outra. É a música sacra africana, tal como executada em nossos terreiros de candomblé. E, a este respeito, algumas observações se impõem. De saída, porque a música sacra de bantos, jejes e nagôs, além de litúrgica, é *funcional*. É música para conduzir ao transe. Para permitir a manifestação dos deuses nos corpos de seus sacerdotes. Além disso, estas criações estético-religiosas africanas não atravessaram somente o Atlântico. Atravessaram os séculos. Mantêm-se, ainda hoje, em nossos terreiros. A propósito, o musicólogo e candomblezeiro Jaime Sodré conta uma história fascinante. Em excursão pelo Brasil, dançarinos do Balé do Benin foram ao terreiro jeje do Bogum, na Bahia, assistir a uma festa. Quando os tambores tocaram chamando os voduns, alguns deles caíram em transe. "Como é que essa célula rítmica de quase trezentos anos permaneceu intacta assim?" — pergunta Sodré. Bem, permaneceu. Uma outra coisa é que, na música sacra candomblezeira, o nexo entre palavra e som é rigoroso. É preciso dizer o que há para ser dito no tempo musical certo e no momento exato, ou os deuses não descem para o rito. Sodré: "Você não pode tocar mais lento, nem mais rápido. Tem que conhecer a pulsação, saber tocar dentro da ritmia. E isso tem a ver com a emissão da palavra. Se você tocar num ritmo muito acelerado, você não diz o que tem que dizer para o vodum dançar". Não se trata de uma fidelidade fonética, lexical ou sintática — mas da preservação, no canto, da *gestalt* sônica de uma estrutura verbal acoplada a uma frase percutida nos tambores. Daí a distinção de Sodré — a questão não é "oral", mas *sonora*. "Se fosse oral, o santo parava no meio do salão e dizia: 'Essa língua eu não conheço. Pega um dicionário aí. Eu só danço se...'. Mas não, o santo vai pela sonoridade. Enquanto você tiver uma sonoridade próxima à matriz vibratória, pode cantar, que o santo vem".

Não é diferente quando o sacerdote canta para as plantas. No candomblé, o conhecimento das plantas possui caráter iniciático. Os iorubanos cultuam um deus da vegetação, dono de todas as folhas, cujo nome abrasileiramos para Ossãin ou Ossânin. A coleta de vegetais, para uso litúrgico ou terapêutico, é feita por seus sacerdotes, segundo um conjunto preciso de regras. Se as folhas tiverem de ser colhidas à noite, e não de madrugada ou de manhã cedo, o iniciado tem de despertar o axé delas, dizendo "acorda, acorda". Conversa-se com — canta-se para — as folhas. Existe um gênero poético-musical específico para isso — *orin ewe*, as "cantigas de folha". Em *O Segredo das Folhas: Sistema de Classificação de Vegetais no Candomblé Jeje-Nagô do Brasil*, Flávio Pessoa de Barros esclarece: "A palavra cantada ou falada assume um papel relevante: ela é portadora e desencadeadora de axé [...] Assim, as 'cantigas de folha' — *orin ewe* — são uma forma especial de detonar o axé potencial das espécies vegetais". E mais: "Cantar ou chamar as folhas pelas denominações corretas em iorubá não se prende somente ao ritual de coleta das espécies; este mesmo procedimento deve ser seguido em todos os outros momentos ritualísticos nos quais as folhas estão presentes". Cabe, ainda, uma distinção. Na cultura musical do Ocidente, a música é sacra, mas não o órgão que a executa. Não é isto o que se vê no mundo das músicas sacras dos africanos. Os atabaques do terreiro são sacralizados. Investidos de uma energia especial. O que significa que, na esfera do sagrado jeje-nagô ou lucumí, os instrumentos musicais não são apenas objetos que produzem sons. Mas peças plenas de encanto. Mesmo a madeira de que são feitas as baquetas deve vir de determinadas árvores. E assim como os instrumentos são submetidos a um processo sacralizador, a pessoa, para tocá-los, tem de passar por um processo iniciático. O alabê de um templo é um sacerdote. Um omô-orixá. Na África, no Brasil, em Cuba.

Imagens, tambores e melodias

Arrematando, é bom realçar o fato de que as relações da criação artística brasileira, com os signos de extração africana que permeiam as nossas vidas, jamais se deu, de forma preferencial ou sistemática, em terreno caracteristicamente "preservacionista". Os artistas brasileiros, de um modo geral, não se movem a partir de projetos desta natureza. Os tais signos aparecem naturalmente, em criações "eruditas" e "populares", pelo simples fato de que fazem parte da vida de seus autores. Exceções a esta regra estariam no movimento modernista da década de 1920 e na ideologia do "nacionalismo musical", tal como exposta por Mário de Andrade. Sintomaticamente, em campo "erudito". Não que o modernismo fosse preservacionista. Não é isto. É que Oswald e Mário não tinham qualquer proximidade com o samba, a capoeira ou o candomblé, por exemplo. E, mais ainda, a visão modernista do canibalismo tupi e de nossas raízes nigerianas, entre outras coisas, foi tramada no tear da vanguarda europeia, então sediada em Paris. O modernismo brasileiro deve ser entendido no interior desta moldura. Com uma diferença fundamental, todavia. Enquanto os artistas europeus eram obrigados a se deslocar no tempo e/ou no espaço para afivelar as suas "máscaras", os brasileiros podiam ficar por aqui mesmo. As possíveis "máscaras" de sua modernidade estavam em nosso próprio passado, em nossa formação cultural, em nossos quintais. Ainda assim, formas e práticas culturais de origem ameríndia e africana eram exóticas tanto para Mário, um mulato, quanto para Oswald, cuja família, como ele conta em sua autobiografia, *Um Homem sem Profissão: Sob as Ordens de Mamãe*, chegou a viver da renda do aluguel de escravos, logo que se mudou para São Paulo. E o certo é que Mário e Oswald tiveram de assumir atitudes de etnógrafo diante do Brasil que desconheciam — e que aparecia diante de seus olhos, na expressão do Raul Bopp de *Movimentos Modernistas no Brasil*, como "um país de utopia". Um exemplo desta desinformação está no *Ensaio Sobre a Música Brasileira*, de Mário. Depois de reproduzir um canto de Xangô, Mário anota que, de acordo com um certo Watson Lyle, na revista inglesa *Fanfare*, Xangô era o deus do trovão entre os "jorubas" (sic). "De jorubas o Brasil se encheu na época da escravatura". Mário não só não sabia que não era "joruba", mas *iorubá*, como vai aprender, numa revista inglesa, sobre quem era o orixá, quando poderia tê-lo encontrado "ao vivo", dançando com suas roupas rubras, em diversos pontos do Brasil. No Rio, em Pernambuco, na Bahia. Do mesmo modo, há um lugar onde o antropofagismo oswaldiano se encontra com as idealizações arcádica e romântica: seus índios são ficções de gabinete. Oswald leu o Brasil Exótico pelas lentes de uma antropologia estrangeira. Sob este aspecto, podemos comparar o *Macunaíma* e os manifestos oswaldianos com um livro como *Rondônia*, de Roquette-Pinto. Aqui, já não se trata de reler d'Abbeville ou de adaptar Koch-Grünberg. Damos de cara com o nambiquara e o pareci, idade lítica real na Serra do Norte, e não com o índio encontrado numa página de Hans Staden ou num trecho da *Poranduba Amazonense*. Oswald não se importou com os índios seus contemporâneos que despediam flechas nos campos de Goiás e Mato Grosso. Ficou à maneira do Cláudio Manoel da Costa de *Vila Rica*, enquanto Cândido Rondon contactava o grupo kaingang e "pacificava" o xokleng. E olha que os kaingangues estavam bem perto dele, em terras do oeste de São Paulo.

Quanto ao "nacionalismo musical" erudito, ele vai se afirmar com as obras de Villa-Lobos e a teorização de Mário de Andrade. Mário distingue entre o "popular" (caracterizado pela antiguidade e o anonimato) e o "popularesco" (a canção comercial; a chamada "música popular brasileira"). Distingue, ainda, entre o "popular" e o "artístico" (música artística = música erudita), afirmando que a "música artística não é fenômeno popular porém desenvolvimento deste". Fechando o circuito, o que Mário propõe é a produção de uma "música artística" que incorpore o "popular" (não o "popularesco"). Deseja uma transposição "culta" daquele "populário musical" que "honra o país". E Villa-Lobos foi o grande compositor nacionalista. Mas é certo, também, que o seu caso é complexo. Villa se formou entre a música popular urbana de sereseteiros e sambistas cariocas e a informação cosmopolita moderna, incluindo-se aí a vanguarda europeia. E isto se gravou em sua prática musical. Ele construiu uma obra que vai do experimental — como em *New York Skyline*, notação musical para perfil de arranha-céus novaiorquinos — às suítes neoconservadoras que formam o conjunto de fisionomia barroca das *Bachianas Brasileiras*. Não desconheçamos, porém, os fatos. A atuação de Villa-Lobos, na ditadura do Estado Novo, foi clara. Como claro foi o seu furor ideologizante. O que contava, para ele, era a música erudita nacional, encharcada de "folclore". Ao lixo com a música popular urbana e a estética europeia de vanguarda. De qualquer modo, os nacionalistas não dominaram por completo o panorama da música erudita no Brasil. A linguagem experimental do atonalismo e do dodecafonismo, para cá trazida por Koellreutter, dividiu a bola. Nesta vertente mais experimental, aliás, teremos uma peça não exatamente radical do suíço-baiano Ernst Widmer, que não deixa também de corresponder ao projeto marioandradino — e nos leva a acrescentar um outro dado à comparação entre as produções musicais do Brasil e dos EUA. Widmer trouxe o batuque do candomblé para o círculo da música minimalista, que não deixou de expressar uma reação internacional às complexidades da *avant-garde*. No toque do atabaque no terreiro, esta-

Imagens, tambores e melodias

ria a música minimalista realmente interessante. Por esse caminho, Widmer chegou à composição *Possível Resposta*: músico se perguntando sobre a música e a vida, justaposição de uma *fala* do milenar minimalismo africano a uma *fala* da modernidade, como se a *grande questão* pudesse vir a ter uma resposta vital num espaço simbólico arcaico que atravessou séculos e estruturas sociais, participando da geração de uma nova realidade humana e cultural. *Possível Resposta* é um diálogo com o norte-americano Charles Ives. Com uma peça deste, *The Unanswered Question*. Nesta composição de Ives, topamos com "a perene indagação da existência", formulada por um trompete. As flautas ficam confusas e não conseguem responder. Os instrumentistas acabam se retirando, a baralhada sonora cede lugar ao silêncio. E o trompete repete a pergunta irrespondida. Em *Possível Resposta*, Widmer encarou o diálogo com Ives. E promoveu o encontro da Orquestra Sinfônica da Bahia com o Afoxé Filhos de Gandhi. Estaria ali uma resposta possível. Não se sabe se o que vem depois é o silêncio ou se algum trompete seguirá pelo infinito refazendo a sua pergunta. Por enquanto, parece nos dizer Widmer, melhor que a mão humana encontre o couro do tambor — e que corpos ondulem ao ritmo elementar da vida.

Mas vamos retomar o fio da meada, para encerrar. Disse que na arte brasileira, regra geral, signos de origem africana não são tratados como relíquias, desde uma perspectiva preservacionista. Afloram nas criações estéticas, ou mesmo as estruturam, pela razão de que ressoam à nossa volta. Não são elementos de um passado. Comparecem no curso normal das produções contemporâneas e mesmo em campo experimental. Apesar de tudo, o *Macunaíma* de Mário e a antropofagia oswaldiana serviam-se deles para desbravar caminhos. O "Templo de Oxalá", de Rubem Valentim, é a um só tempo arquetipal e construtivista, como se o alá do orixá fosse o branco no branco de Maliévitch. No cinema, as amazonas de *A Idade da Terra*, o filme desgarrado de Glauber, carregam consigo os chifres de búfalo de Oiá-Iansã. A mesma Iansã que rodopia em rebrilhos nas *Galáxias* de Haroldo de Campos. Nos territórios mais ousados da música popular, soam santos e terreiros. Contemporaneidade e candomblé informam a viagem plástica de Cravo Neto. E daí por diante — e de trás para radiante, como diria o Leminski do *Catatau*. Em suma, constata-se a presença da África ancestral na vanguarda, no experimentalismo estético dos trópicos, na arte brasileira de invenção. O que significa que, entre nós, signos africanos não pertencem apenas ao passado. Fazem parte do presente. E, ainda, de um projeto de futuro.

# 12.
## A ESCOLA BRASILEIRA DE FUTEBOL

Ficou célebre a preocupação de Lima Barreto com a importação do futebol pelo Brasil. Em *Feiras e Mafuás*, ele disparou: o futebol nada mais era do que um "estrangeirismo que pouco expressava os valores nacionais autênticos". Nem foi outra a posição de Graciliano Ramos, para quem a adesão brasileira ao futebol não passava de fogo de palha. De um modismo que se extinguiria, caindo na vala comum de tantas outras "manias" antes importadas. Em *Linhas Tortas*, ele registrou: "parece-me que o *football* não se adapta a estas boas paragens do cangaço. É roupa de empréstimo, que não nos serve [...] O *football* não pega, tenham certeza". É curioso o romancista não perceber que também o romance era "roupa de empréstimo", e não uma criação brasileira. Mas o que importa é o fato de que futebol e Brasil, hoje, são indissociáveis.

Na "orelha" do livro *Brasil Bom de Bola*, lemos: "Em nenhum outro país do mundo o futebol se incorporou tanto à alma popular quanto no Brasil. São 160 milhões de técnicos que aguardam a chegada da Copa do Mundo como o maior de todos os acontecimentos: é como se o destino da nação estivesse inteiro no resultado de cada jogo". A diferença entre os olhares de Lima Barreto e Graciliano e o tom do texto deste livro diz tudo. O Brasil passou a se ver como "o país do futebol". Como disse Ariano Suassuna, num dos escritos desse mesmo *Brasil Bom de Bola*, somente o futebol "verdadeiramente mobiliza a *paixão* do povo brasileiro". Ou, nas palavras do escritor católico Alceu de Amoroso Lima, mais enfático ainda: "Passam os regimes. Passam as revoluções. Passam os generais ou os bacharéis. Pouco importa. O Brasil resistirá à passagem de todos eles. Mas, se um dia o futebol passar, ai de nós!". Bem, talvez o alvo de Lima Barreto tenha sido outro. Em sua *História Política do Futebol Brasileiro*, Joel Rufino dos Santos tenta explicar: "Primeiro, porque [Barreto] compreendeu logo que as oligarquias iam usar a bola como ópio do povo. Segundo, porque o novo esporte era filho do imperialismo. O futebol" — escreveu com raiva — "é coisa inglesa ou nos chegou por intermédio dos arrogantes e rubicundos caixeiros dos bancos ingleses, ali, da rua da Candelária e arredores, nos quais todos nós teimávamos em ver bondes e pares do Reino Unido". De fato, aquela foi uma época de predominância inglesa em muitos ramos da vida brasileira. "Além do mais" — completa Rubim de Aquino, em *Futebol: Uma Paixão Nacional* — "Lima Barreto, escritor mulato, pobre e do subúrbio, opunha-se ao futebol porque o considerava uma prática racista da burguesia da Zona Sul da cidade do Rio de Janeiro". Talvez Barreto desconhecesse, ainda, a base mitológica do futebol. E as suas diversas invenções históricas (ocorrendo em vários pontos do mundo, sem que umas soubessem das outras), pelo menos algo aparentadas com o esporte que hoje conhecemos, principalmente a que aconteceu na China, durante a dinastia Han. Em todo caso, foram os ingleses que codificaram o jogo, na década de 1870, quando o futebol se destacou definitivamente do *rugby*, que viria a triunfar nos EUA.

O resto da história é conhecido. Um brasileiro de origem inglesa, Charles Miller, voltando de seus estudos na Inglaterra, onde fora considerado craque atuando como centroavante de uma seleção de Hampshire, trouxe a bola para São Paulo, em 1894. No início, futebol, aqui, foi coisa de elite. E de elite colonizada, que achava chique copiar franceses e ingleses. No caso do futebol, copiar dos ingleses — dos nomes dos times ao léxico do jogo (quando partida era *match*; juiz, *referee*; atacante, *forward* — e, se o sujeito cometia falta, dizia *sorry*), que só aos poucos se abrasileiraria, para depois ganhar expressões mistas (como "drible da vaca") e locais (como "banheira", "pelada", "lençol", "banho de cuia", "meia-lua", "nó de carroceiro"). "Logo que nos sentimos mais traquejados, e que o número de praticantes do jogo havia crescido, convoquei a turma para o primeiro cotejo regulamentar: The Gas Work Team, que era integrado por funcionários da companhia, contra The São Paulo Railway Team, formado por funcionários desta ferrovia. Foi em 14 de abril de 1895. Ao chegar ao capinzal, a primeira tarefa que realizamos foi enxotar os bois da Cia. de Viação Paulista, que tosavam a relva pacificamente", relembra Miller. Os jogadores eram ingleses e descendentes de ingleses, engenheiros de empresas britânicas. Os primeiros brasileiros a praticar o novo esporte foram jovens das camadas privilegiadas da população, doutores ou estudantes de medicina e direito. Os nomes dos nossos times seguiram o figurino das equipes que se enfrentaram na partida que Miller organizou no século XIX. No Rio, nasceu o Fluminense Football Club, primeiro time (dizia-se *team*) do lugar e primeiro campeão carioca.

Mas não só o novo esporte era praticado por rapazes "bem nascidos", como a elite fazia uma leitura ideológica de sua função social, fato apontado por Fátima Antunes, em *"Com Brasileiro Não Há Quem Possa!": Futebol e Identidade Nacional em José Lins do Rego, Mário Filho e Nelson Rodrigues*: "Nos primeiros anos da República, o futebol integrou um *movi-*

*mento modernizador*, cultivado pelas elites, que atingiu sobremaneira as cidades em processo de industrialização e de grande crescimento populacional, alvos de projetos de reformulação urbanística com fins higienistas e *civilizadores*. À época, o futebol era encarado como mais que um simples jogo: era um *esporte*, atividade cuja atribuição principal era salvar e preservar a saúde do corpo pelo exercício físico, proporcionando-lhe o vigor necessário ao trabalho e às exigências da sociedade moderna e industrial [...] Para intelectuais como Olavo Bilac [...] o futebol permitia a utilização positiva do corpo, saudável e higiênica, capaz de colocá-lo a serviço da pátria e do futuro. Bilac defendia o serviço militar obrigatório, os esportes e a educação física como hábitos a serem nacionalmente difundidos [...] Em 1905 [...] Monteiro Lobato [...] exaltava os valores eugênicos do esporte bretão, incorporando o discurso médico do fim do século XIX que pregava a prática da educação física e esportiva como fundamentais para o *adestramento social do indivíduo*. Para Lobato, a revitalização física que o futebol proporcionava seria um componente essencial na cura de diversos *males nacionais* de outra natureza, tais como a estagnação social, política e econômica [...] o que estaria em jogo era o desenvolvimento e o aperfeiçoamento moral de um povo". Diante do discurso moralizante de Lobato, não posso deixar de observar que, nessa mesma época, outras coisas também passavam por sua cabeça, como podemos ver em sua correspondência (*A Barca de Gleyre*), onde, ao explicar a um amigo o seu desejo de morar em Ribeirão Preto, escreve as seguintes palavras: "Costumes, hábitos e ideias, tudo é diferente por lá [...] Dizem que em Ribeirão Preto há oitocentas mulheres da vida, todas estrangeiras e lindas [...] O Moulin Rouge funciona há doze anos e importa champagne e mulheres da França". Em todo caso, talvez ele achasse que as belas putinhas de Ribeirão eram também fundamentais para o tal do adestramento social do indivíduo.

Mas logo teve início a apropriação popular do futebol. Moleques e malandros começaram a bater bola ao ar livre, onde fosse possível. A simplicidade das regras (dezessete, apenas) facilitava a popularização do novo esporte. E a bola podia ser feita de quase qualquer coisa. Com um maço de folhas de jornal enfiado numa meia feminina, por exemplo. De jornal amarrado com barbante. Ou, simplesmente, tomava-se uma laranja, uma abóbora, uma pedrinha, uma lata velha amassada ou uma chapinha de refrigerante ou cerveja como se fosse a esfera mágica dos manuais. Nesse processo de conquista popular dos times e campos futebolísticos, temos ao menos três marcos: o Bangu (The Bangu Athletic Club), o Ipiranga (na Bahia) e Friedenreich, mulato de olhos verdes. No caso do Bangu, time de uma fábrica do Rio, os in-

A escola brasileira de futebol

gleses começaram a ser barrados. Os operários foram tomando os lugares dos mestres, engenheiros e técnicos. E a formação da equipe foi trocando de cor, com a presença de mestiços brasileiros. Na mesma época, o craque do futebol baiano era o preto Popó, capoeirista do bairro do Rio Vermelho, fazendo o que queria com a bola. Sobre Friedenreich, filho de alemão com mulata brasileira, Mário Filho, o autor de *O Negro no Futebol Brasileiro*, escreveu: "Um mulato, Arthur Friedenreich, se tornaria o primeiro ídolo do futebol brasileiro. Não porque, como muita gente pensa, tivesse marcado o gol da vitória do Sul-Americano de 1919. A popularidade de Friedenreich se devia, talvez, mais ao fato de ele ser mulato, embora não quisesse ser mulato. O povo descobria, de repente, que o futebol devia ter todas as cores, futebol sem classes, tudo misturado, bem brasileiro. O chute de Friedenreich abriu o caminho para a democratização do futebol brasileiro". Involuntariamente. Aquele mestiço daria tudo para ser ariano. Não era. E o povo se via nos seus traços morenos. Mas a grande virada veio em 1923, com o Vasco da Gama. Mário Filho comentou a mudança: "Os clubes finos, de sociedade, como se dizia, estavam diante de um fato consumado. Não se ganhava campeonato só com times de brancos. Um time de brancos, mulatos e pretos era o campeão da cidade. Desaparecia a vantagem de ser de boa família, de ser estudante, de ser branco. O rapaz de boa família, o estudante, o branco tinha de competir, em igualdade de condições, com o pé-rapado, o analfabeto, o mulato, o preto. Era uma revolução que se operava no futebol brasileiro". Popó estava vingado. E o futuro poderia nos trazer jogadores como Djalma Santos.

Ao acompanhar essa caminhada popular no sentido da incorporação do futebol ao seu repertório lúdico-cultural, não podemos deixar de parte as práticas e atitudes racistas que ocorreram, devidamente sublinhadas pelos estudiosos do assunto. De início, não havia lugar para pretos, só para "bem nascidos", nos times. Já na transição do amadorismo para o profissionalismo, na década de 1920, as restrições aos negromestiços começaram a se atenuar. Ainda assim, muitas agremiações resistiram. Clubes mais "aristocráticos" não admitiam crioulos em suas equipes futebolísticas (às vezes, nos esquecemos de fazer esta distinção: uma coisa é o clube, com o seu quadro de sócios; outra coisa é o time do clube, com seus jogadores). Em *Os Subterrâneos do Futebol*, João Saldanha fez uma listagem: "No Rio de Janeiro, Fluminense, Botafogo e Flamengo não admitiam de forma alguma que negro vestisse sua camisa [...] Em São Paulo, o Palmeiras resistia. O Paulistano, clube do Jardim Paulista, preferiu fechar sua seção de futebol a ter de aceitar preto em seu time. No Rio Grande do Sul, o Grêmio Porto-Alegrense também era intransigente. No Paraná, o Atlético e o Coritiba não aceitavam os negros. Em Minas, Atlético e América; na Bahia, o Bahiano de Tênis, que procedeu como o Paulistano: fechava mas não transigia. Em Pernambuco, o Náutico; no Ceará, o Maguari; no Pará, o Remo, e assim por diante: em cada Estado da Federação havia clubes aristocráticos que não deixava os pretos jogarem".

Muitos foram os casos da barra pesada da discriminação, manifestando-se nas atitudes humilhantes dos dirigentes de clubes e nas reações humilhadas dos jogadores. Foi observado, antes, que Friedenreich era um mulato que recusava (ou que era obrigado a recusar, nas circunstâncias em que viveu) a sua condição mulata. A sua luta para parecer branco é uma crônica do desespero. Ele chegava atrasado para os jogos e se enfurnava no vestiário, tentando alisar e prender os seus cabelos crespos, de modo a não ser visto pela multidão como o mulato que era. Inutilmente — mas quão longe estávamos, então, do cabelo *black power* de Jairzinho... De outra feita, quando o jogador Hércules se casou com uma associada branca do Fluminense, a diretoria do clube proibiu o ingresso de atletas nos quadros sociais da entidade. Hércules tinha que saber qual era o seu lugar — lugar de empregado, mulato, crioulo (felizmente, Hércules se deu bem na vida: ao pendurar as chuteiras, em 1946, era dono de casas e terrenos em São Paulo). O Fluminense, de resto, ganhou o epíteto de "pó de arroz" em consequência de um caso exemplar de racismo, hoje célebre. Para poder jogar no time, sem aparecer como preto diante da multidão que lotava os estádios, o jogador Carlos Alberto tinha que disfarçar a cor da pele. De colocar a máscara branca. Para isso, cobria o brilho negromestiço de seu rosto com espessas camadas de pó de arroz. O que me traz à memória a inversão de uns versos de Vicente Huidobro, em "Siglo Encadenado en un Ángulo del Mundo", ali onde ele fala de negros de "divina raça" que limpavam de seus rostos a neve que os manchava.

O processo de profissionalização, porém, foi derrubando barreiras. A história do Vasco da Gama acabou mudando definitivamente a paisagem futebolística nacional. E foi a vitória mestiça da arraia-miúda que levou o futebol a se tornar um esporte de massas no Brasil: crescia a mulataria em campo, crescia a mulataria batendo bola nas ruas, crescia a mulataria nas arquibancadas dos estádios. Não nos esqueçamos de que, na primeira partida de futebol realizada no Rio, em 1901, o número de jogadores foi maior do que o número de espectadores. Ao longo da década de 1910, o novo esporte se afirmou, inclusive com o Fluminense construindo o seu estádio, em 1919, nas Laranjeiras. Não se tratava ainda de um fenômeno de massas, mas

A escola brasileira de futebol     303

já tínhamos um bom caminho andado nessa direção. Na década seguinte, mestiços de pele mais escura foram tomando conta dos gramados e se profissionalizando por baixo do pano, na base da gratificação por partida, como fazia a colônia portuguesa com os jogadores do Vasco. E assim nasceu o "bicho", ainda hoje uma praxe. Àquela altura, a remuneração salarial do jogador era apenas uma questão de tempo. Inclusive, para que este pudesse se dedicar em tempo integral ao futebol, abrindo assim o caminho para a conquista de títulos. Com isso, o futebol, antes marcado por práticas racistas, passou a ter, também, a sua função social no movimento pela superação das discriminações em nosso país. Não são raros os que dizem que o futebol nos ensinou democracia, ao se basear num conjunto de regras válido para todos e ao promover uma alternância tranquila entre vencedores e perdedores. Além disso, converteu-se, juntamente com a música popular, em campo para a ascensão social negromestiça e a redução do preconceito racial. Esta transformação pode ser vista nas condutas opostas de Friedenreich e Pelé. Mário Filho viu bem, apesar de algum exagero: "os pretos do futebol procuraram, à medida que ascendiam, ser menos pretos [...] Mandando esticar os cabelos, fazendo operações plásticas, fugindo da cor. Daí a importância de Pelé [...] que faz questão de ser preto. Não para afrontar ninguém, mas para exaltar a mãe, o pai, a avó, o tio, a família pobre de pretos que o preparou para a glória. Nenhum preto, no mundo, tem contribuído mais para varrer barreiras raciais do que Pelé. Tornou-se o maior ídolo do esporte mais popular da Terra. Quem bate palmas para ele, bate palmas para um preto. Por isso Pelé não mandou esticar os cabelos: é preto como o pai, como a mãe, como a avó, como o tio, como os irmãos. Para exaltá-los, exalta o preto. Por isso é mais do que um preto: é 'o Preto'. Os outros pretos do futebol brasileiro reconhecem-no: para eles Pelé é 'o Crioulo'".

Com o futebol se tornando popular, ele deixou de ser falado em inglês. Palavras e expressões cotidianas foram levadas para os campos de futebol e aí ganharam novos sentidos, a exemplo de chapéu, lençol, folha seca, carrinho e corta-luz. A composição desse novo léxico futebolístico é um atestado da extraordinária criatividade verbal das massas. Regra geral, o que temos, nesse caso, são designações verbais para desenhos plásticos do jogo. A escolha de uma palavra ou expressão que nomeia um objeto, um fenômeno ou um processo extrafutebolístico, para aplicá-la, por analogia, a aspectos de uma partida. A folha seca que se desprende da árvore e vai mudando de direção em sua trajetória pelo ar vem, assim, batizar a invenção de Didi, que batia na bola de modo que esta fosse alterando o seu rumo pelo espaço. Com o tempo, vamos assistir, também, ao movimento inverso: expressões típicas

304            A utopia brasileira e os movimentos negros

e neologismos do futebol se projetando, ressignificados, na língua comum de todos. Saindo das arquibancadas dos estádios para invadir a fala geral da nação e os dicionários dos eruditos. Situações da vida cotidiana, em suas mais variadas áreas e contextos, recebem então tratamento verbal nascido para falar de coisas que acontecem nos estádios. É assim que, quando vejo que alguém finalizou alguma coisa (cena de filme, peça publicitária, poema, passagem de romance, conquista amorosa ou sexual) com alta categoria, posso comentar: "gol de letra". Do mesmo modo, vendo que tem de fazer tudo numa equipe de trabalho, o sujeito reclama: "porra, além de bater o escanteio, ainda tenho que correr pra cabecear?". Muitos signos verbais originários do mundo do futebol passaram a fazer parte de nossa fala diária. Alguns exemplos: bola pra frente, marcar homem a homem, ir pro chuveiro, bola dividida, jogar na retranca, dono da bola, driblar, bater na trave, organizar o baba, jogar um bolão, armar o meio de campo, show de bola, ganhar no tapetão, deixar na cara do gol, correr pro abraço. E é por isso que podemos dizer que o futebol fez a sua parte nos processos de enriquecimento da língua portuguesa do Brasil.

O futebol modificou, também, a forma do rádio brasileiro, com as "transmissões radiofônicas" das partidas, iniciadas na década de 1930. O que se criou, no rádio brasileiro, foi um novo gênero narrativo. O locutor esportivo, em princípio, é o sujeito que deve descrever o que está se passando dentro do estádio — especialmente, dentro das linhas que balizam o espaço do jogo. Mas o locutor brasileiro fez mais que isso. Em vez de se limitar a descrever a partida, ele partiu para *recriar* o *movimento* do jogo no movimento de sua fala. Que já não é mais simplesmente fala — mas *fala cantada*, espécie de *Sprechgesang* não prevista por Schönberg. O ritmo e a melodia da fala como que reconfiguram, em suas linhas e andamentos, o que vai pelo campo. Para isso, o locutor aciona um variado elenco de recursos: respiração, onomatopeias, silêncios, ricas modulações, retardamentos; vai de *andante*, *molto rapido*, *staccato*, etc. É por isso que podemos falar de um novo gênero no conjunto das narrativas orais. Um gênero que, nascido do cruzamento de um novo esporte com um novo meio de comunicação, deixa-se caracterizar pela configuração de uma *imagem sonora* do jogo. Pela tentativa de criação de um análogo vocal da partida que se desenrola no campo. Nos termos da semiótica de Peirce, esta narrativa pode ser classificada como um *ícone* do jogo. Uma narrativa icônica de natureza diagramática. Para Peirce, um signo é icônico quando se estabelece uma analogia entre ele e o que ele representa. Uma analogia entre os elementos que compõem o signo e os elementos daquilo para que o signo aponta. Entre os tipos de

A escola brasileira de futebol

signo icônico, Peirce inclui os diagramas. Claro: se faço um diagrama da trajetória dos candidatos numa campanha eleitoral, estabeleço uma semelhança objetiva entre o traçado das linhas e as oscilações no desempenho de cada concorrente. Desse modo, posso definir o novo gênero da narração esportiva brasileira nos termos de um diagrama oral, *imagem sonora* de uma partida futebolística.

O futebol afetou, ainda, a imprensa brasileira. Nesse caso, Mário Filho, então com apenas 19 anos de idade, se responsabilizou por uma verdadeira revolução jornalística no país. Lembra Fátima Antunes que, até aquele momento (corria o ano de 1928), era mínimo o espaço que os jornais brasileiros davam a notícias esportivas — e o repórter se limitava a informar resultados de jogos e futuros eventos. "A transformação teria começado com uma entrevista que Mário Filho fizera com Marcos de Mendonça, goleiro do Fluminense, em que este anunciava sua volta ao futebol. Mais do que a notícia em si, provocou impacto o tratamento jornalístico dado a ela e o *novo idioma* em que fora escrita, sepultando todo e qualquer formalismo de expressão. A entrevista ocupava meia página; apresentava-se numa linguagem nova, simples e vibrante, lembrando a língua até então somente falada nas ruas e nas arquibancadas dos estádios de futebol, e que estreava no jornal, dando indícios de que a época dos acadêmicos estava chegando ao fim". Fátima cita, a propósito, Nelson Rodrigues: "Em meia página, Mário Filho profanou o bom gosto vigente até em jornal de modinhas [...] havia também, no seu texto, uma visão inesperada do futebol e do craque, um tratamento lírico, dramático e humorístico que ninguém usara antes [...] e iria enriquecer o vocabulário da crônica com uma gíria libérrima [...] Posso dizer que ninguém influiu mais na imprensa brasileira. O próprio artigo de fundo deixou de ter a pose do mordomo de filme policial inglês [...] E, graças ainda a Mário Filho, o futebol invadiu o recinto sagrado da primeira página [...] Tudo mudou, tudo: títulos, subtítulos, legendas. Abria-se a página de esporte e lá vinha o soco visual: o crioulão do Flamengo, de alto a baixo da página. E não era pose hirta [...] O craque aparecia em pleno movimento, crispado no seu esforço. E as figuras plásticas enchiam as páginas de tensão e dramatismo". Além de subverter a linguagem jornalística, Mário Filho militou também em favor da profissionalização dos jogadores, que, quando ocorreu, mudou a realidade do nosso futebol.

Um dos fatores que apressou o advento do profissionalismo, aliás, foi a exportação de jogadores brasileiros para o exterior. A crioulada começou a ser contratada em número cada vez maior para jogar lá fora. Em *Futebol em Dois Tempos*, Hélio Sussekind informa: "Um marco desse processo foi a deserção de Fausto e Jaguaré, campeões pelo Vasco em 1929 e ídolos do clube, numa excursão à Europa. Ambos foram contratados pelo Barcelona e sequer voltaram ao Brasil. O mesmo aconteceria com Fernando Giudicelli, do Fluminense. Já nesses primeiros anos, a Itália foi a principal responsável pelo êxodo. Os jogadores com sobrenome italiano tinham meio caminho andado. E viajavam em busca de melhores condições de vida. Até quem não tinha ascendência italiana arrumava um modo de partir. O futebol e os clubes do Rio se empobreceram. O Vasco, que liderava o campeonato antes da excursão à Europa, sem Fausto e Jaguaré, perderia o título de 1931 para o América. O Fluminense, enfraquecido, amargava seu maior período sem títulos". A necessidade de ganhar campeonatos e expandir a torcida, em partidas agora assistidas por milhares de pessoas, exigia que os clubes bancassem a sobrevivência dos talentos encontrados nos meios pobres e pretos da sociedade e, ao mesmo tempo, evitassem a sangria de craques para o exterior. Para isso, era preciso dar grana aos artistas da bola. Em 1933, a profissionalização se impôs. "O profissionalismo marcaria o fim da escravidão no futebol brasileiro. Os jogadores negros viviam ainda com dificuldades, mas já recebiam 'um salário' para jogar", comenta, a propósito, Sussekind.

Havia, portanto, a dimensão política dessa história, especialmente quando nos lembramos de que, quando a primeira bola de futebol chegou ao Brasil, o fim do regime de trabalho com negros escravizados completara somente meia dúzia de anos. Em "A Vitória do Futebol que Incorporou a Pelada" (*Revista USP*, nº 22, "Dossiê Futebol"), Leite Lopes escreveu: "Para Mário Filho, o profissionalismo é um meio para levar à emancipação dos negros, condição necessária para a constituição do futebol como esporte 'nacional'. Um tal empreendimento não é só negócio de dinheiro mas de constituição de uma rede de identidade entre os jogadores e o público, unidos pela adesão a um mesmo projeto de emancipação social pelo esporte". Ainda Lopes: "A transformação do futebol de esporte de elite em esporte popular implicou a passagem para o profissionalismo e uma nova concepção desse esporte, dirigindo-se a jogadores que esperavam tudo do futebol, ou seja, não somente uma ascensão social mas também um reconhecimento coletivo enquanto 'plenamente' brasileiros. Para além da possibilidade de carreiras que lhes permitiriam ao mesmo tempo obter um estatuto que os grandes clubes amadores não lhes garantiam [...] e escapar também das relações de dependência implicadas pelo 'falso amadorismo'[...], os jogadores das classes populares, em particular os negros e mestiços, eram ainda movidos pela necessidade da demonstração de sua competência e, por essa via, poderiam escapar do estigma que a sociedade brasileira lhes reservava, tornando-se estimados de um público que passava a considerá-los como ídolos esportivos". Mas é claro que a batalha antirracista e pró-ascensão social continua — e vem se aprofundando, em especial, da década de 1970 para cá. "Apenas poucas décadas antes [da adoção do profissionalismo] havia sido abolido o sistema de escravidão. Ainda aderia uma mancha a qualquer trabalho manual. Dar pontapés numa bola era um ato de emancipação. De repente o próprio jogo tornou-se para eles [os jogadores negros e mestiços] um trabalho, e pôde igualmente relacionar-se com a emancipação dos escravos — num país que nunca teve o equilíbrio de uma ética puritana do trabalho — o fato de que, por outro lado, muitas vezes também o trabalho foi realizado como se fosse um jogo", analisa Anatol Rosenfeld em *Negro, Macumba e Futebol*, para comentar com lucidez: "Sob a pressão da concorrência, na forma de severas disputas esportivas, a ascensão dos homens de cor para a 'primeira divisão' tornou-se inevitável — um fato que gerou muitos conflitos psicológicos, pois o que valia no jogo não podia impor-se tão rapidamente na vida. No campo de futebol, de uniforme esportivo, o homem de cor, apesar de múltiplas dificuldades [...] podia ter provado sua plena igualdade em perseverança, inteligência, musculatura física e moral; ninguém discutia sua capacidade extraordinária, e a democracia racial no campo logo reinou de forma ilimitada. Contudo, nas dependências internas de clubes grã-finos, quando quer que ultrapassasse a soleira, ele, vestido com solenidade, sentia-se marginalizado por mais que, em alguns casos, até diretores do clube se esforçassem no sentido de sua integração social". Neste sentido, podemos dizer que o exemplo de democracia racial, encontrável no futebol, ainda não tomou a sociedade brasileira.

Ao longo de todo esse processo — que inclui a construção de estádios, a extinção das barreiras que bloqueavam o acesso dos negromestiços aos times, a profissionalização dos jogadores, a produção industrial de milhares e milhares de bolas e chuteiras, o surgimento e a expansão do jornalismo esportivo (na imprensa e, sobretudo, no rádio) —, o povo brasileiro incorporou, assimilou e foi recriando o futebol. Especialmente, a partir de meados da década de 1930, quando o Flamengo se firmou como o time mais popular do país, exibindo o futebol de suas novas contratações: Leônidas da Silva e Domingos da Guia. O futebol começava a ser reinventado aqui. E esta reinvenção o povo brasileiro a fez à sua maneira, no quadro de suas formas de sociabilidade e de suas criações de cultura, como a capoeira e o samba. A propósito, Suassuna escreveu: "Uma das características mais fortes do povo brasileiro é a capacidade que ele tem de transformar tudo em música e ritmo, o que faz pelos espetáculos populares, pelo canto, pela dança — pela festa, enfim. É dentro do mesmo espírito que o futebol foi adaptado aqui, de modo absolutamente nosso, peculiar, singular, um modo que corresponde às estruturas físicas e psicológicas do nosso povo". Adaptação ou reinvenção que teve, como campo experimental, a pelada (ou o "baba", como dizem os baianos) — o jogo improvisado, informal, simplificado em regras e equipamentos, na várzea, na praça, na rua, no terreno baldio, no capinzal ao lado da estação de trem, num trecho de estrada esburacada, no quintal de fulano, na margem do rio, na beira da lagoa ou na areia da praia.

Moleques e malandros foram imprimindo então a marca tropical mestiça brasileira no *football association* dos ingleses. Alguns deles se profissionalizando, graças ao talento indiscutível. Mas sem deixar de ser moleques e malandros. Reinventando o futebol, assim, a partir da realidade imperativa de seus corpos flexíveis, de cintura solta e bem desenhada. Corpos configurados para as coreografias eróticas do samba e do frevo. Para os giros plásticos e sensuais da capoeira. E esse corpo mestiço brasileiro, no futebol, foi de base quase invariavelmente negra. Corpo afro-luso, afro-luso-ameríndio, ítalo-africano, etc. — mas com a partícula "afro" quase sempre presente. Leônidas, Didi, Djalma Santos, Pelé, Coutinho, Reinaldo, Romário. Didi, "magnífico tipo racial de príncipe etíope de rancho", como o definiu Nelson Rodrigues, em *À Sombra das Chuteiras Imortais*. Corpo mestiço mesmo desengonçado, como no caso de Garrincha, um caboclo, descendente de negros e dos índios fulniôs de Alagoas. Um rapaz de riso aberto, carapinha, olho repuxado e pernas tortas, pé de valsa, louco por sexo e cachaça. Nada mais distante do padrão greco-europeu do corpo olímpico. Aos olhos de um europeu, ele mais sugeriria um deficiente físico, com as pernas encurvadas e uma perna mais curta do que a outra, do que a possibilidade de um atleta que se tornaria duas vezes campeão do mundo, fazendo carnavais nas defesas adversárias. A espádua, a bunda e as coxas de Pelé: elegância, leveza, precisão e erotismo. Foi a partir do momento em que corpos assim resolveram lidar com a bola, trazendo-a para o seu tato e contato íntimos, que teve início a recriação brasileira do futebol. Esses corpos moldaram a bola ao seu desenho. Adaptaram o jogo às suas virtudes. E deles brotou o estilo brasileiro de jogar. Com o tempo, o movimento inverso também ocorreu, acredita Joel Rufino: "O futebol moldou os corpos masculinos no Brasil. Olhem esses pés, esses braços quando se movimentam, essas cinturas...".

Corpo mestiço que não existia a vácuo, mas numa cultura concreta. Numa encruzilhada genético-cultural. Corpo criado nas gingas e nos meneios das rodas de samba e capoeira, aplicando-se agora no futebol. Logo, o samba e a capoeira (e, com ela, a malandragem) estariam na base mesma de nosso futebol. O jeito brasileiro de jogar é invariavelmente aproximado às coreografias, aos movimentos corporais do samba e da capoeira. Antes dos "evangélicos", tínhamos a "macumba" em plano astral, com despachos e pais de santo acompanhando times e mesmo a seleção — e a capoeira e o samba, em plano pedestre. Joel Rufino, em "Bola Brasilis": "Também (verdade seja dita) foi fácil o jogo de bola pegar no Brasil. Aí por volta de 1900, mal saído da escravidão, o povo brasileiro não tinha nada. Só tinha o seu corpo e a rua. Quando as autoridades conseguiram extirpar a capoeira (aí por 1910), o povo adotou o futebol. Capoeira é ginga? Joguemos futebol com ginga. Capoeira é *dribbling*? Façamos do drible nossa principal jogada". Bem antes de Rufino, em prefácio ao livro de Mário Filho, Gilberto Freyre escrevia: "A capoeiragem e o samba [...] estão presentes de tal forma no estilo brasileiro de jogar futebol que de um jogador um tanto álgido como Domingos, admirável em seu modo de jogar mas quase sem floreios — os floreios barrocos tão do gosto brasileiro —, um crítico da argúcia de Mário Filho pode dizer que ele está para o nosso futebol como Machado de Assis para a nossa literatura, isto é, na situação de uma espécie de inglês desgarrado entre tropicais [...] O que não quer dizer que deixe de haver alguma coisa de concentradamente brasileiro no jogo de Domingos como existe alguma coisa de concentradamente brasileiro na literatura de Machado [...] Com esses resíduos é que o futebol brasileiro afastou-se do original britânico para tornar-se a dança cheia de surpresas irracionais e de variações dionisíacas que é. A dança dançada baianamente por um Leônidas; e por um Domingos [...] de qualquer modo, dança".

Rosenfeld, por sua vez, faz uma observação interessante. Aproxima (embora se esqueça de também distanciar) a figura do "mulato pernóstico", tão presente em nossa vida e em nossas criações textuais, da figura do jogador cheio de ginga e de dribles. E o mulato pernóstico não é apenas um estereótipo racista, mas um dado social que pode e deve ser examinado sociologicamente. Veja-se o caso de Gilberto Gil, por exemplo, que examinei em meu livro *Textos e Tribos* (1993). É engraçado ver Gil tentando se passar pelo intelectual que nunca foi, com toda aquela sua empáfia linguística, o seu uso inadequado de vocábulos e conceitos não devidamente assimilados, esparramando-se em torneios frásicos lustrosos, que nem sempre fazem sentido. O mulato pernóstico é um indivíduo que, tomado por uma insegurança mestiça essencial, busca manipular "símbolos de status" — para usar uma expressão de Allport, em *The Nature of Prejudice* —, de modo a querer exibir uma educação que, em realidade, não teve. Entre esses "símbolos de status", destaca-se a palavra. Allport: "Um curioso exemplo dessa busca de símbolos de *status* pode achar-se no uso pretensioso da linguagem [...] Uma dicção elegante e um vocabulário amplo (ainda que salpicado de despropósitos) pode achar-se em certos indivíduos, que traem assim claramente seu ardente desejo de um *status* educacional que em realidade não possuem". Em *Estudos Afro-Brasileiros*, Bastide escreveu, a propósito do poeta mineiro Silva Alvarenga, também mulato: "Se falasse com demasiada simplicidade, talvez as más línguas denunciassem traços da herança materna [negra] em seus versos". Esse tipo de mulato sempre quis "falar difícil" — porque via a classificação social e intelectual de quem sabia "falar difícil". De fato, é no desempenho verbal, de preferência com palavras ribombantes e sintaxe alambicada, que o mulato pernóstico se manifesta a todo vapor. Emprega palavras difíceis, constrói frases empoladas, entrega-se aos mais variados exercícios de retórica. Para Rosenfeld, essa retórica verbal, transposta para o futebol, vai resultar "numa retórica física do tipo mais brilhante, numa dança ornamental de artimanhas espertas, manobras sabidas e truques manhosos, da capoeira — a louvada 'malícia' — à troça maliciosa, muitas vezes perigosa, ladina, daquele que prega uma peça no outro, desviando-o astutamente do caminho". Mas há diferenças. A "retórica física" do jogador é verdadeiramente brilhante, ao passo que a retórica verbal do mulato pernóstico é bijuteria brilhosa. Enquanto o mulato pernóstico tende ao pomposo, o jogador é *homo ludens*, movendo-se no reino da diversão, da graça, da alegria. É a diferença entre um discurso improvisado de Gilberto Gil e o improviso num drible de Ronaldinho Gaúcho. O primeiro é ministro, o segundo é moleque.

Mas há mais. Esse corpo mestiço, com as suas características de desenho e movimento, com a sua formação cultural na moldura do samba e da capoeira, está dentro do campo, numa partida. E aqui devemos dizer algo sobre a inteligência corporal. Sobre uma espécie de inteligência que não deixa de estar inscrita, etimologicamente, na própria palavra "corpo". Muniz Sodré começa o seu texto "O Micropensamento do Corpo" falando justamente disso: "Corpo, no grego clássico, diz-se *soma*. A palavra provém do radical indo-europeu *thm* ou *tphm*, cujo significado básico é 'encher' ou 'inchar'. Implica a ideia de um receptáculo inflável, mas resistente, de forças, que supõem três momentos integrantes: peso (ideias de gravidade e permanência), elasticidade (pluralidade e variação) e consistência (impermeabilidade e densidade). Já os latinos diziam *corpus*. É palavra originária do sânscrito *krpa*, com os significados de forma, beleza, mas também de ordenamento e disposição de partes. Daí origina-se, em grego, a palavra *prapis*, com o sentido de diafragma, mas também de coração, espírito, inteligência e ventre. Em *corpus* — mais do que em *soma*, que enfatiza o aspecto externo, expansivo — está dada a ideia de interioridade do corpo e de sua inteligência própria", diz Muniz. "Uma inteligência é a capacidade de resolver problemas ou de criar produtos que sejam valorizados dentro de um ou mais cenários culturais", escreveu, por sua vez, em *Estruturas da Mente: a Teoria das Inteligências Múltiplas*, o neurologista Howard Gardner, exatamente para contestar a tese da existência de uma inteligência única, de natureza lógico-intelectual — e defender a realidade de pelo menos sete tipos de inteligência, cada qual se desenvolvendo de forma relativamente autônoma. Entre elas, a inteligência corporal-cinestésica. A inteligência do corpo. A capacidade de usar o corpo "de maneiras altamente diferenciadas e hábeis" e de lidar habilmente com objetos estão no centro mesmo desta inteligência. Exemplos supremos de inteligência corporal: Marcel Marceau, Nijinsky, Muhammad Ali, Pelé. Não é o caso de entrar nos detalhes da tese de Gardner. Umas palavras de Norman Mailer, a propósito do boxe, dizem o que é necessário: "Existem as linguagens do corpo. E o pugilismo é uma delas. O pugilista [...] fala com um domínio do corpo que é tão desprendido, sutil e abrangente em sua inteligência quanto qualquer exercício da mente [...] [Ele se expressa] com graça, estilo e um instinto estético surpreendente quando boxeia com seu corpo. O boxe é um diálogo entre corpos, é um rápido debate entre dois conjuntos de inteligências". Estas palavras se aplicam ao futebol, que também pode ser visto como um confronto entre dois conjuntos de inteligências. Não vejo expressão melhor do que "conjunto de inteligências" para definir o Santos de Zito, Mengálvio, Pelé, ou a atual equipe do Real Madrid.

É a inteligência corporal que vemos em ação num jogo de futebol. Numa partida, nenhum corpo existe sozinho. É sempre um corpo-em-relação. De uma parte, corpo em relação com outros corpos. De outra, corpo em relação com a bola e o campo — embora seja estranho falar de "partes", nesse contexto onde tudo se dá sincronicamente. Mas, enfim, uma partida de futebol se desenrola como uma espécie de arquitetura dinâmica tecida na inter-relação de singularidades corporais em movimento, cada qual presidida pela relação homem-bola-campo, que a todos entrelaça. Um jogador percebe os demais a partir de si mesmo — de seu corpo, de seu fôlego, de seu raio de visão, da distribuição de seus músculos, de sua vontade, de seu poder de enfeitiçar ou não a bola. Percebe do ponto onde está ou pelo qual passa. E aí entram em cena o cálculo sensível, a previsão, a capacidade de cintilações, a intuição de onde estará a bola e onde estará cada corpo no próximo lance e de onde poderão estar no lance seguinte. Entram em cena o poder do improviso e o faro do posicionamento, do estar no lugar exato na hora certa. Vê-se o deslizar da bola que pode não ser pedida no pé, mas num vazio que se abriu de repente e em direção ao qual o corpo-flecha irá se deslocar numa fração de segundo. Vê-se a habilidade de se livrar do cerco adversário adivinhando ou inventando espaços, lacunas, brechas. Vê-se a trama das triangulações. O toque ou a movimentação que desnorteia. O drible que desequilibra. A capacidade de antecipar uma *gestalt* que vai reconfigurar o campo, tensioná-lo numa determinada direção.

Assim, quando falo que o povo brasileiro reinventou o futebol com a inteligência corporal específica de sua formação etnocultural, estou querendo me referir a tudo isso ao mesmo tempo: mestiçagem, capoeira, samba, malandragem, barroquismo, inteligência do corpo. É daí que nasce a matada suave da bola no peito. A deixada malandra. O gosto insuperável pelo quase samba-no-pé do drible, da finta mano-a-mano. O drible de corpo, que recebeu uma definição maravilhosa de Chico Buarque: "o drible de corpo é quando o corpo tem presença de espírito". É claro que o drible não foi uma invenção, mas uma reinvenção nossa: o estilo futebolístico trazido por Miller para o Brasil, e que ficou na base do nosso futebol, foi o *dribbling game*. Drible que, de resto, era tratado, entre nós, em termos sexuais, com o emprego do verbo "comer", na zona semântica abrangida pelo seu sentido extraculinário de *foder* — "Garrincha comeu dois beques e cruzou [*sic*] na área", era como dizíamos, antes da televisão excluir o "comer" (e expressões mais regionais) do seu vocabulário esportivo, padronizando-o no eixo Rio-São Paulo. Enfiar a bola por entre as pernas do adversário era como se fosse uma penetração: "meter por baixo da saia". "Entrar com bola e tudo" era atravessar a linha de gol, conduzindo o balão de couro, depois, provavelmente, de ter "comido" o goleiro ou "metido por baixo da saia" de algum zagueiro. Assim como fazer um gol, de qualquer jeito ou posição, era narrado metaforicamente: "balançar o véu da noiva". Do mesmo modo que o uso do palavrão em campo, a aplicação do léxico erótico ao futebol merece um estudo à parte. Vem de tudo isso a nossa descrição do craque não apenas como alguém dotado de capacidade antecipatória (pensar antes do primeiro toque e ter umas três ou quatro alternativas de jogadas engatilhadas) e "visão de jogo", mas também que tem "intimidade" com a bola, tratando com "carinho", acariciando mesmo, este objeto definitivamente feminilizado, até mesmo no senso mais sublime ou mais corriqueiro do "eterno feminino". Em *Museu de Tudo*, João Cabral tematizou esta bola-mulher, que, no dizer comum de nossos comentaristas, sabe perfeitamente distinguir o craque — e, por isso, o procura.

A escola brasileira de futebol

O fascínio pela estética do futebol nos leva a falar de determinado lance de jogo como *obra-prima*, a exemplo de Armando Nogueira descrevendo aquele que considera o mais bonito gol de Zico, marcado contra o Paraguai, nas eliminatórias para o Mundial de 1986: "Zico recebeu de Leandro um passe de meia distância, já na linha média dos paraguaios. Um efeito imprevisto retardou a bola uma fração de segundo. Zico vai passar batido, pensei. Pois sim, sem a mais leve hesitação, sem sequer baixar os olhos, ele cata a bola lá atrás, com o peito do pé, dá dois passos e, na maior cadência, acerta o canto esquerdo do goleiro paraguaio. Passei uma semana vendo e revendo, no teipe, aquele instante mágico de um corpo em harmonioso movimento com o tempo e o espaço. E a bola coladinha no pé, parecia amarrada no cadarço da chuteira". O próprio Zico, aliás — celebrado por Jorge Ben, na composição "Camisa 10", por sua "dinâmica física, rica e rítmica" —, explicita a sua preocupação com a finalização estética das jogadas, ao apontar para o gol que mais o deixou satisfeito, entre os muitos que marcou, em sua carreira de armador e artilheiro (grifos meus): "Foi um gol que eu dei ao contrário, de calcanhar, de bicicleta. Achei muito especial, *por causa da beleza plástica da jogada*. Eu já tinha tentado fazer um daquele jeito na seleção brasileira: puxar a bola no alto do calcanhar, de costas, mas a jogada não saiu. Consegui só no jogo da Copa do Imperador, no Japão. Dificilmente vou fazer outro igual". Note-se que havia o desejo de fazer um gol de "beleza plástica", não de qualquer jeito — numa partida eliminatória para a seleção brasileira.

Óbvio: o futebol brasileiro é futebol-arte — ainda que as suas variações regionais não devam ser desprezadas, entre os extremos do estilo mais "clássico", solto e vistoso, como o do Santos de Pelé, o do Cruzeiro de Tostão e Dirceu Lopes, o do Flamengo de Zico, Júnior e Adílio, e o estilo de jogo mais preso e mais pesado, mais "uruguaio", como o do Grêmio dirigido pelo técnico Felipe Scolari, que se rendeu ao talento na Copa de 2002, quando nos tornamos pentacampeões mundiais, com Rivaldo e os Ronaldos. É assim, "futebol-arte", que o definimos, é assim que ele se define para o mundo inteiro, é assim que o mundo o vê. Não é um futebol feito apenas de movimentos musculares grosseiros, de intervenções meramente eficazes, mas de desempenhos de extrema habilidade, de gosto extremado pela forma. "A pura, a santa verdade é a seguinte: qualquer jogador brasileiro, quando se desamarra de suas inibições e se põe em estado de graça, é algo de único em matéria de fantasia, de improvisação, de invenção. Em suma: temos dons em excesso", escreveu Nelson Rodrigues. Concentrando-se em Garrincha, ele prossegue: "Garrincha trouxe para o futebol uma alegria inédita. Quando ele apanhava a bola e dava o seu baile, a multidão ria, simplesmente isto: ria e com uma saúde, uma felicidade sem igual. O jornalista Mário Filho observou, e com razão, que, diante de Garrincha, ninguém era mais torcedor de A ou B. O público passava a ver e a sentir apenas a jogada mágica. Era, digamos assim, um deleite puramente estético da torcida". Mais: "Diante de cada jogada de Garrincha, eu experimentava a alegria que as obras-primas despertam". Obra-prima, genialidade corporal, como o chapéu e gol dentro da área, que Pelé fez contra o País de Gales ou a Suécia, menino de dezessete anos de idade, na Copa de 1958. Obra-prima do quase gol de Pelé contra o Uruguai na Copa de 1970, o goleiro não acreditando no que via. Obra-prima de um lançamento quilométrico de Gérson. Obra-prima de todo o desempenho de Falcão contra a Argentina na Copa de 1982. Obra-prima do gol de Ronaldinho Gaúcho contra a Inglaterra na Copa de 2002, a *royal navy* a ver navios. Obras-primas de Nilton Santos, Mauro, Tostão, Rivelino, Júnior, Reinaldo, Ronaldo, Robinho. Obra-prima como o gol de Romário contra a Holanda, na copa de 1994, assim descrito por Tostão, em artigo para a *Folha de S. Paulo*: "Da esquerda, Bebeto tocou para o Romário, que chegou um pouquinho atrasado. Se ele esticasse a perna para finalizar, como fariam outros atacantes, erraria o chute porque estaria desequilibrado. É assim que se perdem gols que parecem fáceis. Romário saltou, ficou com os dois pés no ar, como se fosse um balairino, olhou para o goleiro e, mesmo sem o pé de apoio no gramado, tocou no canto. Genial". E assim por diante, que o rol de milagres parece interminável. Futebol-beleza, futebol-exibição, futebol-dança, futebol-feitiço — onde, no dizer de José Carlos Bruni (em texto de apresentação para a *Revista USP*, nº 22), "o jogador deve tornar-se quase um dançarino, fazer de seu corpo um conjunto de signos indecifráveis para o adversário, dominar a arte do drible, da condução maliciosa e ardilosa da bola, numa exibição permanente de habilidade e raciocínio rápido, aproveitando todos os lances do acaso, do imprevisto, da oportunidade".

É daí, ainda, desse corpo mestiço brasileiro, que vem o aprimoramento e, sobretudo, a invenção de toques, de batidas ou de jogadas. Como na matada de bola no peito do pé — ou no voleio e na trivela ao mesmo tempo elegantes e perfeitos. Como na desconcertante "folha seca" do mulato Didi, em cuja finura de ginga Nelson Rodrigues disse haver "toda uma nostalgia de gafieiras eternas": pelotaço em rotação se deslocando para o alto e ali ganhando um "efeito" especial, mas para desenhar uma curva imprevista no ar e descair potente, fim da trajetória inesperada, explodindo na trave ou morrendo dentro do gol, balançando a rede adversária. Como no sempre citado exemplo da "bicicleta" de Leônidas, "o Diamante Negro", apelido que

A escola brasileira de futebol

acabou virando marca de chocolate: o corpo se projetando no ar, para se estender paralelo ao chão, preparando o movimento rápido e firme das pernas, como num golpe de capoeira. Décio de Almeida Prado ("Recordação de Leônidas: O Inventor da Bicicleta Voadora", também na *Revista USP*) nos conta de um gol de bicicleta marcado pelo craque, numa partida entre São Paulo e Palestra Itália. O Palestra (hoje, Palmeiras) escalou um zagueiro, Og Moreira, para colar em Leônidas: "O São Paulo perdeu por dois a um mas Leônidas marcou e marcou de 'bicicleta' (não havia outro jeito: se virasse para o gol lá estaria Og com os braços plantados em cruz diante dele). Leônidas fizera, em suma, o milagre esperado pela multidão de fiéis: impusera à partida a sua marca de fábrica, o selo da jogada prodigiosa, jamais vista, nascida da fertilidade do seu cérebro e da elasticidade de suas pernas". Como se pode ver pela citação do velho Almeida Prado, é impossível escrever sobre futebol, se o sujeito gosta de futebol, sem exclamações e sem paixão.

Sobre a "folha seca", Richard Giulianotti, em *Football: A Sociology of the Global Game*, mostrando que o futebol brasileiro (lição para os nossos professores, artistas, políticos e intelectuais) se move a partir de suas próprias criações, escreveu: "Duas grandes inovações na cobrança de faltas vieram do Brasil, refletindo a profunda ênfase cultural na habilidade individual e sua demonstração pública. Na década de 1950 [...] Didi desenvolveu a arte do chute em curva [...] Uma geração de seus compatriotas, especialmente Rivelino, demonstrou essa habilidade em torneios internacionais, e ela virou uma arma comum em muitas equipes. No fim da década de 1970 [...] Zico acrescentou um segundo movimento aerodinâmico à bola. O tiro de Zico combinava um movimento horizontal em curva com um movimento lateral subindo ou descendo. Para conseguir esse feito extraordinário, Zico acertava a bola na parte do centro para cima, à maneira de um jogador de tênis, não de futebol [...] Num amistoso entre Brasil e Escócia no Rio em 1977, por exemplo, [o goleiro] Alan Rough ficou embasbacado quando um chute de Zico, que parecia certamente ir para fora, fez a curva e entrou em sua rede. Desde então a 'folha seca' dupla de Zico se tornou uma nova técnica a ser aprendida e dominada por especialistas em tiro livre [...] À medida que o chute de Zico se estabelecia nos círculos futebolísticos do mundo, ele ia sendo aperfeiçoado por especialistas como Maradona e os brasileiros Branco e Roberto Carlos. Enquanto Branco se valia principalmente da força, Roberto Carlos combinava velocidade com desvio. Depois do seu gol espetacular num amistoso entre Brasil e França em junho de 1996, notou-se que ele sempre colocava a bola de forma a atingir sua válvula de ar, para assim aumentar o movimento em curva". Finalizando, Giulianotti sublinha uma "linhagem de inovação brasileira", formada por jogadores que realizam "sua vontade de desafiar os parâmetros culturais e históricos que inicialmente os confrontam no futebol tradicional". Ou seja: a escola brasileira de futebol é, na verdade, a escola brasileira de invenção no futebol. Santos Dumont Futebol Clube.

Leite Lopes está certo: "o 'estilo brasileiro', do qual são os jogadores negros ou mestiços os principais artesãos, afirma-se na medida mesmo em que ele pode melhor aparecer e caracterizar-se através da criação de jogadas, estas microrreinvenções do jogo, que se tornam associadas à individualidade de determinados jogadores". E Lima Barreto e Graciliano Ramos, embora não tenham feito obras assim tão inovadoras, como a folha seca de Machado de Assis e a bicicleta de Oswald de Andrade, podem até descansar tranquilos. O futebol chegou ao centro do campo das discussões acerca da identidade. O livro de Fátima Antunes, concentrando-se em meados do século XX, é exatamente sobre isso: "uma reflexão sobre a sociedade brasileira, na tentativa de compreender como ela se via e quais ideologias criou a respeito de si própria, tendo o futebol como paradigma da identidade nacional". Há os que afirmam que, em termos de identidade nacional, o futebol está aí mesmo: no âmago, no cerne, no centro do campo. Na verdade, há quem ache que a tese é válida para todo o mundo, como Giulianotti: "Em qualquer lugar, o futebol nos fornece uma espécie de mapa cultural, uma representação metafórica, que melhora a nossa compreensão daquela sociedade [...] Sua centralidade cultural, na maior parte das sociedades, significa que o futebol tem uma importância política e simbólica profunda, já que o jogo pode contribuir fundamentalmente para as ações sociais, filosofias práticas e identidades culturais de muitos e muitos povos [...] a difusão do futebol de um lado a outro do mundo possibilitou que diferentes culturas e nações construíssem formas particulares de identidade por meio de sua interpretação e prática de jogo". Numa situação extrema, o futebol pode aparecer até mesmo como a possibilidade última de identificação e união nacionais, como se pode ver no livro *Futebol & Guerra: Resistência, Triunfo e Tragédia do Dínamo na Kíev Ocupada pelos Nazistas*, de Andy Dougan, que aborda o tema com relação à Ucrânia asfixiada pelo exército alemão. E a verdade é que, diante disso, a reação quase automática de um torcedor brasileiro é: se isto vale para o mundo inteiro, vale muito mais para o Brasil, "país do futebol".

Ouçamos, a propósito, o antropólogo Roberto DaMatta, em "Antropologia do Óbvio" (*Revista USP*, nº 22): "No caso brasileiro, foi indiscutivelmente através do futebol [...] que o povo pôde finalmente juntar os símbolos do Estado nacional (a bandeira, o hino e as cores nacionais), esses elementos que sempre foram propriedade de uma elite restrita e dos militares, aos seus valores mais profundos. Ainda é o futebol que nos faz ser patriotas, permitindo que amemos o Brasil sem medo da zombaria elitista que, conforme sabemos, diz que se deve gostar somente da França, da Inglaterra ou dos Estados Unidos e jamais do nosso país. Além disso, o futebol institui abertamente a malandragem como arte de sobrevivência e o jogo de cintura como estilo nacional. Mas sem excluir a capacidade de jogar com técnica e força. Foi, portanto, só com o futebol que conseguimos, no Brasil, somar Estado Nacional e sociedade. E, assim fazendo, sentir, pela avassaladora e formidável experiência de vitória em três [hoje, cinco] Copas do Mundo, a confiança na nossa capacidade como povo criativo e generoso. Povo que podia vencer como país moderno [a Copa de 1958 se deu num momento de modernização e afirmação do Brasil, sob o signo do projeto da construção de Brasília], que podia, também, finalmente, cantar com orgulho o seu hino, e perder-se emocionado dentro do campo verde da bandeira nacional". Ou, ainda, o cientista político Luis Fernandes, que considera o futebol "um dos pilares da nossa identidade nacional", em prefácio à mais recente edição do clássico de Mário Filho: "Para além das paixões clubísticas, a democratização da prática do futebol, materializada na ascensão de jogadores negros e mestiços, permitiu que esse esporte viesse a ocupar posição central na construção da identidade nacional. Na ausência de um maior envolvimento brasileiro em guerras — matéria-prima para a construção de fronteiras de identidade na formação dos Estados nacionais unificados da Europa — o futebol forneceu um simulacro de conflito bélico para o qual era possível canalizar emoções e construir sentidos de pertencimento nacional [...] Do Estado Novo de Getúlio ao regime militar, passando pela República Democrática instalada em 1945, todos os regimes que governaram o Brasil durante o seu ciclo nacional-desenvolvimentista exploraram a chave do futebol para ajudar a construir e consolidar a nossa identidade nacional. Em oposição ao racismo aberto das velhas oligarquias, o novo discurso oficial passou a valorizar a mestiçagem, associando-a aos sucessos de uma 'escola brasileira' de futebol, que expressaria a nossa singular maneira de ser no mundo, marcada pela criatividade, flexibilidade, informalidade e sensibilidade plástica".

Há quem discorde. Como Hélio Sussekind, que, ao se perguntar se o futebol contribui, de alguma forma, para a construção de uma identidade nacional, responde com um sonoro *não*. Mas a sua argumentação, que se arma em dois planos, me parece estrábica. Sussekind acha que futebol é dissensão. Nada tem de pacificador. A violência é uma das suas *trademarks* de esporte que desune e desagrega. Mesmo em partidas do escrete canarinho, a torcida não estaria ali para festejar e apoiar a seleção, mas para incentivar jogadores de seus times de preferência. "O futebol está longe de ser um elemento de aglutinação ou de construção", diz ele. Para acrescentar: "O que se pode aceitar é que o futebol contribua para estabelecer uma outra espécie de identidade, para fortalecer certos tipos muito particulares e frágeis de conexão. No momento de um gol é possível abraçar um estranho. Para incentivar o time de preferência, é natural que se associe ao coro de outros 30 mil ou 40 mil espectadores. Mas [...] a fruição de uma partida permanece quase tão solitária quanto a de um espectador de teatro [...] De todo modo, em se tratando de partidas entre clubes, há um laço [...] Mas esta identidade tem um tempo e um espaço muito restrito para se manifestar. Ela não constrói nada de mais sólido ou efetivo socialmente falando. Findo o espetáculo [...] a identidade se desfaz, o laço se rompe". Além disso, Sussekind afirma que o futebol não pode contribuir para uma construção porque não constrói nada. "Não há nenhuma magia ligada ao futebol que faça com que dele brote o que não existe no corpo social". Ou: "No que se refere à construção de uma nação, ao fortalecimento de uma identidade nacional, não há o que esperar do futebol. Nunca é demais reforçar que ele é incapaz de produzir o que a sociedade não tenha experimentado antes". A Rede Globo, Fernando Henrique e Lula, ou o que eles representam, não passariam, assim, de uns bobocas comendo pipoca, enquanto o país... Bem, sejamos sérios. A postura de Sussekind é insustentável. De saída, como bem disse Nelson Rodrigues, "o escrete brasileiro implica todos nós e cada um de nós". O povo torce pela seleção. Em estádios do Paraná, de Minas Gerais ou de Pernambuco, ainda que sem qualquer jogador local em campo, pessoas enchem as arquibancadas — aplaudindo, inclusive, jogadores de times que detestam. O que se quer é ver o Brasil vencer — e ele está representado, ali, por aqueles onze jogadores. Mas não é isto o mais importante. O problema é que Sussekind pensa a identidade em termos horizontais e circunscritos: se a plateia se divide em torcidas rivais, entre o Flamengo e o Fluminense, não há identidade possível. Ocorre que não é nesse plano que a identidade se forma. Ela acontece na dimensão da similaridade e não no eixo da contiguidade. Se torço pelo Fluminense e você pelo Flamengo, estamos divididos no estádio — mas não são o Flamengo e o Fluminense que criam a identidade: é o torcer. Torcidas particulares contrastam no sintagma, mas fundem-se no paradigma. Além disso, identidade nada tem a ver com laços fraternais. Numa rua do Rio, o bandido que dispara a arma e a vítima que cai agonizando pertencem ao mesmo campo magnético de cultura, ao círculo mágico da mesma identidade. De igual modo, a prática da fruição solitária pode ser elemento da construção identitária de um grupo. Por fim, uma forma cultural, para integrar

A escola brasileira de futebol

o conjunto de elementos que compõem a identidade de um grupo ou a de uma nação, não tem de produzir obrigatoriamente algo "que a sociedade não tenha antes experimentado". É quase o contrário. Embora mutável, a identidade é sempre mais um estar-aí do que um vir a ser.

Nesse caso, me sinto mais próximo do que diz Armando Nogueira, em prefácio ao volume *Futebol-Arte*: "O inglês inventou o futebol. O brasileiro inventou o futebol de delícias [...] O futebol de malícias. A mágica é facilmente explicável. Basta ver, através da história, um louro britânico jogando bola. O corpo apolíneo não ginga. Corre empinado, ereto. É a encarnação do futebol-força. Foi, então, que o brasileiro entrou em campo, desossando o futebol europeu, dos pés à cabeça. Amolecendo as juntas góticas do estilo europeu. Regando músculos mais frescos, até criar o jeito sestreiro de jogar futebol. Em vez da linha reta, a corrida sinuosa, célere, coleante, repleta de florões e arabescos. Tal como a capoeira, irmã gêmea da finta, inspiração do chute de curva, do passe de calcanhar, pérolas do barroco brasileiro no campo de futebol. O brasileiro, vindo da taba e da senzala, inventa, então, a pelada, o futebol da medula. Que, antes de pensar, intui. Que, antes de sentir, pressente. Leônidas da Silva não parou para pensar no instante em que fez o primeiro gol de bicicleta. Nem Didi, quando inaugurou, nos campos, o chute de folha seca. Muito menos Pelé, ao dar ao corta-luz a graça de um gesto de balé. Ou Garrincha, quando corria o campo todo, compondo, com seus dribles, espirais de vento e alegria. Jogo de futebol, jogo de cintura. Sem dúvida, uma das mais belas metáforas da alma brasileira".

Corpo e cultura. Samba, capoeira e barroco. Não é por acaso que podemos usar uma mesma palavra — *ginga*, de origem banta, segundo Yeda Pessoa de Castro, em *Falares Africanos na Bahia: Um Vocabulário Afro-Brasileiro*, de *(s)zinga*, "enrolar, serpentear, balancear o corpo" — para falar de movimentos corporais na capoeira, no futebol e no samba. E há uns bons vinte anos, na esteira de alguns estudiosos, venho insistindo no barroquismo do futebol brasileiro. Nem poderia fugir da estética barroca diante de comentários como os de Almeida Prado sobre o "malabarismo" de Leônidas: "malícia do pensamento ao arquitetar numa fração de segundo a jogada que surpreendesse e desorientasse o adversário; malícia do corpo para descrever no ar o prodígio de coordenação muscular, de equilíbrio em movimento, que lhe permitia golpear a bola do ângulo e do jeito que ele desejava". Freyre, por sua vez, explicitava a questão, ao falar dos "floreios barrocos" que caracterizavam o jogador brasileiro. E Leite Lopes, mais recentemente: "Pelé, ele próprio filho de jogador de futebol [filho de Dondinho, de quem herdou o gosto pela bola e o topete 'buscarré'], treinado ainda menino por um grande jogador negro do passado, Valdemar de Brito, da geração de seu pai e de Leônidas e considerado tão talentoso quanto este, é [...] o verdadeiro herdeiro de todos os 'barroquismos' brasileiros". Um gosto pela curva, pelo efeito, pelo floreio, pela estetização da jogada que fez Ronaldo quase se desculpar por ter feito um gol de bico na Copa de 2002, remetendo o chute ao de Romário na Copa dos EUA, como a expressar a necessidade de arranjar um padrinho ilustre para toque tão "grosseiro" em linha reta. De fato, *mutatis mutandis*, definições do barroco como arte lúdica e sensual, como poética do excesso, como "mais-valia" de signos, como império da forma e do trabalho artesanal com a linguagem, feito para enfeitiçar os sentidos, parecem feitas sob medida para caracterizar a escola brasileira de futebol. E assim unir Aleijadinho e Garrincha, Gregório de Mattos e Leônidas, Antonio Vieira e Pelé, Guimarães Rosa e Didi, Haroldo de Campos e Romário.

E é claro que esta semiótica do futebol brasileiro deve ser olhada a partir de uma antropologia do corpo. Raul Bopp, em *Movimentos Modernistas no Brasil*, fala de um projeto modernista, concebido no âmbito da vanguarda antropofágica comandada por Oswald de Andrade e Osvaldo Costa, de realizar estudos sobre o andar do negro. De certa forma, foi uma semiótica gestual desta espécie o que fez Carybé em seus desenhos em nanquim. Ou o que fez a *trobairitz* Cecília Meireles, em *Batuque, Samba e Macumba: Estudos de Gesto e de Ritmo* —, estudos visuais com nanquim, aquarela e lápis, focalizando o samba e a macumba nas décadas de 1920 e 1930 no Rio de Janeiro. Esse andar mulato, esse movimento corporal negromestiço, não escapou aos olhares de Freyre e Bastide. Ambos falam do andar cadenciado das mulatas dos litorais da Bahia, de Pernambuco, do Maranhão. Em cena, o rebolado, o remelexo, o movimento das ancas em vai e vem, ginga a meio caminho entre o andar e a dança, que Caymmi, sempre fascinado pelo erotismo muscular das fêmeas, celebrou em composições como "Dora". É esse andar cadenciado, esse movimento dos quadris, que vai se expressar, de modo mais rítmico e acelerado, na roda de samba, em requebrados sensuais de homens e de mulheres. E é a ele que remetem movimentos dos quadris em certos dribles. Veja-se o que diz Domingos da Guia, o "divino mestre", citado por Aquino: "Eu era bom de baile mesmo e isso me ajudou em campo [...] gingava muito [...] o tal do drible curto eu inventei imitando o miudinho, aquele tipo de samba". Não diz outra coisa a marchinha que tomou conta do país em 1958: "A taça do mundo é nossa/ Com brasileiro, não há quem possa/ Ê-êta esquadrão de ouro/ É bom no samba, é bom no couro// O brasileiro lá no estrangeiro/ Mostrou o futebol como é/ Levanta a taça do mundo/ Sambando com a bola no pé". E o que não faltam são jogadores sam-

A escola brasileira de futebol

321

bistas, a exemplo de Júnior, craque do Flamengo e da seleção. Do mesmo modo, me parece evidente a relação entre o gingado e o repertório de golpes da capoeira e movimentos de corpo dos jogadores brasileiros, alguns deles, aliás, capoeiristas, a exemplo de Popó. A tão citada "bicicleta" de Leônidas nos traz à lembrança os giros de corpo da capoeiragem. Assim como à capoeira remetem o corta-luz, o carrinho, a tesoura.

E tudo isso cabe no barroco. No barroco popular em que foram criados os nossos mestiços. A escola brasileira de futebol é filha do barroco e de nossa disposição cultural "antropofágica". Em sua *Sociologia*, Freyre sublinhou esse aspecto "antropofágico" de nosso futebol, relacionando-o a outras de nossas manifestações de cultura. O chute em curva de Didi e a curva neobarroca de Niemeyer. Podemos falar, aqui, de um produto específico de uma mestiçagem e de um sincretismo também específicos. De uma escola barroco-mestiça de futebol, que continua nos ofertando os seus brilhos mágicos. Por isso mesmo, discordo do artigo de Geraldo Couto ("Mediocridade Globalizada") na *Folha de S. Paulo*. Nele, Couto assina embaixo de um texto de Tony Karon, estampado na *Time*. Para Karon, foi-se o tempo em que cada país possuía um estilo próprio de jogar. Não acho. Mas as observações do norte-americano são interessantes, na caracterização dos estilos de alguns países: "o jogo inglês era todo 'chutão e correria', com a bola sendo alçada com a maior frequência possível na área, onde um atacante durão abria caminho à força entre os zagueiros para enfiar sua cabeça na bola, fosse em direção ao gol, fosse para o chute de um companheiro que vinha de trás". Já os italianos "jogavam um futebol ambulante, tocando a bola um para o outro ao longo de quase todo o campo, escolhendo companheiros para passar com a lenta precisão de um jogo de xadrez, com o intuito de tirar um dos defensores adversários de posição e criar um espaço vazio onde se poderia desfechar um ataque rápido e um chute a gol". Os alemães combinariam a força física do *English Team* com a disciplina tática da *Azzurra*. Quanto ao Brasil, Karon se desmancha: "Ah, o Brasil, cuja poesia com a bola fazia todas as variedades do futebol europeu parecerem prosaicas. Eles enfatizavam aquele tipo de exibição do talento e da criatividade individual que a maioria dos sistemas europeus de treinamento tinha extirpado de seus jovens já na adolescência. Criavam uma forma vertiginosa e melódica do jogo (personificada no jovem Pelé) na qual os jogadores faziam rotineiramente o imprevisível". Karon lamenta, então, que tudo isso seja coisa do passado. Couto lamenta com ele. Eu, não. Não posso negar o que vejo. Para Karon, a globalização dos mercados suprimiu as linguagens futebolísticas de cada país. Criou um idioma universal pasteurizado. O jogador brasileiro continuaria com sua habilidade e fantasia, mas enquadrado num sistema pragmático de jogo, que coloca acima de tudo a disciplina coletiva e a competitividade da equipe. Tenho boas razões para discordar. A aliança entre fantasia individual e jogo coletivo foi alcançada com a seleção de 1958, na Suécia. Foi clara no Chile, em 1962. E se realizou plenamente em 1970, no México. Segundo, o futebol poético do Brasil sempre se manifestou em esquemas táticos importados. A invenção futebolística brasileira é personalizada, realiza-se no craque. Invenção técnica e pessoal. Estilística, mas não sistêmica ou esquemática. Nunca fomos bons para inventar sistemas, como fez a Holanda em 1974. Daí que nossos comentaristas falem tanto da falta de uma "tradição de marcação" do jogador brasileiro. Desde as peladas da infância, achamos que marcar é coisa de medíocre tentando apagar os lampejos de quem sabe jogar. Terceiro, e para não falar da beleza da seleção de 1982, vimos a conquista do pentacampeonato em 2002, em espetáculos de garra e fantasia. Assistam a um compacto com jogadas de Ronaldinho Gaúcho, o jogador mais brilhante do planeta, neste momento — e depois a gente conversa.

A escola brasileira de futebol

# 13.
## MOVIMENTOS NEGROS ONTEM

A história dos movimentos negros no Brasil pode ser dividida em dois grandes blocos — situando-se, entre um e outro, por sua novidade e significância, a campanha abolicionista. No primeiro bloco, que se estende de fins do século XVI à primeira metade do século XIX, a luta é contra a condição escrava. O esforço do ser ou de um grupo escravizado para se livrar do cativeiro. O que está em questão não é o sistema escravista em si — ou em sua totalidade. Afinal, os malês não eram contra a escravização de seres humanos. Pretendiam se libertar de seus senhores. Uma vez livres, todavia, planejavam não só dar cabo de todos os brancos, mas, também, escravizar os mulatos. Além disso, o empenho, no sentido da superação da condição escrava, era socialmente circunscrito. Dizia respeito a segmentos negros e negromestiços da sociedade, implicando, em suas manobras, escravos e libertos. Mas não transcendia tais limites étnicos e sociais. Neste horizonte, a campanha abolicionista vai aparecer como um movimento político, social e cultural formidável — e radicalmente novo. Não pretendia alforriar um indivíduo ou promover a libertação de um determinado grupo. Mas desmantelar o regime. Liquidá-lo. Para instituir uma nova ordem econômica e social no país. Pela primeira vez em nossa história, uma força mobilizadora, voltada para uma questão interna de nosso povo, atravessou linhas de cor e transcendeu barreiras sociais. Envolveu brancos e pretos; escravos e livres; ricos e pobres; poetas, políticos e batuqueiros. E varreu do mapa o sistema escravista. Além disso, na história particular de que nos ocupamos — a dos movimentos e das lutas negras em nosso país —, o abolicionismo aparece como o campo privilegiado de uma grande conexão. De uma parte, nele desaguam, redimensionados, séculos de resistência à — e enfrentamento da — condição escrava. De outro, ele projeta no futuro as suas reivindicações fundamentais. Reivindicações que, ainda hoje, e com intensidade notável, acham-se inscritas na agenda social brasileira. Pelo simples motivo de que o Brasil ainda não concluiu a obra transformadora ali iniciada. E aqui entramos no segundo bloco a que fiz referência: o dos movimentos que vêm se sucedendo de inícios do século XX a estes primeiros anos do século XXI. Movimentos que, no essencial, articulam-se para finalizar o trabalho apenas principiado pela

Abolição. Que visam ao fim das discriminações, à redução dos desequilíbrios sociais, à conquista inteira da cidadania. À nossa realização como nação. Neste sentido, trata-se de uma movimentação geral da sociedade brasileira, dentro da qual se vislumbram, como pontas esbraseadas, os movimentos negromestiços. Se a questão central, do século XVI ao XIX, era livrar-se da condição escrava, passou esta questão a ser, do século XX ao XXI, livrar-se da linha de pobreza e da condição proletária.

Em seu arquifamoso discurso sobre a propriedade — citado, entre nós, por José do Patrocínio —, Proudhon escreveu que se ele definisse a escravidão numa palavra — assassinato —, seu pensamento seria imediatamente compreendido. "Eu não teria necessidade de um longo discurso para mostrar que o poder de tirar ao homem o pensamento, a vontade, a personalidade, é um poder de vida e de morte, e que fazer um homem escravo é assassiná-lo". Nada mais longe da verdade. A tensão existencial do escravo reside exatamente na contradição entre pessoa e coisa. É possível tentar coisificar uma pessoa, mas é impossível levar esta coisificação ao ponto final. Restará sempre um cerne indestrutível. Um indestrutível átomo de humanidade. E é justamente esta chama do humano que aquece a rebeldia essencial. Mesmo estilhaçado, o pensamento permanece. A vontade se contém, mas não se extingue. E até o poder de vida e morte, apanágio do senhor, pode girar a vácuo, destronado por um gesto radical: o suicídio do escravo. Vejamos, então, alguns gestos soberanos da vontade, na história do escravismo brasileiro. A começar pelas "pequenas sedições do cotidiano", de que nos fala Alípio Goulart, em *Da Fuga ao Suicídio: Aspectos da Rebeldia dos Escravos no Brasil*. Pequenas sedições que denunciam "a permanente revolta do escravo" ante as condições de vida então imperantes no país. E a verdade é que são espantosas a variedade e radicalidade de tais gestos de negação.

A mentira, por exemplo, que foi o mais ameno de todos. Mentir não é somente apontar para o que não existe. É falsear, iludir, despistar. Conhecemos a mentira frívola ou engenhosa, pequeno saque no repertório de truques que cada um de nós carrega. Mas há também, em situações de opressão, a mentira calculada. O engodo sistemático. E por aqui chegamos ao sentido social da trapaça. Que recompensa induzir o senhor em erro! — e de forma relativamente tranquila, aliás, escapando a represálias de feitores. Apontar o rumo errado de uma fuga, por exemplo. Ou deturpar o rol do preparado medicinal, de modo a reter o controle da informação. Mentira como instrumento de luta e tática de sobrevivência. Neblina verbal enevoando as jogadas. E, como espécie especial de mentira, o fingimento. Fingir enfermidades e dores, mascarar ações, disfarçar afetos. O escravo era um especialista em simulações. Por necessidade. Mas também porque mentir era um modo de afirmar uma verdade própria. Nem tudo, porém, era tão inconsequente assim. Entre as pequenas sedições do cotidiano, algumas sublinhavam a tragédia do ser humano escravizado. Como o aborto voluntário. Em princípios do século XVIII, Antonil registrou que escravas procuravam de propósito abortar, "para que não cheguem os filhos de suas entranhas a padecer o que elas padecem". Muitos desses abortos eram provocados pela ingestão de preparados de ervas silvestres. E eles feriam o sistema escravista. Se o desejo materno era impedir o nascimento da criança, o aborto contribuía, também, para impedir o crescimento natural da mão de obra escrava. Ódio com ódio se pagava. Além disso, aquelas mesmas ervas silvestres eram usadas para envenenar senhores. Um método que exigia paciência tribal. O senhor deveria morrer aos poucos, para que ninguém desconfiasse de nada. Em *Viva o Povo Brasileiro*, João Ubaldo faz a escrava Merinha, encarnação da delicadeza, envenenar, lenta e impiedosamente, o Barão de Pirapuama. E este envenenamento, tramado por homens escravizados e executado homeopaticamente pela "doce envenenadora", chega a nós como uma dádiva da ficção que ilumina a história.

Mas os escravos não se limitaram a envenenar senhores. Envenenaram-se também. Suicídio. Foram muitos os escravos que se mataram. Assim como muitos foram os móveis da revoada — e os métodos para dar o fora da vida. Envenenamento, afogamento, enforcamento, esfaqueamento, estrangulamento, etc. Fernando Ortiz registra ainda uma técnica terrível: o reviramento da língua. "Às vezes, os negros suicidas asfixiavam-se com a própria língua, forçando-a para trás, de modo a obstruir a respiração". Há quem diga que o suicídio escravo foi, não raro, o caminho apontado pela altivez. Há quem acene com a exaustão psicofísica do indivíduo encarcerado num mundo de trabalho e punição. Outros falam, ainda, em medo de castigos. E em vingança — a estranha vingança de quem se fere para ferir um outro, num raivoso deslocamento objetal. Mas a enumeração de tais motivos seria interminável. O suicídio escravo foi, antes de mais nada, expressão de um mal-estar essencial. De um desajustamento de base — o do ser humano submetido ao sistema social reificador por excelência. Fruto da depressão, do medo ou do ódio, sim. Mas fruto, sobretudo, de uma violência sistêmica. Durkheim fala, a propósito, de suicídio "fatalístico". E é também nesta direção que Ortiz pode definir o suicídio escravo como um *"último medio de emanciparse"*. De uma parte, este suicídio era recusa. De outra, como o aborto voluntário, representava prejuízo para as finanças e a produção do sistema senhorial. Mas era no assassinato que a fúria escrava contra o senhor se manifestava em sua forma mais crua e direta. Aquele era o instante-luz abrasador em que o escravo encarnava o tigre da ira. Era o momento em que, para lembrar palavras de Sartre, o escravo sentia que o ódio era o seu único tesouro. Vilhena dizia "ser raro o escravo que não apetece ver morto o senhor, e tardando a alguns o complemento deste ímpio desejo, aproveitam toda boa ocasião, que se lhes oferece, matando os senhores, já a facadas, já a golpes de machado, já a cacetadas". Mas não só facas, machados e porretes despacharam membros da camada senhorial para o outro mundo. Muitos caíram baleados. Outros sentiram a lâmina do punhal. Houve quem morresse abatido por facão, enxada, foice e bordoada de mão de pilão. Mas nem sempre os escravos recorreram a instrumento mais rombudo ou cortante para liquidar desafetos. Usaram, com frequência, as próprias mãos. E os homens não foram os únicos protagonistas desta história. Mulheres escravas assassinaram suas senhoras. Não foram poucas as sinhás asfixiadas por suas mucamas. Contemplando com olhos engajados este quadro de morticínio, Luiz Gama sentenciou: se o escravo ferido ou ofendido mata o seu senhor, pratica um ato de legítima defesa.

Mas passemos a outras sedições: sabotagem e furto. Tanto o trabalho benfeito quanto o trabalho malfeito serviram aos propósitos dos escravos. Kátia Mattoso assinala que o trabalho benfeito permitia ao escravo escapar um pouco da presença asfixiante do poder senhorial, cuja vigilância relaxava em vista dos frutos produzidos. A margem de manobra era ainda mais larga quando o trabalho benfeito resultava de empresa solidária, grupal. Por outro lado, o fato de um escravo fazer mal o seu serviço já foi traço de comportamento incluído entre as sedições do cotidiano. Rawick passou algum tempo meditando sobre o escravo que *escolheu* "não trabalhar direito como um ato de rebeldia". Trabalhar mal era, obviamente, prejudicar o senhor. Destruir "casualmente" instrumentos de trabalho, também. Bem antes de Rawick, aliás, escrevendo sobre africanos atingidos pela maré do colonialismo europeu, em prefácio a *Os Condenados da Terra* de Fanon, Sartre fez uma observação aplicável ao desmazelo do escravo no Brasil: "são preguiçosos, claro, e isto é sabotagem". O furto, por seu turno, merece destaque. Conta Genovese que George Washington declarou certa vez que, para cada duas garrafas de bom vinho branco que bebera, escravos ladrões tinham saboreado cinco. O furto foi uma prática que prejudicou e, sobretudo, irritou senhores. Tanto que a visão do negro enquanto ladrão, do furto como característica racial, se espalhou em meio aos proprietários de escravos. Mas o que aqueles senhores chegaram a pensar que fosse inato era perfeitamente sociologizável. O furto, como a fuga, foi um protesto. Uma reação contra a escravidão. Nem sempre os bens roubados recompensavam financeiramente. Com frequência, furtava-se para irritar o senhor. Verdade que boa parte do montante furtado foi uma decorrência do estado de subnutrição em que sempre se encontrou razoável contingente da massa escrava. Outra parte correu por conta de projetos de autocompra ou alforria. Mas uma parte, também, foi sugada dos senhores apenas em função do prazer da contravenção.

Podemos examinar o assunto no terreno da história do diamante no Brasil. Lesar a fazenda real foi coisa corriqueira em Minas Gerais, no século XVIII. E a fraude se traduzia em garimpo (no velho sentido da expressão — mineração furtiva, proibida por lei) e contrabando. As autoridades coloniais jamais conseguiram estancar o fluxo secreto dos minérios. Mesmo com regimentos, visitações, processos, patrulhas postadas nos córregos, continuavam transitáveis as estradas do extravio. "Não há produto de indústria de melhor condução e que mais facilmente se possa ocultar", constatava Felício dos Santos, nas *Memórias do Distrito Diamantino*. Como se não bastasse, aquelas terras eram extensas, cheias de serras e precipícios, grutas e gretas, vales e brenhas. A cumplicidade geográfica incrementava a burla, providenciando esconderijos e vias para as "suspiradas traficâncias". E os senhores não vacilavam em violar a lei, reagindo a tributos que achacavam. Mas havia também, nesse quadro geral de garimpo e contrabando, a realidade específica da contravenção negra. Não foi por acaso que a palavra *muamba* passou a integrar o léxico brasileiro: sua origem é banta. Assim como a contravenção dos senhores era uma reação mazomba (outra palavra banta) ao domínio colonial, a contravenção negra configurava uma resposta ao escravismo. Tudo se fez, na verdade, para impedir escravos de vender diamantes. Embora proibidos, todavia, eles garimpavam. E encontravam, sempre, o receptor disposto a ignorar ameaças legais e pagar pelas pedras. Mas o que importa negritar é que o furto escravo era um gesto transcendente. Significava mais do que subtrair, da engrenagem fiscal ou das burras do senhor, o brilho da pedra rara. Quem furta, não é coisificável — sente quando o desejo atiça. "O primeiro ato humano do escravo é o crime", escreveu Gorender. Naquele instante em que o negro remirava o diamante e o introduzia na carapinha escura — ocultava-o na axila ou entre os dedos do pé, dissimulava-o "nas dobras da escassa roupa" ou "nas rugas do próprio corpo", como supôs Calógeras, ou rapidamente engolia a pedra dura —, ele se fazia gente. Não estava mais ali a mera máquina produtiva, o animal de trabalho, a coisa possuída. Brilhava assim, em cada mínimo momento de transgressão, o diamante da pessoa humana. A venda da pedra, além disso, alargava o caminho da alforria. Para este cativo, portanto, a liberdade era comprada pela soma de sucessivos lances de afirmação da liberdade.

A fuga. O escravo sempre tentou escapar da escravidão. Era um efeito lógico do sistema. Um fato corriqueiro, ao longo de toda a história da escravidão nas Américas. E os escravos desenvolveram uma verdadeira *arte da fuga*. Alencastro fala, por exemplo, de "um escravo, crioulo carioca, cujo método de fuga era o de fingir que não estava fugindo: ficava andando nas ruas do centro como se estivesse fazendo compras para o seu senhor". Durante muito tempo, antes que engrossasse o caldo da campanha abolicionista, nossos jornais apresentaram, em suas páginas ineditoriais, anúncios e mais anúncios de escravos fugidos. Escritos em linguagem realista e fluente, estes anúncios feriram a atenção de Freyre (*O Escravo nos Anúncios de Jornais Brasileiros do Século XIX*): "A língua dos anúncios de jornais brasileiros do tempo do Reino e da época do Império parece-me às vezes maior, como expressão nacional, do que toda a nossa literatura do mesmo período, incluindo o romance com as suas moreninhas e as suas iaiás já meio desaportuguesadas [...] Eles [os anúncios] constituem os nossos primeiros clássicos". São palavras de um atrevimento oswaldiano. Mas este não é o momento para uma discussão literária. O que importa é a fuga. E a fuga não foi escolha fácil. Tensão de fração de segundo, um feitor finado ou ferido — e pé no mato, rumo da brenha e da noite. Quase sempre, a liberdade durava pouco. Era um intervalo entre um e outro açoite. Ainda assim, a tentação era irresistível. De tanga de pano da costa ou calça de estopa, às vezes um chapéu de palha na cabeça, o escravo se lançava à aventura. Deixava para trás o inferno do eito, o chão da senzala, o chicote cantando no lombo nu. O medo de ser apanhado por algum capitão do mato crescia a cada arvoredo, dobra de estrada, brilho de estrela ou curva de rio. A captura era sinônimo de espancamento e tortura. Além disso, a fuga resultava às vezes na adoção de um modo de vida tão penoso, que inúmeros escravos, depois de algum tempo andarilhando, tomavam o caminho de volta à senzala de que haviam escapulido. De qualquer modo, a fuga era um forte sinal de inconformismo. "Me revoltei, caralho, e fugi", na expressão do cubano Esteban Montejo. Era um ato de recusa da sujeição e da humilhação física e espiritual. Era o reencontro do escravo com a sua humanidade.

Cada escravo evadido significava um triplo desfalque na riqueza do senhor. Seu sumiço representava já a perda do capital que nele fora empatado. Ao fugir, levava consigo a sua força de trabalho, reduzindo a capacidade produtiva do engenho ou fazenda. Por fim, como diz Goulart, o foragido "transmudava-se de elemento produtor e ordeiro em consumidor e desordeiro". Acontecia também de escravos fugidos se encontrarem em seus caminhos pelos campos. De escravos fugirem em pequenas levas. Daí os grupos de negros prófugos perambulando perigosamente pelas cercanias de vilas e cidades. Atacando e roubando. E era aí que o *petit marronage*, a "pequena fuga", ia adquirindo novos contornos, até assumir a dimensão do bandoleirismo ou mesmo do quilombo, misto de acampamento guerrilheiro e comunidade agrícola. Mas aqui saímos já do âmbito das "pequenas sedições do cotidiano". E nos aproximamos do fenômeno quilombista, onipresente na história do escravismo brasileiro. "O fenômeno não era atomizado, circunscrito a determinada área geográfica, como a dizer que somente em determinados locais, por circunstâncias mesológicas favoráveis, ele podia afirmar-se. Não. O quilombo aparecia onde quer que a escravidão surgisse. Não era simples manifestação tópica", escreve Clóvis Moura, em *Rebeliões da Senzala*. Além de geograficamente amplo, o quilombismo não é cronologicamente delimitável. Não esteve restrito a este ou àquele trecho específico da história da escravidão. Houve quilombos na época da expansão dos canaviais; no tempo das invasões holandesas; no período de exploração intensiva da capitania do ouro; no espraiar dos cafezais pelo Vale do Paraíba; antes e depois da proclamação da independência do país. Nem tópico, nem fixo, nem esporádico — o fenômeno quilombola foi um corolário da escravidão.

Num primeiro momento, o quilombo era efeito da fuga de escravos. Em seguida, convertia-se em causa destas fugas. Nascia de uma jogada de alto risco e consequências impremeditáveis, furando o cerco de um regime fechado. Para escapar e permanecer escapo da vigilância repressiva das forças senhoriais, recorria ao expediente da ocultação. Quando o expediente falhava e a povoação clandestina era flagrada em suas fortificações e afazeres, emergia uma outra característica do quilombismo brasileiro: a persistência. É espantosa esta capacidade de resistência do quilombo, "destruído parcialmente dezenas de vezes e novamente aparecendo em outros locais, plantando a sua roça, reorganizando a sua vida social e estabelecendo novos sistemas de defesa", escreve Moura. Eram mais do que comuns os quilombos reincidentes. E era dessa mescla de ousadia, encobrimento e obstinação que se configurava um mundo alternativo, paralelo, para o negro escravizado. Podemos dizer ainda, de um modo genérico, que o quilombo possuía duas faces: a construtiva e a destrutiva. Numa direção, as investidas predatórias contra a propriedade senhorial. Noutra, a atividade criadora de um mundo próprio. Destrutivas, as povoações quilombolas serviam de base para ataques, roubos, emboscadas, saques e sequestros. Construtivas, elas se faziam entidades sociais, ainda que precárias e provisórias, com seus reis e ministros, sua hierarquia de guerreiros e escravos (sim: o escravismo era reposto na sociedade quilombola), suas criações de animais, suas plantações.

Mas é bom distinguir entre o microquilombo e o macroquilombo. A diferença entre ambos desborda do marco quantitativo, para adquirir significado sociológico. No patamar inferior, um grupelho. No superior, uma sociedade comparativamente complexa como a que se articulou em Palmares. Entre um e outro, o arraial rebelde. O microquilombo estava mais para o acampamento do que para a *communitas*. Mais para o assalto guerrilheiro do que para a pequena lavoura ou o trabalho pastoril. Aqui, o trivial era a aventura. Não se tratava, propriamente, de um agregado social. Seu estatuto era, por assim dizer, infrassociológico. E suas atividades tenderiam, logicamente, para a predação. Um minibando quilombola em ação. O macroquilombo, ao contrário, com seus abrigos estáveis e suas rotinas de vida, era o quilombo *par excellence*. Ou, ao menos, foi a imagem de quilombo que mais fundamente se gravou na memória brasileira. O grande quilombo, ou a rede de quilombos interligados, como no caso do Quilombo de Campo Grande, entre Goiás e Minas Gerais. Ou no da liga palmarina, com suas roças de milho, banana, batata-doce; seus chefes polígamos e seus escravos; suas casas, sua igreja (sim: igreja), suas crianças. Enfim, constituindo algo que de fato merece o título de *vida social*. Tomando como critério a produção ou a forma de subsistência deste organismo social paralelo ou alternativo, vamos ver que a agricultura esteve sempre presente. Tivemos, assim, quilombos agromercantis, agropastoris, agromineradores, etc. A partícula *agro* indica uma característica geral do fenômeno. Além disso, é possível aceitar a hipótese de que os macroquilombos não tiveram como finalidade precípua a agressão à sociedade escravista. Kátia Mattoso é desta opinião. "O quilombo quer paz, somente recorre à violência se atacado, se descoberto pela polícia ou pelo exército que tenta destruí-lo, ou se isto for indispensável à sua sobrevivência." Ocorre que não era fácil se manter a salvo dos cercos militares senhoriais. Vem daí que os quilombos se deixem caracterizar pela presença de paliçadas, fossos, armadilhas. Estavam sempre na obrigação de combinar as necessidades de subsistência com as de defesa. De preparar, simultaneamente, a roça e a paliça. De amolar os dois usos do facão. Daí que possamos definir o macroquilombo-padrão como uma comunidade agrobélica.

Em todo caso, o fato de muitos quilombos terem sido relativamente pacíficos às vezes levou as autoridades coloniais a tratá-los com razoável margem de tolerância. Exemplo disso foi o Quilombo de Trombetas, no Pará, com sua produção de fumo, cacau e salsaparrilha comercializada no porto de Óbidos — e sua rede comercial se estendendo em direção à Guiana Holandesa. Destruído pela polícia, seus remanescentes fundaram Cidade Maravilha, um dos quilombos mais importantes da história do Brasil. De acordo com Kátia Mattoso, Cidade Maravilha era "tão pacífica que seus comerciantes ambulantes descem a correnteza e vendem suas mercadorias em toda a beira-rio. Sabe-se que, por volta de 1852, eles se animam a chegar até às paróquias para batizar seus filhos. Se por acaso encontram os antigos senhores, pedem-lhes a bênção e prosseguem sem ser perseguidos". A relação entre os quilombos e a ordem escravocrata admitia nuances, que iam da guerrilha sistemática à convivência pacífica. O mesmo não se pode dizer das insurreições negras. Aqui, não havia meio-termo, diálogo, contemporização. São Domingos, Cuba, Jamaica, Guianas, Brasil... estas insurreições se espalharam por quase todos os cantos e esquinas das Américas — e é intrigante, por comparação, a apatia dos negros escravizados nos EUA. Foram praticamente anuais as revoltas negras jamaicanas entre as décadas de 1730 e 1740 — e muitas as insurreições que incendiaram o horizonte das Guianas. No Brasil, o grande período, quando brilhou com intensidade máxima a cólera insurrecional, foram as três primeiras décadas do século XIX, durante o processo que levou à independência do país e à organização do Estado nacional.

Enquanto a estratégia do quilombo conduzia à fuga do círculo senhorial e à invenção de uma vida alternativa, a estratégia insurrecional buscava o enfrentamento direto do sistema. O ataque frontal ao poder escravista branco. Antes que escapar de, tratava-se de marchar sobre. No quilombo, era possível pensar em construção. Na insurreição, a palavra de ordem era destruir. Sangrar o sistema. Vem daí que "se a administração pública às vezes pode tolerar a organização de comunidades marginais bastante inofensivas, ela se assusta e se enche de medo ante as tentativas de insurreição organizada", anota Kátia Mattoso. Nesses casos, o que estava em jogo não era permitir ou coibir o florescimento de uma sociedade paralela incrustada numa serra sumida, mas livrar a cara. Prevenir-se contra o golpe da foice negra. O quilombola podia não passar de um desafeto distante. O insurrecto era o inimigo dentro. E as insurreições mais sérias aconteceram na Bahia. Salvador ostentava, naquela época, em sua periferia, um cinturão móvel de terreiros e quilombos — e havia ameaças de levantes por todo o Recôncavo. Uma simples mirada nas insurreições negras da Bahia, nesse período, chega a ser atordoante. Não só pela quantidade de revoltas e de homens nelas engajados, como pela violência de seus desfechos. Foram muitas — e muito perigosas. O pânico se instalou em Salvador, com o fantasma do Haiti povoando passos e pesadelos da classe dominante. Temia-se que uma chacina da minoria étnica dirigente, tal como a promovida pela Revolução Haitiana, se reproduzisse em terras baianas. E isto não esteve muito longe de acontecer, quando pipocou a mais séria das rebeliões do período: a Revolta dos Malês, em 1835. Uma *jihad* com conteúdo etnoclassista, tentativa fracassada do Islã Negro, em seu projeto de instauração de um Califado da Bahia.

Mas vamos, agora, a uma outra dimensão da recusa escrava à escravidão: as sedições ligadas a um processo de resistência/acomodação em que predominaram elementos mais propriamente culturais. Em tela, basicamente, festas e religiões. Códigos e práticas de cultura que, remetendo a sistemas originários da África Negra, sobreviveram às pressões do escravismo. Neste passo, devemos abandonar a visão esquemática que costumamos ter do escravismo, imaginando-o como um sistema carcerário. E, ao mesmo tempo, atentar para a capacidade negra de reagir à deculturação e reelaborar instituições e valores africanos. Deixando de parte rivalidades étnicas e delações internas, que nos levariam longe demais em outra direção, vamos insistir no fato de que os escravos encontraram (e mesmo adivinharam) espaços de manobra — e se relacionavam entre si. Não estavam ausentes, desta convivência, o sentido gregário, os laços de solidariedade e os vínculos de cultura. Ao contrário, apesar de todas as pressões e repressões, os escravos acharam meios e modos de se inter-relacionar, abrindo caminho para empréstimos, sínteses de valores e mesmo reinvenções institucionais. A verdade é que as classes dominadas, em todas as circunstâncias e regimes, vão sempre além daquilo que a elas é permitido. Não foi diferente no escravismo brasileiro. Assim é que chegaram até nós, sobrevivendo a todos os obstáculos impostos pela vida escrava, tanto práticas culturais toleradas ou até estimuladas pelos senhores, quanto práticas culturais combatidas.

É praticamente impossível encontrar uma narrativa dos tempos coloniais e imperiais que não faça referência às batucadas brasileiras. Nem sempre elogiosas, aliás. Ferdinand Denis pôde comentar que os negros e mestiços da Cidade da Bahia eram "músicos por instinto". Mas Vilhena reclamava do fato: "não parece ser muito acerto em política, o tolerar que pelas ruas e terreiros da cidade façam multidões de negros, de um e outro sexo, os seus batuques bárbaros a toques de muitos e horrorosos atabaques, dançando desonestamente e cantando canções gentílicas, falando línguas diversas, e isto com alaridos tão horrendos e dissonantes, que causam estranheza e medo". Música, dança, canto — o "trinômio compacto", de que falam os musicólogos. No centro, o ritmo — o fator vital da música negra. Música intensamente corporal, feita para músculos elásticos. Ainda Denis, em *Brasil*: "O que há de surpreendente é a mobilidade incrível de seus traseiros, que devem estar sempre em movimento. A faculdade que têm todos os pretos de fazê-los girar como uma bola surpreende muito os europeus". Em *Samba, o Dono do Corpo*, analisando a batucada do ângulo da resistência ao escravismo, Muniz Sodré foi ao miolo da questão. "O corpo exigido pela síncopa do samba é aquele mesmo que a escravatura procurava violentar e reprimir culturalmente na história brasileira: o corpo do negro". E mais: "Nos quilombos, nos engenhos, nas plantações, nas cidades, havia samba onde estava o negro, como uma inequívoca demonstração de resistência ao imperativo social escravagista de redução do corpo a uma mera máquina produtiva e como uma afirmação do universo cultural africano". Sodré sublinha os pontos fundamentais: resistência à coisificação e continuidade cultural. Corpos luzentes — a exuberância narcísica como negação da tentativa de redução do corpo a instrumento produtivo. A espontaneidade, o improviso, a sensualidade, a graça gestual não são atributos da máquina. E aquele corpo humano se afirmava, no seu esplendor, em ambiente sonoro-percussivo de criação africana, avivando nexos de cultura.

Ocorre ainda que, pelas batucadas, passavam outros batuques. Além da roda de samba, do simples e gostoso divertimento, os negros usaram os tambores para manter vivas as suas crenças e cultuar os seus deuses. Aproveitando-se das permissões senhoriais para promover folguedos, atualizavam dissimuladamente os seus ritos. Esta foi a estratégia de calundus e candomblés. A estratégia da dissimulação, do jogo duplo, do recarregamento semântico do espaço permitido. A religião — "o solene desvelar dos tesouros ocultos do homem", na bela definição de Feuerbach, em suas *Preleções Sobre a Essência da Religião* — foi uma dimensão fundamental da vida escrava. Um espaço de liberdade. "Ao longo da escravidão [...] a religião e suas comunidades constituíram-se no baluarte da dignidade e integridade psíquica e cultural do negro, pois foram durante muito tempo fonte da única liberdade inviolável: a independência espiritual", escreveram Juana Elbein e Deoscóredes Maximiliano dos Santos, em "Religión y Cultura Negra", na coletânea *África en América Latina*. Tanto é que mitos, cânticos e ritos atravessaram todas as agruras da escravidão até chegar a nossos dias, num processo marcado por continuidades e descontinuidades, da permanência de Xangô à criação do Preto Velho, espírito de ancestre escravo que viveu já em terras brasileiras. O que ocorreu aqui, dos pontos de vista semântico e morfológico, foi um vigoroso movimento de reestruturação criativa da herança africana. Operações de síntese original, brasileira, de signos carreados pela diáspora. Este é o aspecto central. O ser humano arrancado de sua terra, escravizado do outro lado do mar oceano e submetido a um intenso bombardeio ideológico, foi encontrar, em sua religião, a possibilidade de manter viva uma continuidade, inclusive pessoal. A religião foi, ainda, fator de coesão social, permitindo, como disseram Juana e Didi, "o reagrupamento institucionalizado dos africanos e seus descentes". Mas é óbvio, também, que não permaneceu inalterada em seu transplante contextual. Embora remetendo a sistemas originais básicos, ramificou-se em variantes e variáveis. E estas "variáveis da religião negroamericana, com maior ou menor reelaboração dos modelos africanos, se converteram numa superestrutura religiosa que deu significado e permitiu a sobrevivência física e espiritual de importantes setores da população negra nas Américas", concluem Juana e Didi. A religião foi o último e poderoso refúgio da resistência ao processo de desafricanização do negro.

Os pretos se entrincheiraram também, ainda que em situação distinta, no âmbito da Igreja Católica, com as suas irmandades negras. Fenômeno tipicamente urbano de agremiação etnossocial, constituíram-se estas irmandades em núcleos de luta contra o escravismo. Em *Devoção e Escravidão*, Julita Scarano observa que, além de oportunidade única para o escravo se fazer ouvir, tais confrarias "serviram de veículo de transmissão de diversas tradições africanas, que se conservavam pela frequência dos contatos, pela conservação da língua e outras razões semelhantes". Bastide diz o mesmo: "todas estas instituições, agrupando os oriundos de um mesmo país numa solidariedade estreita, permitiram a transmissão das civilizações africanas no continente americano". É certo que foram uma imposição senhorial, acionando o catolicismo como instrumento de controle social e abrandamento dos antagonismos raciais. Mas é igualmente certo que os negros as transformaram em instrumentos próprios. Aceitando a irmandade, os negros se aculturavam, assimilando santos católicos e assim participando, também, do processo que deu origem ao catolicismo popular brasileiro. Em contrapartida, a utilizavam não só com vistas à ascensão social, mas para ações que contrariavam o padrão escravista de organização social. Em *Sociedade Protetora dos Desvalidos — Uma Irmandade de Cor*, Júlio Braga conclui, justamente, que "foi com o intuito de lutar contra a estrutura social vigente, que um grupo de negros libertos, usando dessa mesma estrutura, se organizaram em instituição permitida socialmente e, sob a égide da Igreja Católica, lutaram em defesa dos seus irmãos de cor". Além disso, o fato de essas irmandades terem sido racialmente coesas criou rivalidades entre as agremiações pretas e as brancas — e esta teatralização do antagonismo escravista básico contribuiu para a formação de uma consciência negra transétnica ou supratribal. Como se não bastasse, as irmandades se desdobraram, a partir do fim do século XVIII, em sociedades de emancipação, em organismos creditícios de auxílio mútuo, voltados para a compra de cartas de alforria. Foi justamente neste ponto que as confrarias negras feriram de mais perto os interesses da classe senhorial brasileira.

Nem é por outro motivo que se pode apontar a importância de templos católicos, como as igrejas do Rosário e a Capela dos Quinze Mistérios, na história do negro no Brasil. Certos monumentos da cultura brasileira, em todo o seu esplendor barroco, devem ser vistos como monumentos afro-católicos. Neles se desenvolveu uma ação subversiva escudada no sentimento cristão. Neles vicejaram confrarias contrárias à escravidão. Mas, aqui chegando, façamos um breve balanço. Somando-se o que foi dito — mentira, assassinato, suicídio, aborto voluntário, fuga, quilombismo, furto, insurreição, terreiros, irmandades —, vemos que a resistência negra ao sistema escravista foi, ao mesmo tempo, contínua, múltipla e fragmentária. Que não foi nada insignificante o prejuízo que os escravos causaram à classe dominante, ao longo de uma irrequieta história de três séculos de violação das regras e de burla das normas da ordem escravocrata. Que os negros, contra todas as imposições e agressões senhoriais, souberam manter a sua integridade essencial. E, ainda, preservar seus deuses, seus mitos e ritos, sua língua litúrgica, seus cantos sagrados. Por tudo isso, a conclusão é óbvia. Obrigado a enfrentar obstáculos formidáveis, o negro nunca foi mudo ou desossado. Sambista ou sacerdote, insurrecto ou quilombola, solitário ou solidário, o escravo foi — sempre — o inimigo número um da escravidão. E assim se engajaria, na segunda metade do século XIX, em um outro horizonte desta mesma luta. O novo horizonte aberto pela campanha abolicionista, quando o combate à ordem escravocrata passou a se desenvolver num amplo arco de classes e cores, fato absolutamente inédito, até então, na história do Brasil.

Não é necessário recontar o que aconteceu. Todos conhecemos razoavelmente bem a história. Algumas observações, no entanto, não serão dispensáveis. Costumamos privilegiar as dimensões social e política (ou ideológica) em nossas leituras conjunturais contemporâneas. Analisando processos passados, todavia, primamos pelo economicismo. Assim, a questão do fim do tráfico negreiro e do regime escravista, no Brasil, é geralmente discutida no terreno dos interesses produtivos e comerciais da burguesia britânica, do declínio senhorial nordestino e de projetos díspares de cafeicultores meridionais, alguns voltados para a manutenção do escravismo, outros investindo na imigração europeia e na adoção de um sistema de trabalho remunerado, como aconteceu nas regiões de Campinas e Ribeirão Preto. Como se tudo não passasse de um capítulo da história econômica do país, encurralado e/ou conduzido pela pressão e pelas consequências e conveniências da Revolução

Industrial e de formas alternativas de organização das forças produtivas. É claro que isto foi básico. Fundamental. Ao mesmo tempo, não devemos absolutizar o aspecto econômico, como se ideologias e movimentos político-sociais contassem pouco, não passando de ilustrações da base real da sociedade, que estaria na economia. O mundo não muda apenas por imperativos econômicos. Existem preocupações sociais abrangentes. Guinadas de rumo cultural. Princípios morais. Os estudantes brasileiros que foram às ruas pedir o *impeachment* de Collor, ao apagar das luzes do século XX, não estavam preocupados com o ordenamento da economia nacional, mas, principalmente, com a corrupção, a boçalidade, a arrogância autoritária. Do mesmo modo, a população livre e escrava do Brasil, em sua reação ao escravismo, não se manifestou com vistas à expansão mundial do capitalismo, a partir da necessidade inglesa de alargar mercados. O ser humano é um animal econômico. Mas é, também, um animal político. E, sobretudo, como dizia Cassirer, um animal simbólico.

Até meados do século XIX, a escravidão foi vista, em meio à população brancomestiça do país, como indispensável ao funcionamento da sociedade brasileira. O que começou a acontecer, a partir daí, sinalizou a grande mudança. Poetas, políticos, intelectuais, jornalistas, advogados, etc. passaram a colocar em dúvida aquela suposição. A investir contra o sistema. A denunciar a sua base essencialmente injusta, os seus vícios incorrigíveis. Tais opiniões e atitudes de contestação ao regime foram se espalhando e alcançando uma repercussão social sempre maior. E o que ocorreu então, na década de 1880, foi uma ruptura. Acabou-se o consenso da classe dominante acerca da escravidão. E o povo — vale dizer: os setores socialmente intermediários de nossa população — também deu o ar de sua graça, condenando o atraso e a iniquidade do regime. Tivemos um somatório de movimentos. O movimento dos próprios escravos, que não cessavam de se aquilombar nos matos, abrindo clareiras de vida livre nas imediações de fazendas e núcleos urbanos. O movimento dos intelectuais, escritores, artistas e jornalistas, vendo a ordem escravocrata como desumana e como um atestado de que o Brasil não ingressara ainda na esfera superior da civilização, exibindo antes, ao mundo, a sua barbárie social. O movimento político-parlamentar, que desencavava velhos e propunha novos projetos e decretos de natureza emancipacionista. E tudo, evidentemente, repercutia na imprensa — tanto no jornalismo mais conservador, que procurava se equilibrar entre os extremos senhoriais e antiescravistas, quanto no jornalismo abertamente pró-abolição, que caprichava nas cores fortes do discurso humanitário e das denúncias contra o caráter degradante e improdutivo do regime. Tais movimentos atraíam, sensibilizavam e mobilizavam a população dos centros urbanos, que se arregimentava para comícios, conferências, festas beneficentes, coleta de recursos para alforriar escravos. Como se vê, o enfrentamento do sistema envolvia indivíduos de cores e classes variadas. Do escravo negro que metia o pé na estrada à sinhazinha branca que organizava quermesses para auxiliar aquele mesmo escravo. Mas havia mais. Grupos extremados como os caifazes paulistas, liderados pelo místico Antonio Bento, que facilitavam e mesmo organizavam fugas de escravos. Brancos articulando o quilombo do Jabaquara, em Santos, para abrigar negros fugidos. Ações diretas como a chamada "limpeza das ruas", no Rio de Janeiro, onde estudantes e professores pressionavam senhores de uma determinada rua da cidade a liberar seus cativos, apagando assim aquela "mancha" no espaço urbano da capital do país. E o que foi importante: com boa parte do Exército, que saíra vitorioso da Guerra do Paraguai, recusando-se a perseguir e prender negros fugitivos.

Tivemos uma primeira onda emancipacionista na década de 1860. Muito mais em razão de prolongada e forte pressão britânica do que de impulso próprio, o Brasil suprimira, com a Lei Eusébio Queiroz, de 1850, o comércio de escravos. O fim do tráfico significou uma primeira — e séria — rachadura no sistema. Secando a fonte externa de fornecimento de mão de obra escrava, houve um incremento do comércio de cativos entre as províncias e voltaram as preocupações com a promoção da imigração de estrangeiros livres. A escravidão estava condenada. Mais cedo ou mais tarde, o sistema escravista se desintegraria em todo o país. Acontecimentos internacionais, todavia, deram uma apressada no processo, incentivando ou fortalecendo uma mudança de mentalidade no ambiente brasileiro. Em *Os Últimos Anos da Escravatura no Brasil*, Robert Conrad sublinha, neste sentido, a libertação dos servos russos e dos escravos nos impérios português, francês e dinamarquês; a chamada Questão Christie, que provocou um bloqueio do porto do Rio pela marinha inglesa e um corte nas relações entre o Brasil e a Inglaterra; e, principalmente, a guerra civil nos EUA. Conrad acentua que o resultado do conflito militar, levando ao fim da escravidão na América do Norte, "enfraqueceu grandemente a escravatura brasileira e despertou a oposição ao sistema, já que a sobrevivência da escravatura nos Estados Unidos, até então, proporcionara sempre aos defensores da instituição brasileira um de seus mais fortes argumentos". Tudo isso estimulou a referida onda emancipacionista da década de 1860, que desembocaria na Lei do Ventre Livre (1871), libertando os filhos de escravas nascidos a partir da aprovação da nova legislação. Um processo lento, sem dúvida — lentidão explicável pelo nosso envolvimento na Guerra do Paraguai, que se estendeu de 1864 a 1870.

E trazendo, em seu desfecho, uma solução bastante moderada. Um rebento típico do reformismo gradualista brasileiro. Talvez não pudesse ter sido de outro modo, a não ser mergulhando o país numa guerra civil. Se as condições mundiais apontavam para a abolição da escravidão, as condições internas freavam o curso das coisas. E não parecia prudente afrontar, naquele momento, os grandes proprietários rurais do centro-sul do país.

O mesmo Conrad distingue, ainda, entre dois aspectos no movimento emancipacionista de 1860. Distingue entre "emancipacionismo imperial" e "emancipacionismo popular". Em meio aos membros das elites brasileiras, os acontecimentos internacionais supramencionados geraram um sentimento de isolamento no mundo, de vergonha nacional, já que a escravidão havia sido execrada e extinta entre os países e povos "civilizados" — sentimento que os incentivou a buscar uma solução para o problema. Neste meio elitista disposto a repensar o sistema, despontavam Pedro II e personalidades públicas de relevo, que faziam parte do círculo mais próximo do imperador, a exemplo de Nabuco de Araújo, senador pela Bahia e pai de Joaquim Nabuco, e de Agostinho Perdigão Malheiro, autor de *A Escravidão no Brasil: Ensaio Histórico-Jurídico-Social*. Pedro II se movia com a paciência que lhe era peculiar. Mas foi enviando sinais cada vez mais claros de que era um emancipacionista. Conrad não está errado quando diz que o imperador foi "a mais importante influência singular na aprovação da lei da reforma da escravatura de 1871". A sua postura diante do problema e a indicação nítida de que este seria enfrentado assim que a guerra contra o Paraguai chegasse ao fim, repercutiam na elite econômica e política — especialmente, é claro, fora da região produtora de café — e no conjunto da população, para chegar até aos escravos. Era uma espécie de chancela. E o que se pode dizer é que o apoio à reforma do sistema de certa forma se generalizava. Quanto ao "emancipacionismo popular", talvez fosse mais adequado falar de emancipacionismo extraimperial ou extraparlamentar, já que suas expressões e manifestações mais significativas se davam ainda, principalmente, na esfera das elites. Entre jornalistas, escritores, estudantes, parte da população das cidades. Este é o tempo de Luiz Gama e Tavares Bastos. No meio estudantil, a época da geração de jovens liberais como Joaquim Nabuco, Ruy Barbosa e Castro Alves. Para este radicalismo juvenil, a abolição estava não só a caminho, mas próxima. E seria realizada — com ou sem o beneplácito de governantes e potentados rurais.

Por suas múltiplas consequências para a abolição da escravidão, a Guerra do Paraguai merece um breve comentário. Pode-se falar de consequências diretas e indiretas. Num plano mais imediato, a devastação armada do Paraguai de Solano López, pelas forças da Tríplice Aliança, retardou o processo emancipacionista brasileiro. Basicamente, do ponto de vista de nossa classe dirigente, o quadro era o seguinte. O Brasil tinha de estar unido em seu esforço de guerra. Se Pedro II e os liberais avançassem em terreno emancipacionista, correriam o risco de provocar dissensão interna. De fraturar a coesão nacional. Mais ainda, poderiam produzir desordens no país. Enfrentamentos raciais, inclusive. Num momento em que o governo não disporia de forças militares para garantir a ordem pública. Conclusão: melhor adiar as medidas reformistas — deixar a discussão sobre o escravismo para depois da guerra. De outra parte, porém, o próprio esforço bélico implicou a libertação de milhares de escravos (e de suas mulheres). Escravos ganharam a liberdade alistando-se no Exército. Ou, ainda, pelo expediente de serem enviados para o *front* em lugar de seus proprietários. O fato de escravos negros e mestiços terem lutado com inteligência, lealdade e bravura na guerra paraguaia, por sua vez, levou boa parte da oficialidade a mudar seus pontos de vista com relação à escravidão. E o exemplo vinha de cima. Finda a guerra, o jovem comandante de nossas forças armadas, o Conde d'Eu, marido da Princesa Isabel, manobrou para que o governo provisório paraguaio, recém-instalado, abolisse a escravidão naquele país. Foi um gesto simbólico, sinalizando que o Brasil deveria fazer o mesmo. Além disso, o fato de proprietários se esquivarem de ir para o campo de batalha lutar pelo Brasil, despachando escravos em seus lugares, colocou, sob definitiva suspeita, qualquer pretensão daqueles de serem moralmente superiores a estes. O resultado disso se viu adiante. O Exército não aderiu unanimemente ao abolicionismo. Mas, quando o movimento avançou com decisão, recusou-se a ser capitão do mato de senhores enfurecidos e/ou desesperados. Não perseguia negros que fugiam das fazendas. Não é por outra razão que, em *Independence or Death!: The Story of the Paraguayan War*, Kolinski diz que, embora a instituição escravista estivesse em xeque no momento da eclosão daquele conflito, foi a guerra que deu impulso decisivo às forças que vieram a liquidar o regime.

Num país de estrutura social muito marcada, como escreveu Hélio Jaguaribe em *Brasil: Crise e Alternativas*, a classe média era "um pequeno estrato, que vai se desenvolvendo gradualmente com o processo de urbanização da segunda metade do período imperial, particularmente através do Exército, que será o seu grande instrumento de organização e promoção — principalmente após a Guerra do Paraguai. Com efeito, um enorme esforço de organização do Exército foi realizado nessa ocasião e o Brasil, que possuía uma força militar insignificante, calculada em 18 mil homens, conta ao final da guerra com cerca de 100 mil. Nesse momento temos uma fase de incorporação de quadros, que constituirão o núcleo mais organizado da classe média brasileira". O Brasil só passa a dispor de fato de um exército com a Guerra do Paraguai. A formação deste exército, por sua vez, será fundamental para a emergência e a expansão de uma classe média no país. E esta classe média vai aderir ao abolicionismo. Aí, sim, teremos um movimento realmente amplo, indo de significativas frações da elite aos setores médios e mesmo marginalizados da população livre. Além de discursos de Marcolino de Moura, Jeronymo Sodré e Nabuco, dos gestos inflamados e amotinadores de Patrocínio, "o tigre da Abolição", veremos, também, o bulício das ruas. Um extenso arco de vozes e de ações. Na Assembleia Geral, Sodré, deputado baiano, classificava a Lei do Ventre Livre como reforma vergonhosa — e pedia a extinção final e total do regime. O mulato Patrocínio agitava com a *Gazeta da Tarde*. E as coisas começaram a andar. De início, com lentidão. O trabalho era difícil. A classe média e mesmo pretos livres hesitavam. Temiam se comprometer. Eram excessivamente dependentes da elite senhorial e receavam represálias. Mas o barco não demorou a se soltar. Principiaram a se formar sociedades e clubes para lutar contra a escravidão. Dentro do Exército, inclusive, como aconteceu em Pernambuco e no Rio, para não falar do caso extremo do batalhão de Fortaleza, que se converteu, ele mesmo, em sociedade abolicionista. Manifestos, panfletos e jornais circulavam de mão em mão. O movimento ia ganhando as cidades para, em sua reta final, alcançar até vilarejos interioranos. No meio do fogo, escravos prosseguiam na luta — resistindo, fugindo, reagindo, revoltando-se, como aconteceu em Campinas, em 1882. Para dar um exemplo, recorro a Humberto Machado e Lúcia Pereira das Neves, em *O Império do Brasil*: "Após a destruição de um quilombo em Paraíba do Sul, Rio de Janeiro, no ano de 1882, as forças dos senhores, ao retornarem à cidade, foram atacadas por cativos de uma fazenda próxima. Conforme a descrição de um fazendeiro, 'cem pessoas entre homens e mulheres, todos armados de foices e machados, libertaram o chefe do quilombo que ia preso' e mataram um escravo, 'capataz e negro de confiança' que guiara a expedição. Quando alguns cativos estavam sendo açoitados, os demais começaram a insultar o fazendeiro, ameaçando-o de morte e de invasão da casa, se os escravos que estavam no tronco não fossem soltos".

"Representantes de todas as classes e profissões vieram, eventualmente, a se envolver no abolicionismo — escravos e donos de escravos, trabalhadores e proprietários de terras, atores, músicos, animadores, capitalistas e trabalhadores das estradas de ferro, comerciantes, advogados, professores, militares e estudantes", escreveu Conrad. Ocorre que representantes de todas as classes, acuados, também se postaram contra o movimento. A sociedade brasileira se viu então dividida. De um lado, os defensores da escravidão. De outro, os abolicionistas. Entre um polo e outro, os perdidos, indiferentes, desinformados e cínicos de sempre. Para os que defendiam o regime, os abolicionistas, atuando dentro ou fora do âmbito legal, parlamentar, eram vistos como desordeiros sociais — como uma gente inimiga da propriedade privada, levando agitação e caos às senzalas. Nabuco era classificado como traidor de sua classe. E a repressão ao abolicionismo entrou diversas vezes em ação. Não raro, com violência. A polícia cercou teatros lotados para ouvir discursos de Patrocínio e Ruy Barbosa, por exemplo. E a tensão não era pequena. "A proibição de 'ajuntamentos em praças e ruas' quase provocou um confronto de graves proporções, segundo a *Gazeta da Tarde* de 8 de agosto de 1887, quando a Confederação Abolicionista do Rio de Janeiro organizou um *meeting* no Teatro Polytheama. Durante o discurso de Quintino Bocaiuva, explodiram bombas dentro do recinto. Em seguida, entraram 'policiais armados de cacetes', que lutaram contra os assistentes. Após a expulsão dos policiais para o jardim, o recinto foi invadido por 'um piquete de cavalaria e outro de infantaria'. O embate foi evitado após entendimentos mantidos entre os líderes e as autoridades policiais. O jornal informou que os espectadores foram para a Rua do Ouvidor, protestando contra o governo e aclamando a Confederação Abolicionista" (Neves e Machado). Para violência bem mais séria descambou a situação em Campos, na província do Rio de Janeiro, rica zona de produção açucareira. Lana Lage da Gama Lima escreveu sobre o assunto, em *Rebeldia Negra & Abolicionismo*. Em Campos, a existência de uma grande concentração de escravos coincidia com a presença de abolicionistas radicais. E eles se defrontaram com as forças a serviço de proprietários rurais, concentrados no Clube da Lavoura. Perseguições, ameaças de morte, choques armados e incêndios nos canaviais marcaram o cenário da região. Daí a insistência de abolicionistas radicais mais lúcidos, como Nabuco e Patrocínio, no caráter "pacífico e legal" do movimento. Eles sabiam do que estavam falando. Com a expansão irresistível do abolicionismo, a figura da guerra civil se desenhou no horizonte brasileiro. Pelo caminho "pacífico e legal", a vitória abolicionista estava assegurada. Pelo caminho das armas, não.

E o movimento triunfou. Depois de grandes dificuldades iniciais (temos talento e coragem, falta dinheiro — reclamava Nabuco), da timidez das adesões, afluíram forças de toda a parte. Com o exemplo do Ceará, um *frisson* abolicionista percorreu eletricamente o país. Naquele cenário, Ceará e São Paulo foram extremos exemplares. O Ceará como extremo abolicionista, São

Paulo como extremo pró-escravatura. Ficou célebre a recusa dos jangadeiros cearenses a transportar escravos — e seu bloqueio do porto de Fortaleza. Em 1883, já não havia escravos na capital da província. No ano seguinte, salvo uma que outra exceção, em todo o Ceará. O exemplo entusiasmou o país, de Manaus ao Rio Grande do Sul, passando, é claro, pelo Rio de Janeiro. Com o novo andar da carruagem, o abolicionismo conquistou as massas urbanas. Manifestações políticas festivas coloriam a capital do país, ao tempo em que a campanha tomava conta do Paraná. Escravos escapavam escoltados e protegidos para as cidades. E o movimento terminou por empolgar São Paulo. Os escravos de Santos — porto que abrigaria fugitivos de toda a província — foram libertados; Antonio Bento aglutinava militantes de todas as extrações sociais; começaram as fugas em massa de cativos, com as forças armadas de braços cruzados, aqui por impotência, ali por opção. No final das contas, a escravidão foi praticamente extinta em São Paulo. Como já havia se desmantelado em quase todo o país, faltava agora o decreto final da liquidação do sistema, o reconhecimento da grande vitória do povo brasileiro. E ele veio no dia 13 de maio de 1888.

Numa avaliação geral do processo, Alencastro escreveu: "Nem o mais arguto analista conseguiria então prever os desdobramentos do conflito. Tudo poderia ter acabado num enfrentamento generalizado entre fazendeiros, capangas, polícia, brancos pobres e imigrantes aterrorizados, de um lado, contra abolicionistas, negros livres e cativos desesperados, de outro. No final desse 'pega-pra-capar' em escala nacional, o Exército entrava de sola, instaurando a via brasileira para o *apartheid*, teorizada pelos 'racistas científicos' que ensinavam nas academias do pedaço". E mais: "tardio ou inconsequente, o 13 de Maio de 1888 continua sendo o mais estrondoso maremoto que varreu a atribulada sociedade brasileira. De fato, a audácia quilométrica dos liberais abolicionistas só pode ser medida com as polegadas pusilânimes com que nós próprios avançamos no terreno da reforma agrária". Foi uma grande vitória. E — também — uma grande vitória negra. Negromestiça. É politicamente importante que mestiços escuros brasileiros tenham, recentemente, escolhido o 20 de Novembro como Dia Nacional da Consciência Negra, em homenagem a Zumbi dos Palmares. Mas é um equívoco virar as costas ao 13 de Maio. Os pretos brasileiros não devem jogar no lixo a sua própria história. A longa e áspera batalha que travaram para abolir a escravidão. Nenhum sectarismo político-ideológico é capaz de justificar esta estranha abolição de um formidável esforço de seus ancestrais. Costumo dizer, a propósito, que o 13 de Maio não pode ser reduzido a um mero autógrafo da Princesa Isabel. Foi muito mais que isso. E negromestiços estiveram na linha de frente de toda a luta. Na vanguarda do movimento abolicionista, com o ex-escravo Luiz Gama e descendentes de escravos como Patrocínio e Rebouças. Na ação exemplar no campo do abolicionismo popular, com os jangadeiros cearenses, ex-escravos como José Napoleão. E, por fim, na movimentação decisiva dos próprios negros e mestiços escravizados, como no caso das fugas em massa realizadas em São Paulo. Por tudo isso, não se explica por que, hoje, lideranças negromestiças queiram esquecer, apagar ou menosprezar o enorme feito de seus antepassados. Negros brasileiros têm, sim, o quê comemorar — tanto no 13 de Maio, quanto no 20 de Novembro.

Vamos, portanto, colocar as coisas em seus devidos termos. O que não se realizou foi o projeto maior, de longo prazo, do abolicionismo. Projeto que não dizia respeito somente à extinção do velho regime escravocrata — mas ao futuro nacional brasileiro, com uma reforma geral da sociedade, de modo que o ex-escravo nela pudesse ingressar como cidadão pleno. Neste passo, Nabuco e Rebouças alargavam e aprofundavam reflexões anteriores, a exemplo das que fizera Bonifácio, na década de 1820, preocupando-se com a sorte do ex-escravo e, mais genericamente, com a do trabalhador brasileiro. De fato, Bonifácio sublinhava, em sua *Representação à Assembleia Geral Constituinte* (1823), que "dois objetos" eram cruciais para o futuro do Brasil: a integração social e cultural dos índios e a questão escravista — "a necessidade de abolir o tráfico da escravatura, de melhorar a sorte dos atuais cativos, e de promover a sua progressiva emancipação". Para Bonifácio, o Brasil só se tornaria uma nação viável quando dissolvesse seus focos de tensão interna, superasse a "heterogeneidade" (pela via das misturas raciais e culturais) e lograsse transformar inimigos — senhores brancos e escravos negros, sobretudo — em compatriotas (escravos eram apátridas) e concidadãos (escravos eram "coisas"). Para isso, havia que suprimir o tráfico e ir abolindo a escravidão. "É tempo pois, e mais que tempo, que acabemos com um tráfico tão bárbaro e carniceiro; é tempo também que vamos acabando gradualmente até os últimos vestígios da escravidão entre nós, para que venhamos a formar em poucas gerações uma nação homogênea, sem o que nunca seremos livres, respeitáveis e felizes". O passo seguinte ao do fim do tráfico seria "cuidar seriamente em melhorar a sorte dos escravos, preparando-os para a futura emancipação". Converter escravos em "homens livres e ativos". Tal conversão se operaria pela recuperação da dignidade do ser humano escravizado, não só através do abrandamento de seus sofrimentos e da proteção da família escrava, mas também e principalmente por meio da instrução religiosa e moral. E aqui se insinuava o tópico da terra, na proposta de um artigo de lei: "Todos os homens de cor forros, que não tiverem ofício, ou modo certo de vida, receberão do Estado uma pequena sesmaria de terra para cultivarem, e receberão outrossim dele os socorros necessários para se estabelecerem, cujo valor irão pagando com o andar do tempo". Mas é nos "Apontamentos Sobre as Sesmarias" que Bonifácio vai advogar restrições ao latifúndio. Miriam Dolhnikoff: "Tal reforma agrária [...] aparecia como o meio necessário para atingir a modernidade [...] além de ser condição para a imposição do Estado a todo o território, o era também para superar os entraves ao desenvolvimento da indústria e da agricultura e, principalmente, para a integração à sociedade de índios e negros libertos (o que só seria possível se conferidos a eles meios de sobrevivência, tornando-os pequenos proprietários). Assim, Bonifácio advogava o confisco e a venda das terras improdutivas pelo governo, recomendando que seu produto fosse 'empregado nas despesas de estradas, canais e estabelecimentos de colonização de europeus, índios e mulatos e negros forros'".

Não deixa de ser surpreendente encontrar Bonifácio pregando o fim do tráfico e da escravidão em inícios do século XIX. Mas mais surpreendente ainda, para a época, é o pensamento que embasa a sua postura. Podemos falar de *novidade*, a propósito deste pensamento. Novidade visível em duas questões decisivas para a concretização de um projeto nacional brasileiro. Nadando contra a corrente intelectual de seu tempo, Bonifácio afirmava que todas as raças eram iguais sob o sol da razão. Além disso, dizia que a construção de uma nação, no Brasil, deveria se sustentar na mestiçagem. Estes dois pontos são suficientes para que sintamos a presença de um pensamento novo naquelas primeiras décadas oitocentistas, com relação, inclusive, à vanguarda iluminista europeia. Décadas depois de suas intervenções políticas e intelectuais, o panorama brasileiro já era outro. Gradualmente, a emancipação se tornara visível a todos. O regime escravista brasileiro foi-se desintegrando progressivamente ao longo da década de 1880, num processo crescente e irrefreável, cujo desfecho se apresentaria na forma do estabelecimento da Lei Áurea. O que significa que maior a cada dia era o número de escravos emancipados. De negros que passavam a figurar de outra forma e a se mover em outras condições na cena geral do país. Impunha-se então, naquela conjuntura, pensar a questão da integração desses negros na sociedade brasileira pós-escravista que estava a caminho. E esta foi uma das preocupações centrais de Nabuco e Rebouças, reformadores atentos para o futuro social e econômico daqueles que se iam libertando do cativeiro.

Será interessante acompanhar o próprio Nabuco, quando, em *O Abolicionismo*, ele nos dá a sua visão do negro, da "raça negra", na formação da gente brasileira e na construção do Brasil, apontando para o absurdo da escravidão. A citação é longa, mas insubstituível: "Em primeiro lugar, a parte da população nacional que descende de escravos é, pelo menos, tão numerosa como a parte que descende exclusivamente de senhores; a raça negra nos deu um povo. Em segundo lugar, o que existe até hoje sobre o vasto território que se chama Brasil foi levantado ou cultivado por aquela raça; ela construiu o nosso país. Há trezentos anos que o africano tem sido o principal instrumento da ocupação e da manutenção do nosso território pelo europeu, e que os seus descendentes se misturam com o nosso povo. Onde ele não chegou ainda, o país apresenta o aspecto com que surpreendeu aos seus primeiros descobridores. Tudo o que significa luta do homem com a natureza, conquista do solo para a habitação e cultura, estradas e edifícios, canaviais e cafezais, a casa do senhor e a senzala dos escravos, igrejas e escolas, alfândegas e correios, telégrafos e caminhos de ferro, academias e hospitais, tudo, absolutamente tudo, que existe no país, como resultado do trabalho manual, como emprego de capital, como acumulação de riqueza, não passa de uma doação gratuita da raça que trabalha à que faz trabalhar [...] Por esses sacrifícios sem número, por esses sofrimentos, cuja terrível concatenação com o progresso do país faz da história do Brasil um dos mais tristes episódios do povoamento da América, a raça negra fundou, para outros, uma pátria que ela pode, com muito mais direito, chamar sua. Suprima-se mentalmente essa raça e o seu trabalho, e o Brasil não será, na sua maior parte, senão um território deserto, quando muito um segundo Paraguai, guarani e jesuítico [...] Nessas condições é tempo de renunciarmos o usufruto dos últimos representantes dessa raça infeliz. [Bernardo de] Vasconcelos, ao dizer que a nossa civilização viera da costa d'África, pôs patente, sem o querer, o crime do nosso país escravizando os próprios que o civilizaram [...] Sim, foram eles [os irmãos Andrada] que deram uma pátria aos homens de cor *livres*, mas essa pátria, é preciso que nós a estendamos, por nossa vez, aos que não o são. Só assim poder-se-á dizer que o Brasil é uma nação demasiado altiva para consentir que sejam escravos brasileiros de nascimento, e generosa bastante para não consentir que o sejam africanos, só por pertencerem uns e outros à raça que fez do Brasil o que ele é". Poucas vezes se terá visto ou ouvido, se é que se viu ou ouviu, em toda a história política e intelectual do Brasil, afirmação tão eloquente do papel e do valor civilizatórios do negro em nosso país. Quando, meio século mais tarde, Freyre considera o negro como "co-colonizador" do Brasil, ele está ecoando Nabuco. Sem a mesma amplitude e veemência.

Ainda em *O Abolicionismo*, Nabuco escreveu que a escravidão era a mancha de Caim que o Brasil trazia na testa: o sinal da maldição fratricida.

No seu entender, era preciso liquidar a ordem escravocrata, ou a obra nacional restaria inconclusa. A Independência deveria ser completada pela Abolição — dizia. Passando em revista a breve história da oposição brasileira à escravidão, ele vai distinguir então três momentos básicos. No primeiro, combate-se o tráfico. Pretende-se suprimir a escravidão a partir da proibição da importação de novos escravos — era a postura de Bonifácio, que vai se tornar lei em 1850. No segundo, trata-se de garantir a emancipação de escravos ainda por nascer — movimento que irá desembocar na Lei do Ventre Livre. No terceiro, o que se quer é colocar um ponto final na longa história do escravismo brasileiro. "É este último movimento que se chama Abolicionismo, e só este resolve o verdadeiro problema dos escravos, que é a sua própria liberdade", sentencia Nabuco. Mas o abolicionismo, prossegue Nabuco, não é somente isto. Quer libertar os escravos, sim — mas esta é somente a sua missão de curto prazo, a sua meta menor, mais próxima e mais urgente. "Essa obra — de reparação, vergonha ou arrependimento, como a queiram chamar — da emancipação dos atuais escravos e seus filhos é apenas a tarefa imediata do Abolicionismo. Além dessa, há outra maior, a do futuro: a de apagar todos os efeitos de um regime", escreve. E ainda, com radicalidade e profundidade exemplares: "Quando mesmo a emancipação total fosse decretada amanhã, a liquidação desse regime daria lugar a uma série infinita de questões, que só poderiam ser resolvidas de acordo com os interesses vitais do país pelo mesmo espírito de justiça e humanidade que dá vida ao Abolicionismo. Depois que os últimos escravos houverem sido arrancados ao Poder sinistro que representa para a raça negra a maldição da cor, será ainda preciso desbastar, por meio de uma educação viril e séria, a lenta estratificação de trezentos anos de cativeiro, isto é, de despotismo, superstição e ignorância. O processo natural pelo qual a Escravidão fossilizou nos seus moldes a exuberante vitalidade do nosso povo durou todo o período do crescimento, e enquanto a Nação não tiver consciência de que lhe é indispensável adaptar à liberdade cada um dos aparelhos do seu organismo de que a escravidão se apropriou, a obra desta irá por diante, mesmo quando não haja mais escravos".

Relendo esta passagem nabuquiana, não temos como escapar à conclusão de que a "obra da escravidão" prossegue cruamente viva, cruelmente acesa entre nós, humilhando e ultrajando o povo brasileiro. Neste sentido, podemos afirmar, sem perigo de erro, que o abolicionismo não chegou a realizar a sua meta maior — a do futuro, que é o nosso presente. Não conseguiu "apagar todos os efeitos de um regime". E que, por isso, há lugar, no Brasil atual, para a esperança em luta por uma Nova Abolição. Militantes negromestiços das primeiras décadas do século XX, aliás, clamavam por uma "segunda abolição" — que também não veio. O próprio Nabuco, firmando o pé em base sólida, previra: "O nosso caráter, o nosso temperamento, a nossa organização toda, física, intelectual e moral, acha-se terrivelmente afetada pelas influências com que a escravidão passou trezentos anos a permear a sociedade brasileira. A empresa de anular essas influências é superior, por certo, aos esforços de uma só geração, mas enquanto essa obra não estiver concluída, o Abolicionismo terá sempre razão de ser". A bem da verdade, esta não é uma questão exclusivamente brasileira. Diz respeito às Américas, em seu conjunto. A propósito, em "Huida y Enfrentamiento", o venezuelano Germán Carrera Damas, ao falar de uma "nova perspectiva" na leitura do processo histórico-social de países do continente americano, escreveu: "Esta nova perspectiva consiste em ver as sociedades latino-americanas, onde a escravidão de negros alcançou níveis significativos, como sociedades que vivem atualmente, desde este ponto de vista, a fase final de liquidação da escravidão, entendendo esta como o processo complexo e dilatado de efetiva dissolução da instituição nas ordens socioeconômica e político-ideológica". Não há dúvida de que o Brasil se encontra nesta situação. Mas, até para que isto fique ainda mais claro, vamos ver o que Nabuco — e, com ele, Rebouças — defendia como passos necessários ao cumprimento da "tarefa maior" do movimento abolicionista.

Para Nabuco, como vimos, a questão não se resumiria à "reabilitação da raça negra", sendo, antes, equivalente "à reconstituição completa do país". Na esteira de Bonifácio, que é sempre citado em seus escritos, Nabuco aponta igualmente para os aspectos educacional e fundiário do problema. Em suas palavras, "a escravidão por instituto procedeu repelindo a escola, a instrução pública, e mantendo o país na ignorância e na escuridão, que é o meio em que ela pode prosperar". Mais, com seu gosto por imagens técnicas e científicas: "A senzala e a escola são polos que se repelem". Não haveria lugar para preocupações com a educação nacional, com a instrução popular, no âmbito de um regime interessado na ignorância de todos. Com o fim desse regime, a situação deveria ser outra, se as nossas camadas dirigentes não fossem tão obtusas. E a necessidade da educação dos ex-escravos, preparando-os para uma vida nova, logo iria se impor no horizonte. Os escravos não deveriam ser abandonados a si mesmos, assim que fossem emancipados. Precisariam de ensino. De instrução técnica. E de terras. "A verdade é que nos últimos anos de parlamentar de Nabuco, sua grande preocupação já não era sequer a abolição da escravidão, mas a 'democratização do solo'; não era a ocupação do território — a imigração — mas a redenção da população nativa. 'Acabar com a escravidão não basta' — disse ele num dos seus discursos memoráveis — 'é preciso destruir a obra da escravidão'. E para destruir 'a obra da escravidão', no Brasil, era preciso, a seu ver, antes de tudo, democratizar-se o solo, quebrar-se o 'monopólio territorial', destruírem-se os feudos", comentou, a propósito, Gilberto Freyre no texto "Joaquim Nabuco e as Reformas Sociais". A educação popular e a reforma agrária — ao lado de uma verdadeira *revolução cultural*, destinada a reformar mentalmente cada indivíduo, ex-escravo ou ex-senhor, no esforço para "apagar todos os vestígios" de um regime que envenenara a vida brasileira — aparecem então como as bases para a transformação de uma sociedade que se configurava como "um composto de elementos heterogêneos", do qual a escravidão era a "afinidade química".

Também o mulato Rebouças concentrou o seu pensamento naquilo que deveria ser a situação do ex-escravo numa sociedade pós-escravista, aberta e competitiva. E também ele, teórico da "democracia rural brasileira" — que expõe, ilustra e defende em *Agricultura Nacional, Estudos Econômicos: Propaganda Abolicionista e Democrática* —, argumentou em favor da reforma agrária. Como Nabuco, Rebouças achava que a emancipação dos escravos representava somente um momento inicial do movimento mais largo e profundo de reestruturação geral da sociedade brasileira. Em *André Rebouças: Reforma e Utopia no Contexto do Segundo Reinado*, Joselice Jucá observa: "Para Rebouças, o episódio da Abolição era muito mais complexo em suas soluções do que o equacionamento dado pela assinatura da Lei Áurea, em 13 de maio de 1888. Esta constituiu, para ele, apenas o primeiro passo dado em direção a um programa, muito mais amplo, de reforma da agricultura nacional. A Abolição deveria, segundo seu ponto de vista, pavimentar o caminho que conduziria a reformas sociais e econômicas de que o país precisava, através da criação de verdadeiras condições [...] que integrariam o ex-escravo à estrutura da nação". Não era admissível apenas libertar os escravos. Era preciso prepará-los tecnicamente, por meio de programas educacionais, para que, em vez de cair na marginalidade, estivessem prontos para a integração social e a inserção no novo mundo do trabalho. Particularmente, nos domínios rurais, fazia-se necessário democratizar o solo, franqueando a posse da terra a ex-escravos, imigrantes e trabalhadores agrícolas em geral. Rebouças acreditava, como ele mesmo escreveu, na "emancipação e regeneração dos escravos pela propriedade territorial". Mas, ainda aqui, não bastava doar terras aos emancipados. Cabia fornecer-lhes treinamento agrícola, tanto teórico quanto prático, tendo sempre em vista a elevação da qualidade e a modernização da produção rural. Em resumo, Rebouças propunha a criação de condições objetivas — territoriais e técnicas — para a integração do trabalhador ex-escravo na vida socioeconômica do país.

Como Bonifácio antes, Nabuco e Rebouças também perderam a parada — "os vencedores foram outros, os intelectuais orgânicos dos vitoriosos proprietários rurais do Sudeste, que se desprendiam da instituição da escravidão sem abrir mão do monopólio da terra e do controle sobre a mão de obra", resume Ricardo Salles, em *Joaquim Nabuco: Um Pensador do Império*. Também assistiram à derrota de seus projetos, arquivados sob o peso dos interesses dos grupos sociais dominantes que controlavam e dirigiam o país. É o mesmo Nabuco quem lembra que os escravos divisaram, na agitação pela independência do Brasil, uma perspectiva mais favorável à sua liberdade. "A sua própria cor os fazia aderir com todas as forças ao Brasil como pátria. Havia nele para a raça negra um futuro; nenhum em Portugal". Esta promessa tácita de liberdade, inscrita na maré independentista, cristalizar-se-ia na *Representação* apresentada por Bonifácio — e a Constituinte de fato inseriu, em seu projeto de Constituição, um artigo estabelecendo a "emancipação lenta dos negros e sua educação religiosa e industrial". Mas Pedro I meteu o pé no freio. Dissolveu a Assembleia. Outorgou, ao Brasil, a legislação que quis, esquecendo o problema escravo. Num comentário geral sobre as propostas de Bonifácio que foram rejeitadas e bloqueadas pela elite brasileira, Miriam Dohlnikoff escreveu: "O projeto reformista de Bonifácio esbarrou em interesses concretos e poderosos o suficiente para retirar da pauta política temas como abolição, educação pública e reforma da propriedade da terra". Acrescentando: "Em sua arrogância de ilustrado, [Bonifácio] pretendeu civilizar a elite, mostrando-lhe o caminho que deveria trilhar, como se ela própria não fosse capaz de compreender os seus reais interesses. E procurou demonstrar que, ao contrário do que seus membros podiam supor, esses interesses estavam contemplados nas medidas reformistas que propunha, pois, nas suas palavras, 'a pátria não é mãe que devore parte dos filhos, para felicitar outra exclusivamente, pelo contrário'. O Estado e o Parlamento deveriam criar a nação e a cidadania, por meio de reformas profundas. Mas para isso era preciso uma elite cidadã, com a qual Bonifácio não pôde contar. Ofereceu assim um futuro mais glorioso a uma elite que desejava apenas um presente mais lucrativo. E foi facilmente silenciado".

Coisas não muito diferentes podem ser ditas a respeito de Nabuco e Rebouças. É verdade que eles viram a falência final da ordem escravocrata — o que foi uma mudança e tanto na vida brasileira —, mas não tiveram como fazer triunfar os seus propósitos reformistas de maior profundidade. Talvez não seja demais repetir: o 13 de Maio de 1888 foi uma vitória formi-

Movimentos negros ontem

dável, a grande revolução social brasileira, abolindo uma instituição que fora central em nossas vidas durante séculos, num gesto de consequências tão dramáticas quanto imprevisíveis — foi, também, uma vitória popular, negro-mestiça, como sabe quem quer que tenha se detido sobre o tema. Mas o fato é que também prevaleceu ali o imediatismo avarento de nossas elites rurais. Em especial, o da elite paulista do café. Esses proprietários rurais conseguiram o que queriam: descolaram-se do sistema escravista de trabalho, mas assegurando para si o monopólio da terra e o controle sobre a mão de obra, agora imigrante. Em vez de providenciar sítios para os emancipados, qualificando-os para levar adiante a empreitada rural, os plantadores se voltaram para receber a imigração europeia. Assim como Bonifácio, a dupla Nabuco e Rebouças também partiu para o exílio. Não teve como levar seus pontos de vista à prática. E o resultado é o que ainda hoje se vê.

# 14.
# MOVIMENTOS NEGROS HOJE

Com a inconclusão da obra abolicionista, com o abandono ou a rejeição da meta maior do movimento, os negros viram-se entregues à sua própria sorte. No campo, não tinham terras para cultivar. Na cidade, não recebiam educação, nem contavam com a instrução técnica necessária para se engajar no novo mundo produtivo que se configurava. E assim chegamos ao século XX.

Ex-escravos e descendentes de escravos permaneceram, em sua maioria, não apenas em estado de pobreza — e mesmo de miséria —, mas, também, sem os instrumentos indispensáveis à superação de tal situação. O negro não tinha como ser um trabalhador qualificado. Um operário. Estava condenado ao subproletariado urbano, à marginalidade social, quando não ao crime e à prostituição. E era maltratado e responsabilizado por isso. Com a sua localização nos níveis mais degradados da hierarquia social reforçavam-se os estereótipos acerca de sua incapacidade mental, de sua preguiça, de sua irresponsabilidade. Reforçava-se a falácia da inferioridade. O preconceito de cor. Em síntese, o negromestiço fora sentenciado à pobreza, privado de meios para vencê-la e ainda era acusado pela situação em que se encontrava, atribuindo-se a sua miséria à sua raça. E o que é ainda mais cruel: convertia-se muitas vezes no seu próprio e implacável juiz, culpando-se e maldizendo-se pela vida miserável que levava. É certo que, àquela altura, já existia, nas principais cidades brasileiras, mulatos de elite e uma faixa negromestiça classemedianizada. E que alguns pretos e mulatos furavam o cerco, alcançando posições sociais mais confortáveis ou menos humilhantes. Mas isto não constituía um padrão. A norma era a impraticabilidade da inserção no sistema de trabalho. A falta de mobilidade profissional no mundo produtivo. O estado intransitável dos caminhos da ascensão social. A regra, enfim, era a estrada bloqueada, a ausência de oportunidade, a falta de perspectiva. Estavam assim dadas as condições objetivas para a emergência de um protesto negro. De uma reivindicação negromestiça coletiva. E ela veio à luz justamente pela voz daqueles que haviam ultrapassado o bloqueio, conseguindo chegar à classe média, para assim tentar construir pontes entre a elite e a massa negromestiças. O negro passou então a dizer que também tinha direito a um lugar ao sol. Queria ingressar competitivamente no mercado de trabalho. Participar da prosperidade da nação. Queria, também para si, os direitos e as garantias legalmente assegurados a todos os cidadãos do país. Tratava-se de fazer com que a sociedade capitalista fizesse valer os seus próprios princípios. De materializar, na vida social, o que era figura ideológica e letra de lei.

A conjuntura em que começou a se dar a emergência desta reivindicação negra — inicialmente, através de jornais como o *Clarim d'Alvorada* e de entidades como o Centro Cívico Palmares — era propícia. Estávamos na década de 1920. No *momento nacional-modernista* da história política e cultural do Brasil, sob o signo do centenário da independência nacional. Um decênio em que, nos campos da ética, da política e da estética, "vários pensadores tentaram sistematizar os anseios e expressar as novas esperanças de uma sociedade em desejo de transição", como observou Martins de Souza, em capítulo do *Curso de Introdução ao Pensamento Político Brasileiro*, livro escrito em parceria com Antonio Paim. "Uma nova geração de artistas, militares e estudantes, sacudida pela Primeira Guerra Mundial e ultrajada pela letargia acomodativa da República, rebelara-se contra os cânones aristocráticos que dominavam a política e o pensamento brasileiros", observou, por sua vez, Thomas Skidmore em *O Brasil Visto de Fora*. Em 1922, aconteceram o movimento modernista e a primeira revolta tenentista, que se desdobraria no levante paulista de 1924 e na Coluna Prestes, para além da formação do Partido Comunista Brasileiro. Era toda uma onda que se armava, para arrebentar na Revolução de 1930. E a movimentação negra se enquadra nesse processo. Muitas das coisas que aí aconteceram e que aí se pensaram foram fundamentais para impulsionar os negromestiços no sentido da formulação de suas demandas.

Os tenentes pretendiam dar um jeito no país. Pôr um fim aos desmandos e vícios do regime oligárquico. Era preciso moralizar e renovar o Brasil, pensavam, mesmo sem um senso claro da direção a seguir. Falava-se, ainda, da necessidade da liberdade de pensamento e imprensa. Um ideário, em suma, resumível em poucas palavras: combate à política oligárquica; defesa do nacionalismo, do industrialismo e da assistência social. O extremismo não estava no programa, mas no método do movimento: a luta armada. O importante, porém, é que os tenentes já não se pronunciavam somente pelo Exército, mas em nome do que julgavam ser as aspirações nacionais. E era grande a simpatia popular pelo movimento. De outra parte, anarquistas, socialistas e comunistas se moviam com disposição, denunciando males sociais, defendendo a autonomia e a organização das classes trabalhadoras, promovendo greves e protestos públicos, produzindo jornais independentes. Foi aquele o período histórico em que *o povo* fez o seu ingresso no cenário político nacional — e em que a *questão social* se impôs no horizonte. O fenômeno começa a se desenhar no final do século XIX. Mas é no século seguinte que a presença do povo vai-se tornar incontornável. "É o *surgimento do povo*, o fato novo deste século", como disse Leôncio Basbaum, em sua *História Sincera da República*. E, em meio ao povo, manifestam-se, de forma inédita, os negromestiços.

No campo intelectual, predominava então o "racismo científico" — que só seria detonado com a publicação de *Casa-Grande & Senzala*, em 1933. Uma crítica ao "racismo científico" já se armara, contudo, desde princípios daquele século, com os escritos de Manoel Bomfim e Alberto Torres. Redigidos em 1912 e reunidos no livro *O Problema Nacional Brasileiro*, os textos de Torres enfrentavam os dogmas científicos da época, mesmo que aqui e ali abrindo a guarda. Mas Torres era enfático: "não há raças superiores, em absoluto". Em sua opinião, articulara-se no mundo um combate ao ideal da igualdade humana — e o racismo científico era a ideologia de que se serviam países e grupos sociais privilegiados para legitimar a expansão colonialista e a dominação de classe. No entanto, a arqueologia, a história e a antropologia desmentiam as teses da superioridade racial ariana. Bastava pensar na civilização dos egípcios trigueiros ou nas ruínas, então exumadas, de Micenas e de Creta. No mesmo lance, e bem antes de Freyre, Torres recorria a Ratzel e Boas para afirmar que a diversidade física humana não implicava desigualdade racial. Que variações epidérmicas ou anatômicas nada tinham a ver com a estrutura e o funcionamento do cérebro. Que a doutrina da desigualdade racial perdera "todos os pontos de apoio, em todas as regiões da ciência". Lamentavelmente, porém, essas teses que afirmavam a supremacia branca e condenavam a mestiçagem, vestindo "roupagens científicas", eram a voz dominante no Brasil. "Há, contudo, um país — e a minha pena propende aqui a empregar um estilo de conto de fadas — em que essa teoria teve toda a força e autoridade do mundo intelectual, com o selo da Academia, a rubrica das congregações, a adesão dos governos, o assentimento do povo. Este país é o que possui a população mais mesclada do mundo", ironizava Torres, para enfim observar que não só "o negro puro e o índio puro são suscetíveis de se elevarem à mais alta cultura", como "mestiços de alta inteligência e elevado caráter moral são comuns no Brasil". Precedendo e sucedendo Torres, teríamos a obra de Manoel Bomfim. Já em *América Latina: Males de Origem*, Bomfim definia o racismo científico como "um sofisma abjeto do egoísmo, hipocritamente mascarado de ciência barata, e covardemente aplicado à exploração dos fracos pelos fortes". Todo aquele palavrório não passava de "etnologia privativa das grandes nações salteadoras", de obra perversa dos "teoristas da exploração". Do mesmo modo, Bomfim atacava os que identificavam miscigenação e degenerescência. O mestiço não era um tipo humano deteriorado. A questão era histórica e cultural. Mas o pensamento hegemônico brasileiro, na época, estava em obras como *Retrato do Brasil*, de Paulo Prado, ecoando o raciocínio raciológico oitocentista. Referindo-se à "inferioridade social" do negro nas "aglomerações humanas civilizadas". E pondo-se em guarda diante da mestiçagem.

Quanto ao movimento modernista, este quis promover, no campo das criações estéticas, uma espécie de reencontro do Brasil consigo mesmo, sob o impacto da vanguarda internacional, que se achava inflamada pela descoberta de criações extraocidentais de cultura. As primeiras décadas do século XX foram o tempo da vaga e da voga dos "exotismos" oceânicos e negroafricanos na Europa, em decorrência da penetração colonialista naquelas terras, do inevitável incremento do intercâmbio entre as regiões em questão e da proliferação de relatos antropológicos sobre "o outro". Produziu-se então, como disse Leiris (*África Negra*), uma crise da sensibilidade ocidental, que veio para fecundar fazeres artísticos. E esta abertura transcultural dos europeus foi um choque para a vanguarda brasileira. O "primitivismo" veio com tudo. Já em sua conferência parisiense, "L'Effort Intellectuel du Brésil Contemporain", Oswald de Andrade situava as nossas heranças indígena e negra "em plena modernidade". Adiante, foi a vez do "Manifesto da Poesia Pau-Brasil", o mergulho oswaldiano em nossas realidades, a atenção para as matrizes extralusitanas de nossa cultura, a celebração da "formação étnica rica". Por essas vias, os modernistas adotaram uma postura antropológica diante do Brasil. Começaram a promover um desrecalque dos elementos culturais negro-ameríndios que nos formaram, ao tempo em que disparavam contra a fachada europeia da sociedade brasileira. Tivemos, assim, os quadros de Tarsila e Di Cavalcanti. A passagem de Macunaíma pela casa de Tia Ciata. A radicalização *antropofágica* de Oswald e companheiros. A poesia de Jorge de Lima. Naquela conjuntura, a viagem estético-intelectual dos modernistas teve a sua importância para os negromestiços brasileiros. Numa pesquisa com lideranças negras sobre movimentos sociorraciais na década de 1920, citada por Florestan, encontramos o seguinte depoimento: "o movimento modernista trouxe a sua contribuição para a criação de uma consciência que possibilitasse a organização de um movimento de negros para atender às suas reivindicações específicas, com os negros fornecendo temas para a poesia e a pintura. Era uma espécie de reabilitação do negro para o próprio negro, pelo branco". Mesmo depois de encerrado aquele movimento, as relações negro-modernistas prosseguiram. Leia-se o discurso de Oswald, na Frente Negra Brasileira, em 1937: "Negros, a vossa alma está sempre com Zumbi dos Palmares [...] Vindes do fundo lôbrego do Navio Negreiro. E hoje fazeis parte da população mesclada de outro navio de escravos [...] E como ainda hoje vos indicam as fornalhas do trabalho e os duros serviços da tripulação, tomai o rumo luminoso de Castro Alves, que atingireis os portos da liberdade. E recusai, como Zumbi, com o preço da própria vida, o clima infernal de qualquer escravidão".

Mas não vamos apressar o passo — mesmo porque o andar da carruagem era mais comedido e prosaico do que a imaginação em fogo de Oswald. A movimentação negromestiça começou na década de 1920. Não por acaso, em São Paulo. Nas palavras de Florestan, em *A Integração do Negro na Sociedade de Classes*, "a urbanização intensa e rápida iria desencadear mudanças profundas no estilo de vida social, nas relações humanas e na mentalidade dos homens, convertendo a cidade de São Paulo no principal centro de modernização tecnológica e institucional, de secularização do pensamento, de propagação de novas ideologias, de agitação social e de democratização gradativa dos comportamentos políticos existentes no cenário brasileiro. Por isso, quando se dá o surto industrial associado à primeira década deste século [XX], com ele emergem tendências sociais inovadoras consideráveis e irreversíveis. A 'plebe' transforma-se, desordenadamente, por efeito de proletarização, em 'operariado' [...] os círculos dirigentes das camadas dominantes perdem, gradualmente, a faculdade de agir segundo padrões autoritários e discricionários em assuntos de interesse coletivo, sendo crescentemente forçados a levar em conta as opiniões e as pressões de grupos destituídos de qualquer expressão na antiga estrutura de poder. O conflito passa a ser usado regularmente, então, por estes grupos: primeiro, de forma tímida e vacilante, depois com certa desenvoltura, como o atestam as reivindicações e as greves operárias dessa época. Nesse contexto, a situação histórico-social era propícia ao solapamento aberto e contínuo da forma tradicional de acomodação e dominação raciais. O 'meio negro' não permaneceu imune e indiferente a tais acontecimentos. Ligou-se como podia ao clima geral de fermentação de ideias, de ebulição social e de renovação política". Neste sentido, podemos dizer que São Paulo, último baluarte da escravidão, foi também a primeira cidade brasileira a romper com as práticas políticas e sociais do *ancien régime*, que ainda sobreviviam, a despeito do fim da ordem escravocrata. Porque estavam no âmbito das relações raciais as mais típicas sobrevivências daquele *ancien régime*. E porque, ao se dispor a entrar em cena com seu perfil e demanda particulares, o negromestiço poderia jogar uma pá de cal sobre aquelas práticas.

A contextura brasileira, de modo amplo, e a paulista, em particular, favoreciam a empreitada. Mas havia, ainda, móveis mais imediatos: "é possível discernir certos incentivos histórico-sociais específicos, que tiveram importância dinâmica tópica ou que agiram localmente na fomentação dos movimentos sociais no 'meio negro'", escreve, ainda, Florestan. Três teriam sido os tais móveis. Já mencionamos o primeiro deles. Estavam vedados, à massa "de cor", os caminhos da integração social. Havia o gargalo da educação. A carência de formação profissional. As humilhações de todo tipo. A pobreza de sempre. O isolamento de quem ascendia solitariamente. O preconceito. A mobilidade social, tão ansiosa e ansiadamente desejada — especialmente, entre os mais jovens —, desenhava-se como miragem. Em suma, os negromestiços tinham sido barrados no baile. A sociedade aberta era um clube fechado. Mas esta frustração social podia ser reorientada politicamente. Como diz Florestan, ela facilitava a identificação de objetivos comuns, a comunicação simbólica, o proselitismo. O segundo móvel estaria no "paradigma italiano". Muitos italianos e outros migrantes tinham chegado a São Paulo na pindaíba. Tinham vivido em cortiços, penado no batente, comido mal. Embora partindo do mesmo ponto que o preto, todavia, não eram poucos os que conseguiam "subir na vida". Como explicar? Ultrapassado o ressentimento, os negromestiços procuraram entender como aquilo tinha sido possível. E passaram a aprender com os imigrantes, adotando valores destes com relação a coisas como educação, trabalho, vida doméstica, formas de organização solidária, etc. Por fim, ainda segundo Florestan, havia o "colapso final da dominação tradicionalista". A vida urbano-industrial e o trabalho assalariado destruíam as bases do paternalismo branco e do filialismo negro. "Abria-se uma espécie de *vazio histórico* no plano das relações raciais, que equivalia, na prática, a uma repentina dilatação da autonomia do negro e do mulato." O negromestiço percebia que passava o tempo em que a solução de seus problemas estava no "mundo branco", por expedientes de apadrinhamento. Cabia arcar consigo mesmo. Assumir a responsabilidade de construir o seu lugar na sociedade. Mas podemos acrescentar um outro móvel ao rol de Florestan. Estaria no fato de a mestiçagem entre pretos e brancos não ter sido tão longa e intensa em São Paulo como em outras partes do país. Na sobreposição, a este quadro, da injeção branqueadora da migração europeia. E, em consequência, do caráter mais pesado que o preconceito racial aí assumiu. Vendo a sua situação com maior nitidez do que em outras regiões brasileiras, o pretomestiço também reagiu de forma mais nítida.

O que aconteceu em termos negromestiços, na São Paulo da década de 1920, deve ser classificado como embrionário. Como um ensaio de quem se acha em fase de aprendizagem, assimilando técnicas organizacionais e políticas. Uma ação de "semi-intelectuais e subproletários", na definição de Joel Rufino, em *Atrás do Muro da Noite* — na verdade, não chegavam sequer a ser "semi-intelectuais", nem eram tão "subproletários" assim: talvez fosse melhor dizer pretos letrados de baixa classe média. E esta ação daria na criação da Frente Negra Brasileira, na abertura da década seguinte. Os negros paulistanos se agrupavam basicamente, até então, em sociedades dançantes e entidades esportivas. É daí que vai surgir uma pequena imprensa negra. Jornalecos que faziam uma reprodução do noticiário social da grande imprensa (onde, aliás, desde pelo menos Luiz Gama e Patrocínio, sempre existiram jornalistas negros). Falavam de bailes, aniversários, recepções; faziam fofocas e fuxicos; e mesmo caprichavam na maledicência, como o *Alfinete*, que se dedicava a "cutucar os negrinhos e as negrinhas". Em "A Imprensa Negra no Estado de São Paulo", referindo-se a um leque de jornais que ia do *Menelick* (1916) à *Voz da Raça* (órgão oficial da Frente Negra), Bastide nos dá uma definição geral desse jornalismo: "é uma imprensa que só trata de questões raciais e sociais, que só se interessa pela divulgação dos fatos relativos à classe da gente de cor. Os norte-americanos acharam um termo que a define muito bem: é uma imprensa adicional". Um jornalismo comunitariamente centrado. Os nomes desses jornais, de resto, nunca remetem à África Negra ou a coisas do negro no Brasil. *O Menelick* nos envia à Etiópia. E há nomes que desconcertam, como *O Bandeirante* e *O Tamoio*.

De qualquer modo, são jornais que falam de segmentos comunitários negromestiços de São Paulo. Além de noticiar bailes e fazer fuxicos, deixam aflorar uma preocupação que vai atravessar todas as manifestações negromestiças brasileiras, do início do século XX ao início do século XXI. É a preocupação com a ascensão social. O preto pode e deve "subir na vida". Para isso, é necessário educação, aprimoramento cultural, bom comportamento e boas maneiras. As duas últimas recomendações dizem respeito a uma conduta pessoal mimética. O negro tinha de aprender a comer, a se vestir, etc., como um branco classemediano. Nada de espalhafatoso ou colorido. Nem à mesa, nem no traje. Veja-se o caso de uma das sociedades negras da época, o Grêmio Elite da Liberdade. Em depoimento a Miriam Ferrara — *A Imprensa Negra Paulista (1915-1963)* —, Pedro Barbosa informa: "Tratava-se de um grupo fechado, andavam sempre bem trajados, promoviam bailes, piqueniques e viagens. Para se filiar ao grupo era necessário provar que era casado, chefe de família, com situação econômica estável". O "bom comportamento" aponta para a construção de um preto puritano, no sentido lato da expressão. O modelo de negro que esta imprensa elege, refletindo o ideal do segmento pretomestiço que representa e expressa, é o avesso do malandro. O que se quer é um preto sem alegria, sem ginga, sem capoeira, sem samba, sem sensualidade. Como o preto protestante norte-americano que havia se distanciado do estilo de vida dos guetos, passando a copiar os brancos. Esta imitação de um modelo preto norte-americano (que vai marcar, até hoje, as manifestações negromestiças brasileiras), chegando ao detalhe do espichamento do cabelo, é explicitada em *O Alfinete*, que seria atualmente considerado racista, pelas expressões que emprega (grifos meus): "Quem são os culpados dessa *negra mancha que macula* eternamente a nossa gente? Nós, unicamente nós que vivemos na mais vergonhosa ignorância, no mais profundo absecamento [*sic*] moral, que não compreendemos finalmente a angustiosa situação em que vivemos. Cultivemos, extirpemos o nosso analfabetismo e veremos se podemos ou não *imitar os norte-americanos*".

Nesse meio, apareceram *O Getulino* e *O Clarim d'Alvorada*. Mantinham características dos veículos anteriores. Mas pensando-se também como instrumentos de instrução e cultura. *O Clarim d'Alvorada* começou como jornal literário, mas logo passou a ter um caráter de doutrinação e luta. No dizer de Clóvis Moura, em *Sociologia do Negro Brasileiro*, o jornal "surgiu da necessidade imperiosa de os negros possuírem um órgão mais abrangente e que substituísse aqueles microjornais que refletiam os interesses e opiniões dos pequenos grupos sociais negros que se aglutinavam em associações recreativas ou esportivas". Em termos intelectuais, esta imprensa não apresenta interesse algum. Seu interesse é sociológico. O que conta é o movimento social que se vai articulando. Ao mesmo tempo em que o *Getulino* e o *Clarim* superavam o microjornalismo clubístico, surgia o Centro Cívico Palmares. Como o *Clarim*, o Centro Cívico Palmares nasceu com propósito literário, cultural. Mas, sob pressões da própria circunstância da vida negromestiça, esta finalidade recuou para um plano secundário. A entidade passou a se concentrar na defesa dos negros e de seus direitos, num momento em que a própria Guarda Civil de São Paulo só aceitava brancos em suas fileiras. Ainda nesse período, houve a tentativa de realização de um Congresso da Mocidade Negra. O esforço de atrair negromestiços que tinham ascendido e procuravam se desidentificar da massa "de cor". E foi também aí que começou a circular o vocábulo *negro*, em substituição a "de cor", graças à insistência de Vicente Ferreira, argumentando que "de cor" não tinha significado preciso, podendo ser "amarelo", por exemplo. Ao tempo em que, nos meios mais politizados, Oliveira Vianna, o arianista, era chamado de "mulato safado".

Assim, depois de cerca de trinta anos de paralisia, silêncio, grito asfixiado ou desorientação, os negromestiços deram sinal de vida na década de 1920, avançando no sentido de sua participação específica na vida brasileira. Desse modo, abriram e pavimentaram o caminho para a formação, em 1931, da Frente Negra Brasileira (FNB). As condições para os movimentos negros alcançarem este novo patamar estavam dadas, em termos sociais e culturais. De uma parte, o meio negromestiço tinha amadurecido o suficiente para ensaiar o novo avanço. Amadurecimento que, por sinal, surpreendeu os líderes do movimento, com o alto índice de adesão à Frente Negra, transformando o lançamento da entidade em um sucesso muito acima do esperado. De outra, o conjunto da sociedade também havia amadurecido o suficiente para aceitar este mesmo avanço. Para reconhecer a legitimidade de um movimento de afirmação e reivindicação raciais que, tivesse acontecido algum tempo antes, não seria mais do que um caso de polícia. Florestan: "Alterara-se a organização do que Durkheim chamava de 'meio social interno', a ponto de ser possível algo que jamais se realizaria no passado, sem severa repressão policial: a congregação ostensiva de negros e de mulatos em torno de uma 'causa racial' e através de recursos materiais e morais próprios, com liderança e diretrizes saídas dos quadros humanos da 'população de cor'". Mudara o negromestiço, mudara o brancomestiço, mudara a sociedade. Podia-se dar início a uma nova e significativa mudança. Em todo o corpo social. E foi o que aconteceu. A década de 1930 foi um momento especial na história das nossas relações raciais. Não houve campo do pensar e do fazer brasileiros, naquela década, no qual não tenha aflorado a questão socioantropológica. Foi a época da projeção do candomblé e da formação do umbandismo. Da explosão revolucionária de *Casa-Grande & Senzala*, obra-prima do modernismo brasileiro, detonando mitos de superioridade racial no momento mesmo da ascensão do nazismo. Do aprofundamento dos estudos sobre negros e mestiços, com a recuperação da obra de Nina Rodrigues e os trabalhos de Arthur Ramos, Renato Mendonça e Édison Carneiro. Da realização dos congressos afro-brasileiros de Pernambuco e da Bahia. Da definição da escola brasileira de futebol. Dos brilhos dos orixás no romance de Jorge Amado. Da afirmação da música popular brasileira. Do surgimento do frentenegrismo.

Os propósitos da FNB — que começou a se articular em reuniões ao lado do relógio da Sé, em São Paulo — são explicitados nos estatutos da organização. No primeiro artigo, lê-se: "Fica fundada nesta cidade de São Paulo, para se irradiar por todo o Brasil, a Frente Negra Brasileira, união política e social da Gente Negra Nacional, para afirmação dos direitos históricos da mesma, em virtude da sua atividade material e moral no passado e para reivindicação de seus direitos sociais e políticos, atuais, na Comunhão Brasileira". E adiante: "A Frente Negra Brasileira, como força social, visa a elevação moral, intelectual, artística, técnica, profissional e física; assistência, proteção e defesa social, jurídica, econômica e do trabalho da Gente Negra". Para cumprir a parte prática dessas determinações, a Frente se dispunha a criar cooperativas econômicas, escolas técnicas, centros de ensino "de ciências e artes" e campos esportivos — tudo "dentro de uma finalidade rigorosamente brasileira". A *gente negra brasileira* surgia, afinal, como força política organizada. E seu projeto de irradiação nacional não se frustrou. A Frente chegou ao interior paulista, a Minas Gerais, ao Rio de Janeiro, ao Maranhão, a Pernambuco, ao Espírito Santo, Sergipe, Porto Alegre e Salvador. Em Salvador, aliás, haverá uma particularidade, como frisou Bacelar em "A Frente Negra Brasileira na Bahia". Em São Paulo, setores médios da população responderam ao apelo frentenegrino. Na Bahia, a classe média negromestiça não quis saber de conversa com uma ação que se centrava no problema racial. Bacelar: "a Frente Negra de Salvador é criada por um operário, dirigida por pretos e mestiços de condição bastante modesta e tem a participação exclusiva, ainda que pequena, da classe trabalhadora". Antes que sensibilizar, o frentenegrismo desagradou à classe média negromestiça baiana. Pretos e mulatos bem postos reagiram mal, quando a FNB organizou um desfile de pretos pobres, chamando a atenção para a miséria em que vivia a nossa população negra. Não só as coisas na Bahia eram mais difusas, como a FNB avivava a ferida que negromestiços classemedianizados queriam apagar, fantasiando-se de "brancos".

Quanto à linha Booker Washington, digamos assim — formação de cooperativas, assistencialismo, cursos profissionalizantes, etc. —, algumas coisas foram feitas. Mas aqui entrava, também, o aspecto doutrinário. "Estudar, trabalhar, ter casa própria e progredir" — era o que a FNB inculcava em seus associados. "Com este intuito sempre presente, eram feitas as domingueiras, reuniões doutrinárias, tendo por finalidade educar e conscientizar os negros. Nesta ocasião, eram ministradas aulas de higiene e puericultura, aulas de religião e catecismo, conferências sobre filatelia; as poesias de Luiz Gama eram comentadas, bem como as datas nacionais. Também foram feitas campanhas para que os negros depositassem seus salários na Caixa Econômica, a fim de possibilitar a aquisição da casa própria", informa Ferrara. A entidade mantinha barbearia, gabinete dentário, escola primária, consultório médico, cursos de alfabetização, costura, música, teatro. Como na década anterior, a ascensão social é vista como algo que passa pela assimilação dos padrões brancos de classe média. Pelo moralismo pequeno-burguês. Combate-se o alcoolismo, a vagabundagem, a prostituição. A predileção dos "coloreds", como diz *A Voz da Raça*, por esquinas e botequins. Elogia-se a vida doméstica. A disciplina pessoal. As "boas maneiras". Prega-se a elevação moral da negra — a reconstrução social de sua imagem —, a participação política do negro, a solidariedade racial.

Razão tem Bastide quando diz que "os jornais de pretos representam muito mais a opinião da classe média dos negros do que a da massa". O que prevalece é a imitação da pequena-burguesia branca. Basta lembrar que a Frente Negra oferece cursos de catecismo, não de candomblé. A vanguarda preta de São Paulo estava mais próxima do negro puritano classemedianizado dos EUA do que da mulataria dos morros cariocas, ou dos astuciosos macumbeiros baianos. Poderia pensar nas pirâmides do Egito. Na África Negra, jamais. Queria distância daquele mundo selvagem de tambores, feitiçarias, poligamia, gente nua, deuses bárbaros e sacrifícios rituais. Enquanto, naquela época, na Bahia e em Pernambuco, os deuses africanos se projetavam socialmente, o que se via, em São Paulo, era que pretos fugiam do "primitivismo" africano como o diabo da cruz. Bastide faz um comentário sobre a imprensa negra que é extensivo a todas as entidades pretas paulistas: "Dir-se-ia que esses jornalistas têm medo [...] de evocar uma África, bárbara em seus pensamentos [...] E isto a tal ponto que os negros do Brasil se erguem contra as ideias de Garvey [...] querem permanecer brasileiros, e é preciso subentender: membros de uma nação civilizada".

Não somos africanos — somos brasileiros, repetem esses militantes, pretos que pretendem civilizar os demais pretos, sempre com "sentido rigorosamente brasileiro", como também se lê nos estatutos da FNB. Por isso mesmo, entidades e jornais negros vão ser, no Brasil, "o grande instrumento do puritanismo preto", como diz Bastide. "Os sociólogos norte-americanos estudaram muito bem esse puritanismo nos Estados Unidos; viram nele o sinal da ascensão racial, a característica da formação de uma classe média, a linha de separação da plebe de cor, preguiçosa, alcoolizada, supersticiosa, imoral, e da aristocracia da raça, instruída, trabalhadora, vivendo na dignidade e na respeitabilidade. Fenômeno análogo produz-se no Brasil: depois da libertação dos corpos, há ainda uma outra libertação a fazer, a dos espíritos, que é preciso libertar das cadeias da ignorância [...] E chegamos, assim, ao elemento essencial do puritanismo preto, o culto das conveniências [...] Faz-se entre os brancos uma imagem estandardizada do negro, como preguiçoso, ladrão, bêbado e debochado [...] É preciso, pois, destruí-la criando outra imagem, suscitando, por conseguinte, outro tipo de negro, que será valorizado moralmente". Daí a condenação da bebida, das danças eróticas, do ócio, da promiscuidade, da descompostura em lugares públicos. "É imprescindível uma reforma nos costumes, nos gestos", defendia *A Voz da Raça*. Ainda Bastide: "Esse puritanismo chegará até a regulamentar o modo de vestir [...] não se podem admitir as moças de cor com vestidos muito curtos, as pernas sem meias [...] Numa palavra, é preciso criar um meio digno, respeitoso, sério, de trabalho e de honestidade, de boas maneiras e de linguagem decente". Arranja-se uma desculpa até para o carnaval. A festa não é mais espaço de prazer, mas meio de instrução: pode-se aprender história em seus carros alegóricos... Esta é a barra pesada do integracionismo. Para ser aceito, o negro pensa que tem de deixar de ser negro — pois, se continuar negro, o que dirão os brancos? Cabe perguntar se, naquela época e circunstância, as coisas poderiam ter-se passado de outra forma.

Mas o nacionalismo frentenegrino não deve ser visto somente em função de uma rejeição do passado africano. Havia outra carta na mesa: o fascismo. Fascismo que já se deixa ler nos estatutos da Frente. Não nos esqueçamos de que o lema de *A Voz da Raça* era — "Deus, Pátria, Raça e Família". O mesmo *slogan* do movimento integralista, salvo pela inclusão da palavra *raça* (como os integralistas, aliás, os frentenegrinos também chegaram a ter uma milícia, um grupo paramilitar). Em 1933, na primeira página do primeiro número daquele jornal, Veiga Santos, presidente da Frente, não deixava lugar para dúvidas: "Neste gravíssimo momento histórico da nacionalidade brasileira, dois grandes deveres incumbem os negros briosos e esforçados unidos num só bloco na Frente Negra Brasileira: a defesa da gente negra e a defesa da Pátria, porque uma e outra coisa andam juntas, para todos aqueles que não querem trair a Pátria por forma alguma de internacionalismo [...] Não podemos permitir que impunemente uma geração atual, que é um simples momento na vida eterna da Nação, traia a Pátria, quer atirando-se nos erros materialistas do separatismo [...] quer namorando a terra-a-terra socialista na sua mais legítima expressão que desfecha no bolchevismo, pregado pelos traidores nacionais ou estrangeiros, e cuja resposta é e há de ser o aniquilamento violento [...] Os poucos ou muitos bravos que restarem das longas caminhadas de sofrimento e conquista serão suficientes para despedaçar a última trincheira dos inimigos da Pátria e da Raça, que são quase sempre os mesmos". Vejam os termos, equiparando-se: "pátria" e "raça". É preciso dizer mais? A propósito, Florestan cita *Os Movimentos Sociais no Meio Negro*, de Correia Leite e R. J. Moreira, onde a história é narrada. "Ao se fundar a Frente Negra [...] São Paulo via o entusiasmo com que a colônia italiana abraçava as novas ideias políticas surgidas na Itália com o advento do fascismo [...] Os alemães, de seu lado, entusiasmavam-se com a subida de Hitler ao poder. Apareciam, aqui, os primeiros pruridos da Ação Integralista, semelhante em muitos pontos ao movimento patrianovista, dirigido pelo dr. Arlindo Veiga dos Santos [...] Por este motivo, a escolha do dr. Arlindo [...] para a presidência da Frente Negra foi aceita com restrições por vários negros, inclusive pelo grupo que se formara em torno do *Clarim da Alvorada* [que seria empastelado pela milícia frentenegrina] [...] A identificação da orientação da Frente com os ideais direitistas fica evidenciada através do fato [...] de haver dr. Arlindo Veiga dos Santos feito um discurso no qual hipotecava a solidariedade da Frente e seus 200 mil negros".

Daí o comentário de Bastide: "Os pretos [da Frente Negra Brasileira] participam ativamente na formação do Estado Novo. E o que é interessante notar aqui é a maneira 'africana' de justificar a política do governo de então [...] Nem mesmo a apologia da ditadura deixa de tomar um acento afro-brasileiro: 'Nos Palmares, não se discutia o Chefe, o Zambi. Igualmente não devem os frentenegrinos discutir o chefe da Nação'. É assim que a *Voz da Raça* participava de todas as campanhas que agitavam então o país, pronunciava-se contra o separatismo brasileiro e a internacional vermelha [...] esses líderes estão obsedados por imagens fascistas. Criam uma milícia negra, para policiar os *meetings* raciais [e agredir pretos dissidentes] e *A Voz da Raça* escreve: 'Hitler, na Alemanha, anda fazendo uma porção de coisas profundas. Entre elas a defesa da raça alemã'. O Brasil deve seguir o exemplo, mas defender a raça brasileira não é defender a arianização do Brasil; é, ao contrário, defender a raça tal qual ela se formou pela mistura dos três sangues. 'Que nos importa que Hitler não queira, na sua terra, o sangue negro? Isso mostra unicamente que a Alemanha Nova se orgulha da sua raça. Nós também, brasileiros, temos raça. Não queremos saber de arianos. Queremos o brasileiro negro e mestiço que nunca traiu nem trairá a Nação'. Mas esta defesa não pode fazer-se no quadro da democracia liberal, que levanta os indivíduos uns contra os outros, mas, ao contrário, pela submissão de todos a um *Führer*, a um 'super-homem', a um 'Moisés de ébano'". Vemos então a que ponto uma reivindicação de justiça social, a da igualdade de oportunidades para os negromestiços, pode descambar para formulações sem cabimento — coisa que não nos é estranha atualmente. Com o golpe estadonovista, todavia, a ditadura fechou a Frente Negra. Foi o fim — provisório — do fascismo negro.

Recapitulando, o objetivo central da Frente Negra era promover a raça. Mobilizar o negromestiço, como força política autônoma, em função de seus próprios interesses. Da conquista de seu lugar na sociedade brasileira. Da participação na riqueza nacional. Reivindicava-se, portanto, a superação das assimetrias sociorraciais brasileiras, com o fito de remover a defasagem existente entre a nossa realidade jurídica e a nossa realidade social. Buscava-se a integração do negro, a garantia de suas possibilidades de ascensão econômica. Daí que se fale de "integracionismo". Curiosamente, enquanto os pretos só pensavam em se integrar, o Komintern, sob orientação stalinista, considerava que uma revolução comunista, no Brasil, deveria abrir espaço para a constituição de uma República Autônoma dos Negros, crença que chegou à década de 1950, como nos mostrou Peralva, em *O Retrato*. Mas é que tais agrupamentos políticos tinham os seus olhos voltados para lugares diferentes. Assim como a capital da vanguarda estética era Paris, os comunistas recebiam ordens de Moscou e os negromestiços fitavam os EUA. Não tiravam os olhos da elite mulata norte-americana — letrada, bem-vestida, decente, lendo versículos da Bíblia, longe da vida promíscua, alegre e barulhenta dos guetos. E procuravam ter uma conduta social irretocável. Os EUA de Du Bois — não os EUA do Harlem. Nos passos de seus irmãos puritanos do Norte, os frentenegrinos achavam que precisavam de formação escolar e cultural. Que deveriam ser mais brancos do que os brancos. Cumpririam à risca o que julgavam ser o seu papel, exigindo, em contrapartida, a sua efetiva integração em todos os setores da vida brasileira. Integração "política, social, religiosa, econômica, militar, diplomática, etc.", como se lê no "Manifesto à Gente Negra Brasileira", de Veiga Santos.

Podemos dizer, com Florestan, que o que aconteceu, nesse decênio que vai do Centro Cívico Palmares à FNB, do *Clarim d'Alvorada* à *A Voz da Raça*, foi o retorno do negromestiço à cena histórica brasileira. E que este retorno se deu em resposta aos "dois grandes dilemas sociais" do Brasil moderno, que veio se configurando com o fim do sistema escravista. Primeiro, o problema da incorporação da massa negromestiça à ordem social capitalista. Segundo, o problema do racismo. O negro entrou em cena exigindo que aquela ordem se fizesse plena, fazendo jus aos princípios sobre os quais se assentava. Exigindo o reconhecimento de seus direitos e o franqueamento dos caminhos da ascensão social. Mas havia que enfrentar também o segundo problema — "a grande tragédia silenciosa ou aberta que faz da Família Brasileira uma contradição permanente determinada pelo preconceito de cor". O racismo. E aqui o "Manifesto à Gente Negra Brasileira" faz uma sugestão inovadora. A educação não só estava na base do projeto de realização material da gente negromestiça. Seria, também, o caminho para superar a discriminação. Desde que fosse uma *educação nova — brasileira radical*". Uma educação que, sublinhando o papel essencial do negro em nossa história, ensinasse os negromestiços a ter orgulho de si mesmos — e, aos brancos, a respeitá-los. Os negros abordavam assim os dois dilemas que configuravam um atraso fundamental, denunciando o caráter irrealizado da "ordem social competitiva" entre nós. Está certo, portanto, Florestan, quando nos ensina a ver, no integracionismo, uma espécie de vanguarda intransigente do radicalismo liberal. Para que o Brasil se tornasse de fato moderno era preciso encarar a questão negra — e eram movimentos sociais negros que o diziam. Daí, ainda, a afirmação, do mesmo Florestan, de que tais movimentos "constituem uma impressionante façanha histórica, na luta pela modernização da sociedade brasileira no presente". E que tiveram êxito em três pontos: "Suscitaram um novo estado de espírito, que polarizou as aspirações integracionistas e assimilacionistas em direções reivindicativas de teor igualitário. Despertaram o interesse pelo conhecimento objetivo da 'realidade racial brasileira', como condição de esclarecimento da 'população de cor' e de sua atuação consciente na cena histórica. Mobilizaram o 'elemento negro', tentando inseri-lo, diretamente, no debate e na solução dos 'problemas raciais brasileiros', o que representava, em si mesmo, um acontecimento revolucionário. Ouvia-se, por fim, o clamor da 'gente negra', soando, pela primeira vez, o clarim que convocava todos os homens a cumprirem os ideais da fraternidade humana e da democracia racial".

De 1937 a 1945, nada. O país está trancado pelo Estado Novo. Repressão generalizada. Gente experimentando prisão e tortura. Forças políticas obrigadas ao exílio e ao silêncio. Até romances de Jorge Amado foram queimados em praça pública, ao tempo em que *Casa-Grande & Senzala* era retirado de circulação. Mesmo o cinema de Chaplin foi proibido. Em 1945, todavia, a pressão pró-democracia encostou a ditadura na parede. Vargas, em resposta, adotou medidas liberalizantes. Entre elas, o fim da censura aos meios de comunicação, a anistia aos exilados e presos políticos e o retorno à democracia de partidos. Era a chamada "redemocratização". Com ela, negromestiços voltariam ao palco. Mas em outras bases — e com um discurso democrático, de coloração esquerdista. "À apologia da ditadura é a apologia da liberdade que sucede e Palmares, em vez de ser a República autoritária de Zambi, é a República fraternal, cooperativa, liberal. Os pretos tentam sem dúvida realizar sempre o grande sonho, que foi a origem da Frente Negra: agruparem-se todos em uma associação para a conquista de uma situação melhor na sociedade brasileira. Daí os congressos de São Paulo e de Campinas, a formação da Associação dos Negros Brasileiros; mas o ponto de vista dos jovens da esquerda parece agora prevalecer. Contra tudo o que possa parecer um racismo de cor, eles se entendem quanto à distinção entre as reivindicações da classe proletária, na qual brancos e pretos devem trabalhar juntos, e quanto aos obstáculos que mais particularmente se oferecem aos homens de cor, que justificam a criação de grupos especiais", panoramiza Bastide. Volta, em nova roupagem, a reivindicação básica do negromestiço brasileiro. Muda o registro discursivo dominante, mas a reivindicação permanece. Não está enredada numa só teia de signos.

Os negromestiços prosseguem na sua pregação em favor da solidariedade racial. Chamam para o círculo da militância tanto o preto marginalizado quanto a elite mulata, cujos integrantes tendem a se manter afastados de seus irmãos menos favorecidos, à medida que sobem na vida. A luta ainda é pela integração — o negro afirma que construiu o Brasil e ao Brasil pertence, mas que deve ser integrado de modo justo na sociedade brasileira, em pé de igualdade com o branco. O projeto é fazer com que o país tenha uma sociedade de classes com um sistema racial democrático. Mas o negro não deve aguardar o seu advento. É preciso que se organize para promovê-lo. Daí a luta pela criação da Associação dos Negros Brasileiros, coordenada pelo jornal *Alvorada*, e a articulação em torno de publicações como a revista *Senzala* e o jornal *Mundo Novo*. "É evidente que o negro brasileiro não mais pode ficar apático, indiferente, em face das realidades que o cercam. Não mais pode esperar, com aquela santa ingenuidade avoenga, pelo decreto salvador que o integre de fato e de direito na comunhão brasileira. Precisa lutar. Instruir-se. Interessar-se pelos problemas essenciais da humanidade e do país e pelas questões basilares da sua sorte" — lê-se no *Alvorada*. Na base do projeto ascensional integracionista, dois pontos: a necessidade da educação e o combate ao racismo — à "mentira sentimental de que no Brasil não há preconceito", para lembrar Correia Leite.

O novo ideário, substituição do discurso fascista por perspectivas democráticas e mesmo socialistas, não era tão novo assim. A novidade estava no fato de a sua presença se ter feito mais visível. Eram pensamentos que retornavam, depois de suas derrotas na época do monolitismo mental da Frente Negra. Ideias que haviam se movido na sombra, enquanto perdurou a ditadura varguista, agora voltavam à luz do dia. Como as do grupo do *Clarim d'Alvorada*, agredido pela Frente. "A atuação desse grupo foi sempre muito coerente, mantendo a 'bandeira do negro', ou seja, as reivindicações relacionadas com 'o levantamento econômico, social e cultural do negro', com uma mistura equilibrada de idealismo e de realismo, o que imprimiu às suas posições um caráter marcantemente construtivo", na avaliação de Florestan. Estas e outras tendências, prossegue Florestan, "frutificaram ao longo do silêncio e da atividade reduzida, que caracterizam a adaptação dos movimentos reivindicatórios sob a ditadura. Em 1945, elas eclodem, florescentes, com vitalidade que abria maiores esperanças". Nasce aí a aspiração mais ambiciosa da implantação da Associação dos Negros Brasileiros, infelizmente não concretizada, depois de uma batalha de três anos. E o socialismo cintila na cena da "gente negra brasileira". Florestan: "As tentativas de uma abertura mais franca e corajosa diante dos processos histórico-sociais da sociedade brasileira como um todo foram retomadas, com amplitude e profundidade que não tiveram antes, pelo grupo de orientação socialista reunido em torno de *Senzala*". De um modo geral, podemos compor o quadro seguinte. No entender das lideranças negromestiças — e nas palavras de Correia Leite — o Brasil "continua sendo uma vasta senzala, com alguns negros na casa-grande". Está na hora do negro conquistar a sua real autonomia, revelando "todo o poderio de sua força cultural e criadora", como diz Joviniano do Amaral. Na transformação do que é definido nos termos de uma sociedade reacionária e anticristã ou de um "capitalismo escravizador", se construirá a "verdadeira democracia racial em que desejamos viver", segundo a expressão do jornal *Mundo Novo*. Adiantando a bola socialista, em artigo publicado na *Senzala*, Luiz Lobato escreve: "será impossível lutarmos pela nossa elevação social, econômica e política se não tomarmos em consideração a situação geral do povo brasileiro. Logo, ao lado de nossas reivindicações peculiares, temos de empunhar a bandeira de luta pela classe explorada".

Esta nova manifestação negra se estenderia, com desdobramentos e desmembramentos vários, até inícios da década de 1960, quando o golpe militar interrompeu o jogo político brasileiro, instaurando um novo período ditatorial no país. Não gostaria de encerrar esta passagem, no entanto, sem deixar uma breve nota sobre o jornal *Quilombo*, publicado no Rio entre 1948 e 1950, sob a direção de Abdias do Nascimento, que, na década anterior, militara na Frente Negra Brasileira. *Quilombo* era, na verdade, uma publicação do TEN, o Teatro Experimental do Negro. E foi uma publicação *sui generis* no meio negromestiço brasileiro. Por representar uma dupla abertura. Abertura para o exterior: atenção para o que ia acontecendo pelo mundo e vinculação com a *négritude* de língua francesa, tal como exposta e exercida por Senghor e seus companheiros. E abertura interna, com o jornal abrigando intelectuais negros e brancos, de visões distintas entre si, mas unidos numa espécie de coalizão antirracista, que apontaria, em última análise, nas palavras do próprio Abdias, para a construção do caminho "rumo a uma possível futura democracia racial". Foi por esta via democrática, pelo estabelecimento deste arco de alianças, que o jornal contou com um time de colaboradores que incluía os nomes de Gilberto Freyre, Guerreiro Ramos, Nelson Rodrigues, Rachel de Queiroz, Drummond de Andrade, Arthur Ramos, Murilo Mendes, Roger Bastide e Édison Carneiro. E era sem maiores volteios que estes escritores e intelectuais se manifestavam. Como Nelson Rodrigues, naquele estilo tão dele, afirmando que era preciso "uma ingenuidade perfeitamente obtusa ou uma má-fé cínica" para negar a existência de racismo em nosso país. Tratou-se de algo único no cenário brasileiro. E ali tivemos Abdias em seu melhor momento — sabendo caminhar de mãos dadas e conviver com diferenças —, depois que saíra da militância fascista da Frente Negra e antes que fizesse a sua opção pela estreiteza mental, tentando enfiar a complexa realidade racial brasileira na camisa de força da *one drop rule* norte-americana.

1964 representou um corte. Mas não estancou o fluxo das ideias e das ações. O primeiro grupo militar que chegou ao poder, liderado por Castello Branco, não era exatamente troglodita. Pretendia que o país não demorasse a retomar o rumo democrático. As oposições ao regime se articularam, a imprensa foi relativamente livre, editoras publicaram o que quiseram (livros comunistas e duras críticas ao regime, inclusive), artistas criaram sem maiores embaraços, o movimento estudantil ganhou as ruas. Há quem diga, por isso, que o que vigorou ali foi um regime autoritário, mas não exatamente uma ditadura. O caldo só foi engrossar em 1968, quando os militares da "linha dura" venceram a disputa interna e desalojaram os moderados do poder. Emergiu então, de fato, o Brasil da repressão violenta, do AI-5, da censura e da tortura, do assassinato de presos políticos. Foi o tempo da ditadura militar, estirando-se do governo de Costa e Silva ao de Médici. Tempo do terrorismo de Estado e do chamado "milagre econômico brasileiro". Nesse momento, ações foram asperamente bloqueadas, temas se viram interditos e muitas palavras se tornaram impronunciáveis. Entre elas, *racismo*. Não havia espaço para se falar de democracia, reivindicações das classes trabalhadoras, socialismo, reforma agrária, etc. Mesmo assim, deve-se lembrar que a movimentação negra não esteve entre as preocupações principais da repressão militar. Os alvos centrais eram os partidos comunistas e as organizações de jovens brancomestiços de classe média que tinham feito a opção pela luta armada, a exemplo do MR-8 e da VAR-Palmares. Basta lembrar que Abdias do Nascimento não foi expulso do país. Exilou-se. E os demais líderes negros não foram presos, nem torturados. Friso este aspecto porque, posteriormente, em suas tentativas de superdimensionar o racismo brasileiro, Abdias passou a falar como se, naquela época, o movimento negro tivesse se convertido em grande problema de segurança nacional. Não é verdade. Depois do fechamento de 1968, as coisas só começaram a mudar em 1974, com o retorno do grupo castelista ao poder, agora encarnado na figura de Geisel, trazendo a tiracolo o estrategista político da turma, Golbery do Couto e Silva, autor de *Geopolítica do Brasil*. Geisel pôs em prática o seu programa de "distensão", rebatizado, em seguida, de "abertura" — abertura "lenta, gradual e segura", que tinha, como principal adversário, a linha-dura das forças armadas. Tratava-se de liberalizar o regime. Uma caminhada difícil, fustigada à esquerda e sabotada à direita. Mas o ambiente foi ficando mais vivo, a opinião pública recuperou o seu grau de informação sobre a vida nacional e a discussão sobre a natureza do regime e dos programas governamentais ganhou maior amplitude e agudeza. Iniciou-se assim o que então se chamou "despertar da sociedade civil". E, ao lado do novo sindicalismo do ABC paulista e das panelas vazias empunhadas por donas de casa do Movimento do Custo de Vida, re-emergiram com força crescente, em nosso horizonte, as questões feminina, ecológica, negra e indígena. O que, durante anos, fora assunto limitado a pequeno grêmio de cientistas e intelectuais, ou ocupação de visionários tão obsessivos quanto desgarrados, adquiria agora relevância pública inédita e mesmo estatuto de movimento social, alastrando-se pelas cidades e obrigando os partidos políticos a rever, em graus variáveis de sinceridade e cinismo, os seus programas monotonamente semelhantes. O ambientalismo contracultural converteu-se em movimento ecológico. A onda feminista transpôs as discussões do *women's lib* da década de 1960 para bater na mesa do debate nacional. A luta indígena — impulsionada por sua própria dinâmica interna, mas também pela Igreja Católica e por coisas como a rebelião oglala-sioux de Wounded Knee (EUA, 1973) — afirmou-se com desenvoltura. E esta foi também a época das novas pregações de Abdias do Nascimento e do surgimento do Movimento Negro Unificado Contra o Racismo e a Discriminação Racial (MNU, 1978), esforçando-se para aplicar, em nosso meio, a *hypo-descent rule* estadunidense. Em meios jovens, o mito de Zumbi e Palmares ganharia então nova leitura. Zumbi despontaria como líder armado de uma república socialista, na qual teria vigorado a *verdadeira democracia racial*.

Tivemos dois momentos fundamentais, na história das relações raciais brasileiras, ao longo do século passado. O primeiro, entre as décadas de 1920 e 1930 — nos dez anos que medeiam entre a abertura do *Clarim d'Alvorada* e do Centro Cívico Palmares e o fechamento da Frente Negra Brasileira, na ofensiva repressiva do Estado Novo. O segundo ocorreu entre as décadas de 1970 e 1980, culminando na mobilização política e cultural em torno da comemoração do centenário da Abolição. Este segundo momento significou bem mais do que uma simples amplificação do primeiro. O processo ganhou em extensão e radicalidade, sob o signo das novas realidades políticas africanas, da luta pelos direitos civis nos EUA, do desenvolvimento de uma consciência ou de uma sensibilidade antropológica no Brasil, da vulgarização de discursos em defesa da "diferença", das "minorias", da "sociedade pluralista" e da "cidadania", entendida esta como um conjunto de direitos socialmente compartilhados, que conduziram a uma reconfiguração da agenda política brasileira. Se, no primeiro momento, o que predominou foi uma espécie de visão "evolucionista", de absolutismo cultural mitigado, com negromestiços afivelando máscaras brancas, a fim de serem aceitos e se integrar na sociedade inclusiva, o que prevaleceu no segundo momento foi um tipo de "relativismo" ou diferencialismo ao mesmo tempo prático e ideológico, com negromestiços enfatizando a sua "negritude" e aparecendo, na cena pública, como cartas colorida e ostensivamente marcadas. Nunca antes, em toda a história brasileira, tanta gente, das mais diversas classes e cores, tinha se mostrado disposta a encarar, de forma tão genuína e séria, a nossa questão sociorracial. Como no verso de Cazuza, as pessoas pareciam dizer: "Brasil, mostra a sua cara". Nessa conjuntura, os movimentos negros que surgiam eram olhados com simpatia e generosidade por todos aqueles que, vivendo a transição do regime ditatorial para o sistema democrático, apostavam em dias mais saudáveis para o povo e o país. É bem verdade que o racismo fez cara feia. Mas a movimentação negromestiça atraiu aliados como jamais acontecera em sua trajetória. O movimento negro não estava isolado. Ou só.

Pode-se dizer que o MNU foi uma criação de jovens lideranças negromestiças de formação universitária, sob o influxo e com a participação de Abdias do Nascimento, então vivendo nos EUA. Quando a entidade se articulou — com ato público nas escadarias do Teatro Municipal de São Paulo e assembleias nacionais no Rio e na Bahia —, havia importantes novidades, nesta seara, entre nós, além do impacto do *black power*, com brasileiros atentos para palavras e atos de personalidades como Luther King e Eldridge Cleaver. Uma delas estava na guinada na política externa brasileira, com relação à África. Aquele foi um momento de projeção de novos países africanos no sistema internacional. A hora e a vez de Angola, Guiné-Bissau, Moçambique. Da África de língua portuguesa. E o governo brasileiro, desde Geisel, foi favorável a estas novas nações, reconhecendo de imediato as suas declarações de independência. Mais que isso, a política externa brasileira passou a condenar o *apartheid* da África do Sul e qualquer interferência de potências imperialistas em assuntos internos dos novos países socialistas africanos, chegando a considerar perfeitamente "normal" a presença de soldados cubanos em Angola. Esta posição do governo brasileiro — governo de uma ex-colônia lusitana, não nos esqueçamos —, ainda na vigência do regime ditatorial, contribuiu para que fosse ampla e intensa, entre nós, a repercussão das revoluções vitoriosas contra a dominação portuguesa. Para dar um só exemplo, observe-se o que aconteceu no carnaval da Bahia. Tradicionalmente, associações carnavalescas de pretos e mulatos baianos se dividiam em duas vertentes distintas. As que se voltavam em direção aos "povos cultos" da África, entre egípcios e abissínios, e as que encenavam coisas e costumes da África Negra. Com a definição de novos países africanos, na década de 1970, houve um *boom* de entidades orientadas para a celebração da África Negra, ao passo que murcharam as organizações que teatralizavam os "povos cultos" do continente. Em outros casos, a repercussão das novas realidades africanas foi explicitada por escrito, como na apresentação de *Cadernos Negros*, em novembro de 1978: "Estamos no limiar de um novo tempo. Tempo de África vida nova, mais justa e mais livre e, inspirados por ela, renascemos arrancando as máscaras brancas, pondo fim à imitação. Descobrimos a lavagem cerebral que nos poluía e estamos assumindo nossa negrura bela e forte".

Uma outra novidade se achava nas novas manifestações da juventude negromestiça, girando do *black soul* ao *bloco afro*. Na zona norte do Rio, os bailes de fim de semana, animados à base de *soul music*, reuniam de 5 a 10 mil jovens negros. Jovens que se tratavam como *blacks* e celebravam a beleza e a grandeza da "raça negra". Era o chamado Black-Rio. Mas o vistoso fenômeno não se restringia à capital carioca. Havia também o Black-São Paulo. E o Black-Bahia. No caso baiano, aliás, podemos falar de algo surpreendente. O dançarino Jorge Watusi relata: "As casas que foram construídas nessa época, no Curuzu [segmento do bairro da Liberdade, onde se localiza a sede do Ilê Aiyê, em Salvador], têm uma coisa muito curiosa: os quartos, a cozinha, enfim, todos os cômodos da casa eram pequenos. Mas as salas eram enormes, por causa dos bailes. O pessoal fazia a sala imensa para poder fazer reuniões e bailes". Foi a influência de James Brown na engenharia popular de Salvador. De uma Salvador que assistiu, por essa época, a um criativo processo de reafricanização carnavalesca, com o renascimento dos afoxés e o surgimento de um novo elemento estético-cultural na folia, o chamado "bloco afro", de que são exemplos o Ilê Aiyê e o Olodum. Ocorre, ainda, que esta reafricanização terminou por ultrapassar os limites do carnaval. Moças e rapazes começaram a andar normalmente, pelas ruas de Salvador, com suas batas, abadás, búzios, panos da costa, palhas e tranças. O que antes era visto apenas no carnaval passou a ser uma presença diária, colorindo o cotidiano da cidade. Nova identidade, nova indumentária. A roupa é um meio de definição do ser social. Toda veste tem o seu significado. E era o que se via então na Cidade da Bahia: uma juventude negromestiça levando búzios e conchas do mar nos cabelos em tranças, celebrando sua beleza e seus orixás, sem preocupação em copiar padrões de conduta da pequena-burguesia brancomestiça, como acontecera em movimentos negros centro-sulistas, de princípios a meados do século XX.

De início, os jovens das entidades estético-recreativo-culturais do carnaval e os jovens do Movimento Negro se estranharam. Era esperável. Os primeiros criticavam o intelectualismo e o burocratismo dos segundos, que apareciam em cena como sabichões, querendo orientá-los. O problema era que o jovem do MNU se fizera militante, regra geral, no campo sectário do esquerdismo universitário da época, onde um lunático PC do B (Partido Comunista do Brasil) ainda fazia o elogio de Stálin. E a psicologia do militante é simples. Ele se imagina portador da verdade, encarregado de revelá-la aos demais. Em princípio, é um emissor — e não um receptor — de mensagens. Um remetente, nunca um destinatário. Sua disposição é para o monólogo. Seu projeto é controlar e orientar. Este é um aspecto interessante. Na linha de frente do Movimento Negro Unificado, o que encontramos é a figura do jovem universitário de esquerda. Joel Rufino insiste nessa tecla: os movimentos negros do final da década de 1970 seriam "filhos do *boom* educacional", universitário, ocorrido ao longo do período da ditadura militar, com a primeira proliferação de faculdades particulares. Filhos do "milagre brasileiro" e da escolarização. Aliás, ao chamar atenção para a importância, na formação do Movimento Negro, das Semanas Afro-Brasileiras realizadas no Rio de Janeiro, em 1974, pelo Centro de Estudos Afro-Asiáticos, a Sociedade de Estudos da Cultura Negra no Brasil e o Museu de Arte Moderna, Lélia González anotou: "o MN do Rio teve duas fontes de origem: de um lado, a comunidade negra, 'dando ciência' de como recebeu os efeitos do movimento norte-americano; do outro, uma iniciativa oficial, acadêmica". Mais: "Ainda em 1975, a questão negra passava a ser formalmente discutida na universidade: o Grupo de Trabalho André Rebouças realizava sua primeira Semana de Estudos sobre o Negro na Formação Social Brasileira, na Universidade Federal Fluminense, reunindo professores e pesquisadores nas mais diferentes áreas, especialistas na questão negra". Cursos de cultura negra passaram a ser oferecidos, também, no Parque Lage, por iniciativa da própria Lélia. No texto "Reflexões Sobre o Movimento Negro no Brasil, 1938--1997" (em *Tirando a Máscara: Ensaios Sobre o Racismo no Brasil*, volume organizado por Antonio Sérgio Guimarães e Lynn Huntley), Abdias e

Elisa Larkin escrevem: "A fundação do MNU deu expressão a toda uma nova militância negra, que vinha se firmando através da década de 1970 [...] Em geral, essa fase da luta afro-brasileira se caracterizava por certo atrelamento a expectativas da esquerda [...] Naquela circunstância, tutelado pelas esquerdas, o movimento negro se reorganizava como uma subutopia, já que a vitória da revolução mais ampla automaticamente resolveria os problemas da exclusão racial".

Academia e esquerda, portanto. Mas há um aspecto a ser sublinhado, para melhor compreensão da paisagem. Diversamente do que se costuma pensar, não se tratou, nem se trata, da formação de uma "intelectualidade negra" no país. O fenômeno é circunscrito e, como tal, relevante para a reflexão no terreno da sociologia da cultura. O que aconteceu foi a formação de um agrupamento ou pelotão *acadêmico*, que, com o tempo, veio acumulando títulos, cátedras e departamentos em faculdades e produzindo teses, geralmente em conexão burocrática e ideológica com instituições norte-americanas. A distinção não pode ser esquecida. A vida intelectual é ampla, difusa e não se desenvolve ou se expressa, necessariamente, através de instrumentos e mecanismos institucionais do saber. A academia — vinculada ao "aparelho ideológico" de Estado e ainda hoje, em boa parte, financiada com dinheiro público — é certamente uma outra coisa. É um subconjunto técnico do conjunto intelectual mais amplo, envolvente, com uma linguagem ou jargão particular, com rituais e expedientes próprios, políticas internas, corpo de funcionários de apoio, prédios distintos no espaço urbano, "planos de carreira" profissional, bolsas para temporadas no exterior, editoras oficiais, estratégias específicas de troca, prestígio e consagração. Academia e esquerda, portanto. Quilombismo de cátedra.

Por outro lado, Abdias foi, nessa época, não um simples militante, mas um guru do movimento. *O Genocídio do Negro Brasileiro* foi livro de cabeceira de toda uma juventude militante e simpatizante da "causa racial". E aqui o tripé se completa. "Com o endurecimento do regime militar e a repressão intensa instituída pelo AI-5, fui obrigado a deixar o país ["vi-me obrigado", seria a formulação correta, já que se tratou de autoexílio]. A questão racial virou assunto de segurança nacional e sua discussão era proibida [como quase tudo na época, aliás — de peças de teatro que falavam de homossexualismo a matérias do jornal *Estado de S. Paulo*; artistas foram expulsos do país e a imprensa não podia publicar sequer fotos do bispo Hélder Câmara]. Fui incluído em diversos IPMs [Inquéritos Policiais Militares], sob a estranha alegação de que seria eu encarregado de fazer a ligação entre o movimento negro e a esquerda comunista. Logo eu, que era execrado pe-

Movimentos negros hoje

los comunistas como fascista e racista ao contrário! Ironia suprema... Embarquei para os Estados Unidos, onde ficaria durante treze anos." Abdias chegou aos EUA em 1968. E lá permaneceu até 1981, com rápidas passagens pelo Brasil, como aquela de 1978, quando participou da fundação do MNU. Pois bem. Em 1968, os EUA viviam um clima de alta tensão racial. Clímax do *black power*, panteras negras em ação. Momento de acirramento de ódios raciais, em que mulatos, se não dessem provas ostensivas de lealdade negra, eram classificados como traidores e inimigos da raça. Naquela conjuntura extrema, Abdias constatou que a dicotomia racial era manejada para produzir a solidariedade racial negra na luta contra o preconceito. Comparando este quadro com a situação brasileira, concluiu que o caminho para mobilizar o negro brasileiro estava na cópia do modelo norte-americano. Era preciso pensar o Brasil em termos dicotômicos. Aplicar a *one drop rule* em nossos trópicos. Enfiar o corpo brasileiro no figurino norte-americano.

Muito sintomaticamente — e sem ser perguntado —, Abdias, ao escrever sobre a sua longa temporada nos EUA, logo se apressa, tomando a dianteira para fazer uma negação. "É importante assinalar que o período vivido nos Estados Unidos em nada afetou minha posição sobre o racismo e a luta negra no Brasil", escreve. Mais enfático, ainda: "Não aprendi nada de novo com os negros nos Estados Unidos". Quem quiser que conte outra... Qualquer estudante de psicologia sorri, ao ouvir uma declaração dessas. Estamos, aqui, diante da clássica *Verneinung* freudiana — mecanismo de defesa pelo qual uma determinada experiência é negada. Porque é claro que a experiência norte-americana modificou Abdias. Ele tomou para si as categorias norte-americanas de leitura da questão racial e passou a encarar o Brasil por este prisma. E aqui se completou o tripé. Porque foi desse *ménage à trois* — academia + esquerdismo + *one drop rule* — que se articulou o discurso dos movimentos negros no Brasil, da década de 1970 para cá. Mesmo depois que o Movimento Negro livrou-se da "tutela das esquerdas", não deixou de parte o discurso que o sustentava, fundado na transposição do padrão racial norte-americano para o ambiente brasileiro. É por isso que podemos dizer que nossos movimentos negromestiços passaram do racialismo de esquerda para o racialismo de resultados. A não ser na prática. Porque, quando confrontado com a prática, o discurso racialista revela a sua inadequação às realidades que vivemos. No plano teórico ou ideológico, posso decretar que o mestiço não passa de miragem. Que é negro todo aquele que tem um antepassado negro. Com tal expediente, inflaciono ao extremo o contingente "negro" da população brasileira. Mostro a dimensão insuspeitada do problema. E me fortaleço politicamente por falar em nome de tão vasta comunidade, exigindo reparações. Quando chega a hora da aplicação prática, porém, não tenho como sustentar o princípio que defendo de que uma gota de sangue negro faz do indivíduo um negro. Porque, se este for o critério, não fará sentido algum a reivindicação de "cotas" no sistema universitário: a universidade brasileira estará abarrotada de pretos. E tenho então de abrir mão do esquema bipolar ianque e retornar ao policromatismo brasileiro. Porque o padrão dicotômico não é uma construção conceitual. Não pertence a um plano categorial-sistemático. Pelo contrário: o linguajar racial norte-americano é feito de categorias nativas. Categorias forjadas como respostas práticas, para falar de um mundo peculiar. E que não podem ser transplantadas pelo razoável motivo de que vivências históricas não são transferíveis. Pelo fato de que somos brasileiros e não norte-americanos. Assim, a suposta tradutibilidade da experiência norte-americana e de suas categorias nativas é uma falácia. O que temos é um quadro de dominação. De um lado, norte-americanos — pretos, principalmente — procurando universalizar categorias nativas agora legitimadas academicamente. Confeccionar cartilhas "terceiro-mundistas" e "exportar revolução", diria Gruzinski. De outro, acadêmicos brasileiros — mulatos, principalmente — rendidos a estas categorias, por um misto de submissão mental e busca de vinculação a instituições ianques, o que significa acesso a redes de prestígio, ascensão profissional e, logo, dinheiro. A militante negra Beatriz Nascimento diz muito bem: "Devemos fazer a nossa história buscando a nós mesmos, jogando nosso inconsciente, nossas frustrações, nossos complexos, estudando-os, negando-os. Só assim poderemos nos fazer entender, fazer-nos aceitar como somos — antes de mais nada, pretos, brasileiros, sem sermos confundidos com norte-americanos ou africanos, pois nossa história é outra, como é outra a nossa problemática".

No texto "O Negro e a Identidade Racial Brasileira", enfeixado na coletânea *Racismo no Brasil*, Borges Pereira nos dá a seguinte sinopse: "Certamente, a sua [do MNU] marca registrada nessa investida política é a de procurar unir, moral e politicamente, a população até então chamada 'de cor' sob a classificação de 'negra'. Ao insistir na difusão dessa classificação racial, o MNU procura englobar o preto e seus descendentes mestiços, correspondentes a 48% da população brasileira, sob o mesmo conceito que, no fundo, parte do biológico para o político". Borges Pereira comete alguns deslizes. A substituição do "de cor" por "negro" é coisa que, nos movimentos pretomestiços do Brasil, data da década de 1930. Sabemos até o nome de quem propôs a troca: Vicente Ferreira. E a dicotomização racial não parte do biológico para o político. É o contrário. Trata-se de um artifício ideológico para neutralizar ou encobrir o fato genético, a mistura de genes. Mas

Pereira está certo numa coisa. A *trademark* do MNU está realmente numa novidade discursiva. E o que é novo, em seu discurso, é a transplantação acrítica da *one drop rule* para nossas latitudes tropicais. A substituição do mosaico de rótulos rácicos pelo padrão preto/branco. Em suma: a novidade é a cópia. Mudou o discurso — discursos mudam. Mas a reivindicação fundamental do negromestiço brasileiro permanece. É, ainda, a integração na ordem capitalista liberal. A mobilidade social. Assim como o mecanismo básico do projeto ascensional também permanece. É a educação.

Esta reivindicação central negromestiça, que vem atravessando a história brasileira pós-Abolição, já teve, como suporte, discursos diversos e mesmo excludentes. Argumentou-se em nome de uma sociedade cristã, que deveria abrigar a todos em comunhão fraterna; apontou-se para a necessidade de uma intervenção ditatorial imaginada em figurino fascista; apostou-se na democracia e na disseminação do ideal socialista entre os pretos; etc. Se os discursos flutuam, colam-se e se descolam do objeto, é porque, obviamente, não são essenciais ou indispensáveis. É porque a questão sociorracial brasileira não é impensável fora deste ou daquele balizamento ideológico. Como não precisávamos de um *Führer* de ébano na década de 1930, também não precisamos, hoje, do norteamento racialista da *one drop rule*. De reivindicações manifestando-se em discursos estapafúrdios e ações desfocadas. A própria variabilidade de registros discursivos, em torno de um mesmo problema, deveria já nos prevenir criticamente com relação à ideia de que só existe uma fala verdadeiramente capaz não só de expressar a situação do negromestiço brasileiro hoje, como de apontar pistas para o futuro. E que esta fala seria o discurso racialista da *one drop rule*. Inexiste aqui — em política, de um modo geral — o *one best way*. Quem afirma o contrário, está enredado numa trapaça ideológica: como trapaceiro — ou trapaceado. A transformação da realidade sociorracial brasileira não está condicionada à adoção de um ponto de vista norte-americano simplificador. Não tem de acontecer pela fraude ideológica do esquema bipolar, por imposições aprioristicas alheias à nossa experiência, por linhas étnicas rígidas, por um estranho integracionismo em versão *civil rights*. Afinal, nenhum decreto divino nos condenou à falta de imaginação. Melhor que adotar uma cartilha pronta, mas falsificadora, é se lançar à aventura do pensamento *in fieri*. Porque não se trata de aguardar algum guru. De rezar pelo advento de um mestre que nos forneça alimento para o pensar, nos indique o rumo certo diante da encruzilhada, nos entregue a chave de nossos dilemas, nos dê, enfim, lições de porte e postura. O que devemos é favorecer, como diz o Bourdieu de *La Misère du Monde*, a entrada em cena do "intelectual coletivo", atuando ao ar livre, na formulação de problemas e alternativas — e na criação de "condições sociais objetivas para a produção de utopias realistas".

Mas vamos descer desse plano e prosseguir nosso percurso pedestre. No Brasil, para voltar aos termos de Florestan, a integração do negro, na sociedade de classes, não se completou. Daí o *neointegracionismo* atual, com a sua luta por educação, melhores empregos, salários maiores. Já na *Carta de Princípios* do MNU, datada de novembro de 1978, lemos que a luta é por "maiores oportunidades de emprego", "melhor assistência à saúde, à educação e à habitação" e pela "reavaliação do papel do negro na História do Brasil" — reivindicações que faziam parte da movimentação da década de 1930. Emprego a partícula "neo" porque são outras as condições sociais, políticas e culturais em que nos movemos. Apontei já para uma diferença, a propósito da visualidade da juventude negromestiça na década de 1970. Ao contrário do que ocorria na primeira metade do século passado, em São Paulo, com a imprensa negra tentando convencer os pretos a serem discretos e distintos, cultivando maneiras e maneirismos da classe média branca, de modo a subirem na vida, a juventude da década de 1970 partiu para a explosão colorida. Não se negaria como negra, com vistas à ascensão social. Em vez de terno ou *tailleur*, túnicas multicoloridas; em vez de cabelo espichado, a retomada da arte corporal africana em penteados caprichosos. Tal virada se impôs a tal ponto, em certos meios, que fez com que negromestiças, sentindo-se pressionadas por não aderir ao novo estilo vestual, reagissem. "Gosto, sim, de alisar os cabelos. Que diferença faz? Por que um negro não pode gostar de usar roupa preta ou marrom? Só tem direito a roupas coloridas? Negro ou branco, cada um tem seu gosto próprio e o direito à escolha", protestava a jovem mulata carioca Andréa Rebasa, na revista *Marie Claire*. E era curioso ver como, nesse ambiente, apenas militantes permaneciam presos a clichês. Enquanto deitavam falação mostrando o quanto mulheres negras sofriam com a imposição social de um padrão branco de beleza, a moça preta do Curuzu simplesmente se cobria com uma canga vistosa e armava o cabelo em tranças coloridas. As coisas mudavam, estavam mudando e mudariam ainda mais. Mestiços mais claros, claro-escuros e escuros, pretos mesmo, ocupariam espaço sempre maior na programação televisual. Em campanhas publicitárias. Nas páginas de jornais e revistas. Em palcos, filmes e telenovelas. Houve, ainda, uma ampliação inédita da classe média negromestiça no Brasil e de sua participação no mercado consumidor. A Associação Nacional de Empresários Afro-Brasileiros estima que 10 milhões de negromestiços, de mulatos mais escuros, encontram-se hoje neste segmento social. A eles são endereçadas coisas como a revista *Raça*, a linha de roupas Didara e toda uma série de produtos cosméticos e vestuais. A "afrodescendência" se converteu em nicho de mercado, atraindo investimentos de empresas como a Unilever e a Johnson & Johnson. E ninguém vai querer dizer que esses 10 milhões de pretos subiram na vida porque eram cantores de rádio ou jogadores de futebol. Alargaram-se os caminhos da ascensão social.

O racismo nunca foi tão condenado, no Brasil, como hoje. Nem as culturas negras tão valorizadas. Terreiros de candomblé são tombados pelo Instituto do Patrimônio Histórico e Artístico Nacional. Encontros, seminários e congressos sobre problemas raciais recebem aval e/ou patrocínio de instituições acadêmicas como a precolenda USP, de empresas estatais e privadas, de órgãos governamentais. A Lei Caó, em 1989, definiu o racismo como crime inafiançável. Mesmo iniciativas de cunho contestador e intenção subversiva receberam a aprovação do poder público. Veja-se o caso do Memorial Zumbi, na Serra da Barriga. Do mesmo modo, a instituição do 20 de Novembro, como Dia Nacional da Consciência Negra, começou como uma proposta de militantes negromestiços do Rio Grande do Sul. Com o tempo, a data passou a ser reconhecida por todos. É comemorada hoje nas principais cidades do país, com cobertura da mídia. Em alguns lugares, a celebração é bancada pelo poder público, independentemente da definição política de quem esteja em seu comando. Em Salvador, até 2004, a festa foi patrocinada pela prefeitura do PFL de Antonio Carlos Magalhães — e agora o será por um prefeito do PDT. Esses políticos profissionais, de resto, adotam, em suas falas, as gírias que vão surgindo no linguajar da militância negromestiça. Para boa parte deles, hoje, já não há mulatos no Brasil. Não há sequer negros. Só "afrodescendentes". A linguagem do MNU, como notou Jacques d'Adesky, foi-se gravar no texto do projeto de lei que criou a Fundação Cultural Palmares, em 1988, na gestão do presidente Sarney — ali onde se lê, por exemplo, que a Fundação deverá "apoiar iniciativas que tenham por objetivo a ascensão cultural, social, econômica e política do negro no contexto social do país e estimular atividades destinadas a desmitificar [sic] o preconceito racial". Mas os negromestiços não ocuparam espaços apenas discursivamente. De 1980 para cá, cresceu o número dos que se sentaram nas poltronas do poder. São Paulo elegeu um negro para prefeito — Celso Pitta. Durante o governo de Brizola, no Rio, Abdias assumiu a Secretaria Extraordinária de Defesa e Promoção das Populações Afro-Brasileiras. Pelé foi ministro dos Esportes de Fernando Henrique. Mulatos comandaram os governos do Rio Grande do Sul e do Espírito Santo. Benedita da Silva foi vice-governadora e governadora do Rio. Aumentou o número de pretos no Congresso Nacional, nas assembleias estaduais, nas prefeituras, nas câmaras municipais. Lula nomeou quatro negromestiços para a sua equipe ministerial. Barbosa Gomes se tornou o primeiro juiz preto do Supremo. Se um antigo militante como Correia Leite ressuscitasse em nossos dias não acreditaria no que seus olhos veriam. A movimentação iniciada com o *Clarim d'Alvorada* e o Centro Cívico Palmares vem acumulando, nas últimas três décadas, vitória após vitória. Até chegar a um triunfo total: o discurso racialista político-acadêmico é, hoje, o discurso do poder.

O racialismo neonegro, que vinha há tempos conquistando algum espaço no governo federal, deixou o entrincheiramento burocrático e se instalou abertamente na Esplanada dos Ministérios, em Brasília, desde a posse de Lula. O PT assimilara há anos, na íntegra, os discursos das chamadas "minorias". Não houve maior discussão nesse campo. Porque as principais lideranças do partido estavam preocupadas com outras coisas. Com a própria estruturação partidária, com disputas internas, com o jogo político nacional, com estratégias eleitorais, índices e perspectivas econômicas. Com isso, os discursos das "minorias" foram incorporados literalmente. E assim permaneceram: indiscutidos e intocáveis. Firmou-se uma atitude "religiosa" no tocante à matéria. Mulheres, veados, índios, pretos, lésbicas, etc., estavam com a razão. Eram os humilhados e ofendidos, vítimas da opressão e do preconceito, que falavam de suas dores e ressentimentos, de seus anseios, projetos e reivindicações. Caberia aos demais, à "maioria", ouvir as suas palavras e apoiar suas lutas. Como se fossem culpados e estivessem ali para se redimir de um passado machista e racista. Para pagar pela omissão transata. E o fato é que tais discursos foram sacralizados. Estabeleceu-se, além disso, o seu monopólio. Como só uma mulher sabe realmente o que é ser mulher num mundo machista, como só um negro sabe o que é ser negro numa sociedade racista, *and so on*, ai de quem tentasse "sequestrar" os seus discursos. Só "minoritários" podiam falar por "minorias". Restava, aos restantes, hipotecar solidariedade. Com essa postura reverencial cristã, esquivando-se a qualquer pecha de machismo ou racismo, deixava-se de fazer uma distinção elementar. O discurso de uma minoria como a dos deficientes físicos é, principalmente, técnico. Diz respeito a problemas de facilitação de movimentos, acesso a determinadas práticas sociais. Aqui, discutem-se soluções práticas e não princípios, premissas ou processos. A dimensão é sintática, no sentido do ordenamento das coisas. Já o discurso de pretos ou mulheres, não. É — sobretudo — político. Ideológico. Como tais discursos tinham sido meramente aceitos, jamais discutidos, o governo petista foi simplesmente tocando o barco. Não constituiu um núcleo de pensamento sobre o assunto. O Ministério da Cultura deveria ter assumido este caráter de centro de reflexão e plataforma de lançamento de ideias. Mas a verdade é que o MinC se revelou um exemplo de indigência da inteligência, caracterizado por uma espécie de apatia neuronal. E assim o governo mete os pés pelas mãos em matéria de políticas sociorraciais. É exposto ao ridículo com a publicação de uma cartilha do "politicamente correto". E deixa o presidente entregue a si mesmo, como no discurso do "perdão" senegalês, sob o signo da pieguice e da ignorância histórica.

Apesar de todas as mudanças assinaladas, porém, a massa negromestiça está muito longe de viver bem, hoje, no Brasil. A desigualdade sociorracial é um fato. Mas a conversa sobre "reparações" me parece confusa, historicamente complicada. Milhões de africanos foram arrancados de sua terra natal, trazidos para o Brasil como escravos, sofreram um tremendo prejuízo com isso e, agora, exigem uma "reparação" — argumenta-se. Tudo bem, mas quem vai pagar a conta? Porque há vários problemas aí. Os nagôs, por exemplo, foram vendidos à Bahia pelos reis do Daomé. Ninguém cruzou o mar oceano para arrancá-los de sua terra natal. Outros africanos fizeram isso. E o Daomé, na verdade, manobrou como pôde para tentar monopolizar a exportação de negros para o Brasil. Todo historiador sabe disso: o tráfico de escravos foi, também, um negócio de empresários africanos. Isto significa que a "reparação" teria de envolver reinos e estados da África. Ou os seus atuais herdeiros, a burguesia negra africana. Uma burguesia nativa que, ainda hoje, lança mão do expediente ideológico da "exploração branca" para encobrir a sua própria exploração das massas negras daquele continente. Mas como envolver as classes dominantes africanas em um processo de "reparação"? Um outro dado nada romântico é que muitos escravos, ao conseguir a sua liberdade pessoal nas Américas, compraram negros e os mantiveram no cativeiro. Isto aconteceu no Brasil, nos EUA, em Cuba. Nos EUA, ficou conhecido o caso da família Metoyer, de negros forros da Luisiana — família rica, letrada, fina, proprietária de escravos. Como se não bastasse, rebeliões de escravos trouxeram, entre seus projetos, o plano de escravizar mulatos. Escravos que não hesitariam em escravizar seus semelhantes, portanto. O que nos faz pensar que os seus descendentes não se encontram em condições — históricas ou morais — de reivindicar qualquer espécie de "reparação". Afora isso, há o problema de sempre. A mestiçagem. Um vastíssimo contingente de brasileiros descende, ao mesmo tempo, de senhores e escravos. Nesse caso, quem vai "reparar" quem? A *reparação* tem de ser pensada em outro plano. Na esfera de políticas públicas de combate à pobreza. Em obras de saneamento básico, da qualificação da oferta de serviços comunitários, em programas educacionais, etc. E, aqui, a linha racial se dilui. É isto o que não interessa?

De outra parte, não devemos ficar brandindo números de qualquer jeito, como anda fazendo a mídia brasileira. A estatística tem de ser examinada com maior atenção. O jornalista Ali Kamel, em artigo publicado em *O Globo* ("O Racismo e os Números"), fez observações interessantes a este respeito, inconformado justamente com a leitura ideológica que se vem fazendo de números e tabelas do IBGE. Kamel: "No Brasil, os amarelos ganham o dobro do que ganham os também autodenominados brancos: 9,2 salários mínimos contra 4,5 dos brancos (os autodenominados negros e pardos ganham 2,5). Ora, se é verdadeira a tese de que é por racismo que os negros ganham menos, haverá de ser, em igual medida, também por racismo que os amarelos ganham o dobro dos brancos. Se o racismo explica uma coisa, terá de explicar a outra, elementar princípio de lógica. E, então, chegaríamos à ridícula conclusão de que, no Brasil, os amarelos oprimem os brancos". Ainda Kamel: "A diferença salarial decorre disto [da condição educacional] e não do racismo: 'Você é negro, pago um salário menor'. Infelizmente, não há estatística que meça quanto ganham cidadãos de cores diferentes com igual qualificação educacional. Da mesma forma, não é correta a afirmação de que brancos e negros, em funções iguais, ganhem salários desiguais. O IBGE não mede isso". E mais: "é a qualificação educacional que conta para a diferença [salarial], não a cor. Ou alguém imagina que no século XXI, num país republicano como o Brasil, que se orgulha da sua Constituição Cidadã, um servidor público, civil ou militar, possa ganhar mais por causa da cor? Impossível, as carreiras são tabeladas". É certo, repito, que existe racismo no Brasil. Mas é certo, também, que ninguém ganha mais ou menos, aqui, por ser branco, moreno, jambo, preto, pardo ou sarará. A questão é — sim — educacional.

Os movimentos negros estão corretíssimos em sua ênfase na educação. Em "A Reforma do Ensino Primário", o abolicionista e democrata Ruy Barbosa já escrevia: "Todas as leis protetoras são ineficazes para gerar a grandeza econômica do país; todos os melhoramentos materiais são incapazes de determinar a riqueza, se não partirem da educação popular, a mais criadora de todas as forças econômicas, a mais fecunda de todas as medidas financeiras". E Anísio Teixeira, considerado o maior pensador educacional brasileiro, dizia que a justiça social da democracia consistia na conquista da igualdade de oportunidades pela educação — e que só pela educação se poderia realizar um projeto brasileiro de civilização. Mas a educação básica nunca foi uma preocupação das elites brasileiras. À entrada do século XX, a população do país apresentava o escandaloso índice de 80% de analfabetos. O analfabetismo era uma das maiores barreiras para o Brasil se afirmar como nação moderna. Mas ninguém parecia se importar com isso. Nem com educação, nem com saúde — problemas que nos afligem ainda hoje. Os investimentos não iam para a educação popular, mas para cursos "superiores". Éramos um país de bacharéis, com o ensino básico em mãos de escolas particulares. Como disse alguém, vigorava o casamento da concentração de renda com a concentração educacional. Nossos governos, de 1822 a 1930, nem sequer chegaram a pensar na criação de um Ministério da Educação. "A hierarquia que a Primeira República aprofundou vem de tradição anterior, em vigor já no Império. Desde então, os assuntos educacionais foram atribuídos a uma simples repartição do Ministério do Império. Passou depois para o Ministério da Justiça e Negócios Interiores. Em seguida, uma passagem também efêmera pelo Ministério da Instrução, Correios e Telégrafos. Entre 1911 e 1925 apenas um órgão, o Conselho Superior de Ensino, de jurisdição do Ministério da Justiça, tratava de maneira mais técnica da administração escolar", escreveu Helena Bomeny, em *Os Intelectuais da Educação*. As preocupações pós-abolicionistas com o assunto só vão aflorar, na inteligência brasileira, depois da I Guerra Mundial. Começa-se a pensar aí na necessidade de um projeto educacional para o país. E é daí que vai surgir o Movimento da Escola Nova, sob a regência de Anísio e Fernando de Azevedo. Em 1930, o governo espremeu nossos dois grandes problemas numa pasta só, o Ministério da Educação e Saúde — e eles só seriam separados em 1953, ainda que para não afetar o panorama. O ensino básico permaneceu à margem. Nunca esteve no centro das atenções. Anísio enfrentou adversários poderosos, entre padres, empresários e ditadores. E pagou por isso. A partir de 1964, em duas décadas de regime militar, nada de importante aconteceu nessa área. O que houve foi a tecnização do ensino secundário, a expansão das faculdades particulares e o fiasco do Mobral, que em nada fez recuar o analfabetismo no Brasil. Recentemente, o país assistiu à construção de salas e mais salas de aula. Mas não há ensino. Continuamos sendo um país que não apostou na educação popular. Que jamais investiu no ensino para as massas.

Ao mesmo tempo, corretos no diagnóstico, os movimentos negros me parecem perdidos quando enveredam pelo terreno das "ações afirmativas", reivindicando reserva de vagas raciais na universidade pública. Falei da simpatia com que a movimentação negromestiça foi recebida, no ambiente brasileiro, na década de 1970. Na verdade, quase todos aplaudimos a entrada em cena do MNU e do MST, com suas marchas e acampamentos pela reforma agrária. O MST chegou a contar, inclusive, com apoio da Rede Globo, como vimos na novela *O Rei do Gado*. Aos poucos, porém, o próprio movimento foi-se encarregando de cancelar as simpatias despertadas. Revelou-se que não era formado apenas por lavradores em busca de um pedaço de terra para plantar. Que a sua liderança era composta de "revolucionários profissionais", no sentido leninista da expressão. Que educavam suas crianças em velha cartilha comunista. Que o seu objetivo era a luta armada para levar o Brasil de volta aos velhos tempos de Stálin e Mao. E seus militantes passaram a depredar terras produtivas. Também o Movimento Negro foi afastando simpatias. No documento *Contra o Racismo*, do MNU, lia-se: "Este movimento deve ter como princípio básico o trabalho de denúncia permanente de todo ato de discriminação racial, a constante organização da Comunidade para enfrentarmos todo e qualquer tipo de racismo". Até aí, tudo bem. Na prática, contudo, vieram os problemas. O radar racial fora atingido pela paranoia. Quando me encontrava com militantes do MNU, naquele final da década de 1970, a cena era sempre a mesma: eles faziam o possível e o impossível para provar que quem não era *negro*, não passava de mulato sacana ou branco racista. Joel Rufino (militante que se afastou do Movimento Negro, quando este se tornou conservador — quando trocou a perspectiva de transformação da sociedade pela linha do racialismo de resultados, fazendo-se carente de qualquer dimensão utópica) foi corajoso o suficiente para registrar o fato, observando que, na sua primeira fase (1970-1980), a "frustração social", que estava na base da movimentação negromestiça, imprimira-lhe uma marca — "os movimentos negros trabalham politicamente o ressentimento, o tom do seu discurso é a mágoa pela pouca consideração do branco, há como que uma ânsia em arrancar do brasileiro comum a confissão de que este é racista". A figura psicológica que regia o movimento era a *formação reativa*. Mas não vamos tomar o rumo psicologizante. Basta registrar o fato de que muitos se sentiram alijados por uma militância que os via como suspeitos. Mas o equivalente da tomada de terras produtivas pelo MST, no afastamento da classe média mestiça pelos movimentos negros, está no problema da adoção do regime de "cotas" na universidade pública.

Quando contrastamos os níveis educacionais de pretos norte-americanos e brasileiros, devemos nos lembrar de duas coisas. Primeiro, que os EUA se desenvolveram sob o signo do protestantismo. A Bíblia fora traduzida para as línguas vulgares porque a salvação passava por sua leitura. Era *necessário* ler a Bíblia. E não foram raros os senhores norte-americanos que alfabetizaram seus escravos. Segundo, os EUA levaram a sério a questão educacional, em todos os planos — e foi de Dewey que veio a influência central no pensamento de Anísio. No Brasil, o catolicismo não se preocupou sequer com a alfabetização de senhores. Como os negros saíram da escravidão para os baixos escalões de nossa hierarquia social, foram os mais prejudicados por essa carência escolar. Sabem que precisam de educação para subir na vida. Mas o caminho das vagas raciais me parece não somente ineficaz, como atritante. Não resolve quase nada. E cria problemas. De qualquer modo, se é para ter "cotas", melhor que seja outro o critério. Como justificar que, em meio à massa proletária brasileira, que apresenta cores diversas, somente o segmento negromestiço seja privilegiado? Não faz sentido. Se temos de ter "cotas", que elas sejam pensadas em termos justos. Para os pobres. Para os alunos das escolas públicas. Para adolescentes de baixa classe média, que não encontram vagas no sistema público, obrigando suas famílias, hoje mais conscientes da necessidade da formação educacional de seus filhos, a fazer sacrifícios para mantê-los em faculdades particulares. Enfim, vagas para quem precisa delas — independentemente de sexo, credo ou raça. Além disso — dessa cirurgia discriminatória que elege pobres entre pobres —, não temos um critério racial tipo EUA, de modo que o que nos resta é a autoclassificação. Mas quem é que vai querer se definir como preto, a não ser os pretos? — perguntava-se, tempos atrás, Antonio Sérgio Guimarães, enganando-se com a cor da chita. A resposta é simples: todos, a menos que não possam fazê-lo. Se, para obter uma benesse do poder público, um brasileiro precisa se declarar "afrodescendente", a maioria vai, simplesmente, contar a verdade. De todo modo, "cotas" não passam de um paliativo. Não curam o mal. E rendem polêmicas, acendendo preconceitos contra pretos. Mesmo porque, como diz o chinês Lee, em *A Leste do Éden*, de Steinbeck, "é fácil se desculpar por causa de seus ancestrais".

Apesar de desajustes, formulações esdrúxulas e distorções ideológicas, há, pelo menos, três virtudes fundamentais na movimentação negromestiça que vem da fundação do Centro Cívico Palmares aos dias de hoje. A primeira está em sua própria existência. A segunda é que estes movimentos conseguiram instaurar uma nova realidade cognitiva no país, ao amplificar coisas que vinham sendo ditas desde, pelo menos, Luiz Gama, Patrocínio, Nabuco e Rebouças. Ninguém hoje ignora que temos uma questão sociorracial a ser resolvida. E que o racismo é um ingrediente que não falta à vida brasileira. Os movimentos negros insistiram nesse ponto de vista e se encarregaram de propagá-lo em meio à população. Com êxito. Ninguém hoje afirma que não existe racismo no Brasil. Além dessa mudança no modo de o Brasil ver a si mesmo, os movimentos negros vêm contribuindo para a ampliação da classe média negromestiça no Brasil. De uma parte, através de reivindicações objetivas, desde as que derrubaram discriminações no mercado de trabalho, em

São Paulo, na década de 1920. De outra, acompanhando mudanças no quadro nacional, de alterações de mentalidade às de comportamento, da expansão econômica à escolar, suas pregações, no sentido de os pretos assumirem outro papel na vida do país, surtiram efeito. Houve uma preparação ideológica para a assunção cultural e a ascensão social. E estímulo para isso. Mas ainda há muito a ser feito. Persistem, em nosso país, as heranças da escravidão. Somos uma gente mestiça, sim. Mas fruto de uma mestiçagem entre desiguais. O negro foi recuperado no plano do pensar brasileiro. Mas não no plano da prática. Enquanto tais planos não se corresponderem, haverá razão para a crítica, a condenação e o protesto.

# 15.
# A NOVA HISTÓRIA OFICIAL DO BRASIL

Quando ouço que é necessário fazer a crítica dos discursos que procuram circunscrever, arbitrária e museologicamente (no sentido pejorativo da palavra), uma determinada faixa de nossa criação cultural, como expressão acabada da nossa identidade nacional, sinto-me levado a um outro passo. E a seguir a advertência seguinte: melhor nos conhecermos melhor. Para isso, será preciso superar as simplificações e os equívocos daquilo que venho caracterizando há algum tempo, em debates públicos e artigos na imprensa, como a *nova história oficial* do Brasil. Regra geral, estamos demorando a perceber que ela existe. E que desbancou, há anos, a nossa velha história oficial.

Sim. Quando alguém se refere à "história oficial" do Brasil, o que costuma vir à mente das pessoas, de modo praticamente invariável, é o discurso celebratório da colonização portuguesa. Mas esse discurso — uma visão lusocêntrica do processo histórico-social brasileiro — já está arquivado há algum tempo. É a velha história oficial do Brasil. O fato é que existe, hoje, uma nova história oficial do país. Uma espécie de "contra-história" brasileira, tecida basicamente a partir da década de 1970, converteu-se no discurso historiográfico-ideológico hegemônico entre nós. Tomou de assalto as salas de aulas de colégios públicos e particulares, onde hoje professores contestam a ideia de um "descobrimento" do Brasil, ao tempo em que capricham na eloquência para denunciar, em estilo simultaneamente culpado e acusatório, o suposto "genocídio" (guerra de limpeza étnica, não será demais esclarecer, em vista do que ando vendo e ouvindo) dos índios que viviam por aqui. E os maus-tratos (reais, não preciso dizer) que foram dispensados aos nossos ancestrais negros. Não se trata de iniciativas isoladas. Da ação ideológica missionária de pequenos grupos de contestadores extremados, numa conjuntura política bem determinada. O que vemos hoje é uma práxis escolar, pedagógica, que se alimenta da linguagem historiográfica agora dominante. Mesmo porque essa "contra-história" (e a expressão se justifica pelo fato de ela se ter configurado como uma negação quase rigorosamente simétrica da velha história que se institucionalizou a partir da obra de Varnhagen e da criação do Instituto Histórico e Geográfico Brasileiro) foi se gravar nos próprios

Parâmetros Curriculares Nacionais do Ministério da Educação, durante o governo de Fernando Henrique. É bem verdade que, nas páginas geradas pela equipe do Ministério, as coisas são apresentadas de forma algo matizada e aberta. Mas, na prática dos colégios, nada é tão nuançado assim. Professores vociferam contra colonizadores essencialmente criminosos, ao tempo em que celebram irrestritamente, no plural e sem qualquer senso crítico, negros e índios. Nenhuma palavra de paz, nenhum discurso pacifista, acerca da cultura agressiva de tupinambás e tupiniquins, por exemplo, que educavam seus filhos homens, desde a primeira infância, para matar — inclusive, com as cunhãs embebendo os bicos dos peitos no sangue de prisioneiros sacrificados em ritual antropofágico, a fim de que os bebês provassem o gosto do inimigo morto. Daí que seja correto dizer que o que se está levando atualmente, à nossa juventude, é, em suas linhas básicas e gerais, a ideologia historiográfica que a esquerda brasileira compôs há umas três ou quatro décadas atrás, a caminho do crepúsculo do regime militar.

Vamos reavivar a memória. Até a década de 1970, vigorou culturalmente, no ambiente brasileiro, a nossa velha história oficial. A esquerda praticamente ignorava, naquela época, pretos e índios. Quando chegou a se manifestar sobre o assunto, coisa que fez com extrema raridade em seus programas, foi para apresentar teses estapafúrdias. Uma delas aconteceu em 1931, quando a Internacional Comunista despachou para o Brasil a militante Inez Guralski, com a incumbência de controlar a nova direção do Partido Comunista Brasileiro. Em *A Classe Operária na Revolução Burguesa: a Política de Alianças do PCB*, Marcos del Roio anota: "Numa tentativa de dar fôlego ao PCB em São Paulo foi convocada para abril [de 1931] uma Conferência Regional, cujas teses [...] [foram] redigidas sob estrita supervisão de Inez Guralski [...] Muito fracas, contraditórias e deslocadas da realidade, essas teses foram impiedosamente criticadas pela Liga Comunista [dissidência do PCB], principalmente no que se refere às contradições interimperialistas no Brasil, às críticas desferidas contra posições de Prestes [...], à ideia de se lutar de imediato pela instauração de um 'parlamento soviético' e à descabida proposta de se aventar a secessão de negros e índios do Estado nacional". Adiante, em sua "carta aberta" de 1935, convocando as massas para tomar de assalto o poder, Prestes defendeu que o Brasil deveria devolver as terras que havia tomado dos índios. É um espetáculo de ignorância. Inez não tinha noção do que era o Brasil. Do mesmo modo que os portugueses que vieram para cá, em tempos coloniais, não continuaram portugueses, também os africanos não permaneceram africanos. Assim como os índios litorâneos, participaram — de modo ativo, vital e profundo — da *invenção* do Brasil. E, ao inventar o Brasil, eles também se inventaram como brasileiros. A proposta de Prestes, por sua vez, era suicida. Significaria o colapso do Brasil como nação. Afinal, descendentes de índios que somos, teríamos de devolver, a outros descendentes de índios (que não teríamos como saber se eram ou não tataranetos de tupis litorais, sempre em guerra entre si e tomando terras uns dos outros), nada menos do que a então capital do país. Joãozinho Trinta teria sido mais sensato.

Em depoimento a uma pesquisa que coordenei, Joel Rufino falou não só da cegueira do PCB diante da questão racial brasileira, da cegueira do marxismo em geral e do marxismo brasileiro em particular, como disse que, durante anos de militância, do PCB à luta armada na Aliança Nacional Libertadora (dirigida pelo mulato baiano Carlos Marighella, descendente de italianos e de negros malês), não chegou nem a perceber que era, ele mesmo, um negromestiço: "Era uma insuficiência do marxismo. Toda teoria é insuficiente para explicar o real — hoje sei disso, mas, na época, eu não sabia. Ainda em 1980, o marxismo era insuficiente até para levantar a questão. Descartava, denegava a questão racial. Eu penso o seguinte: a interação racial é uma interação importante na sociedade brasileira. E tem de ser considerada como uma forma de interação ou de contradição que, em determinados momentos ou lugares, é mais importante do que a contradição de classes. Ou do que a contradição cultural, simbólica, propriamente dita, ou do que a contradição econômica. A realidade pode ser abordada por meio de um jogo de contradições, onde nem sempre a contradição econômica ou a política é a principal. Fazer esse jogo teórico era o que faltava ao nosso marxismo. A cegueira do Partido para a questão racial afastou dele muitos líderes negros do Brasil [que, na época, sentiam-se e diziam-se mais próximos de Gilberto Freyre e de Jorge Amado]. Como é possível entender a realidade brasileira desprezando isso? A tendência dos líderes negros hoje, de um modo geral, é desprezar por completo a contradição social. Eles pensam a questão racial como uma coisa absoluta, o que é cair no outro extremo. É uma despolitização. Mas o Movimento Negro me parece despolitizado por razões perfeitamente compreensíveis, explicáveis. Inclusive, por culpa nossa, dos marxistas... No exílio, entre 1964 e 1966, havia alguns negros. Poucos, mas havia. E a gente não se considerava um grupo especial. A gente se recusava a ver a questão. Não tratava do assunto. Se alguém viesse até nós com uma conversa étnica, tenho certeza de que a gente diria: não, no Brasil não existe isso, isso é uma questão norte-americana, faz sentido para os negros norte-americanos, não para os negros brasileiros [...] Era uma questão inteiramente adormecida. Nesse caso, o marxismo era um embotamento. Se

A nova história oficial do Brasil          391

o marxismo fez bem à nossa geração, fez mal também. A militância esquecia a cor".

Mesmo no iniciozinho da década de 1970, poucos se lembravam de que existiam índios e poucos tinham consciência de que havia uma questão sociorracial complexa em nosso território. Falar do Xingu para plateias estudantis era, então, falar de um lugar mítico, de uma entidade mirífica, algo assim como a Xanadu do poema de Coleridge. O antropólogo Olympio Serra conta que, quando começou a estudar e a trabalhar com índios, naquela época, amigos seus de esquerda acharam que ele não andava regulando bem. Diziam coisas mais ou menos assim: "Olympio largou tudo e anda metido com índios". Boa parte dos brasileiros só começou a acreditar que existiam índios no Brasil à época da construção da Transamazônica. Do mesmo modo, salvo antropólogos, filhos e filhas de santo e um pequeno punhado de artistas e intelectuais, tínhamos todos apenas uma ideia muito vaga da natureza variada dos quilombos, de insurreições escravas urbanas e do significado de inquices, caboclos, voduns e orixás na vida de nosso povo. Naquela década de 1970, no entanto, negromestiços e ameríndios voltaram a ganhar visibilidade na cena social, política e cultural do Brasil. Uma visibilidade cada vez mais intensa. Foi esta a época em que o cinema brasileiro nos deu, entre outras coisas, *Como Era Gostoso o meu Francês* (Nelson Pereira dos Santos), *Uirá* (Gustavo Dahl) e *Ubirajara* (André Luiz Oliveira), baseados ou inspirados em escritos de Hans Staden, Darcy Ribeiro e José de Alencar. Época em que se multiplicaram os estudos históricos e antropológicos sobre os índios do Brasil — daí que, ao apresentar o seu livro *As Muralhas dos Sertões: os Povos Indígenas no Rio Branco e a Colonização*, Nádia Farage tenha escrito: "esta pesquisa se insere em um interesse crescente pela história indígena no Brasil, que se origina na mobilização da sociedade civil em defesa dos direitos territoriais dos povos indígenas a partir de meados da década de 1970". Época em que chegou a ser publicada pela Funai e vendida nas bancas a revista *Atualidade Indígena*. Em que Caetano Veloso compôs "Um Índio". Do mesmo modo, época em que também se avolumaram, entre nós, os estudos, ensaios, pesquisas, panfletos, canções, produtos audiovisuais e poemas sobre o negro, as culturas de origem africana e a questão sociorracial em nosso país, depois de algum tempo de relativo silêncio sobre o assunto. Ampliava-se, então, em todo o país, uma consciência e uma sensibilidade sócio-político-antropológicas, consequência, entre outras coisas, da disposição contestadora e da abertura extraocidental da contracultura, dos movimentos norte-americanos de lutas pelos direitos civis dos negros e de afirmação de "minorias", e da libertação de antigas colônias europeias na África.

Foi aquele, enfim, um momento especial na história de nossas relações sociorraciais. E boa parte da esquerda vinha então trocando o panfleto proletário pela retórica das "minorias", supostas ou reais: índios, negros, homossexuais, mulheres. Configurou-se, nessa conjuntura, o discurso de uma contra-história do Brasil. Um discurso que abria fogo contra os conquistadores brancos e tomava abertamente o partido de negros e índios, enfatizando repressões, torturas e massacres — não por acaso, num momento em que a própria esquerda era ainda reprimida nas ruas e torturada em quartéis.

Reagíamos, ali, em número cada vez maior, contra as mistificações e falcatruas daquela que era, então, a nossa história oficial. Contra uma leitura e uma interpretação de nossa formação histórico-social que descendiam de Varnhagen e do IHGB, retemperadas no caldo da mitologia de que os brasileiros haviam construído um modelo de democracia racial. Foi uma reação saudável, acho. Saudável, necessária, politicamente certeira e culturalmente significativa. Era preciso dar um basta aos preconceitos, às discriminações e às construções historiográficas ilusionistas que vinham dos tempos do Império. E acender os refletores sobre o fundo do palco, para onde haviam sido empurrados negros e índios. Uma reação correta, em suma. Mas, ao dizer isso, não posso deixar de me lembrar de Heidegger, quando ele dizia que o meramente correto ainda não é, necessariamente, o verdadeiro.

Acontece que essa contra-história se foi impondo, tornando-se consensual em meio à inteligência brasileira, algo culpada de sua extração social muito mais próxima dos salões da casa-grande do que do chão de barro batido da senzala ou da maloca indígena. Fernando Henrique, por exemplo, deve se lembrar de que, ainda em 1973, no texto "Classes Sociais e História: Considerações Metodológicas", incluído no livro *Autoritarismo e Democratização*, chegou a afirmar, categoricamente, que as peripécias (algumas, prodigiosas) dos escravos negros, no Brasil, pertenciam "às páginas dramáticas da história dos que não têm história possível". Àquela altura, para Fernando Henrique, os escravos teriam sido "testemunhas mudas de uma história para a qual não existem senão como uma espécie de instrumento passivo sobre o qual operam as forças transformadoras da história". E ele não estava só, em seu julgamento. Nossos historiadores costumavam se esquecer, até então, de que não existia somente uma tradição revolucionária brasileira. Esqueciam-se de que as conspirações e os movimentos rebeldes que aqui aconteceram, entre os séculos XVI e XIX, podiam ser agrupados, esquematicamente, em torno de dois polos básicos. Num extremo, enxamearam as revoltas escravas que, ultrapassando o imediatismo das pequenas vinganças, ora provocaram um deslocamento geográfico do revoltoso, em função da construção de uma vida alternativa ao cativeiro, ora buscaram abolir a escravidão negra no mais denso interior dos limites espaciais da ordem senhorial. No primeiro caso, tivemos o quilombismo rural; no segundo, os levantes urbanos. Em outro extremo, concentraram-se os movimentos da elite colonial dissidente, cuja preocupação não era produzir modificações estruturais internas na sociedade brasileira, mas criar um novo país. O que estava em tela aqui era a superação do regime de colônia. A distinção é fundamental. O estatuto de colônia é a referência central das manifestações e dos discursos reformadores ou revolucionários de elite. Mas, antes que num processo colonial, o escravo se sentiria engajado, mais concreta e imediatamente, numa relação escravista. Para ele, o dado primário era a escravidão, não o sistema colonial português. Nossos historiadores se esqueciam, desse ponto de vista, de que senhores e escravos viviam processos históricos solidários, mas, ao mesmo tempo, distintos. Assim, antes de declarar que os homens que habitavam o Brasil pré-1822 eram essencialmente seres coloniais, como faz este arguto historiador da tradição revolucionária da elite que é Carlos Guilherme Mota, devemos verificar de que homens estamos falando. Aquela não foi uma sociedade homogênea. E a melhor prova disso é que, depois de liquidado o regime colonial, escravos continuaram se rebelando. Há uma linha de continuidade histórica entre Palmares e as rebeliões malês.

Mas voltemos a Fernando Henrique e à sua frase não só infeliz, como carente de qualquer embasamento factual, de que os escravos teriam sido "testemunhas mudas", seres excluídos de nossos processos históricos — e, mais que isso, seres à margem de si mesmos e de sua própria história. Fernando Henrique jamais escreveria uma coisa dessas na segunda metade daquela mesma década de 1970. Por um motivo simples. A contra-história conquistara já os ambientes intelectuais, semi-intelectuais, para-intelectuais, pseudointelectuais e semiletrados do país, batendo firme em sua rival encanecida, a nossa velha história oficial. Até que se tornou inquestionável. Com isso, o conquistador-colonizador lusitano acabou sendo condenado às chamas mais vivas e rubras do inferno. Tratava-se, na época, de ressuscitar enfaticamente, ainda que à custa de dados reais, histórias e estórias de negros e índios. De redimensioná-las no curso da história brasileira. Desencadeou-se, por esse caminho, uma série de retificações e inversões do discurso historiográfico de Varnhagen e seguidores. Zumbi reprojetou-se, sob novas luzes, em nosso horizonte. Com variações muito significativas, por sinal. Deixou de ser o *Führer* de ébano do tempo das "frentes negras" e das simpatias pelo nazifascismo, para se converter, sem maiores intermediações, em personalidade democrática, no processo da redemocratização de 1945, e, mais recentemente, em um dos nossos antepassados socialistas. Os bandeirantes, por sua vez, passaram de construtores do mapa do Brasil, desbravadores mamelucos que ignoraram os limites delineados em Tordesilhas, a meros escravizadores e assassinos de índios. E essa contra-história triunfou. Em todas as frentes. Ainda bem, acho — mas naquele momento. Ao vê-la convertida, agora, em nova história oficial do Brasil, não posso, contudo, deixar de lembrar algumas coisas.

Aquele discurso contestador, construído na década de 1970, e ao qual venho chamando, há algum tempo, "contra-história" brasileira, é um discurso datado. Foi importante, sem dúvida (ou com um mínimo de dúvida), mas como resposta precisa, limitada e sectária, num determinado espaço conjuntural de nossos encontros, desencontros e confrontos societários. Uma radicalização discursiva, num momento em que índios e negromestiços se mostravam dispostos a bater na porta, virar a mesa e chutar o pau da barraca, como nos acostumamos a dizer. De resto, nosso mundo político e cultural não seria o que hoje é, sem toda aquela agitação ideológica. Mas a verdade é que não há nenhuma justificativa razoável para que a gente permaneça preso àquele horizonte de negações e inversões. A parcialidade, a simplificação, o esquematismo mais que redutor e o maniqueísmo daquela contra-história são óbvios para quem quer que se disponha a refletir sobre nós mesmos — e sobre a trajetória histórica que fez de nós aquilo que somos. Sua demonização dos portugueses e correspondentes idealizações de ameríndios e africanos são mais do que evidentes. E tem mais: antes que encarnação dos humilhados e ofendidos, a contra-história sugere um ponto de vista psicológica, social e culturalmente suspeito. O ponto de vista do colonizador culpado. De fato, a contra-história pretendeu — e, em larga parte, conseguiu — fazer o que não deveria ter feito, sob pena de estelionatos óbvios: reduzir a História do Brasil a um filme de bandido e mocinho. De um lado, impávido e intransformável, ficaria o — mais que colonizador — estuprador português. De outra parte, teríamos o ameríndio livre e eco-feliz, vivendo numa sociedade sem classes e em perfeita comunhão com a natureza, e o negro africano ora açoitado, ora luminosamente rebelde, sempre empunhando a lança em causas superiores e sacralizáveis. E ambos, é claro, vítimas de um processo eminentemente sádico de escravização, tortura e morte. Ora, esta é uma simplificação caricatural da história. Inexistem povos-anjos e povos-demônios. Quem tomou a terra dos tupinaés, praticamente dizimando-os na Bahia de Todos os Santos, não foram os portugueses, mas os tupinambás, acionando a sua implacável máquina de guerra, com bordunas, canoas coloridas e flechas incendiárias. Da mesma forma, o comércio transatlântico de escravos foi altamente lucrativo também para os negros da África, que dele se beneficiaram em larga escala, produzindo até formações estatais poderosas na costa ocidental africana, como o Estado do Daomé, que enviava embaixadas ao Brasil, na tentativa de monopolizar mercados para a exportação daomeana de escravos. Ou seja: antes que uma invenção dos portugueses, a escravização de seres humanos é um *karma* da humanidade. Os portugueses só começaram a escravizar negros no século XV. Os africanos, muito antes disso.

Vamos aos fatos. É claro que não temos como reconstruir hoje, a não ser de modo muito lacunar, a história ameríndia do litoral brasileiro. Em todo caso, sabemos que a Bahia de Todos os Santos já era habitada há cerca de 3 mil anos atrás. Sua produção de cerâmica é anterior à chegada, ali, de tupis e portugueses. Não estão nas igaçabas ou urnas funerárias os dados mais antigos, mas nos sambaquis. Entre estes, um foi localizado em Periperi, atual subúrbio da Cidade da Bahia, e estudado por Valentin Calderón em *O Sambaqui da Pedra Oca*. Datações de carbono 14, obtidas para o sítio arqueológico, nos remetem para 2.800 anos AP (antes do presente). Ninguém sabe ao certo qual foi o destino desse povo e dessa cultura litoral arcaica. O mais provável, na hipótese de Prous, em *Arqueologia Brasileira*, é que tal cultura tenha submergido, juntamente com seus sambaquis, "sob os golpes da cultura pan-brasileira dos tupiguaranis, oriundos das terras do interior". Mas é somente uma hipótese. Para tempos mais recentes, as informações vão se tornando menos imprecisas. Em *Tratados da Terra e Gente do Brasil*, Cardim fala que foram senhores da Bahia de Todos os Santos os índios quinimurés ou quinimurás, dali escorraçados, posteriormente, pelo avanço litorâneo dos tupis. Ainda segundo Cardim, teria vindo dessa gente o nome original que os índios davam ao sítio onde viria a ser construída a Cidade do Salvador da Bahia de Todos os Santos: Kirymuré. Gabriel Soares de Sousa, por sua vez, no *Tratado Descritivo do Brasil em 1587*, diz que os primeiros habitantes da região foram "tapuias" (denominação geral que os tupis davam aos índios não tupis). Mas que logo um outro agrupamento indígena tomou o rumo daquele espaço litoral, em consequência da "fama da fartura" do lugar. Eram os tupinaés. E eles não tinham vindo a passeio, mas para ser os novos senhores da região, expulsando os antigos donos da grande baía. Deu-se, então, o confronto armado. A guerra pelo domínio da Bahia de Todos os Santos. Os tupinaés venceram. Quase exterminaram os índios que ali moravam, tomando violentamente as suas terras. Em seguida, uma nova invasão. Desta vez, o reinado tupinaé foi desmantelado pelas flechas e clavas de um outro grupo tupi: os tupinambás. Assim, os tupinaés também foram praticamente dizimados, também perderam as suas terras, também foram varridos da Bahia de Todos os Santos. Era, agora, a vez dos tupinambás senhorearem a região. Logo, quando as caravelas lusitanas despontaram na extensão azul do golfo baiano, estavam promovendo aquela que foi, no mínimo, a quarta invasão armada do lugar.

Passemos ao tema da escravidão ameríndia. Um prisioneiro dos tupinambás, destinado ao sacrifício ritual na fogueira antropofágica, pertencia sempre a um dos indivíduos da aldeia que o capturara em expedição bélica. E não por acaso uso o verbo *pertencer*. Os tupinambás chegavam a brigar pela posse da vítima. Não somente pela vítima de captura, mas também por quem quer que fugisse para uma de suas aldeias. Veja-se o relato de Staden (ele mesmo prisioneiro e cativo daqueles índios), em *Duas Viagens ao Brasil*. Cronistas dos tempos coloniais se referem sempre ao escravismo indígena. Graças a esses textos, sabemos, por exemplo, que os tupinambás conseguiam escravos, basicamente, por dois meios: capturando adversários e acolhendo fugitivos. Que o prisioneiro escravizado ganhava para si uma cunhã, que o servia inclusive (e talvez principalmente) em termos sexuais, nos doces ofícios da rede. Que a mulher inimiga reduzida ao cativeiro poderia vir a se casar com seu amo. Etc. Enfim, é através desses relatos quinhentistas que temos alguma noção do tipo de convivência que se estabelecia entre escravo e senhor, ambos vivendo na mesma maloca, pescando e caçando juntos, entornando cuias de cauim, entoando cantos, trocando ideias. Apesar de tudo, porém, o certo é que pessoas aprisionadas tinham amos e seus corpos se destinavam ao festim ritual. Eram escravas. Yves d'Évreux (citado por Métraux, em *A Religião dos Tupinambás*) foi ao momento mesmo da instauração do domínio: "Havia uma cerimônia bélica, em uso entre essas nações [indígenas], segundo a qual, se o inimigo caía em poder de alguém, aquele que o aprisionava batia-lhe com a mão no ombro, dizendo-lhe: faço-te meu escravo. E, desde então, por maior que fosse ele entre os seus, se reconhecia como tal, seguindo e servindo fielmente ao vencedor". Estudioso do assunto, Florestan Fernandes, em *A Organização Social dos Tupinambás*, diz que, a propósito daqueles índios, aciona o conceito de escravidão em sentido lato — como uma noção que "abrange também os casos em que o prisioneiro não toma parte ativa na vida econômica da comunidade e é destinado ao sacrifício ritual, à concubinagem ou à troca". Para Florestan, o aspecto "economicamente significativo" da escravidão, na sociedade tupinambá, talvez dissesse respeito apenas à concubinagem. "Quando a escrava conseguia ingressar no grupo de mulheres do senhor, obtinha uma séria dilatação das cerimônias do sacrifício ritual. Assim, tornava-se uma unidade econômica produtiva, de caráter permanente" — afinal, eram as mulheres que sustentavam o grupo, providenciavam o pão de cada dia da aldeia, trabalhando como domésticas, lavradoras, tecelãs, oleiras, etc. Mas este sistema escravista, frisa o sociólogo, "não chegou a desenvolver novas camadas sociais, baseadas em especialização econômica e segregação étnica". Homens e mulheres escravizados passavam a morar nas malocas de seus amos e "as ocupações que entretinham eram as mesmas a que se dedicavam os outros membros da comunidade, de acordo com as regulamentações estipuladas pelos princípios de sexo e idade". O escravo executava tarefas rotineiras do sexo masculino, a escrava desempenhava papéis femininos tradicionais. Não havia uma separação entre trabalho de escravo e trabalho de gente livre. As diferenças eram outras. Florestan: "Apenas algumas regras, de caráter restritivo, compeliam-nos a comportamentos específicos. Assim, por exemplo, deviam colocar o produto do seu trabalho aos pés do senhor ou dos da sua esposa; só podiam prestar serviços a outras pessoas com autorização expressa do senhor; e só podiam dar de presente os objetos recebidos do senhor, após obterem seu consentimento".

A atenção de Florestan para o aspecto econômico foi radicalizada por Gorender, em *O Escravismo Colonial*: "A formação aborígene desconhecia o fato social da escravidão até a chegada do colonizador. O prisioneiro de guerra não devorado em festins rituais era assimilado pela tribo, inicialmente sob uma condição de inferioridade e, por fim, em igualdade de consideração social. No entanto, diversos cronistas não assinalaram qualquer diferenciação *econômica* entre os membros originais da tribo e seus prisioneiros. Estes últimos, mesmo quando condenados ao sacrifício no festim ritual, não eram coagidos a trabalhar mais do que os outros e se beneficiavam da distribuição igualitária do produto". Ao contrário de Florestan, Gorender, além de ir de encontro à documentação existente, fala de escravidão em sentido estreito, economicista. O que a define é a relação econômica — e só. E assim vou ter que contrariar mais um mestre e amigo. Ninguém vai discutir a importância do critério econômico para a circunscrição de uma realidade escravista e para a diferenciação entre tipos de escravismo — inclusive, para mostrar que há formas de escravidão que não se fundam em relações produtivas. Mas o fator econômico não é tudo. Não podemos nos prender com exclusividade a esta dimensão da vida social, como se a instância econômica não fosse exatamente isto: uma *instância*. Subordinar inteiramente a definição do estatuto de escravo à medida econômica é adotar uma perspectiva etnocentrista sobre o assunto. É assumir um critério que trai a sua pertinência a um determinado complexo histórico-social. Só nos tempos modernos da existência ocidental-europeia foi que a jurisdição econômica se sobrepôs, com um quase irresistível poder de determinação, às demais dimensões da vida em sociedade. E Gorender vai, aqui, numa derrapada típica do marxismo: absolutizar o econômico e generalizar esta absolutização, como se isto valesse para todas as formas de organização social.

Quando falo de escravidão tupinambá, considero que é escravo todo e qualquer ser humano que é propriedade de outro ser humano. Antes de procurar caracterizar a figura do escravo funcionalmente, como agente entronizado de forma diferencial numa determinada teia de relações sociais de produção, enfatizo o aspecto essencial da sujeição a um amo ou senhor. Unidade produtiva ou não, constituindo uma camada social específica ou não, o escravo está sempre sujeito ao mando de quem o possui. Bastam-me aqui, portanto, os termos da definição de Montesquieu, em O Espírito das Leis: "A escravidão propriamente dita é o estabelecimento de um direito que torna um homem completamente dependente de outro, que é o senhor absoluto de sua vida e de seus bens". O escravo é um ser humano que tem um dono. E isto não era apenas encontrável na formação social tupinambá. Era uma espécie de domínio sacramentado e regulado pelos códigos da existência social daqueles índios. Voltemos ao relato de Staden. Embora considerado uma entidade especial (já que, com o tempo, passou a ser visto como uma espécie de xamã, capaz de disseminar doenças e provocar vendavais), Staden foi dado de presente, por seu amo, ao morubixaba Abati-Poçanga. E se isto podia acontecer até a Staden, pense-se no caso da escravaria comum. Nos lusitanos, carijós, maracajás e mamelucos comidos no moquém. Como o indivíduo subjugado não tinha poder sobre o seu corpo, nem sobre os seus bens, o que havia era escravidão. Se alguém pode me amarrar, dar-me de presente a uma outra pessoa, churrasquear-me numa fogueira canibal, escolhendo qual de minhas coxas irá degustar, é claro que, embora eu possa não viver numa esfera socioeconômica distinta, não sou igual àquele que pode dispor assim de mim. É um chefe tupinambá que dá Staden de presente — e não o contrário. Isto os coloca em posições radicalmente assimétricas. Um é o amo. O outro é seu escravo. Escravo presenteável. E, quase sempre, comestível.

Se não havia novidade no fenômeno escravista em si mesmo, mas diferenças nas realidades vividas pelo escravo em formações socioculturais distintas, nem por isso portugueses e franceses deixaram de introduzir uma inovação, alterando, com a óbvia adesão ameríndia (não nos esqueçamos), o panorama do escravismo em terras brasílicas. Eles trouxeram para cá o comércio de escravos. E a prática comercial modificou a atitude ameríndia perante a escravidão. Staden registra que, certa vez, quando os tupiniquins prenderam um lote de tupinambás, devoraram apenas os mais velhos, vendendo

A nova história oficial do Brasil

os jovens aos portugueses. Antes desse comércio se fixar, tais jovens teriam sido escravizados e submetidos ao ritual antropofágico. É correto assinalar, portanto, um efeito anticanibal, antimágico, da conversão de gente em mercadoria. E o fenômeno não ficou circunscrito ao litoral sul do Brasil, onde Staden viveu. Generalizou-se por todos os espaços de contato entre índios e europeus. Em *Os Jesuítas no Grão-Pará*, João Lúcio de Azevedo comenta: "Efetivamente os bárbaros, perdido o gosto da antropofagia, preferiam permutar contra mercadorias os prisioneiros, e isto era poderoso incentivo a que nunca entre eles acabassem as guerras". E adiante: "E assim, pouco e pouco, foi desaparecendo entre eles o costume da antropofagia. Era mais proveitoso vender, que devorar o inimigo. As guerras tornaram-se mais repetidas, porém menos cruéis. Vencer era o objeto delas, não para destruir o adversário, mas para o cativar". Cativar e vender — que vender havia se tornado melhor que comer.

Do mesmo modo, a escravidão existiu na África desde tempos imemoriais — e foi lá onde a instituição mais durou (e não no Brasil, como se costuma dizer), chegando ao século XX. A matéria foi estudada, documentada, analisada e exposta por diversos historiadores, de Lovejoy a Vansina, passando pela nigeriana Elizabeth Isichei e pelos brasileiros Costa e Silva e Manolo Florentino, entre tantos outros. Era uma realidade institucional, sancionada por leis e costumes. "Utilizado como vítima sacrificial, dádiva, moeda, bem de capital, ostentação, mão armada, força de trabalho e reprodutor, era constante na maioria das sociedades africanas a demanda por escravos", observa Costa e Silva, em *A Manilha e o Libambo*. Para oferecer a seguinte explicação: "Principal forma de riqueza reprodutiva, o escravo, no continente africano, correspondia à terra na Europa. Na África, era o trabalho, e não o solo, o fator de produção escasso. Por quase toda parte, tinha-se a terra, tradicionalmente, como um bem grupal. Não era tida apenas como fator de produção e para uso dos contemporâneos; era a guardiã dos mortos, a servidora dos vivos e a promessa dos vindouros. Pertencia a todos eles, sendo teoricamente alocada a quem dela precisasse, pela família, a linhagem, o clã, a aldeia, a tribo ou o rei. Não tinha valor econômico próprio, mas o do trabalho que nela se punha. Enquanto na Europa a propriedade da terra era a precondição para que se tornasse produtivo o uso de escravos — e de servos, de assalariados — na África passava-se o contrário: só tinha acesso a grandes tratos de solos quem dispusesse de gente para cultivá-los. Daí a importância de ter-se o controle efetivo sobre muitas mãos, fossem de mulheres, filhos, parentes, agregados ou escravos. Na Europa — e também, até mesmo por continuidade cultural, na América — disputava-se a terra. Na

África, nem em áreas de alta densidade demográfica (como o sul de Gana, do Togo, da atual República do Benim [antigo Daomé] e da Nigéria) se conhecia o mesmo tipo de competição pela gleba, mas, sim, por gente. A importância do solo dependia de que houvesse quem o pudesse cultivar". A situação, no Brasil, não era muito distante daquela que se via na África. Tinha-se terra — e muita — mas nunca como um bem grupal, coletivo. E muito menos, do ponto de vista senhorial, como algo sagrado, repouso dos mortos, pouso dos vivos, abrigo de seres e planos por vir. De todo modo, o solo, por si, valia pouco. O que contava era o número de escravos de que se dispunha para cultivá-lo. Aí é que estava a riqueza: no valor que a mão escrava agregava à terra. Em *A Escravidão no Brasil*, Couty percebeu de imediato: "A terra ficou [...] sem valor. Um fazendeiro possui 40 mil hectares [...] Quer vender a sua propriedade. Se o fizer com os escravos, poderão oferecer-lhe cerca de 1 milhão e 200 mil francos, se a vender sem os escravos, talvez não encontre comprador por 600 mil francos [...] Um grande proprietário tem, portanto, rendimentos elevados, mas não é rico, já que suas terras não encontram comprador. Não pode nem mesmo converter em dinheiro o trabalho ou os capitais acumulados em uma propriedade, porque esta só tem valor em função do escravo, do gado humano que serve para cultivá-la".

Por mais que nos atraia o prisma da comparação, não é este o nosso tema no momento — e sim a escravidão pré-europeia na África. "A escravidão existia no Congo, como em qualquer outra parte da África, muito antes de os europeus começarem a exportação de escravos para o ultramar", escrevem Oliver e Fage, em *Breve História de África*. Sobre os impérios do Mali e do Gao, Sékéné Cissoko informa: "As grandes propriedades dos príncipes ou dos ulemás eram exploradas por escravos estabelecidos em colônias agrícolas. O próprio *askiya*, grande proprietário de terras, tinha seus campos, espalhados pelo vale, cultivados por comunidades de escravos sob a direção de capatazes, os *fanfa*". Conta-se ainda que, na primeira metade do século XV, o grão-vizir de Kano fundou 21 cidades, instalando, em cada uma delas, mil escravos. Esses escravos, em toda a África, eram obtidos pelos mais diversos meios, do sequestro à guerra dirigida para caçar e capturar gente, cativos que eram conduzidos a pé pelas estradas, amarrados um ao outro pelo pescoço. E a violência africana contra eles em nada ficava a dever à violência do escravismo colonial americano. Entre os cheuas do Malavi e da Zâmbia, o escravo era tratado "com a violência e as humilhações que merece o inimigo — nu ou com um trapo amarrado à virilha, a alimentar-se de restos lançados ao chão, sem conhecer descanso entre os empurrões e as bofetadas". Mas, em vez de multiplicar exemplos, vamos a um que nos interessa mais de perto. Ao alcançar pela primeira vez a costa da África Equatorial, os portugueses encontraram dois grandes reinos: Loango e Congo. Supõe-se que esses reinos tenham se formado entre os séculos XIII e XIV. Encontrava-se aí, entre outras coisas, "o culto dos espíritos (ligados à terra) e dos ancestrais, considerados, uns e outros, como deuses. O comércio parece ter-se desenvolvido cedo também nessa região, pois em 1483, quando chegaram os portugueses, já circulavam moedas. Existia uma aristocracia, e os trabalhos agrícolas eram efetuados por escravos", narra Vansina, em "A África Equatorial e Angola: As Migrações e o Surgimento dos Primeiros Estados". Dos dois reinos, sabemos mais sobre o do Congo, implantado pelos bakongos, povo que forneceria muitos escravos ao Brasil. Eram negros bantos (da forma *ba-ntu*, "os seres humanos", plural de *mu-ntu*, de Angola, *ngola*, título do soberano do antigo reino Ndongo, e do próprio Congo, *kongo*, cujo significado é ainda hoje objeto de discussão — Balandier, em *La Vie Quotidienne au Royaume du Kongo du XVIe au XVIIe Siècle*, observa que várias hipóteses tentam iluminar o enigma verbal: há quem o remeta ao termo *ko-ngo*, "parente da pantera", o assimile à expressão *nkongo*, que designa o grande caçador, e ainda quem cite *kong* ou *kongo*, arma de arremesso — *"mais son étymologie exacte comme l'histoire originelle de Kongo s'est lentement effacée"*). Antes da chegada dos bakongos, a região foi povoada pelos ambundos, também um povo banto. Conta-se que um certo Nimi Lukeni fundou o reino quando atravessou o Rio Congo, deixando para trás Bungu, no Maiombe, para conquistar a chefaria ambundo de Mbanza Congo (futura São Salvador, em Angola). Com a vitória de Lukeni, bakongos e ambundos se misturaram — os nobres com os nobres, os pobres com os pobres. Sobre a estrutura social do Reino do Congo, Vansina sintetiza: "A estratificação social é nítida. Existiam três ordens: a aristocracia, os homens livres e os escravos. A aristocracia formava uma casta, pois seus membros não podiam casar-se com plebeus". Entre os nagôs ou iorubás — que possuíam vasta escravaria —, o escravo oferecido em sacrifício ritual (requerido sem remissão por nossos conhecidos orixás) era degolado, enterrado vivo ou tinha os membros amputados.

Com o início do comércio transatlântico de escravos, solidarizando comercialmente as duas margens do Atlântico Sul, africanos se envolveram na — e foram envolvidos pela — grande cartada: alguns, como traficantes; outros, como mercadoria. "Os negros começaram logo em África uma luta fratricida, incessante, bárbara, a fim de arrebanharem e fazerem prisioneiros, que vinham trazer aos negreiros", observava, já na década de 1860, o abolicionista brasileiro Agostinho Perdigão Malheiro. E nisto ele seria confirmado por todas as pesquisas posteriores. "O estudo do tráfico mostra também não haver dúvida de que os africanos dominavam as condições do suprimento de escravos. Na maioria dos casos, eram governos locais ou determinadas classes de africanos que forneciam os escravos para a costa. Com menor frequência, eram traficantes e intermediários africanos mulatos ou não tribais ou não nacionalizados que transportavam os escravos do interior para os barcos europeus. Apenas os portugueses, dentre os traficantes europeus ou euro-africanos, obtinham seus próprios escravos do interior. Mesmo neste caso, porém, a maioria dos escravos ainda procedia originalmente de vendedores africanos e/ou intermediários", conclui Herbert Klein, em *A Escravidão Africana: América Latina e Caribe.*

Vejamos isso no terreno da história brasileira. Portugal impôs um regime de exclusividade comercial à sua colônia ultramarina. O Brasil só podia negociar com Lisboa. Na prática, esse exclusivismo das mercancias nunca vingou de forma absoluta. A Bahia nunca viveu unicamente em função da metrópole, no plano de suas trocas internacionais. O comércio de escravos é exemplo disso. Apesar das reverências oficiais à coroa lusitana, o tráfico escravista foi, principalmente a partir do século XVIII, um negócio bilateral que, envolvendo baianos e africanos, passava muitas vezes ao largo do porto de Lisboa. Mais ainda: uma atividade comercial que, em alguns momentos, teve de medir forças com o poder lisboeta, resistindo às pressões metropolitanas, especialmente depois que a Inglaterra entrou no jogo para dar um basta ao negócio. De um modo geral, não costumamos prestar muita atenção a este fato. Mas foi um fato — e não podemos perdê-lo de vista. Nos séculos XVIII e XIX, o tráfico foi uma relação direta entre baianos e africanos, vinculando, particularmente, a Cidade da Bahia e o Reino do Daomé. E uma relação muito lucrativa para ambas as partes. Em síntese, o que ocorria era o seguinte. Africanos escravizavam africanos para vendê-los (era, como disse, uma prática regular — sistemática e sistêmica — e não coisa esporádica ou circunstancial). A Bahia comprava esses escravos porque precisava deles para funcionar. E o tráfico, em si mesmo, era um grande negócio, exigindo investimentos pesados e gerando lucros imensos. Para não ficar apenas no exemplo baiano, lembre-se que, por essa época, enquanto a Bahia se concentrara no comércio com a África Superequatorial, os navios do Rio de Janeiro permaneceram nas rotas de Angola e do Congo, além de começar a buscar a costa índica — em especial, Moçambique. Ou seja: no caso carioca, a África Central continua em seu posto de principal fornecedor de escravos, ao tempo em que cresce significativamente o volume das exportações de negros da costa índica para o Rio. No livro *Em Costas Negras: Uma His-*

*tória do Tráfico de Escravos entre a África e o Rio de Janeiro*, Florentino fornece dados e mais dados sobre o assunto.

O papel da África, no comércio de negros escravizados, nada teve, portanto, de passivo. Antes que somente vítimas, africanos foram, também, agentes do tráfico. Na parceria entre a Bahia e o Daomé, vemos um exemplo do nexo orgânico que conectava as duas margens do Atlântico Sul. Florentino fala que, "ao consumo do escravo [no Brasil] precedia um movimento típico da face africana do tráfico, o da produção social do cativo". E Gorender observa: "Capturar prisioneiros para o tráfico tornou-se atividade prioritária de tribos primitivas de remotas regiões interioranas à de sólidos Estados litorâneos, como o de Daomé, nascido do tráfico no século XVII e fundado no monopólio real do comércio de escravos". O problema é que — por manipulação política, truque, cegueira ou estrabismo ideológico — construiu-se, no mundo ocidental oitocentista e na África do século XX, a fantasia de que os negros, seres essencialmente bons, haviam caído, desde o século XV, nas garras de europeus brancos, seres essencialmente maus. Mas este é um discurso que ignora dados e fatos históricos. A África conheceu a guerra, a estratificação social, a escravidão, a moeda e a tortura muito antes de os europeus aparecerem por lá. Citando Frederick Cooper ("The Problem of Slavery in African Studies"), Florentino comenta: "todo lugar e época que conheceram a concentração de riqueza e poder, como a África de antes do tráfico, e sobretudo depois de sua implementação, também testemunharam a exploração do homem pelo homem. Recusar tamanha obviedade não contribui para que se ultrapasse a tão comum associação africano/selvagem". Achar que não havia exploração do homem pelo homem na África, antes da chegada dos europeus, é considerar que os negros africanos eram, realmente, seres inferiores.

Na África, o tráfico gerou riquezas, incrementou divisões sociais, produziu e/ou consolidou formações estatais. Não por acaso o Daomé e os nagôs da Iorubalândia disputaram o monopólio da exportação de escravos para o Brasil, com os seus reis despachando embaixadas à Bahia e a Portugal para tratar do assunto. Em *Fluxo e Refluxo do Tráfico de Escravos entre o Golfo do Benim e a Bahia de Todos os Santos*, Verger informa que, de 1750 a 1811, foram enviadas à Bahia pelo menos quatro embaixadas do Daomé, duas de Onim (Lagos, Nigéria) e uma de Ardra (Porto Novo, Daomé). O objetivo era estreitar relações comerciais com a Bahia. Por ocasião da embaixada daomeana de 1750, os enviados do rei Tegbessu presentearam o Conde de Atouguia, então vice-rei do Brasil, com uma caixa de panos-da-costa e quatro negras, três das quais foram parar em Lisboa, servindo no quarto da rainha de Portugal (a quarta negra ficara cega ao desembarcar em Salvador). Adiante, os dois embaixadores daomeanos de 1795, remetidos pelo rei Agonglô, deixaram os seus aposentos no Convento de São Francisco de Assis, onde estavam hospedados, para, em audiência oficial, propor ao governador da Bahia a exclusividade do comércio de escravos em Uidá. O governador rejeitou a proposta de um comércio privativo Bahia-Uidá, alegando que tal monopólio prejudicaria interesses baianos. Em 1805, por iniciativa do rei Adandozan, os daomeanos voltaram a insistir, sem êxito, na pretensão do comércio exclusivo. Referindo-se a embaixadores encaminhados à Bahia em 1770, pelo rei de Onim, Verger nos passa a seguinte informação, que julgo valiosa: "Além destes enviados e embaixadores, numerosos africanos livres iam para a Bahia, seja para entregar-se ao comércio [de escravos], seja para receber educação. Entre estes últimos, encontravam-se filhos de cabeceiras [chefes] ou mesmo de reinantes". Por fim, alguns libertos da Bahia retornaram à África para se tornar traficantes, a exemplo do africano João de Oliveira, que passou 37 anos seguidos operando no comércio negreiro da Costa da Mina.

O fato de a escravidão ter sido praticada pelos primeiros povos que nos formaram — tupis, portugueses, africanos — teve repercussão profunda e dilatada em nossa vida nacional, com desdobramentos que ainda hoje marcam o nosso cotidiano. Não se trata somente de sublinhar que, em consequência do escravismo, a maioria da população negromestiça do Brasil permanece, nos dias que correm, na base de nossa "pirâmide social", ganhando pouco e passando dificuldades. Isto é verdade e tem de ser corrigido — mas ainda não é tudo. Nem, talvez, o mais grave. A tradição escravista dos povos que nos constituíram fez com que, durante séculos, a escravidão — em si mesma — jamais tenha sido contestada por nós. A contestação era específica, pontual, particular — nunca em globo, nunca em conjunto articulado de vozes. Isto é: um determinado grupo se rebelava contra o cativeiro concreto a que estava reduzido, mas não contra a escravidão em geral. Prova disso é que, sempre que possível, escravizava ou pretendia escravizar outros. É evidente que o objetivo das revoltas escravas no Brasil era se ver livre do sistema econômico e social da escravidão. Mas — e isto é que é da mais funda importância para nós mesmos — sempre em termos particulares, privativos, próprios. O sujeito não queria de modo algum ser escravizado por alguém — e até morreria lutando contra isso —, mas jamais hesitaria em fazer de alguém um escravo seu. A escravidão era boa, sim, desde que para os demais, não para mim e para a minha turma. Reserve-se para o outro a gargalheira, o pelourinho, o capataz, o açoite. Estou preocupado apenas comi-

A nova história oficial do Brasil

go mesmo e com os meus. Não foi por acaso que o romancista João Santana escreveu, em *Aquele Sol Negro Azulado*, que o povo brasileiro conseguiu vencer a fome, a doença, a exclusão e a miséria, mas não conseguiu vencer a escravidão. Ela é parte íntima de todos e de cada um de nós.

Não devemos nos esquecer de que havia escravos em Palmares. Homens que, sequestrados pelos guerrilheiros palmarinos, trabalhavam como escravos nas plantações do grande quilombo. Em *Palmares: a Guerra dos Escravos*, Décio Freitas nada contra a maré. Contesta a realidade do escravismo palmarino. Mas com argumentos insustentáveis. Desprezando fatos, observa que a escravidão não poderia ter existido ali, pelo motivo de que tal regime de trabalho forçado teria sido "incompatível com a índole do movimento palmarino". Em segundo lugar, nega a hipótese de que o escravismo, em terras de Zumbi e Ganga Zumba, pudesse ser uma herança de práticas africanas ancestrais. Com base em quê? Na sua crença particular de que a escravidão nunca existiu na África. Para Freitas, o "suposto" escravismo africano "é uma das tantas abusões históricas refutadas pelas investigações mais recentes". Não tenho a menor ideia de quais sejam essas "investigações mais recentes" a que ele se refere. As que conheço apontam para o contrário: à época de Palmares, a escravidão era uma prática institucional generalizada em todo o continente africano — e generalizada há séculos, talvez milênios. O outro argumento não é propriamente um argumento. Um historiador não deve se apoiar, diante de coisas que o desagradem pessoalmente, na fantasia subjetiva de uma "índole". A impressão que fica é que Freitas *não quer* que tenha existido escravidão em Palmares. Que se recusa a admitir que tal realidade venha para conspurcar o *seu* Estado Negro Ideal. Mas este não é um problema nosso. É dele. Examinando a atuação dos palmarinos, em *Rebeliões da Senzala*, Clóvis Moura escreveu: "Das suas atividades predatórias pela região traziam muitos escravos, uns voluntariamente, outros à força, e que engrossavam enormemente o número de habitantes da República [dos Palmares]. Os que vinham forçados eram transformados em escravos que trabalhavam na agricultura. Assim se foi desenvolvendo o escravismo dentro da própria 'república', em consequência do desenvolvimento das atividades agrícolas". Do mesmo modo, os malês que se insurgiram contra a ordem estabelecida, em 1835, queriam alcançar a *sua* libertação do regime escravista, mas não destruí-lo, já que pretendiam exterminar os brancos e escravizar os mulatos. A escravidão estava inscrita em seu projeto de implantação de um califado na Bahia oitocentista.

A verdade é que, quando um africano conseguia a sua alforria, no Brasil, uma das suas primeiras providências era comprar escravos. É impressionante o número de negros forros que possuíam cativos, como nos mostram as pesquisas de Kátia Mattoso e Maria Inês Côrtes de Oliveira. Falando sobre o Rio de Janeiro imperial, em sua prosa cética, irônico-realista, o Machado de Assis de *Memórias Póstumas de Brás Cubas* dá-nos conta do que eram fatos facilmente observáveis. Sua personagem principal nos fala de um pequeno escravo, Prudêncio, que ele, também infante, não hesitava em maltratar: "e eu tinha apenas seis anos. Prudêncio, um moleque de casa, era o meu cavalo de todos os dias; punha as mãos no chão, recebia um cordel nos queixos, à guisa de freio, eu trepava-lhe ao dorso, com uma varinha na mão, fustigava-o, dava mil voltas a um e outro lado, e ele obedecia, — algumas vezes gemendo, — mas obedecia sem dizer palavra, ou, quando muito, um — 'ai, nhonhô!' — ao que eu retorquia: — 'Cala a boca, besta!'". Mais tarde, deu-se alforria ao escravo Prudêncio. Anos depois, de passagem pela praia do Valongo, onde ficava o mercado de escravos, Brás Cubas é surpreendido por uma cena que chama a atenção de muitos. "Interrompeu-mas [as reflexões distraídas] um ajuntamento; era um preto que vergalhava outro na praça. O outro não se atrevia a fugir; gemia somente estas únicas palavras: — 'Não, perdão, meu senhor; meu senhor, perdão!' Mas o primeiro não fazia caso, e, a cada súplica, respondia com uma vergalhada nova. — Toma, diabo! dizia ele; toma mais perdão, bêbado! — Meu senhor, gemia o outro. — Cala a boca, besta! replicava o vergalho." A expressão — cala a boca, besta! — é a mesma que Brás Cubas emitia aos ouvidos do menino Prudêncio. "Parei, olhei... Justos céus! Quem havia de ser o do vergalho? Nada menos que o meu moleque Prudêncio, — o que meu pai libertara alguns anos antes." Machado/Brás Cubas pensa, então: "Exteriormente, era torvo o episódio do Valongo; mas só exteriormente. Logo que meti mais dentro a faca do raciocínio achei-lhe um miolo gaiato, fino, e até profundo. Era um modo que o Prudêncio tinha de se desfazer das pancadas recebidas: — transmitindo-as a outro. Eu, em criança, montava-o, punha-lhe um freio na boca, e desancava-o sem compaixão; ele gemia e sofria. Agora, porém, que era livre, dispunha de si mesmo, dos braços, das pernas, podia trabalhar, folgar, dormir, desagrilhoado da antiga condição, agora é que ele se desbancava: comprou um escravo, e ia-lhe pagando, com alto juro, as quantias que de mim recebera". O que Machado nos fornece é um quadro que todo pesquisador conhece. Em *A Vida dos Escravos no Rio de Janeiro (1808-1850)*, Mary Karasch registrou: "Alguns escravos tinham até propriedades, inclusive outros escravos". Depois de observar que "os africanos libertos que compravam escravas estavam indiscutivelmente perpetuando uma forma africana de escravidão no Rio", a estudiosa prossegue: "Uma vez que a posse de escravos era

A nova história oficial do Brasil

um fator determinante tão essencial da posição de uma pessoa no Rio do século XIX, os escravos buscavam ser donos de escravos [...] Os escravos compravam muitas vezes escravos para ajudá-los a obter sua própria liberdade, ou para trocá-los pela sua pessoa. Essa troca de um escravo por outro fica especialmente evidente nos registros de alforria [...] Pessoas libertas também possuíam escravos [...] Os exemplos mais comuns dos registros de alforria ilustram que mulheres libertas, casadas com homens livres, ganhavam amiúde escravos [...] Segundo Vieira Fazenda, os libertos tinham um grande desejo de possuir escravos e preferiam mulatos. Em consequência, mulheres minas prósperas tinham cativos mulatos e quase brancos".

Colocado diante dessas realidades, José Murilo de Carvalho, em *Cidadania no Brasil: o Longo Caminho*, escreveu: "No próprio quilombo dos Palmares havia escravos [...] O aspecto mais contundente da difusão da propriedade escrava revela-se no fato de que muitos libertos possuíam escravos [...] Na Bahia, em Minas Gerais e em outras províncias, dava-se até mesmo o fenômeno extraordinário de escravos possuírem escravos. De acordo com o depoimento de um escravo brasileiro que fugiu para os Estados Unidos, no Brasil 'as pessoas de cor, tão logo tivessem algum poder, escravizariam seus companheiros, da mesma forma que o homem branco' [...] Esses dados são perturbadores. Significam que os valores da escravidão eram aceitos por quase toda a sociedade. Mesmo os escravos, embora lutassem pela própria liberdade, embora repudiassem sua escravidão, uma vez libertos admitiam escravizar os outros. Que os senhores achassem normal ou necessária a escravidão, pode entender-se. Que libertos o fizessem, é matéria para reflexão". O problema é que a escravidão não era estranha à África e aos seus povos e culturas. Era instituição arcaica, tradicional, enraizada no "continente negro". E o fato de ter sido aceita por todos como coisa normal, durante tanto tempo, no Brasil, é certamente ainda um forte entrave à conquista da cidadania plena em nosso país.

A contra-história da década de 1970 nunca quis saber de coisas desse tipo. O "mundo branco" era a fonte de todas as desgraças — e ponto final. Acontece que esse maniqueísmo e suas mistificações não foram abolidos, no percurso que a converteu em nova história oficial do Brasil. Este é o problema: por não ter superado o que deveria, a nova história oficial não é muito mais do que o avesso da velha. E o que é necessário fazer é uma outra coisa, se queremos chegar a uma compreensão mais profunda de nós mesmos. Pensando sobre a realidade mexicana, Octavio Paz observou: "Assim que Cortés deixar de ser um mito a-histórico e se transformar no que ele realmente é — um personagem histórico —, os mexicanos poderão ver a si mesmos com um olhar mais claro, generoso e sereno". Para além de sua coragem serena, Paz me faz lembrar que não tivemos nenhum Cortés por aqui. E que se ele pode — e deve — pedir tal coisa ao povo mexicano, mais facilmente ainda podemos solicitar a atenção generosa do povo brasileiro para a sua própria história.

Isto não significa que estejamos aqui para atenuar a crueldade da guerra de conquista ou para fazer de conta que a escravidão foi uma instituição necessária ou saudável. Milhares de índios morreram no processo de conquista e colonização do Brasil, assim como escravos foram torturados a ferro quente e a sangue frio. Mas ter consciência de tais fatos não nos autoriza a falsificar a história. A fazer de conta que os tupinambás não se aliaram aos franceses para derrotar Portugal, tendo de arcar com as consequências militares, políticas e humanas desta opção (regra geral, estudiosos das realidades brasileiras só consideram nossos índios intelectualmente sofisticados na hora de construir seus mitos; fora desse momento sublime, no entanto, como no campo das decisões geopolíticas, eles não passariam de crianças crescidas, ludibriáveis pelo mais parvo dos europeus — e daí a conversa fiada de que eles trocavam madeiras valiosas por quinquilharias: de um ponto de vista indígena, aquelas madeiras nada tinham de valiosas — eram mato; e as supostas quinquilharias não eram exatamente quinquilharias, como o facão, que os fazia passar, de repente, do neolítico à idade da utensilagem metálica, um salto de milênios, modificando radicalmente a sua agricultura; e o espelho, bem, um espelho é um espelho é um espelho). Ou a fingir que africanos não tiveram nada a ver com o tráfico de escravos.

Diante desses mitos, sinto-me inclinado a fazer uma pergunta quase singela: por que será que teremos de estar, sempre, a querer inventar humanidades angelicais? Por que iremos precisar sempre de anjos e de demônios? Da luta do bem contra o mal? Por que inventar humanidades puras, humanidades que não são humanas e que, em verdade, nunca existiram? Tenho para mim que tais discursos, forjados na massa arquetipal de que nascem os "rousseauísmos" adolescentes, foram feitos para debutantes mentais. E que o amadurecimento de um povo passa por sua superação. Sejamos adultos, então. Sejamos sérios. Em vez de transformar nossos antepassados em fantasias a-históricas, tratemos de encará-los em suas grandezas e em suas misérias. Caso contrário, mais não faremos do que substituir mitos antigos por mitos novos. Ou, para ser menos elegante e mais franco, mentiras antigas por mentiras novas.

A nova história oficial do Brasil

# 16.
# TOQUE FINAL

Para encerrar esta *conviceversa*, como diria o Paulo Leminski do *Catatau*, vamos voltar às nossas mestiçagens e aos nossos sincretismos. Não devemos desconhecer a realidade em que nos movemos. Não devemos ceder à tentação das fantasias fáceis, dos truques ideológicos, dos artifícios jurídicos, dos maniqueísmos simplificadores. Não devemos nos contentar com a transposição mecânica, para a realidade sociorracial brasileira, de discursos político-acadêmicos em vigor nos EUA, cuja história, formação e situação são radicalmente dessemelhantes da nossa experiência como povo e nação. Pelo contrário: temos de recusar o imperialismo cultural norte-americano, que pretende universalizar os seus modelos e os seus particularismos. E temos de partir de nós mesmos. É por isso que insisto que não temos nenhuma forte razão para substituir o rico espectro cromático brasileiro pelo rígido padrão racial norte-americano — ainda mais que, nos EUA, cresce a mobilização em favor do reconhecimento social da existência de mestiços, com um número cada vez maior de pessoas reivindicando a inclusão da categoria *mixed-race* no censo (e no senso) da nação. De outra parte, acho que não devemos perder muito tempo fazendo essas comparações. Esclareçamos as coisas básicas e, depois, o melhor é deixar os EUA de lado — e nos concentrarmos em nossos muitos e urgentes problemas. Mas o certo é que ninguém vai entender o Brasil se não encarar, em toda a sua abrangência e complexidade, os fenômenos fundamentais da mestiçagem e do sincretismo.

Críticas aos sincretismos culturais me parecem oscilar, quase sempre, entre o irrazoável e o insensato, chegando, não raro, ao francamente delirante. Porque são feitas, muitas vezes, por pessoas sincretizadas, como no caso de macumbeiros mulatos que se expressam através da sociologia europeia ou no de antropólogos brancomestiços convertidos ao candomblé. Além disso, é claro que formas culturais iriam necessariamente se misturar numa configuração social cheia de ambiguidades, paradoxos, mediações e transações como a brasileira. Numa sociedade apesar de tudo informal e gregária — ou no país do isto *e* aquilo, para lembrar a definição de Agostinho da Silva —, elas não poderiam jamais sobreviver segregadas, inteiramente distintas e imunes a contágios. Nem uma parte delas seria simples e definitivamente deletada, como ocorreu nos EUA. Já observei que, se houvesse acontecido, em Cuba ou no Brasil, o que aconteceu nos EUA e na Argentina, não teríamos sequer rastros de orixás em nossos trópicos. Teria sido melhor assim? Não acredito.

O caso argentino, aliás, é muito interessante. De uns tempos para cá, escritores e pesquisadores argentinos começaram a se lançar a uma aventura reconstrutora — uma empreitada literal e metaforicamente arqueológica, com o intuito de desocultar traços negros na história e na vida do país. Vejam-se livros como *Identidades Secretas: La Negritud Argentina*, de Solomianski, ou *Buenos Aires Negra: Arqueología Histórica de una Ciudad Silenciada*, de Schávelzon — livros que pertencem a uma linhagem que vem, pelo menos, de *Morenada: Una Historia de la Raza Africana en el Río de la Plata*, de Lanuza, e passa pelo Oscar Natale de *Buenos Aires, Negros y Tango* (ainda não conheço, a não ser por citações, *La Presencia Africana en Nuestra Identidad*, de Dina Picotti). Estes estudiosos se chocam frontalmente com a autopercepção europeizante que os argentinos têm da Argentina, celebrando-a como o país mais europeu ou mais branco do continente. Eles estão subvertendo o imaginário estabelecido sobre a "identidade argentina", que expulsou o negro da cena nacional, apesar do tango, criação de base negromestiça, que é, para nós, uma espécie de supersigno daquele país. Na verdade, negromestiços formaram, até ao século XIX, uma parte considerável da população argentina. Foram se reduzindo numericamente, todavia, em função de coisas como o fim do tráfico escravista, o morticínio das lutas de independência e da Guerra do Paraguai, a devastadora epidemia de febre amarela de 1871. Além do decréscimo demográfico, viram a sua significação social se diluir e se esgarçar, com a formidável onda migratória europeia que inundou o país. Loucos para serem europeus, os argentinos trataram então de apagar, de sua memória, a hoje chamada "*afroargentinidad*". Ela foi recalcada, silenciada, rasurada do horizonte nacional. No dizer de Solomianski, "as identidades genuínas (muito especialmente, as da 'negritude') foram segregadas e se tornaram secretas ao longo do desenvolvimento histórico alienado de nosso país". E é por isso que hoje o arqueólogo Schávelzon se vê obrigado a fazer escavações em Buenos Aires, buscando reconstruir, através de pequenos objetos e das pistas que consegue encontrar, práticas negras existentes no passado da capital argentina. É o silêncio histórico que começa a ser rompido; o invisível negro ganhando aos poucos contorno e espessura.

No Brasil, a realidade é outra. A presença negra não é apenas visível — é vistosa e sonora, em nossa vida mestiça altamente sincrética. Tivemos máscaras, recalques e repressões, mas a verdade é que as formas culturais negras sobreviveram e se impuseram, aqui, por conta da nossa formação. Por processos de permanência, mistura e recriação, que as nossas condições sociais e culturais de vida tornaram possíveis. Porque não bastaria ter uma grande presença física de negros para que elas sobrevivessem. Presença física de negro não é garantia de sobrevivência de configurações semióticas de origem africana. A cor da pele não assegura nada. Como bem disse Janheinz Jahn, os EUA são a prova acabada de que cultura nada tem a ver com raça. "Se a cultura africana estivesse ligada à cor da pele, os negros norte-americanos não teriam podido abandoná-la", escreve Jahn. Para completar: "O 'problema negro' dos Estados Unidos é o melhor exemplo da independência dos cromossomos em relação à cultura". Bernardo Sorj expressou com clareza esta nossa diferença, ao ressaltar "que, frente ao modelo norte-americano, de formação de identidades políticas através do associativismo e da afirmação dos direitos cívicos de minorias, ou ao modelo europeu, no qual a legitimidade de uma minoria passa por sua relação com e em contraposição à ideologia do que seja nacional, a cultura brasileira se constituiu em torno da abertura para o novo e a absorção da diversidade dentro de um sincretismo religioso e cultural, em grande parte à margem da relação com o Estado". De fato, formas inter-raciais de sociabilidade se desenvolveram aqui à revelia dos esforços e processos de "enquadramento e normatização" das elites dirigentes e do aparelho estatal. Sincretismos floresceram nesses terrenos. E, na rica e incontrolável proliferação de tais jogos e semioses, signos de origem africana constituíram e imantaram o conjunto brasileiro de cultura.

Uma outra coisa é que não devemos nos esquecer de que processos sincréticos não acontecem somente pela via das imposições ou entre agentes socialmente desiguais, por relações de controle e dominação. Acontecem, também, entre iguais. E é claro que não implicam, invariável ou principalmente, pasteurização, descaracterização ou dissolução de diferenças. Tome-se o caso do frevo pernambucano, por exemplo. O frevo, gênero musical, é criação brasileira, mas filho da tradição europeia. Coisa de músicos mestiços da classe média pobre do Recife, cuja formação se processou entre bandas marciais e fanfarras populares — entre marchas e dobrados, basicamente. Mas o frevo é também dança, o *passo*, espetáculo de virtuosismo corporal. Uma dança que é, também, criação brasileira, mas repousa em tradição africana. Vem da ginga, dos floreios e volteios da capoeiragem, cujas raízes estão plantadas em solo do antigo mundo angolano. Ou seja: o frevo é uma criação sincrética original, típica do trópico brasileiro, do litoral de Pernambuco. Costuma-se datar o início do processo de sua formação, fruto da interação entre músicos militares e capoeiristas, em meados do século XIX. Naquela época, as bandas militares pernambucanas, como as da Guarda Nacio-

Toque final

nal e a do 4º Batalhão, eram precedidas, em suas passeatas pelas ruas do Recife, por grupos de capoeiristas que, com seus golpes e seus porretes de quiri, iam abrindo caminho para o desfile. Acontece que os capoeiristas avançavam, gingando e jogando, em ágeis coreografias, ao som das músicas que eram tocadas. Estabeleceu-se, então, um diálogo de formas. De um lado, a metaleira incendiando; de outro, músculos a mais de mil. Quantas vezes uma improvisação ou uma composição musical não terá sido inspirada na ou mesmo extraída da figuração de um capoeirista? Em que medida ritmo e melodia não sofreram o influxo das sequências de aús, meias-luas, rasteiras e rabos de arraia? Do mesmo modo, não é difícil imaginar um capoeirista deixando seus golpes seguirem à mercê das sugestões musicais, ou passos brotarem a partir de rápidos e sinuosos caminhos melódicos. Ocorreu, em suma, um encontro semiótico de formas. No final do século XIX, a repressão policial à capoeira contribuiu para incrementar as coisas. Foi consequência dela a estetização total do golpe no passo dançarino. A dança do frevo aparece então como uma espécie de sublimação da luta. De golpes transfigurados em outras extraordinárias exibições de destreza corporal. De porradeiros dando lugar a mocinhas dançarinas. Como esses passos do frevo exigem ampla liberdade de movimentos, eles também determinaram um estilo vestual. A roupa não pode limitar os floreios rítmicos do corpo, daí o uso atual, pelas passistas do frevo pernambucano, da minissaia em franjas. Outro aspecto curioso da mencionada sublimação foi que o cacete de quiri, o porrete ameaçador dos antigos capoeiristas, traduziu-se na graciosa e colorida minissombrinha que as jovens passistas passam por entre e por sob gostosas coxas morenas.

No caso do frevo, o que tivemos, em vez de qualquer espécie de desfiguração ou pasteurização, foi enriquecimento cultural. Ficamos, aliás, com três produtos: a velha capoeira, o frevo-música e o frevo-dança, com suas dezenas de passos. Além disso, o frevo nos dá ainda uma boa lição, prevenindo-nos definitivamente contra o determinismo sociológico. Capoeiristas, bandas e músicos militares estiveram em associação íntima, pela mesma época, tanto na Bahia quanto no Rio de Janeiro. Existiam objetivamente todas as condições para que o frevo tivesse nascido baiano ou carioca. Mas ele nasceu — só e somente só — em Pernambuco. O que nos mostra que apenas condições sociais e culturais, em cidades de vida muito semelhante, não são suficientes para precipitar o parto de um novo produto cultural. As condições são necessárias, mas o nascimento pode acontecer ou não. Por fim, deve-se dizer que a criação do frevo deu a sua contribuição para que o Brasil se tornasse não "o país do carnaval", como está no título do romance de Jorge Amado, mas um país de *muitos carnavais*, como se ouve na canção de Caetano Veloso. Porque o frevo e o maracatu, ambos produtos sincréticos, remetendo à África — especialmente, é claro, o maracatu, que Câmara Cascudo definiu como "uma sobrevivência dos desfiles processionais africanos", com a sua pequena orquestra de percussão, seus reis, seus caboclos, suas damas dançarinas carregando calungas —, dão uma nota única ao carnaval de Pernambuco. No Rio de Janeiro, o que se formou foi o desfile das escolas de samba, uma atualização mulata do modelo de grande festa pública instituído, entre nós, na Idade Barroca. Já na Bahia, a paisagem é outra, com afoxé, bloco afro e trio elétrico. Uma série de criações populares sincréticas, como se vê.

É claro que nossos incessantes jogos sincréticos, nosso curto-circuito antropológico de signos diaspóricos de procedência variada, não se deram somente nesse plano, nem estacionaram no tempo. Tornaram-se cada vez mais múltiplos e intensos. E é justamente pela imensa riqueza e variedade de suas mestiçagens culturais que o Brasil pode oferecer ao mundo não somente o espetáculo de sua biodiversidade, mas também o das inumeráveis formas de sua vida simbólica, flores e frutos de transmutações mestiças. Vale dizer, o espetáculo de sua *semiodiversidade*. Mas não se trata apenas de espetáculo, por mais grandioso e exuberante que seja. A experiência sincrética brasileira aparece hoje, a olhos de observadores estrangeiros que procuram entendê-la, como uma antecipação profunda e bem-sucedida de processos que o planeta passou a experimentar com a globalização. Como antecipação e lição. Com isso, nos tornamos reconhecidos como portadores de uma mensagem de alcance planetário. Mas este é um tema de que pretendo me ocupar num próximo livro, já que ainda tive de me concentrar, neste, na limpeza do terreno e no combate à estreiteza mental com que hoje se tenta reduzir e apequenar a nossa experiência histórico-cultural. De momento, à guisa de ilustração e instigação, reporto-me apenas a duas visões recentes do sincretismo brasileiro. Em seu *Dicionário do Século XXI*, por exemplo, o economista Jacques Attali, que presidiu o Banco de Reconstrução da Europa do Leste (Berd) e foi assessor de François Mitterand, selecionou as seguintes palavras para o verbete *Brasil*: "Já pode ser considerado um modelo premonitório do que será o mundo amanhã [...] Amanhã, mais ainda, será o melhor protótipo da 'cultura Lego' que se anuncia como universal: amontoado de fragmentos de civilizações que poderão ser reunidos ao bel-prazer de cada um". Ainda Atalli: "Situado na vanguarda das tendências mundiais da cultura, [o Brasil] vai tornar-se um dos faróis da criação artística planetária [...] Vai-se falar do 'Brasil-mundo' como uma corrente estética, um sistema de valores, um modelo social feito de barbárie assumida, prazer e regozijo ilimitados, mestiçagem sofisticada e violência crua".

Toque final

Veja-se, ainda, o que diz o antropólogo italiano Massimo Canevacci, fascinado pela antropofagia oswaldiana e a "felicidade corsária" de nossa alma sincrética, em *Sincretismos: Uma Exploração das Hibridizações Culturais*. Canevacci contrapõe, aos "fechamentos neo-étnicos" que se impõem nos EUA, o estatuto do híbrido — do mestiço, do sincrético — no Brasil: híbrido que, "de categoria repleta de conceitos negativos de valor", aqui se realizou "como algo de orgulhosamente reivindicado". O Brasil — país "atravessado por correntezas múltiplas, entre si sedutoramente diversas"; país de "excessiva pluralidade" — deu a Canevacci uma nova visão/dimensão da diáspora: "uma diáspora contra a esterilidade de uma condição imóvel, contra a miséria de uma identidade estável e segura [...] Diáspora *contra* fronteiras [...] uma inseminação aqui e acolá, uma fecundação dispersiva, uma disseminação desordenada". Porque, no Brasil, a diáspora, experiência de "dolorosa e infinita alienação", passou a oferecer "um cenário produtivo em que tudo pode ser contaminado, deglutido, entrelaçado". E isto graças ao *novo sincretismo* que fez e faz a gente brasileira e suas produções. "Numa só palavra, o outro lado produtivo, criativo, não conciliado da diáspora é o *sincretismo*. E o sincretismo que atravessou diversas diásporas é um dom que o Brasil atual pode oferecer (apesar de suas inúmeras dores) para um mundo que é, ao mesmo tempo, globalizado e localizado. Para as mundo-culturas. Um sincretismo como proposta de uma nova antropologia híbrida, como aplicação de módulos narrativos inovadores, como exploração da copresença de linguagens plurais e antitéticas, como conflito criativo e proposicional no plano dos novos cenários transcomunicativos". E mais: "o Brasil, país conhecido como terra dos contrastes e das antropofagias vanguardistas, tornou-se um verdadeiro laboratório de quanto o futuro poderá nos reservar".

De uma parte, os sincretismos desconhecem a estabilidade e ignoram a fixação de fronteiras. São aleatórios e nômades. De outra parte, estas mesmas misturas culturais "nunca são uma panaceia; elas expressam combates jamais ganhos e sempre recomeçados. Mas fornecem o privilégio de se pertencer a vários mundos numa só vida", como escreveu Gruzinski, citando, aliás, Mário de Andrade: "Sou um tupi tangendo um alaúde". Seja como for, repito, para entender o Brasil é preciso entender o seu sincretismo e a sua mestiçagem. Hoje, o problema maior, entre nós, é certamente este — não no conjunto da sociedade, é bom sublinhar sempre (a vastíssima maioria de nossa população considera que as misturas raciais são uma das coisas realmente boas do Brasil), mas com relação ao discurso racialista que se articulou na convergência de pesquisadores acadêmicos e militantes políticos, sob a regência da universidade norte-americana. Porque a mestiçagem recebeu, em nosso meio, duas leituras comprometedoras. Primeiro, no campo do famigerado "racismo científico", quando se firmou um projeto de "branqueamento" do povo brasileiro. Segundo, quando se construiu, a partir de dados reais, um mito de natureza senhorial, que se projetou afirmando a inexistência de preconceitos e discriminações em nosso país. E todos sabemos que isto é uma falácia. Que os negromestiços sofreram e sofrem chicotadas racistas. E que, ainda hoje, encontram-se, em sua maioria, nas faixas mais baixas de nossa hierarquia social e econômica. A recente reação ao mito senhorial, contudo, cometeu um equívoco elementar. Em vez de colocar as coisas em seus devidos termos, resolveu, simplesmente, abolir o problema, tentando enquadrar o Brasil em moldura e modelo norte-americanos — vale dizer, decretando a inexistência de mestiços no país, o que é, simplesmente, absurdo. Mesmo um militante como Joel Rufino tem de reconhecer: "Numa sociedade multirracial como a nossa, em que a autodefinição é importante critério classificatório [...] o mulato é efetivamente algo diferente do preto e do branco". No Brasil, até os brancos são mestiços, como o olho armado dos recentes estudos genéticos da população brasileira confirma, agora, o que o nosso olho nu já dizia há tempos. Mas isto não acontece nos EUA. Lá, os pretos são quase invariavelmente miscigenados. Os brancos, não. F. James Davis informa: a estimativa é de que apenas 1% — repito: 1% — da população branca dos EUA possui alguma ascendência africana. O motivo? Simples: os brancos violaram e engravidaram com frequência as negras, mas foram numericamente insignificantes os cruzamentos de pretos e mulatos com brancas. A segregação estadunidense, instituindo vidas apartadas para as raças, produziu ainda uma outra diferença reveladora. Nos EUA, existe de fato uma elite mulata, isto é, um conjunto social específico, com os seus costumes e as suas práticas, o seu estilo inconfundível de vida. No Brasil, não. Em vez de uma elite mulata, o que temos são mulatos de elite. Estas diferenças não devem ser esquecidas e muito menos menosprezadas.

A conversa de Michael Hanchard e similares — acadêmicos e ativistas do exclusivismo racial — não quer saber dessas coisas. Tem horror à mistura. Defende que a visão multicolorida que o Brasil tem de si mesmo é coisa do passado, herança, relíquia ou sobrevivência de tempos antigos. E que o país tem de evoluir — e evoluirá — para um patamar superior, delimitando com nitidez os seus campos raciais. Substituindo a mescla e seus muitos matizes pelo corte cirúrgico que irá nos apartar, clara e definitivamente, entre brancos e pretos. O que é moderno, evoluído e desejável, para eles, não é a hibridez, a variabilidade, o movimento múltiplo e sutil das cores — mas a divisão nítida, a polarização, o dualismo tão característico da ética protes-

Toque final

tante. Assim, o país das misturas e das finas gradações, para avançar, só deve ter extremos, numa rígida oposição binária. Mulatos e morenos são arcaísmos — e sua existência não passa de uma miragem ideológica obscurantista, reacionária e racista, que o país precisa deixar de lado. Ou, de preferência, para trás. O futuro não dará vez a mestiços, só a raças bem definidas. Em suma: não há mais lugar para mulatos e morenos no Brasil. Ok? Ok. Resta saber onde é que Hanchard e quejandos irão encontrar as suas tais raças bem definidas, num país que vem se misturando há mais de quinhentos anos... Criticando o aqui já tantas vezes criticado Antonio Sérgio Guimarães, que faz dupla de área com Michael Hanchard no time do academicismo dicotômico neonegrista, um lúcido Peter Fry observa: "A posição de Guimarães é semelhante à de Hanchard e à de um setor importante do movimento negro brasileiro por imaginar para o futuro um Brasil que seja uma sociedade não de ambiguidade e mediação, mas de identidades raciais e sexuais claramente demarcadas, que, por acreditar que devam ser 'fortalecidas', ele supõe que existam. Há aqueles que argumentariam, e sou um deles, que a política de integração cultural efetuada com tanta diligência e até violência no Brasil tem sido tão bem-sucedida que as identidades que Guimarães gostaria de ver valorizadas teriam primeiro de ser construídas". De todo modo, da perspectiva de Hanchard e Guimarães, que tomam os EUA como centro, medida e modelo do mundo, o Brasil é o país do "não teve" ou do "não tem". O país que não teve linchamentos, Ku Klux Klan, segregação, regra da gota de sangue, luta por direitos civis. Fry viu muito bem: "Em comparação com a 'normalidade' e 'modernidade' dos Estados Unidos, o Brasil, assim, deve ser declarado carente: por não ter 'raças' polarizadas; por definir a 'raça' de alguém por sua aparência e não por sua genealogia; por não ter produzido um forte movimento negro de massas; por não ter sido palco de confrontos raciais; e por subordinar oficialmente a especificidade das raças à desigualdade de classes". Uma carência que se define, portanto, diante de um espelho distorcido, perverso. No caso de Hanchard, não deixa de ser muito engraçado ver os EUA querendo se mostrar ao mundo como exemplo do que devem ser as relações raciais. No caso de Guimarães, é triste ver a subordinação mental do ex-althusseriano, achando que, nessa matéria, os EUA são um modelo a ser seguido.

Penso justamente o contrário. Não acho que o Brasil seja uma carência. Nem que o seu futuro esteja em seguir os passos dos EUA, adotando o esquema bipolar de relacionamento/enfrentamento racial. A minha postura é de rejeição e crítica à tentativa político-acadêmica de transposição do padrão dicotômico ianque. Mas as coisas não começam — nem terminam —

aí. Vão além do terreno das políticas raciais. Na verdade, penso que a perspectiva brasileira, com relação aos EUA, deve se definir no horizonte mais amplo de um projeto de civilização. De um lado, como recusa e resposta à dominação cultural estadunidense. De outro, apontando, a longo prazo, para a superação de seu modelo civilizacional. Quanto ao primeiro aspecto, já expressei minha concordância com Fernando Gabeira, quando ele diz que, "neste momento de globalização, a mestiçagem brasileira é a resposta mais complexa e mais bem-sucedida de resistência ao domínio cultural de um só país ou região do planeta". Quanto ao segundo, passo a palavra ao historiador francês Marc Ferro. Em entrevista ao jornal *O Estado de S. Paulo*, por ocasião da comemoração do primeiro meio milênio de existência histórica do Brasil, Ferro, depois de observar que europeus tomam hoje o Brasil como "a grande fronteira da contracultura", disse as seguintes palavras: "As sociedades complexas que se vão continuar formando no século XXI, na esteira das migrações intercontinentais, terão seus índices de desenvolvimento também determinados pela qualidade da interação de seus vários componentes étnicos. Nesse domínio, o Brasil poderia ser o grande exemplo para a forja de uma nova civilização, se não fosse a pobreza que atinge grande parte de sua população e fragiliza a harmonia da sociedade em seu todo [...] Se as desigualdades sociais alarmantes que o país conhece forem reduzidas, o Brasil poderá constituir o modelo de civilização capaz de resistir à uniformização cultural do mundo segundo valores norte-americanos". Na minha modesta opinião, esta é uma conversa que realmente interessa. "Amo os Estados Unidos. Apenas não exijo do Brasil menos do que levar mais longe muito do que se deu ali e, mais importante ainda, mudar de rumo muitas das linhas evolutivas que levaram até espantosas conquistas tecnológicas, estéticas, comportamentais e legais", escreveu Caetano Veloso, em texto incluído no livro-álbum *Museu Aberto do Descobrimento: o Brasil Renasce Onde Nasce*, organizado por Roberto Pinho. Caetano observa que a aposta total na tecnologia é coisa do mundo nórdico e não do antigo mundo greco-romano. Que a versão atual que temos do "Ocidente" é uma versão nórdica. E que superar esta versão pode significar, portanto, "uma retomada da ênfase greco-romana nas virtudes pessoais e sociais, em detrimento do furor tecnológico". Caetano está certo. A Grécia Clássica e Roma não podem ser vistas como complexos culturais que tenham desenvolvido qualquer culto exacerbado da tecnologia. Aqueles foram mundos marcados por notáveis criações simbólicas, mas tecnologicamente estáveis e mesmo medíocres. A ênfase extrema na *tekhnê* é nórdica. E o Brasil pode colocar uma outra carta na mesa. Inclusive, é claro, no terreno de práticas, sugestões e jeitos perfectíveis, nos campos dos relacionamentos interpessoais e inter-raciais. Mas esta é uma possibilidade que jamais irá passar pela tentativa esdrúxula de propor uma nossa própria dicotomização racial interna, empurrando-nos em direção a uma situação nada exemplar, como é a norte-americana, fundamentalmente marcada pelo horror anglo-saxônico ao híbrido.

Temos de contestar o velho mito senhorial, se é que isto ainda é necessário. Mas não para fazer de conta que os processos de mestiçagem e sincretismo não existiram ou não continuam a existir entre nós. Por sinal, costumamos ainda falar da mestiçagem brasileira em termos genéricos e algo atemporais, sincrônicos. Faltam-nos abordagens mais específicas e diacrônicas, mais particularizadas, encarando atores, tempos e lugares concretos. O que significa que ainda está por ser feita uma leitura do mestiço brasileiro em toda a sua complexidade e variedade. Agora, temos de sublinhar, de uma vez por todas e com as cores mais vivas, que mestiçagem e sincretismo não são sinônimos de liberdade-igualdade-fraternidade. Que não excluíram e não excluem diversidade, conflito, hierarquia, contradição ou mesmo antagonismo — e nem a possibilidade de que, numa sociedade mais igualitária, as pessoas desejem cultivar e expor diferenças. Vivemos num país mestiço que, em termos de desigualdades sociais, aparece aos olhos do mundo como um caso exemplarmente vergonhoso. Mas as assimetrias e os problemas de uma sociedade não se resolvem com fusões ou transfusões genéticas e semióticas. Os brasileiros temos consciência de que a nossa questão sociorracial não foi solucionada (nem se irá solucionar) pela mestiçagem e pelo sincretismo. Que só será atenuada e quiçá resolvida através da realização de coisas que todo mundo sabe, com as quais todos concordam, mas que nunca são feitas, apesar de toda uma montanha de promessas e projetos. Coisas como a reforma agrária, a geração de mais e melhores empregos, o investimento maciço nos sistemas públicos de saúde e educação, a redistribuição de renda, a inclusão cultural. Ou seja, o esforço nacional brasileiro — hoje — deve ser o de dar uma vida melhor ao nosso povo: casa, comida, emprego, escola, saúde. Um esforço de reformismo social, no sentido de universalizar o acesso aos bens que o país produz. Ou um esforço de compatibilizar a continuidade do processo capitalista com a urgência do avanço social. É nesse horizonte que devemos encarar, discutir e nos dispor a superar as desigualdades que confinam a maioria dos negromestiços brasileiros ao mundo da pobreza. Caso contrário, estaremos falando de um país inexistente.

Em suma, é claro que não vivemos numa democracia racial — e ninguém mais acredita nisso no Brasil. Ao mesmo tempo, os espaços de convívio, as mestiçagens, os sincretismos não devem ser eclipsados intelectualmente, nem recusados em nome ou em consequência da dominação simbólica, da ansiedade social ou da penúria político-ideológica. Diante do afã de Michael Hanchard, de sua compulsão para colocar "mais um prego no caixão da ideologia da democracia racial brasileira", Fry não resistiu: "me pergunto por que Hanchard quer enterrar a democracia racial. Será que a ideia da semelhança de todos é tão nociva assim?". A pergunta permaneceu irrespondida. Mesmo Florestan Fernandes, crítico intransigente do mito da democracia racial, observou, em *A Integração do Negro na Sociedade de Classes*, que o Brasil, como nenhum outro país, desenvolveu a tolerância e a convivência inter-raciais. É evidente que isto não faz de nossa sociedade uma democracia racial. Mas aponta para a sua possibilidade. Abre caminho para que ela um dia venha a se realizar. Em especial, porque houve e há um poderoso investimento anímico nesta direção. Como escreveu Alberto da Costa e Silva, "o próprio impacto da obra de Gilberto Freyre e as discussões que provocou mostravam que o Brasil não era uma democracia racial. Não era, mas, a partir de então, passou a querer ser. Ser uma democracia racial tornou-se uma das grandes aspirações nacionais". Diversos outros artistas, políticos e intelectuais se expressaram em termos semelhantes. Para a provável surpresa de muitos, os próprios movimentos negros manifestaram com insistência tal *aspiração*. Abdias do Nascimento falava de uma futura possível democracia racial. Na apresentação de *Cadernos Negros*, escreveu-se: "Hoje nos juntamos como companheiros nesse trabalho de levar adiante as sementes da consciência para a verdadeira democracia racial". O final do documento *Contra o Racismo*, do MNU, volta ao tema — e ainda o apresenta sob forma slogamática, como palavra de ordem, em maiúsculas: "POR UMA AUTÊNTICA DEMOCRACIA RACIAL". Ainda na década de 1970, a releitura do mito de Zumbi apresentou uma novidade da maior importância. Como disse Lélia González, passou-se a ver, em Palmares, um símbolo de "efetiva democracia racial", onde conviviam brancos, negros e índios. O que importa, no caso, não é a inexatidão histórica, mas o que aí se expressa. A visão se generalizou em seguida, com os quilombos apontados como exemplos da prática de uma verdadeira democracia racial. E é claro que o que aconteceu um dia pode voltar a acontecer um dia. Lamentável e sintomaticamente, no entanto, tal discurso foi abandonado pelos descaminhos da extremização racialista neonegra, em sua busca obsessiva da explicitação de conflitos. Fora dessa área neonegra, contudo, o ideal permanece. E continua forte no conjunto da sociedade.

A verdade é que, de um modo geral, as ideologias da identidade, disseminando-se e enfronhando-se na vida social, também passam, por sua vez, a estruturar pensamentos e práticas. Isto é, embora se tecendo a partir de "representações" do senso comum e de comportamentos visíveis, podem produzir o seu efeito de retorno, afetar de volta a vida social, passando, assim, a fundamentar e a modelar discursos e condutas. Para lembrar livremente uma expressão de Max Weber, existe um jogo de "efeitos recíprocos" entre a realidade (ou as "representações" da realidade) comunitária ou nacional e as reflexões que procuram definir o que ela é, tanto em suas ondulações de superfície quanto nos sentidos de suas correntes mais escuras e submersas. Pode acontecer que um determinado discurso descreva não exatamente aquilo que somos, mas o que na verdade gostaríamos de ser — e tentamos nos encaminhar nessa direção, do mesmo modo como um orixá, enquanto arquétipo comportamental a ser seguido, vai desenhando e redesenhando palavras, condutas e gestos daqueles que são simbolicamente considerados seus filhos. Vale dizer, a teoria também é capaz de criar as suas próprias criaturas. Especialmente, é claro, se ela se constrói a partir de dados reais. Como no caso do mito da "democracia racial". Extraído da base evidentemente real da mestiçagem, dos sincretismos culturais que produzimos e das formas de convivência inter-racial geradas em nossa história, o mito se enraizou em profundidade e se enramou com viço e vigor em todos os campos da vida sociocultural brasileira. Muitos acreditaram que aqui existia, de fato, uma democracia racial. Outros, não. Entre um extremo e outro, a sociedade brasileira, de um modo geral, passou a querer ser essa democracia exemplar, radicalmente oposta ao cruel e vergonhoso *apartheid* norte-americano. E assim a democracia racial acabou se convertendo numa espécie de desejo coletivo ou de sonho central da mitologia nacional brasileira. E tudo indica que, ainda que de forma lenta e gradual e atravessando muitas futuras batalhas, é possível caminhar para a sua realização mais plena. Para a passagem da "democracia racial" à *democracia racial*.

Utopia? Sim. Mas utopia realista. Não por acaso citei Bourdieu falando do "intelectual coletivo" e da criação de "utopias realistas". Muita gente costuma se surpreender com a expressão. Automatizou o sentido menor, caricatural, que a palavra "utopia" ganhou no linguajar cotidiano — o sentido de quimera, de projeto alheio aos fatos, de fantasia irrealizável. Mas esta é a semântica do senso comum. Intelectualmente, a conversa é outra. O utopista, em sentido clássico, é o indivíduo que, por um ato de desacordo fundamental com a realidade que o cerca, imagina um outro mundo, alternativo, em sua totalidade, ao existente. A utopia é, portanto, um mundo imaginário — a construção simbólica da sociedade desejada. A propósito, *dixit* Oscar Wilde: um mapa-múndi que não inclui a utopia não merece ser olhado sequer de relance. O utopista realista é mais modesto. Em vez de se dedicar à confecção mental de um novo mundo, ou de um mundo inteiramente novo, concentra-se na transformação criativa deste nosso mundo real, desenhando e antecipando metas e projeções possíveis de acontecer. Assim, a utopia realista é o sonho que está a nosso alcance. Sua base, sintetiza Russell Jacoby, é a ideia de que o futuro pode transcender o presente. Escreve o historiador: "Emprego o adjetivo *utópico* em seu sentido mais amplo e menos ameaçador: a crença de que o futuro pode superar fundamentalmente o presente. Refiro-me à ideia de que a textura vindoura da vida, do trabalho e mesmo do amor pode assemelhar-se muito pouco à que hoje nos é familiar. Tenho em mente a noção de que a história contém possibilidades de liberdade e prazer ainda inexploradas". No caso de que estamos falando — passagem da "democracia racial" à *democracia racial* —, nem precisamos ir tão longe. Pelo que é nosso desejo social e pelo que fizemos até aqui, já nos achamos na estrada. Rumo à *frátria* racial brasileira.

Neste passo, não posso deixar de trazer à baila dois comentários mais do que certeiros sobre o nosso país e a nossa gente. O primeiro é uma síntese brilhante feita por Mário Pedrosa, num daqueles seus textos curtos e densos. Disse Mário: o Brasil é, ao mesmo tempo, um anacronismo e uma promessa. No caso que estou discutindo, vejo que, quanto mais derrotamos o anacronismo, mais avançamos no sentido da promessa. O segundo é uma observação do filósofo Antonio Cícero: o paradoxo do Brasil está em, não tendo conseguido enfrentar problemas que muitos países já resolveram, ser capaz de oferecer a prefiguração da solução de problemas que poucos países conseguem enfrentar. Por tudo isso, como bem disse Caetano Veloso, em artigo publicado no *New York Times*, a crítica do mito da democracia racial deve servir para enriquecer — e não para tentar invalidar — a experiência brasileira. Para aprofundar o padê — e não para pregar o *apartheid*. Afinal, e ainda para lembrar palavras de Florestan Fernandes, o projeto de uma democracia social, transcendendo realidades e barreiras étnicas, é o ideal mais elevado que uma coletividade pode propor a si mesma. Daí que, com relação ao Brasil, não se trate mais de criticar o mito. O mito já não reside entre nós. O que temos, hoje, é o desejo de que a sonhada democracia se torne real. Cumpre, portanto, fazer com que o mito se encarne na história.

Toque final

# REFERÊNCIAS BIBLIOGRÁFICAS

ALENCASTRO, Luiz Felipe de. "Geopolítica da mestiçagem", *Novos Estudos Cebrap*, n° 18. São Paulo: Cebrap, 1985.

_____. *O trato dos viventes: formação do Brasil no Atlântico Sul, séculos XVI e XVII*. São Paulo: Companhia das Letras, 2000.

ALLPORT, Gordon W. *The Nature of Prejudice*. Nova York: Perseus Book, 1979.

AMENGUAL, Barthélémy. "Glauber Rocha e os caminhos da liberdade". In: SALLES GOMES, Paulo Emílio (org.), *Glauber Rocha*. São Paulo: Paz e Terra, 1991.

ANDRADA E SILVA, José Bonifácio de. "Representação à Assembleia Geral Constituinte e Legislativa do Império do Brasil sobre a escravatura". In: CALDEIRA, Jorge (org.), *José Bonifácio de Andrada e Silva*. Coleção Formadores do Brasil. São Paulo: Editora 34, 2002.

_____. *Projetos para o Brasil*. Miriam Dolhnikoff (org.). São Paulo: Companhia das Letras, 2006.

ANDRADE, Mário de. *Ensaio sobre a música brasileira*. Belo Horizonte/Rio de Janeiro: Villa Rica/Instituto Nacional do Livro, 1972.

ANDRADE, Oswald de. *Um homem sem profissão: sob as ordens de mamãe*. São Paulo: Globo, 2002.

ANTONIL, André João. *Cultura e opulência do Brasil*. Belo Horizonte/São Paulo: Itatiaia/Edusp, 1982.

ANTUNES, Fátima. *"Com brasileiro não há quem possa!": futebol e identidade nacional em José Lins do Rego, Mário Filho e Nelson Rodrigues*. São Paulo: Editora Unesp, 2004.

APTHEKER, Herbert. *A History of the American People: The Colonial Era*. Nova York: International Publishers, 1959.

AQUINO, Rubim de. *Futebol: uma paixão nacional*. Rio de Janeiro: Jorge Zahar, 2002.

ARAÚJO, Emanoel (org.). *A mão afro-brasileira: significado da contribuição artística e histórica*. São Paulo: Tenenge, 1988.

ATTALI, Jacques. *Dicionário do século XXI*. Rio de Janeiro: Record, 2001.

AVÉ-LALLEMANT, Robert. *Viagem pelo norte do Brasil no ano de 1859*. Rio de Janeiro: Instituto Nacional do Livro, 1961.

AZEVEDO, João Lúcio de. *Os jesuítas no Grão-Pará*. Coimbra: Imprensa da Universidade, 1930.

BACELAR, Jeferson. "A Frente Negra Brasileira na Bahia", *Afro-Ásia*, n° 17. Salvador: UFBA, 1996.

Referências bibliográficas

BALANDIER, Georges. *La Vie quotidienne au Royaume du Kongo du XVIe au XVIIe siè-cle*. Paris: Hachette Littérature, 1992.

BANTON, Michael. *The Idea of Race*. Boulder: Westview Press, 1978.

BARICKMAN. "E se a casa-grande não fosse tão grande? Uma freguesia açucareira do Recôncavo Baiano em 1835", *Afro-Ásia*, n° 29-30. Salvador: UFBA, 2003.

BARNES, Sandra T. "The Many Faces of Ogun". In: *Africa's Ogun: Old World and New*. Bloomington: Indiana University Press, 1989.

BARNET, Miguel. *Biografía de un cimarrón*. Havana: Editorial Academia, 1996.

BARRETO, Lima. *Feiras e mafuás: artigos e crônicas*. São Paulo: Brasiliense, 1961.

BARROS, Flávio Pessoa de. *O segredo das folhas: sistema de classificação de vegetais no candomblé jeje-nagô do Brasil*. Rio de Janeiro: Pallas, 1993.

BASBAUM, Leôncio. *História sincera da República*. São Paulo: Alfa-Omega, 1997.

BASCOM, William Russell. *The Yoruba of Southwestern Nigeria*. Long Grove: Waveland Press, 1984.

BASTIDE, Roger. *Psicanálise do cafuné e estudos de sociologia estética brasileira*. Curitiba: Guaíra, 1941.

_____. *As Américas negras: as civilizações africanas no Novo Mundo*. São Paulo: Difel, 1974.

_____. *Estudos afro-brasileiros*. São Paulo: Perspectiva, 1983.

_____. "A imprensa negra no Estado de São Paulo". In: *Estudos afro-brasileiros*. São Paulo: Perspectiva, 1983.

_____. *O candomblé da Bahia*. São Paulo: Companhia das Letras, 2001.

BELLINI, Ligia. "Por amor e por interesse: a relação senhor-escravo em cartas de alforria". In: REIS, João José (org.), *Escravidão e invenção da liberdade*. São Paulo: Brasiliense, 1988.

BERENDT, Joachim. *O jazz: do rag ao rock*. São Paulo: Perspectiva, 1987.

BERGMAN, Michel. *Nasce um povo: estudo antropológico da população brasileira. Como surgiu, composição racial, evolução futura*. Petrópolis: Vozes, 1978.

BIRMAN, Patrícia; LEITE, Márcia Pereira. "O que aconteceu com o antigo maior país católico do mundo?". In: BETHELL, Leslie (org.), *Brasil: fardo do passado, promessa do futuro: dez ensaios sobre política e sociedade brasileira*. Rio de Janeiro: Civilização Brasileira, 2002.

BOMENY, Helena. *Os intelectuais da educação*. Rio de Janeiro: Jorge Zahar, 2003.

BOMFIM, Manoel. *A América Latina: males de origem*. Paris: Garnier, 1905.

BOORSTIN, Daniel J. *The Americans: The National Experience*. Nova York: Vintage, 1967.

BOPP, Raul. *Movimentos modernistas no Brasil*. Rio de Janeiro: Livraria São José, 1966.

BOURDIEU, Pierre. *La Misère du monde*. Paris: Seuil, 2007.

BOURDIEU, Pierre; WACQUANT, Loïc. "Sobre as artimanhas da razão imperialista", *Estudos Afro-Asiáticos*, ano 24, n° 1. Rio de Janeiro: UCAM, 2002.

BRAGA, Júlio. *Sociedade Protetora dos Desvalidos: uma irmandade de cor*. Salvador: Ianamá, 1987.

BRANDÃO, Maria de Azevedo. *Conversa de branco: questões e não questões da literatura sobre relações raciais*. Rio de Janeiro: Vozes, 1979.

BROGAN, Hugh. *The History of the United States of America*. Londres: Guild Pub, 1985.

BROWN, Diana. "Umbanda e classes sociais", *Religião e Sociedade*, nº 1. São Paulo: Hucitec, 1977.

_____. "Uma história da umbanda no Rio", *Cadernos do Iser*, nº 18, *Umbanda e política*. Rio de Janeiro: Marco Zero/Instituto de Estudos da Religião, 1985.

BROWN, Karen McCarthy. "Systematic Remembering, Systematic Forgetting: Ogou in Haiti". In: BARNES, Sandra T. (org.), *Africa's Ogun: Old World and New*. Bloomington: Indiana University Press, 1989.

BRUNI, José Carlos. "Apresentação", *Revista USP*. São Paulo: USP, jun.-ago. 1994, nº 22.

CABRAL, Muniz Sodré de Araújo. *O terreiro e a cidade*. Rio de Janeiro: Imago, 2002.

CABRERA, Lydia. *El Monte: Notas sobre las religiones, la magia, las supersticiones y el folklore de los negros criollos y del pueblo de Cuba*. Miami: Ediciones Universal, 2000.

_____. *Iemanjá e Oxum: iniciações, ialorixás e olorixás*. São Paulo: Edusp, 2004.

CALDERÓN, Valentín. *O sambaqui da Pedra Oca: relatório de uma pesquisa*. Salvador: Universidade da Bahia/Instituto de Ciências Sociais, 1964.

CANEVACCI, Massimo. *Sincretismos: uma exploração das hibridizações culturais*. São Paulo: Studio Nobel, 1996.

CANNON, P. *A Gentle Knight: My Husband, Walter White*. Nova York: Rinehart, 1956.

CARDIM, Fernão. *Tratados da terra e gente do Brasil*. Belo Horizonte: Itatiaia, 1980.

CARDOSO, Fernando Henrique. *Autoritarismo e democratização*. Rio de Janeiro: Paz e Terra, 1975.

CARNEIRO, Sueli. "Enegrecer o feminismo". In: *Racismos contemporâneos*. Rio de Janeiro: Takano, 2003.

CAROZZI, Maria Julia; FRIGERIO, Alejandro. "Mamãe Oxum y la Madre María: Santos, curanderos y religiones afro-brasileñas en Argentina", *Afro-Ásia*. Salvador: UFBA, 1992.

CARVALHO, José Murilo de. *Nação imaginária: memória, mitos e heróis*. Rio de Janeiro, Civilização Brasileira, 2003.

_____. *Cidadania no Brasil: o longo caminho*. Rio de Janeiro: Civilização Brasileira, 2006.

CASTAÑEDA, Moliner. "Los ñáñigos", *Del Caribe*, nº 5. Santiago de Cuba: Casa del Caribe, 1988.

CASTRO, Ivo. "A Isoglossa de Tordesilhas", *Revista de Filología Románica*, nº 11/12. Madri, 1994-1995.

CASTRO, Yeda Pessoa de. *Falares africanos na Bahia: um vocabulário afro-brasileiro*. Rio de Janeiro: Topbooks, 2001.

CIKALA, Gwa. "El hombre africano y lo sagrado". In: RIES, Julien (coord.), *Tratado de antropología de lo sagrado*, vol. I. Madri: Trotta, 1995.

COMAS, Juan. "Os mitos raciais". In: *Raça e ciência I*. São Paulo: Perspectiva, 1970.

Referências bibliográficas

CONRAD, Robert. *Os últimos anos da escravatura no Brasil*. Rio de Janeiro: Civilização Brasileira, 1975.

COSTA E SILVA, Alberto da. *A manilha e o libambo: a África e a escravidão, de 1500 a 1700*. Rio de Janeiro: Nova Fronteira/Ministério da Cultura, 2002.

COUTY, Louis. *A escravidão no Brasil*. Rio de Janeiro: Ministério da Cultura/Fundação Casa de Rui Barbosa, 1988.

CUNHA, Euclides da. *Os sertões: campanha de Canudos*. Rio de Janeiro: Laemmert, 1902.

CUPERTINO, Fausto. *As muitas religiões do brasileiro*. Rio de Janeiro: Civilização Brasileira, 1976.

D'ABBEVILLE, Claude. *História da missão dos padres capuchinhos na ilha do Maranhão e terras circunvizinhas*. Belo Horizonte/São Paulo: Itatiaia/Edusp, 1975.

D'ADESKY, Jacques. *Pluralismo étnico e multiculturalismo: racismos e antirracismos no Brasil*. Rio de Janeiro: Pallas, 2001.

D'ARAÚJO, Maria Celina; CASTRO, Celso (orgs.). *Ernesto Geisel*. Rio de Janeiro: Fundação Getulio Vargas, 1997.

DAMAS, Germán Carrera. "Huida y enfrentamiento". In: FRAGINALS, Manuel Moreno (org.), *África en América Latina*. Cidade do México, Siglo Veintiuno, 1996.

DAMATTA, Roberto. "Antropologia do óbvio". *Revista USP*, nº 22. São Paulo: USP, jun.--ago., 1994.

DAVIDSON, Basil. *The Africans: An Entry to Cultural History*. Londres: Penguin, 1973.

DAVIS, Angela. *Women, Race & Class*. Nova York: Vintage, 1983.

DAVIS, F. James. *Who is Black?: One Nation's Definition*. University Park: Pennsylvania State University Press, 1991.

DEGLER, Carl N. *Nem preto nem branco: escravidão e relações raciais no Brasil e nos Estados Unidos*. Rio de Janeiro: Labor do Brasil, 1976.

DENIS, Ferdinand. *Brasil*. Belo Horizonte: Itatiaia, 1980.

DEPESTRE, René. "Saludo y despedida a la negritud". In: FRAGINALS, Manuel Moreno (org.). *África en América Latina*. Cidade do México, Siglo Veintiuno, 1996.

DIEDRICH, Maria. *Love Across Color Lines*. Nova York: Farrar, Straus and Giroux, 2000.

DOUGAN, Andy. *Futebol & guerra: resistência, triunfo e tragédia do Dínamo na Kíev ocupada pelos nazistas*. Rio de Janeiro: Jorge Zahar, 2004.

DOUGLASS, Frederick. *Narrative of the Life of Frederick Douglass, an American Slave*. Oxford: Oxford University Press, 1999.

DU BOIS, W. E. B. *The Philadelphia Negro: A Social Study*. Filadélfia: University of Pennsylvania Press, 1998.

EKWANO, Olaudah. *The Interesting Narrative and Other Writings*. Londres: Penguin, 2003.

ELIADE, Mircea. *O sagrado e o profano: a essência da religião*. São Paulo: Martins Fontes, 2002.

ELKINS, Stanley M. *Slavery: A Problem in American Institutional and Intelectual Life*. Chicago: Chicago University Press, 1992.

FANON, Frantz. *Os condenados da Terra*. Juiz de Fora: UFJF, 2006.

FARAGE, Nádia. *As muralhas dos sertões: os povos indígenas do rio Branco e a colonização*. Rio de Janeiro: Paz e Terra, 1991.

FEIJÓO, Samuel. "Influencia africana en latinoamerica: literatura oral y escrita". In: FRAGINALS, Manuel Moreno (org.), *África en América Latina*. Cidade do México: Siglo Veintiuno, 1996.

FERNANDES, Florestan. *A organização social dos Tupinambá*. São Paulo: Instituto Progresso Editorial, 1948.

_____. *A integração do negro na sociedade de classes*. Rio de Janeiro: MEC, 1964.

FERNANDES, Rubem César. *Novo nascimento: os evangélicos em casa, na igreja e na política*. Rio de Janeiro: Mauad, 1998.

FERRARA, Miriam. *A imprensa negra paulista (1925-1963)*. São Paulo: FFLCH-USP, 1986.

FERRETTI, Sérgio Figueiredo. *Repensando o sincretismo: um estudo sobre a Casa das Minas*. São Paulo: Edusp, 1995.

FEUERBACH, Ludwig. *Preleções sobre a essência da religião*. Campinas: Papirus, 1989.

FILHO, Mário. *O negro no futebol brasileiro*. Rio de Janeiro: Mauad, 2003.

FLORENTINO, Manolo. *Em costas negras: uma história do tráfico de escravos entre a África e o Rio de Janeiro*. São Paulo: Companhia das Letras, 1997.

FLUSSER, Vilém. *Fenomenologia do brasileiro*. Gustavo Bernardo Krause (org.). Rio de Janeiro: EdUERJ, 1998.

FONTELES, Bené; BARJA, Wagner (orgs.). *Rubem Valentim: artista da luz*. São Paulo: Edições Pinacoteca, 2001.

FRAGINALS, Manuel Moreno. "Peculiaridades de la esclavitud en Cuba". In: *Between Slavery and Free Labor: The Spanish-Speaking Caribbean in the Nineteenth Century*. Baltimore: Johns Hopkins University Press, 1985.

_____ (org.). *África en América Latina*. Cidade do México, Siglo Veintiuno, 1996.

FRANKLIN, John Hope; MOSS JR., Alfred A. *From Slavery to Freedom: A History of Negro American*. Nova York: Knopf, 2000.

FRAZIER, Edward Franklin. *The Negro Family in the United States*. Notre Dame: Notre Dame Press, 2001.

FREITAS, Décio. *Palmares: a guerra dos escravos*. Rio de Janeiro: Graal, 1990.

FREUD, Sigmund. *O futuro de uma ilusão (1927)*. Edição standard brasileira das obras psicológicas completas de Sigmund Freud, vol. XXI. Rio de Janeiro: Imago, 1990.

_____. *O mal-estar na civilização (1930)*. Edição standard brasileira das obras psicológicas completas de Sigmund Freud, vol. XXI. Rio de Janeiro: Imago, 1990.

FREYRE, Gilberto. *Casa-grande & senzala*. Rio de Janeiro: Maia & Schmidt, 1933.

_____. *Sobrados e mucambos*. São Paulo: Companhia Editora Nacional, 1936.

_____. *Sociologia*. Rio de Janeiro: José Olympio, 1945.

_____. *O escravo nos anúncios de jornais brasileiros do século XIX*. Recife: Imprensa Universitária, 1963.

FRY, Peter. *Para inglês ver: identidade e política na cultura brasileira*. Rio de Janeiro: Jorge Zahar, 1982.

_____. "O que a Cinderela negra tem a dizer sobre a 'política racial' no Brasil", *Revista USP*, n° 28. São Paulo: USP, dez.-fev. 1996.

_____. *Brasil: fardo do passado, promessa do futuro: dez ensaios sobre política e sociedade brasileira*. Rio de Janeiro: Civilização Brasileira, 2002.

GÂNDAVO, Pero de Magalhães. *Tratado da Terra do Brasil e História da Província de Santa Cruz*. Belo Horizonte: Itatiaia, 1980.

GARDNER, Howard. *Estruturas da mente: teorias das inteligências múltiplas*. Porto Alegre: Artmed, 1994.

GATES JR., Henry L. "Writing 'Race' and the Difference it Makes". In: *"Race", Writing, and Difference*. Chicago: Chicago University Press, 1985.

GEERTZ, Clifford. *A interpretação das culturas*. Rio de Janeiro: LTC, 1989.

_____. *Available Light: Anthropological Reflections on Philosophical Topics*. Princeton: Princeton University Press, 2001.

GELLNER, Ernest. *Postmodernism, Reason and Religion*. Londres: Routledge, 1993.

_____. "Relativismo versus verdade única". In: CICERO, Antonio; SALOMÃO, Waly (orgs.), *O relativismo enquanto visão de mundo*. Rio de Janeiro: Francisco Alves, 1994.

GENOVESE, Eugene. *Roll, Jordan, Roll: The World the Slaves Made*. Nova York: Vintage, 1976.

GILLIAN, Angela. "Um ataque contra a ação afirmativa nos Estados Unidos: um ensaio para o Brasil". In: SOUZA, Jessé (org.), *Multiculturalismo e racismo: uma comparação Brasil-Estados Unidos*. Brasília: Paralelo 15, 1997.

GIULIANOTTI, Richard. *Sociologia do futebol: dimensões históricas e socioculturais do esporte das multidões*. São Paulo: Nova Alexandria, 2002.

GOODY, Jack. *A lógica da escrita e a organização da sociedade*. Lisboa: Edições 70, 1987.

GORENDER, Jacob. *O escravismo colonial*. São Paulo: Ática, 1992.

GOULART, Alípio. *Da fuga ao suicídio: aspectos da rebeldia dos escravos no Brasil*. Rio de Janeiro: Conquista, 1972.

GRAHAM, Otis. *Our Kind of People: Inside America's Black Upper Class*. Nova York: Harper Collins, 1999.

GRUZINSKI, Serge. *O pensamento mestiço*. São Paulo: Companhia das Letras, 2001.

GUIMARÃES, Antonio Sérgio Alfredo. *Racismo e antirracismo no Brasil*. São Paulo: Editora 34, 1999.

HANCHARD, Michael G. *Orpheus and Power: The Movimento Negro of Rio de Janeiro and São Paulo, Brazil, 1945-1988*. Princeton: Princeton University Press, 1994.

HANDELMANN, Heinrich. *Geschichte von Brasilien*. Berlim: J. Springer, 1860.

HARRIS, Marvin. "Referential Ambiguity in the Calculus of Brazilian Racial Identity", *Southwestern Journal of Anthropology*, vol. XXVI, n° 1, Spring. Albuquerque: University of New Mexico, 1970.

_____. *Patterns of Race in the Americas*. Westport: Greenwood, 1980.

HARRIS, Marvin; CONSORTE, Josildeth; LANG, Joseph; BYRNE, Bryan. "Who Are the Whites? Imposed Census Categories and the Racial Demography of Brazil", *Social Forces*, vol. LXXII. Chapel Hill: University of North Carolina Press, 1994.

HENNIG, Jean-Luc. *Breve história das nádegas*. Lisboa: Terramar, 1997.

HOLANDA, Sérgio Buarque de. *Raízes do Brasil*. Rio de Janeiro: José Olympio, 1936.

_____. *Visão do paraíso: os motivos edênicos no descobrimento e colonização do Brasil*. São Paulo: Saraiva, 1958.

_____. *Tentativas de mitologia*. São Paulo: Perspectiva, 1979.

HOLIDAY, Billie. *Lady Sings the Blues: a autobiografia dilacerada de uma lenda do jazz*. Rio de Janeiro: Jorge Zahar, 2003.

IDOWU, Bolaji. *Olódùmarè: God in Yoruba Belief*. Londres: Longmans, 1962.

JABOR, Arnaldo. *Sanduíches de realidade*. Rio de Janeiro: Objetiva, 1997.

JACOBY, Russell. *O fim da utopia*. Rio de Janeiro: Record, 2001.

JAGUARIBE, Hélio. *Brasil: crise e alternativas*. Rio de Janeiro: Paz e Terra, 2002.

JAHN, Janheinz. *Muntu: Las culturas neoafricanas*. Cidade do México: Fondo de Cultura Económica, 1963.

JANCSÓ, István. *Na Bahia, contra o Império: história do ensaio de sedição de 1798*. São Paulo: Hucitec, 1996.

JUCÁ, Joselice. *André Rebouças: reforma e utopia no contexto do Segundo Reinado*. Rio de Janeiro: Odebrecht, 2001.

KAMEL, Ali. "O racismo e os números", *O Globo*, Rio de Janeiro, 12/12/2003.

KARASCH, Mary. *A vida dos escravos no Rio de Janeiro (1808-1850)*. São Paulo: Companhia das Letras, 2000.

KLEIN, Herbert. *A escravidão africana: América Latina e Caribe*. São Paulo: Brasiliense, 1987.

KNIGHT, Franklin W. *Slave Society in Cuba during the Nineteenth Century*. Madison: University of Wisconsin Press, 1970.

KOLINSKI, Charles J. *Independence or Death!: The Story of the Paraguayan War*. Gainesville: University of Florida Press, 1965.

LANDES, Ruth. *Cidade das mulheres*. Rio de Janeiro: Editora UFRJ, 2002.

LANUZA, José Luis. *Morenada: una historia de la raza africana en el Río de la Plata*. Buenos Aires: Schapire, 1967.

LAPLANTINE, François; NOUSS, Aléxis. *Métissages: de Arcimboldo à Zombi*. Paris: Pauvert, 2001.

LÉRY, Jean de. *Viagem à terra do Brasil*. Belo Horizonte/São Paulo: Itatiaia/Edusp, 1980.

LEIRIS, Michel. *Afrique Noire: La Création Plastique*. Paris: Gallimard, 1967.

LEMOS, Carlos. *Arquitetura brasileira*. São Paulo: Melhoramentos, 1979.

LIMA, Lana Lage da Gama. *Rebeldia negra & abolicionismo*. Rio de Janeiro: Achiamé, 1981.

LIMA, Luiz Costa. *Dispersa demanda*. Rio de Janeiro: Francisco Alves, 1981.

LIMA, Oliveira. *D. João VI no Brasil*. Rio de Janeiro: Topbooks, 1996.

LIMA, Vivaldo da Costa. "Nomes: o nome", *Padê*, nº 1, Salvador, jul. 1989.

_____. *A família de santo nos candomblés jejesnagôs da Bahia*. São Paulo: Corrupio, 2003.

_____. "O candomblé da Bahia na década de 1930", *Revista Estudos Avançados*, vol. XVIII, nº 52. São Paulo: Instituto de Estudos Avançados da Universidade de São Paulo, set.-dez., 2004.

LIMA, Vivaldo da Costa; OLIVEIRA, Waldir Freitas. *Cartas de Édison Carneiro a Arthur Ramos, de 4 de janeiro de 1936 a 6 de dezembro de 1938*. São Paulo: Corrupio, 1987.

LITTLE, Kenneth L. "Raça e sociedade". In: *Raça e Ciência I*. São Paulo: Perspectiva, 1970.

LOBATO, Monteiro. *A Barca de Gleyre*. São Paulo: Brasiliense, 1951.

LOMBARDI, John V. *The Decline and Abolition of Negro Slavery in Venezuela*. Westport: Greenwood, 1971.

LOPES, Leite. "A vitória do futebol que incorporou a pelada", *Revista USP*, nº 22, "Dossiê futebol". São Paulo: USP, jun.-ago., 1994.

MACEDO, Edir. *Orixás, caboclos e guias: deuses ou demônios?* São Paulo: Gráfica Universal, 1996.

MACHADO, Humberto; NEVES, Lúcia Pereira das. *O Império do Brasil*. Rio de Janeiro: Nova Fronteira, 1999.

MADIYA, Clémentine. "El *homo religiosus* africano y sus símbolos". In: RIES, Julien (coord.), *Tratado de antropología de lo sagrado*, vol. I. Madri: Trotta, 1995.

MALHEIRO, Agostinho Perdigão. *A escravidão no Brasil: ensaio histórico-jurídico-social*. Petrópolis: Vozes, 1976.

MARQUES, Oliveira. *Portugal na crise dos séculos XIV e XV*. Lisboa: Presença, 1987.

_____. *Novos ensaios de história medieval portuguesa*. Lisboa: Presença, 1988.

MARX, Murillo. *A cidade brasileira*. São Paulo: Melhoramentos/Edusp, 1980.

MATORY, Lorand. "Homens montados: homossexualidade e simbolismo da possessão nas religiões afro-brasileiras". In: REIS, João José (org.), *Escravidão e invenção da liberdade*. São Paulo: Brasiliense, 1988.

MATTOSO, Kátia M. de Queirós. *Ser escravo no Brasil*. São Paulo: Brasiliense, 2001.

MAXIMILIANO DE HABSBURGO. *Bahia 1860: esboços de viagem*. Rio de Janeiro/Salvador: Tempo Brasileiro/Fundação Cultural do Estado da Bahia, 1982.

MBITI, John. *African Religions and Philosophy*. Portsmouth: Heinemann, 1992.

MEAD, Margaret; BALDWIN, James. *A Rap on Race*. Filadélfia: Lippincott, 1971.

MEIRELES, Cecília. *Batuque, samba e macumba: estudos de gesto e de ritmo, 1926-1934*. São Paulo: Martins Fontes, 2003.

MELIÀ, Bartolomeu. *Una nación, dos culturas*. Assunção: Cepag, 1988.

MENAND, Louis. *The Methaphysical Club: A Story of Ideas in America*. Nova York: Farrar, Straus and Giroux, 2002.

MENCKEN, Henry Louis. *The American Language*. Nova York: Knopf, 1936.

MERLEAU-PONTY, M. "O homem e a adversidade". In: *Signos*. São Paulo: Martins Fontes, 1991.

MÉTRAUX, Alfred. *A religião dos tupinambás*. São Paulo: Companhia Editora Nacional/ Edusp, 1979.

MITRY, Jean. *Historia del cine experimental*. Valencia: Fernando Torres, 1974.

MONTES, Maria Lúcia. "As figuras do sagrado: entre o público e o privado". In: NOVAIS, Fernando A.; SCHWARCZ, Lilia Moritz (orgs.), *História da vida privada no Brasil: contrastes da intimidade contemporânea*, vol. 4. São Paulo: Companhia das Letras, 2000.

MONTESQUIEU. *O espírito das leis*. São Paulo: Martins Fontes, 2005.

MOTA, Carlos Guilherme. *Ideia de revolução no Brasil (1789-1801)*. Petrópolis: Vozes, 1979.

MOTTA, Roberto. "Bandeira da Alairá: a festa de Xangô-São Jorge e problemas do sincretismo". In: MOURA, Carlos Eugenio Marcondes de (org.), *Bandeira de Alairá: outros escritos sobre a religião dos orixás*. São Paulo: Nobel, 1982.

MOUNIN, Georges. *Os problemas teóricos da tradução*. São Paulo: Cultrix, 1995.

MOURA, Clóvis. *Rebeliões da senzala*. Porto Alegre: Mercado Aberto, 1988.

_____. *Sociologia do negro brasileiro*. São Paulo: Ática, 1994.

MUKUNA, Kazadi wa. *Contribuição bantu na música popular brasileira: perspectivas etnomusicológicas*. São Paulo: Terceira Margem, 2006.

MUNANGA, Kabengele. *Rediscutindo a mestiçagem no Brasil: identidade nacional versus identidade negra*. Belo Horizonte: Autêntica, 2004.

MYRDAL, Gunnar. *An American Dilemma: The Negro Problem and Modern Democracy*. Piscataway: Transaction Publishers, 1996.

NABUCO, Joaquim. *O abolicionismo*. Brasilia: Editora UnB, 2003.

NASCIMENTO, Abdias do. *O genocídio do negro brasileiro: processo de um racismo mascarado*. Rio de Janeiro: Paz e Terra, 1978.

NASCIMENTO, Abdias do; LARKIN, Elisa. "Reflexões sobre o movimento negro no Brasil, 1938-1997". In: GUIMARÃES, Antonio Sérgio; HUNTLEY, Lynn (orgs.), *Tirando a máscara: ensaios sobre o racismo no Brasil*. São Paulo: Paz e Terra, 2000.

NASCIMENTO, Elisa Larkin. *Pan-africanismo na América do Sul: emergência de uma rebelião negra*. Petrópolis: Vozes, 1981.

NATALE, Oscar. *Buenos Aires, negros y tango*. Buenos Aires: Peña Lillo, 1984.

NAVARRO, Eduardo Almeida de. "Introdução". In: ANCHIETA, José de, *Poemas: lírica portuguesa e tupi*. Introdução, biografia, cronologia, tradução e notas de Eduardo de Almeida Navarro. São Paulo: Martins Fontes, 1997.

NDIAYE, Pap. "Les esclaves dans le Sud des États-Unis". In: FERRO, Marc (org.), *Le Livre noir du colonialisme*. Paris: Laffont, 2003.

NÓBREGA, Manoel da. "Diálogo sobre a conversão do gentio". In: LEITE, Serafim (org.), *Cartas dos primeiros jesuítas do Brasil*. São Paulo: Comissão do IV Centenário da Cidade de São Paulo, 1954.

_____. *Cartas do Brasil*. Belo Horizonte/São Paulo: Itatiaia/Edusp, 1988.

NOGUEIRA, Armando. "Prefácio". In: SOUZA, Jair de; RITO, Lucia; LEITÃO, Sérgio Sá, *Futebol-arte*. São Paulo: Editora Senac, 1998.

Referências bibliográficas

NOLL, Richard. *The Aryan Christ: The Secret Life of Carl Jung*. Nova York: Random House, 1997.

NOTT, Josiah; GLIDDON, George. *Types of Mankind*. Filadélfia: Lippincott Grambo, 1854.

NUNES, Benedito. "Antropofagia ao alcance de todos". In: ANDRADE, Oswald de, *Do Pau-Brasil à Antropofagia e às utopias*. Rio de Janeiro: Civilização Brasileira, 1978.

OJO, Afolabi. *Yoruba Culture: A Geographical Analysis*. Londres: University of London Press, 1967.

OLIVEIRA, Maria Inês Côrtes de. *O liberto: o seu mundo e os outros*. Salvador: Corrupio, 1988.

OLIVEIRA, Ricardo Costa de. "A identidade do Brasil meridional". In: NOVAES, Adauto (org.), *A crise do Estado-Nação*. Rio de Janeiro: Civilização Brasileira, 2003.

OLIVER, Roland; FAGE, John D. *Breve história da África*. Lisboa: Sá da Costa, 1980.

ORTIZ, Fernando. *Estudios etnosociológicos*. Havana: Editorial de Ciencias Sociales, 1991.

_____. *Los Negros brujos*. Miami: Ediciones Universal, 1998.

ORTIZ, Renato. *A morte branca do feiticeiro negro*. São Paulo: Brasiliense, 1999.

OVIEDO Y VALDÉS, Gonzalo Fernández de. *Historia general y natural de las Indias: Islas y tierra firme del mar océano*. Assunção: Guaraní, 1944.

PANDIAN, Jacob. *Anthropology and the Western Tradition*. Waveland: Waveland Press, 1985.

PAZ, Octavio. *Sor Juana Inés de la Cruz o las trampas de la fe*. Cidade do México: Fondo de Cultura Económica, 1998.

PELTON, Robert D. *The Trickster in West Africa: A Study of Mythic Irony and Sacred Delight*. California: California University Press, 1989.

PENA, Sérgio D. J. "Retrato molecular do Brasil". In: *Seminário de Tropicologia: o Brasil no limiar do século XXI*. Recife: Fundação Gilberto Freyre, 2000.

PERALVA, Osvaldo. *O retrato*. Belo Horizonte: Itatiaia, 1960.

PEREIRA, Borges. "O negro e a identidade racial brasileira". In: HADDAD, Sérgio (org.), *Racismo no Brasil*. São Paulo: Petrópolis, 2002.

PEREIRA, Nuno Marques. *Compêndio narrativo do peregrino da América*. Rio de Janeiro: Academia Brasileira de Letras, 1988, 2 v.

PHOENIX, Ann; TIZARD, Barbara. *Black, White or Mixed Race: Race and Racism in the Lives of People of Mixed Patentage*. Baltimore: Routledge, 2002.

PICCHIO, Luciana Stegagno. *História da literatura brasileira*. Rio de Janeiro: Nova Aguilar, 1997.

PICOTTI, Dina. *La presencia africana en nuestra identidad*. Buenos Aires: Ediciones del Sol, 1998.

PIGNATARI, Décio. *Cultura pós-nacionalista*. Rio de Janeiro: Imago, 1998.

PINHO, Roberto Costa; CHACON, Alex Peirano (orgs.). *Museu Aberto do Descobrimento: o Brasil renasce onde nasce*. Salvador/São Paulo: Fundação Quadrilátero do Descobrimento/Gráficos Burti, 1994.

PLUMB, J. H. "Introdução". In: BOXER, Charles R., *O império marítimo português (1415--1825)*. Lisboa: Edições 70, 1993.

PRADO, Décio de Almeida. "Recordação de Leônidas: o inventor da bicicleta voadora", *Revista USP*. São Paulo: USP, jun.-ago. 1994, nº 22.

PRADO, Paulo. *Retrato do Brasil: ensaio sobre a tristeza brasileira*. São Paulo: Duprat--Mayença, 1928.

PRADO JR., Caio. *Formação do Brasil contemporâneo*. São Paulo: Martins, 1942.

PRANDI, Reginaldo. *Os candomblés de São Paulo*. São Paulo: Hucitec, 1991.

PROUS, Andre. *Arqueologia brasileira*. Brasília: UnB, 1992.

QUEIROZ JR., Teófilo de. *Preconceito de cor e a mulata na literatura brasileira*. Rio de Janeiro: Ática, 1975.

QUERINO, Manuel. *A raça africana e os seus costumes na Bahia*. Salvador: Anais do V Congresso Brasileiro de Geografia, 1916.

RABASSA, Gregory. *O negro na ficção brasileira*. Rio de Janeiro: Tempo Brasileiro, 1965.

RAHV, Philip. *Image and Idea: Fourteen Essays on Literary Themes*. Nova York: New Directions, 1949.

RAMA, Ángel. *A cidade das letras*. São Paulo: Brasiliense, 1985.

RAMOS, Graciliano. *Linhas tortas*. Rio de Janeiro: Record, 2005.

RAMOS, Souza. "O Brasil sob o paradigma racial". In: PENA, Sérgio D. J. (org.), *Homo brasilis: aspectos genéticos, linguísticos, históricos e socioantropológicos da formação do povo brasileiro*. Ribeirão Preto: Funpec, 2002.

RAWICK, George P. *From Sundown to Sunup: The Making of the Black Community*. Westport: Greenwood, 1973.

REBOUÇAS, André. *Agricultura nacional, estudos econômicos: propaganda abolicionista e democrática*. Recife: Massangana, 1988.

RENAN, Ernest. "O que é uma nação?". In: ROUANET, Maria Helena (org.), *Nacionalidade em questão*. Cadernos da Pós/Letras, nº 19. Rio de Janeiro: UERJ, 1997.

RIBEIRO, Darcy. *O dilema da América Latina: estruturas de poder e forças insurgentes*. Petrópolis: Vozes, 1983.

_____. *O povo brasileiro*. São Paulo: Companhia das Letras, 2006.

_____. *As Américas e a civilização*. São Paulo: Companhia das Letras, 2007.

RISÉRIO, Antonio. *Textos e tribos*. Rio de Janeiro: Imago, 1993.

_____. "Dicotomia racial e riqueza cromática". In: ARAÚJO, Emanoel (org.), *Brasileiro, brasileiros*. São Paulo: Museu Afro Brasil, 2005.

ROBINSON, Eugene. *Coal to Cream: Black Man's Journey Beyond Color to an Affirmation*. Nova York: Free Press, 1999.

ROCHA, Agenor Miranda. *Os candomblés antigos do Rio de Janeiro*. Rio de Janeiro: Topbooks, 1994.

ROCKQUEMORE, Ann; BRUNSMA, David. *Beyond Black: Biracial Identity in America*. Thousand Oaks: Sage Publications, 2001.

Referências bibliográficas

RODRIGUES, Nelson. *À sombra das chuteiras imortais*. São Paulo: Companhia das Letras, 1993.

RODRIGUES, Nina. *As raças humanas e a responsabilidade penal no Brasil*. Rio de Janeiro: Guanabara, 1957.

_____. *Os africanos no Brasil*. Brasília: Editora UnB, 2004.

ROIO, Marcos del. *A classe operária na revolução burguesa: a política de alianças do PCB*. Belo Horizonte: Oficina de Livros, 1990.

ROLIM, F. Cartaxo. "Religiões africanas no Brasil e catolicismo: um questionamento", *África*, nº 1. São Paulo: Centro de Estudos Africanos da USP/FFLCH-USP, 1978.

ROMERO, José Luis. *América Latina: as cidades e as ideias*. Rio de Janeiro: UFRJ, 2004.

ROMERO, Sílvio. *Estudos sobre a poesia popular do Brasil*. Petrópolis: Vozes, 1977.

_____. *O Brasil social e outros estudos sociológicos*. Brasília: Senado Federal, 2001.

ROSENBERG, Harold. *The Tradition of the New*. Nova York: Da Capo Press, 1996.

ROSENFELD, Anatol. *Negro, macumba e futebol*. São Paulo: Perspectiva, 2007.

SALDANHA, João. *Os subterrâneos do futebol*. Rio de Janeiro: José Olympio, 1980.

SALLES, Ricardo. *Joaquim Nabuco: um pensador do Império*. Rio de Janeiro: Topbooks, 2002.

SANTANA, João. *Aquele sol negro azulado*. Rio de Janeiro: Versal, 2002.

SANTOS, Deoscóredes Maximiliano dos. *Axé Opô Afonjá*. Rio de Janeiro: Instituto Brasileiro de Estudos Afro-Asiáticos, 1962.

_____. *História de um terreiro nagô*. São Paulo: Max Limonad, 1988.

SANTOS, Joaquim Felício dos. *Memórias do distrito diamantino*. Belo Horizonte: Itatiaia, 1978.

SANTOS, Jocélio Teles dos. *O dono da terra: o caboclo nos candomblés da Bahia*. Salvador: Sarahletras, 1995.

SANTOS, Joel Rufino dos. *História política do futebol brasileiro*. São Paulo: Brasiliense, 1981.

SANTOS, Joel Rufino dos; BARBOSA, Wilson do Nascimento. *Atrás do muro da noite*. Brasília: Fundação Cultural Palmares, 1994.

SANTOS, Juana Elbein dos. *Os nagô e a morte*. Petrópolis: Vozes, 2001.

SANTOS, Juana Elbein dos; SANTOS, Deoscóredes Maximiliano dos. "Religión y cultura negra". In: FRAGINALS, Manuel Moreno (org.), *África en América Latina*. Cidade do México: Siglo Veintiuno, 1996.

SANTOS, Ricardo Ventura dos. "Mestiçagem, degeneração e a viabilidade de uma nação: debates em Antropologia Física no Brasil (1870-1930)". In: PENA, Sérgio D. J. (org.), *Homo Brasilis: aspectos genéticos, linguísticos, históricos e socioantropológicos da formação do povo brasileiro*. Ribeirão Preto: Funpec, 2002.

SAYERS, Raymond S. *O negro na literatura brasileira*. Rio de Janeiro: Edições O Cruzeiro, 1958.

SCARANO, Julita. *Devoção e escravidão*. São Paulo: Companhia Editora Nacional, 1978.

SCHÁVELZON, Daniel. *Buenos Aires negra: arqueología histórica de una ciudad silenciada*. Buenos Aires: Emecé, 2003.

SCHLICHTHORST, C. *O Rio de Janeiro como é (1824-1826): uma vez e nunca mais*. Brasília: Senado Federal, 2000.

SEALE, Bobby. *Seize the Time: The Story of the Black Panther Party*. Baltimore: Black Classic Press, 1991.

SHAPIRO, Harry L. "As misturas das raças". In: *Raça e ciência II*. São Paulo: Perspectiva, 1972.

SILVEIRA, Renato da. *Iyá Nassô, Babá Axipá e Bamboxê Obitikô: uma narrativa sobre a fundação do candomblé da Barroquinha, o mais antigo terreiro baiano de Ketu*. Salvador: Departamento de Antropologia da FFCH/UFBA, 2000.

SKIDMORE, Thomas E. *O Brasil visto de fora*. Rio de Janeiro: Paz e Terra, 1994.

SODRÉ, Muniz. *O terreiro e a cidade*. Petrópolis: Vozes, 1988.

_____. *Samba, o dono do corpo*. Rio de Janeiro: Mauad, 1998.

SOLOMIANSKI, Alejandro. *Identidades secretas: la negritud argentina*. Rosario: Beatriz Viterbo, 2003.

SORJ, Bernardo. *A nova sociedade brasileira*. Rio de Janeiro: Jorge Zahar, 2000.

SOUSA, Gabriel Soares de. *Tratado descritivo do Brasil em 1587*. Belo Horizonte: Itatiaia, 2001.

SOUZA, Francisco Martins de; PAIM, Antonio. *Curso de introdução ao pensamento político brasileiro*. Brasília: Editora UnB, 1982.

SOWELL, Thomas. *Etnias da América: a história dos principais grupos étnicos*. Rio de Janeiro: Forense Universitária, 1988.

SPIX, Johann Baptist von; MARTIUS, Karl Friedrich Philipp von. *Viagem pelo Brasil*. Belo Horizonte: Itatiaia, 1981.

STADEN, Hans. *Duas viagens ao Brasil*. São Paulo: Beca, 2000.

STAM, Robert. "Orson Welles, Brazil and the Power of Blackness", *Persistence of Vision*, nº 7, 1989.

SUSSEKIND, Hélio. *Futebol em dois tempos*. Rio de Janeiro: Relume-Dumará, 1996.

SZACHI, Jerzy. *As utopias ou a felicidade imaginada*. Rio de Janeiro: Paz e Terra, 1972.

TANNENBAUM, Frank. *Slave and Citizen*. Boston: Houghton Mifflin, 1992.

TAVARES, Luís Henrique Dias. *Comércio proibido de escravos*. São Paulo: Ática/CNPq, 1988.

TORRES, Alberto. *O problema nacional brasileiro: introdução a um programa de organização nacional*. Rio de Janeiro: Imprensa Nacional, 1914.

TRILLING, Lionel. *The Liberal Imagination: Essays on Literature and Society*. Nova York: Doubleday Anchor Books, 1957.

TURE, Kwame (CARMICHAEL, Stokely); HAMILTON, Charles V. *Black Power: The Politics of Liberation in America*. Nova York: Random House, 1967.

TURRA, Cleusa; VENTURI, Gustavo (orgs.). *Racismo cordial: a mais completa análise sobre o preconceito de cor no Brasil*. São Paulo: Ática, 1998.

URFÉ, Odilio. "La música y la danza en Cuba". In: FRAGINALS, Manuel Moreno (org.), *África en América Latina*. Cidade do México: Siglo Veintiuno, 1996.

Referências bibliográficas

VAINFAS, Ronaldo. *A heresia dos índios: catolicismo e rebeldia no Brasil colonial*. São Paulo: Companhia das Letras, 1995.

VALDÉS, Rafael López. "Las religiones de origen africano durante la República neocolonial en Cuba", *Del Caribe*, año 5, nº 12. Santiago de Cuba: Casa del Caribe, 1988.

VANSINA, Jan. "A África Equatorial e Angola: as migrações e o surgimento dos primeiros Estados". In: DIANI, D. T. (org.), *História geral da África: a África do século XIII ao século XVI*, vol. 4. São Paulo: Ática, 1988.

VELOSO, Caetano. *Verdade tropical*. São Paulo: Companhia das Letras, 1997.

VERGER, Pierre. *O fumo da Bahia e o tráfico dos escravos do Golfo de Benin*. Salvador: UFBA, Centro de Estudos Afro-Orientais, 1966.

_____. *Lendas africanas dos orixás*. Salvador: Corrupio, 2000.

_____. *Fluxo e refluxo do tráfico de escravos entre o Golfo do Benin e a Bahia de Todos os Santos dos século XVII a XIX*. São Paulo: Corrupio, 2002.

_____. *Orixás: deuses iorubás na África e no Novo Mundo*. Salvador: Corrupio, 2002.

VIANNA, Oliveira. *Populações meridionais do Brasil*. São Paulo: Monteiro Lobato & Cia., 1920.

VIGGIANI, Ed (org.). *Brasil bom de bola*. São Paulo: Tempo d'Imagem, 1998.

VILHENA, Luiz. *A Bahia no século XVIII*. Salvador: Itapuã, 1969.

ZAHAN, Dominique. *Religion, spiritualité et pensée africaines*. Paris: Payot, 1980.

## SOBRE O AUTOR

Antonio Risério nasceu em Salvador, na Bahia, em 1953. Poeta e ensaísta, defendeu tese de mestrado em Sociologia com especialização em Antropologia na UFBA. Fez política estudantil em 1968 e mergulhou na viagem da contracultura. Integrou grupos de trabalho que implantaram a televisão educativa, as fundações Gregório de Mattos e Ondazul e o hospital Sarah Kubitschek, na Bahia. Elaborou o projeto geral para a implantação do Museu da Língua Portuguesa, em São Paulo, e do Cais do Sertão Luiz Gonzaga, no Recife. Tem feito roteiros de cinema e televisão. Diversas composições suas foram gravadas por estrelas da música popular brasileira. Integrou os núcleos de criação e estratégia das campanhas vitoriosas de Lula e Dilma Rousseff à Presidência da República (o primeiro operário e a primeira mulher eleitos para tal cargo no país). Escreveu, entre outros, os livros *Carnaval Ijexá* (Corrupio, 1981), *Caymmi: Uma Utopia de Lugar* (Perspectiva, 1993), *Textos e Tribos* (Imago, 1993), *Avant-Garde na Bahia* (Instituto Lina Bo e P. M. Bardi, 1995), *Oriki Orixá* (Perspectiva, 1996), *Ensaio sobre o Texto Poético em Contexto Digital* (Fundação Casa de Jorge Amado, 1998), *Uma História da Cidade da Bahia* (Versal, 2004), a novela *A Banda do Companheiro Mágico* (Publifolha, 2007), *A Utopia Brasileira e os Movimentos Negros* (Editora 34, 2007), *A Cidade no Brasil* (Editora 34, 2012), *Edgard Santos e a Reinvenção da Bahia* (Versal, 2013), *Mulher, Casa e Cidade* (Editora 34, 2015), o romance *Que Você É Esse?* (Record, 2016), *A Casa no Brasil* (Topbooks, 2019), *Bahia de Todos os Cantos: Uma Introdução à Cultura Baiana* (Solisluna, 2020, com Gustavo Falcón) e *As Sinhás Pretas da Bahia: Suas Escravas, Suas Joias* (Topbooks, 2021).

Este livro foi composto em Sabon, pela Bracher & Malta, com CTP e impressão da Edições Loyola em papel Pólen Natural 70 g/m² da Cia. Suzano de Papel e Celulose para a Editora 34, em maio de 2022.